"十二五"普通高等教育本科国家级规划教材

系统安全评价与预测

(第二版)

景国勋　施式亮　主编

中国矿业大学出版社

内容提要

本书系统地阐述了系统安全评价与预测的基本理论和基本方法,主要包括事故致因理论及危险源辨识、系统安全性分析方法、系统安全评价的基本理论以及定性和定量化方法、重大危险源评价实例分析、系统安全预测技术、人因失误率预测、事故预防及系统危险控制。该书结合我国安全生产实际,较为详细地阐述了系统安全评价与预测的基本理论、基本方法和应用技术,并反映了系统安全评价与预测的最新进展。

本书系"十二五"普通高等教育本科国家级规划教材,可作为安全工程专业本科生教材和安全技术及工程专业研究生参考用书,亦可作为采矿工程专业、安全管理人员、生产技术人员和研究人员的参考教材及参考书。

图书在版编目(CIP)数据

系统安全评价与预测/景国勋,施式亮主编. —2 版.
徐州:中国矿业大学出版社,2016.1
ISBN 978-7-5646-2638-9

Ⅰ.系… Ⅱ.①景…②施… Ⅲ.①系统工程—安全工程—高等学校—教材 Ⅳ.①X913.4

中国版本图书馆 CIP 数据核字(2015)第041176号

书　　名	系统安全评价与预测
主　　编	景国勋　施式亮
责任编辑	杨　廷
出版发行	中国矿业大学出版社有限责任公司
	(江苏省徐州市解放南路　邮编 221008)
营销热线	(0516)83885307　83884995
出版服务	(0516)83885767　83884920
网　　址	http://www.cumtp.com　E-mail:cumtpvip@cumtp.com
印　　刷	徐州中矿大印发科技有限公司
开　　本	787×1092　1/16　印张 24.75　字数 618 千字
版次印次	2016 年 1 月第 2 版　2016 年 1 月第 1 次印刷
定　　价	40.00 元

(图书出现印装质量问题,本社负责调换)

本书编写人员

主　　编：景国勋　施式亮

副 主 编：程卫民　杨玉中　袁东升

编写人员：景国勋　施式亮　程卫民

　　　　　杨玉中　袁东升　伍爱友

　　　　　吴立云　苗德俊　吴立荣

　　　　　周爱桃

前　言

　　现代安全生产管理应用现代科学技术、管理方法、组织和个体行为理论分析生产系统和人们活动中的各种不安全因素，进行定性、定量的安全性和可靠性评价，进而采取有效措施，对系统和生产过程的安全性进行预测、预报，追求最有效的防范和规避，保障生产的正常进行和最佳效果。

　　作为现代安全生产管理重要手段的系统安全评价与预测，不仅能有效地提高企业和生产设备的本质安全程度，而且可以为各级安全生产监督管理部门的决策和监督检查提供有力的技术支撑。2002年6月国家安全生产监督管理局（国家煤矿安全监察局）发出了《关于加强安全评价机构管理的意见》，2002年11月1日《中华人民共和国安全生产法》颁布实施，将安全评价工作纳入法制化轨道，对于安全评价起到了极大的推动作用。随着包括《危险化学品安全管理条例》（国务院令第591号）等相关配套法规的出台，安全评价逐步深入展开。目前，安全评价从劳动安全卫生预评价扩展为安全预评价、安全验收评价、安全现状评价和专项安全评价等四种类型，覆盖了工程、系统的全部生命周期，已经取得了初步成效。而系统安全预测是对系统安全状况在未来一定时期内变化情况进行的预测和分析，通过系统安全预测，以便安全技术人员和安全管理人员掌握事故发生规律，把握系统安全发展趋势，对于预防事故的发生，防患于未然具有指导作用。实践证明，系统安全评价与预测是"安全第一、预防为主、综合治理"安全生产方针在安全生产上的具体体现，是消除隐患、防范事故的一项治本之策。

　　自2002年事故总量出现拐点以来，我国安全生产的状况虽有所好转，但形势仍十分严峻，事故总量依然偏大，党和政府及社会各界都十分关注。在此背景下，由河南理工大学申请出版"十二五"普通高等教育本科国家级规划教材《系统安全评价与预测》，旨在为我国安全工程专业人才的培养提供系统、全面、实用的教学参考，为我国的安全评价工作提供理论和技术指导。

　　本书系统地介绍了系统评价与预测的基本概念、基本理论和常用方法。首先介绍了事故致因理论及危险源辨识，系统可靠性分析的有关知识。其次是系统安全性分析的内容，主要包括预先危险性分析、故障模式和影响分析、事件树分析和事故树分析等常用的系统安全性分析方法；在对系统安全评价概述的基础上，主要介绍了安全检查表法、作业条件危险性评价法、MES和MLS等定性评价方法，道化学火灾与爆炸危险指数评价法、ICI蒙德法、概率危险评价技术、危险度评价法、日本劳动省六阶段安全评价法、模糊数学综合评价法、可拓综合评价法等定量化评价方法;在对系统预测概述的基础上,主要介绍了德尔菲法、交叉概率法和类推法等定性预测技术,时间序列预测法、趋势预测法、回归预测法、马尔柯夫预测法、灰色预测法、专家系统预测法和事故死亡发生概率测度法等定量预测技术。最后对人因失误率预测、事故预防及系统危险控制的有关理论、方法及对策进行了介绍。

本书由河南理工大学景国勋教授和湖南科技大学施式亮教授主编,编写人员由来自河南理工大学、山东科技大学和湖南科技大学具有丰富教学经验的老师组成,具体分工为:河南理工大学景国勋教授编写了第一章和第九章,湖南科技大学施式亮教授编写了第三章和第十一章,山东科技大学程卫民教授和吴立荣老师编写了第二章,程卫民教授和苗德俊教授编写了第十章,河南理工大学杨玉中教授编写了第四章和第七章的第二节和第六节至第九节,河南理工大学吴立云老师编写了第五章和第八章,河南理工大学的袁东升教授编写了第六章和第七章的第一节至第五节,全书最后由景国勋教授统稿。

本书的出版得到了中国矿业大学出版社的大力支持和帮助,在此对中国矿业大学出版社的支持和帮助表示由衷的感谢!对有益于本书编写的所有参考文献的作者表示真诚的感谢!

由于编者的水平所限,书中不当之处,敬请读者批评指正!

编 者
2015 年 6 月

目 录

前言 ··· 1

第一章　总论 ·· 1
第一节　系统安全评价与预测的基本概念 ·· 1
第二节　系统安全评价与预测的内容及分类 ···································· 7
第三节　系统安全评价的发展及现状 ··· 10
本章小结 ·· 14
思考题 ··· 14

第二章　事故致因理论及危险源辨识 ··· 15
第一节　概述 ··· 15
第二节　事故致因理论 ·· 19
第三节　危险源辨识概述 ··· 37
第四节　第一类危险源辨识 ·· 45
本章小结 ·· 53
思考题 ··· 53

第三章　系统可靠性分析 ·· 55
第一节　可靠性的基本概念及度量指标 ·· 55
第二节　故障发生规律 ·· 57
第三节　简单系统可靠性 ··· 69
第四节　复杂系统可靠性 ··· 77
第五节　可维修系统可靠性 ·· 85
第六节　提高系统可靠性 ··· 91
本章小结 ·· 97
思考题 ··· 97

第四章　系统安全性分析 ·· 99
第一节　系统安全性分析概述 ··· 99
第二节　预先危险性分析 ··· 101
第三节　故障模式和影响分析 ··· 105
第四节　事件树分析 ··· 114

第五节　事故树分析 117
　　本章小结 131
　　思考题 132

第五章　系统安全评价概述 133
　　第一节　系统安全评价的目的和意义 133
　　第二节　系统安全评价的依据 135
　　第三节　系统安全评价的原理和原则 137
　　第四节　安全评价的程序 141
　　第五节　系统安全评价方法的选择 143
　　第六节　系统安全评价的结论 147
　　第七节　安全评价技术文件 149
　　本章小结 171
　　思考题 171

第六章　定性安全评价方法 172
　　第一节　概述 172
　　第二节　安全检查表法 173
　　第三节　作业条件危险性评价法 183
　　第四节　MES 评价法 185
　　第五节　MLS 评价法 186
　　本章小结 186
　　思考题 186

第七章　定量安全评价方法 187
　　第一节　道化学火灾、爆炸危险指数评价法 187
　　第二节　ICI 蒙德火灾、爆炸、毒性指标评价法 218
　　第三节　概率危险评价技术 227
　　第四节　危险度评价法 231
　　第五节　日本劳动省六阶段安全评价方法 233
　　第六节　模糊综合评价法 237
　　第七节　TOPSIS 评价法 245
　　第八节　可拓综合评价法 250
　　第九节　改进的灰色关联法 256
　　本章小结 261
　　思考题 261

第八章　重大危险源评价实例分析 262
　　第一节　煤气作业区的评价 262

  第二节 危险化学品重大危险源评价 ………………………………………… 265
  本章小结 ………………………………………………………………………… 279
  思考题 …………………………………………………………………………… 279

第九章 系统安全预测技术 ……………………………………………………… 280
  第一节 系统安全预测概述 …………………………………………………… 280
  第二节 定性预测技术 ……………………………………………………… 283
  第三节 时间序列预测法 …………………………………………………… 289
  第四节 趋势预测法 ………………………………………………………… 292
  第五节 回归预测法 ………………………………………………………… 299
  第六节 马尔柯夫预测法 …………………………………………………… 310
  第七节 灰色预测法 ………………………………………………………… 314
  第八节 其他预测方法 ……………………………………………………… 318
  本章小结 ………………………………………………………………………… 321
  思考题 …………………………………………………………………………… 321

第十章 人因失误率预测 …………………………………………………………… 322
  第一节 人因失误分析 ……………………………………………………… 322
  第二节 人因失误概率及定量模型 ………………………………………… 333
  第三节 人因失误率预测技术 ……………………………………………… 339
  第四节 人体生物节律预测法 ……………………………………………… 344
  本章小结 ………………………………………………………………………… 350
  思考题 …………………………………………………………………………… 350

第十一章 事故预防及系统危险控制 …………………………………………… 351
  第一节 事故可预防原理及宏观对策 ……………………………………… 351
  第二节 事故预防的对策 …………………………………………………… 355
  第三节 事故预警和应急系统 ……………………………………………… 360
  第四节 系统危险控制的技术措施 ………………………………………… 367
  本章小结 ………………………………………………………………………… 373
  思考题 …………………………………………………………………………… 373

附录 物质系数和特性 ………………………………………………………………… 374

参考文献 ……………………………………………………………………………………… 384

第一章

总　论

任何系统在其生命周期内都有发生事故的可能,区别只在于发生频率和损失严重度不同而已。因为在系统的规划、设计、制造、试验、安装、使用等各个阶段都可能产生各种类型的危险因素。在一定条件下,如果对危险因素失去控制或防范不周,就会发生事故,造成人员伤亡和财产损失。为了抑制危险因素,使其不发展为事故或减少事故损失,就必须对它们有充分认识,掌握危险因素发展为事故的规律。也就是要充分揭示系统存在的所有危险因素及其形成事故的可能性和发生事故造成的损失大小,进而衡量系统的事故风险大小,据此确定是否需要进行系统的技术改造和采取防范措施。最后评价变更后的系统危险因素能否得到有效控制、技术上是否可行、经济上是否合理以及系统是否最终达到了社会认可的安全指标。这些就是安全评价的基本内容和过程。

第一节　系统安全评价与预测的基本概念

系统安全评价是利用系统工程方法对拟建或已有系统可能存在的危险性及其可能产生的后果进行综合评价和预测,并根据可能导致的事故风险的大小,提出相应的安全对策措施,以达到系统安全的过程。安全评价应贯穿于系统的设计、建设、运行和退役整个生命周期的各个阶段。对系统进行安全评价既是企业、生产经营单位搞好安全生产的重要保证,也是政府安全监督管理的需要。

一、安全和危险

什么是安全?也就是说,在人们的活动中具备了什么条件才算没有危险或者说是安全的?有些事情在某种情况下是安全的,而在另外的情况下可能就不安全。

劳伦斯(W. W. Lowerance)提出了一个较流行的定义:"对大多数实用场合,我发现把安全定义为可容许危险性的判断是有用的,又把危险性作为衡量损害人类健康的可能性或严重性。如果一个事物所伴随的危险性被判定为可容许的,则该事物是安全的。"这里又出现一个新的问题,什么是可容许的危险性?对谁造成危险?由谁来判断可以容许的程度?如果没有明确的界限,一旦发生危险而造成事故,就无法追究责任,更谈不上吸取经验教训。

对于安全,在看法上的差别是从各个不同利益主体出发形成的。例如,雇主和雇员对安全的看法。在确定一个安全标准时,人们应该从实际出发,尊重科学,把思想统一到一个共同的认识上。安全标准是指在工作中所能容许的危险性,以此作为评价安全工作的情况和容许的操作标准。

人类的健康也应作为安全的判断标准。用这种方法来评价安全,是因为通常认为人的生命和幸福要比物质财富更有价值。但应该记住,不安全的工作条件或不安全的操作也会导致对有一定价值的财产造成意外损失。

安全和危险是一对互为存在前提的术语,在安全评价中,主要是指人和物的安全和危险。危险,常指危害或危害因素。安全,是指免遭不可接受危险的伤害。安全的实质就是防止事故,消除导致死亡、伤害、急性职业危害及各种财产损失发生的条件。例如,在生产过程中导致灾害性事故的原因有人的误判断、误操作、违章作业,设备缺陷、安全装置失效、防护器具故障,作业方法不当及作业环境不良等。所有这些又涉及设计、施工、操作、维修、储存、运输以及经营管理等许多方面,因此必须从系统的角度观察、分析,并采取综合方法消除危险,才能达到安全的目的。

二、事故

人在活动过程中(包括日常生活、工作和社会活动等)经常会遇到各种各样大大小小的意外事件,如火灾、交通事故,高空作业时人从脚手架上坠落,搬运重物时不慎扭伤手脚,使用电器时触电,使用冲床、车床等机械时发生手指伤残等。此外,还有如洪涝、台风、地震、海啸等不可抗拒的自然灾害。这些对人类的安全构成严重的威胁,危险始终存在于人类之中,在人类活动的各个方面都有发生事故的可能性。

那么,怎样理解事故,如何给事故下定义呢? 各国学者对此做过各种各样的定义,定义涉及法律、医学、科学、安全、经济等各个方面。比较完整的定义通常包括性质和后果两个部分,性质包括事件的多因素关系和事件的进程,后果包括伤害、疾病、物资损失和经济损失等。

我国《辞海》对事故的定义是:"意外的变故或灾祸。"事故有的是由于自然灾害或其他原因造成的,而当前人力不能全部预防;有的是由于设计、管理、施工或操作时人的过失引起的,这称为"责任事故"。这些事故可造成物资上的损失或人身的伤害。

劳伦斯认为:"事故可定义为'干扰一个有计划活动的意外或不希望有的事件',事故可能或不一定导致人身伤害或财产损失,但往往有造成人身伤害或财产损失的潜在可能。"例如,一个人在较高处操作时无意掉下一个扳手,如果扳手是掉在地上,它不会造成伤害,可能也不会造成财产损失;如果扳手先砸到工人的身上,再碰坏工作台上的精密仪器,这就造成了人身伤害和财产损失。

美国安全工程师学会(The American Society of Safety Engineers,ASSE)把事故定义为:"事故是人们在实现其目的的行动过程中突然发生的,迫使其有目的的行动暂时或永远中断,并有时造成人身伤亡或设备损毁的一种意外事件。"这定义有三层意思:

(1) 事故是发生在人们有目的的行动(如生产某种产品)之中;

(2) 事故是随机事件;

(3) 事故的后果可能会造成人身伤亡或设备损毁。

苏赫曼(E. A. Suchman)认为,一个事件若要称为"事故",必须至少具备三个条件,即:可预见的程度低;可避免的程度低;有意造成事故的程度低。这三个条件的程度越低,就越可能成为一场"事故"。也就是说,事故是人对环境缺乏预见性,难以避免和无意引起的灾害。

日本学者青岛贤司认为,事故主要是指工程建设、生产活动和交通运输中发生的意外损害和破坏,其后果可能造成物质上的损失或人身伤害。

国家经济贸易委员会于 2001 年 12 月 20 日颁发的《职业安全健康管理体系审核规范》中将事故定义为:事故是造成死亡、疾病、伤害、财产损失或其他损失的意外事件。也就是造成主观上不希望看到的结果的意外事件,其发生所造成的损失分为五大类。这里的疾病是指职业病及与工作有关的疾病。职业病是指劳动者在生产劳动及其他职业过程中,接触职业性危害因素而引起的疾病,按我国 2013 年颁布的《职业病分类和目录》确定。

综上所述,事故是在人们生产、生活活动过程中突然发生的、违反人们意志的、迫使活动暂时或永久停止,可能造成人员伤害、财产损失或环境污染的意外事件。

三、风险

风险是危险、危害事故发生的可能性与危险、危害事故严重程度的综合度量。衡量风险大小的指标是风险率(R),它等于事故发生的概率(P)与事故损失严重程度(S)的乘积:

$$R = PS$$

由于概率值难以取得,常用频率代替概率,这时上式可表示为

$$风险率 = \frac{事故次数}{单位时间} \times \frac{事故损失}{事故次数} = \frac{事故损失}{单位时间}$$

式中,事故损失可以表示为死亡人数、事故次数、损失工作日数或经济损失等;单位时间可以是系统的运行周期,也可以是一年或几年;风险率是二者之商,可以定量表示为百万工时死亡事故率、百万工时总事故率等,对于财产损失可以表示为千人经济损失率等。

四、系统

系统就是由相互作用和相互依赖的若干组成部分结合成的具有特定功能的有机整体。系统有自然系统与人造系统、封闭系统与开放系统、静态系统与动态系统、实体系统与概念系统、宏观系统与微观系统、软件系统与硬件系统之分。不管系统如何划分,凡是能称其为系统的,都具有如下特性:

(1)整体性。系统是由两个或两个以上相互区别的要素(元件或子系统)组成的整体。构成系统的各要素虽然具有不同的性能,但它们通过综合、统一(而不是简单拼凑)形成的整体就具备了新的特定功能,也就是说,系统作为一个整体才能发挥其应有功能。所以,系统的观点是一种整体的观点,一种综合的思想方法。

(2)相关性。构成系统的各要素之间、要素与子系统之间、系统与环境之间都存在着相互联系、相互依赖、相互作用的特殊关系,通过这些关系,系统有机地联系在一起,发挥其特定功能。

(3)目的性。任何系统都是为完成某种任务或实现某种目的而发挥其特定功能的。要达到系统的既定目的,就必须赋予系统规定的功能,这就需要在系统的整个生命周期,即系统的规划、设计、试验、制造和使用等阶段,对系统采取最优规划、最优设计、最优控制、最优管理等优化措施。

(4)有序性。系统有序性主要表现在系统空间结构的层次性和系统发展的时间顺序性。系统可分成若干子系统和更小的子系统,而该系统又是其所属系统的子系统。这种系统的分割形式表现为系统空间结构的层次性。另外,系统的生命过程也是有序的,它总是要经历孕育、诞生、发展、成熟、衰老、消亡的过程,这一过程表现为系统发展的有序性。系统的分析、评价、管理都应考虑系统的有序性。

(5)环境适应性。系统是由许多特定部分组成的有机集合体,而这个集合体以外的部

分就是系统的环境。一方面,系统从环境中获取必要的物质、能量和信息,经过系统的加工、处理和转化,产生新的物质、能量和信息,然后再提供给环境。另一方面,环境也会对系统产生干扰或限制,即约束条件。环境特性的变化往往能够引起系统特性的变化,系统要实现预定的目标或功能,必须能够适应外部环境的变化。研究系统时,必须重视环境对系统的影响。

五、系统工程

系统工程是以系统为研究对象的。1978年我国科学家钱学森指出:系统工程是组织管理系统的规划、研究、设计、制造、试验和使用的科学方法,是一种对所有系统都具有普遍意义的科学方法。简单地说,系统工程学是用现代科学方法组织管理各种系统的规划、设计、生产和使用的一门科学,是对系统所有组成部分的综合,以达到全系统的最优效率。

这个定义表示:① 系统工程属于工程技术范畴,主要是组织管理各类工程的方法论,即组织管理工程;② 系统工程是解决系统整体及其全过程优化问题的工程技术;③ 系统工程对所有系统都具有普遍适用性。

系统工程学的主要研究内容是系统的模式化、最优化和综合评价,进而对系统进行定性和定量分析,为决策提供最优方案。

系统工程有以下三个基本特点:

(1) 研究方法的整体化。它是从整体出发,不仅把研究对象作为一个整体,而且把研究过程也视为一个整体。从整体与部分相互依赖、互相制约的密切关系中考虑问题,用具体过程和步骤把设想变为现实。

(2) 应用技术的综合化。系统工程是综合使用技术。必须注意各个阶段和每个步骤以及各个流程之间的联系,使各种技术有机地结合起来,以达到系统整体效益最优化。

(3) 寻求目标的最优化。系统工程的研究立足于现有条件,力求达到最佳效果或者达到预期的目标,而消耗资源最少,使用资金最省。

六、安全系统

安全问题是一个复杂的系统工程问题,或者说解决安全问题要用系统工程的理论和方法。这种认识目前已经具有广泛的共识,但是说到"安全系统"则存在着歧义。其实"安全系统"这个定义能否成立,关键还在于它的特殊性和客观性。所谓特殊性就是指它与一般系统的区别。如前所述,其客观性的问题是不容置疑的,而其特殊性或个性可以归纳为如下若干方面:

(1) 系统性。与安全有关的影响因素构成了安全系统。因为与安全有关的因素纷繁交错,所以安全系统是一个复杂的巨系统。很难找到一个因素数及其相关性复杂程度能与之相比的系统。由于安全系统中各因素之间以及因素与目标之间的关系多数有一定灰度,所以安全系统是灰色系统。

与一般系统不同,安全系统总是把环境因素看成是其系统的组分,其典型的因素及其关系如图1-1所示。

依据安全问题所涉及范围大小不同,安全系统大小之差可能很悬殊。一般地讲,纯属技术领域的安全系统比如一台设备、器具,可能只涉及机和物;而对于一个车间甚至一个工

图1-1 安全系统典型的组成因素及其关系图

厂,考虑安全问题的系统范围,则不只是机和物,肯定要把人-机-环境都扯进来。实际上,人-机-环境的提法是考虑了安全问题的空间跨度和时间跨度两个方面。如此说来,即使是一台设备,如果把它的制造安全与使用安全考虑进来,也仍然是人-机-环境的复杂系统。

安全系统的目标不是寻求最优解。这是因为安全系统目标的多元化,以及安全目标的极强相对性、时间依赖性与其理想化理念很难协调,所以安全系统的目标解是具有一定灰度的满意解或可接受解。

(2) 开放性。安全系统是客观存在的。这是因为安全系统是建立在安全功能构件的物质基础之上的。但同时安全系统总是寄生在客体(另一个系统)中。在处理方法上,如果把客体看成一个黑匣子,安全系统是通过客体的能量流、物流和信息流的流入-流出的非线性变化趋势,确认安全和事故发生的可能性,因此安全系统具有开放性特点。

开放性不仅是安全系统在动态中保持稳定存在的前提,也是安全系统复杂性及安全-事故转换发生的重要机制。

(3) 确定性与非确定性。"确定性"是指制约系统演化的规则是确定的,不含任何随机性因素。确定性的特征是演化方向及演化结果是确定的、可精确预测。"非确定性"或者具有演化方向和演化结果不确定的特征,或者具有刻画事物运动特征的特征量不能客观精确地确定的特征。非确定性包括随机性和模糊性。

"随机性"可能有两个方面的来源:一是在不含任何外在的随机影响因素作用下,完全由"确定性"系统演化而产生的随机性(例如产生混沌),这种随机性称为本质随机性。二是系统还可能因其外在影响因素的随机作用而产生随机性行为,从而使系统在一定条件下表现出随机性的特征(外在随机性)。由于安全系统把环境看成是它的组分,所以对安全系统而言,本质随机性和外在随机性的区别不是绝对的。

"模糊性"是指事物的本身不清楚或衡量事物的尺度不清楚。对于安全系统,就是指系统的构成及其相互关系,以及组成与目标的关系不清楚。造成这些不清楚的可能来源在于主观和客观两个方面,即具有主观模糊性和客观模糊性。首先,刻画安全运行轨迹的以模糊数学方法建立的数学模型具有主观模糊性。因为数学模型常常不可能"严格地"确定安全系统各要素之间及其与目标之间完整的客观关系。当然,对于自然的技术因素之间的关系尚好一些。而对于社会的因素及其与技术因素的耦合关系将难于量化,因而也将难于建立准确的数学关系。应该强调的是,出现上述问题不完全是由于安全系统本身不清楚,它可能只是人们对安全系统主观模糊性的表现。

另外,对安全系统安全度的评价尺度以及构成安全度等级的评价指标体系也具有客观模糊性,即从事物的本质上无法给出其客观衡量尺度。

(4) 安全系统是有序与无序的统一体。序主要反映事物的组成规律和时域。依据序的性质,可分为有序、混沌序和无序。有序通常同稳定性、规则性相关联,主要表现为空间有序、时间有序和结构有序。无序通常与不稳定、无规则相关联。而混沌序则是不具备严格周期和对称性的有序态。现代复杂系统演化理论认为,复杂系统的演化中,不同性质的序之间可以相互转化。安全系统序的转化结果是否引发灾害或使灾害扩大,取决于序结构的类型及系统对特定序结构下的运动的(灾害意义上的)承受能力。

有序和无序,确定性和非确定性都会在系统演化过程中通过其空间结构、时间结构、功能结构和信息结构的改变体现出来。

(5)突变性或畸变性。安全系统过程的突变或畸变，或过程由连续到非连续变化，在本质上还是服从于量变引起质变的哲理。

量变到质变的转化形式可以用畸变、突变或飞跃来描述，但也可通过渐变实现。所以安全系统的渐变也可能孕育着事故，而突变、畸变则肯定对应于灾害事故的启动，是致灾物质或能量的突然释放。

综上所述，安全系统虽然与一般系统、非线性系统等有若干共同点，但安全系统的个性还是非常明显的，这是决定它客观存在并区别于其他系统的根本原因。

系统安全是指在系统寿命期间内应用系统安全工程和管理方法，识别系统中的危险源，定性或定量表征其危险性，并采取控制措施使其危险性最小化，从而使系统在规定的性能、时间和成本范围内达到最佳的可接受安全程度。因此，在生产中为了确保系统安全，需要按系统工程的方法，对系统进行深入分析和评价，及时发现固有的和潜在的各类危险和危害，提出应采取的解决方案和途径。

七、安全系统工程

安全系统工程是系统工程的一个重要分支，是安全领域的科学管理技术。它是以工程设计、安全原理和系统工程的分析方法为基础，对系统的安全性进行定性和定量分析、评价及预测，并采取综合措施控制系统的危险性，使系统达到最优化安全状态。

安全系统工程的任务是在目标、时间及费用等制约条件下，对系统的整个生命周期内的各阶段实施综合分析，根据对可能产生的危险进行分析和判断，为系统设计提供必要的信息，以便消除潜在的危险或把危险控制在一定的限度之内，从而获得最佳的安全指标。

由此可以看出，安全系统工程的特点：

(1) 安全系统工程是系统工程在安全领域的应用。
(2) 系统安全性分析是安全系统工程的核心。
(3) 危险的预防和控制是安全系统工程的主要内容。
(4) 达到最优化安全状态是安全系统工程的精髓，是安全系统工程的最终体现。

八、预测的概念

所谓预测，就是对尚未发生或目前还不确切的事物进行预先的估计和推断，是现时对事物将要发生的结果进行探讨和研究。与求神问卦不同，科学预测是建立在客观事物发展规律基础之上的科学推断。

在设计一个新系统或改造一个旧系统时，人们都需要对系统的未来进行分析估计，以便作出相应的决策。即使是对正在正常运转的系统，也要经常分析将来的前途和发展设想，对系统的未来进行分析估计，也称为系统预测。系统预测是以系统为研究对象，根据以往旧系统或类似系统的历史统计资料，运用科学的方法和逻辑推理，对系统中某些确定因素或系统今后的发展趋势进行推测和预计，并对此作出评价，以便采取相应的措施，扬长避短，使系统沿着有利的方向发展。

所谓系统安全预测就是根据系统安全状况发展变化的实际数据和历史资料，运用现代的科学理论和方法以及各种经验、判断和知识，对系统安全状况在未来一定时期内的可能变化情况进行推测、估计和分析。

系统安全预测的实质就是充分分析、理解系统安全状况发展变化的规律，根据系统的过去和现在估计未来，根据已知预测未知，从而减少对系统未来安全状况认识的不确定性，以指导我们的安全决策行动,减少安全决策的盲目性。

第二节　系统安全评价与预测的内容及分类

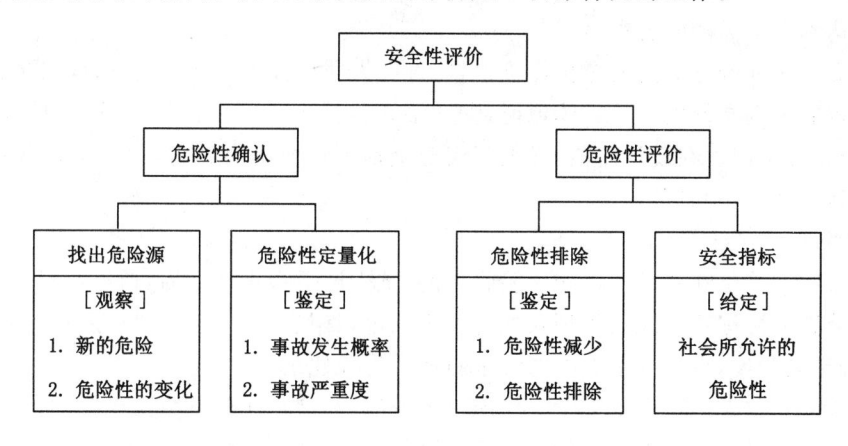

一、系统安全评价的内容

系统安全评价应解决两类问题:一类是确认新建和改扩建项目中存在的危险因素的危险性,以便采取适当的降低危险性的措施;另一类是对现有生产工艺、设备状况、环境条件、人员素质和管理水平进行全面衡量,评价其安全可靠性。

系统安全评价的根本问题是确定安全与危险的界限,分析危险因素的危险程度,采取降低危险性的措施,寻求危险与危险控制的平衡。

系统安全评价的内容如图 1-2 所示,它由两个相互关联的步骤组成:第一步是危险性确认,在评价安全性之前,必须确认系统的危险性,并尽可能有量的概念;第二步是根据危险的影响范围和社会公认的安全指标对危险性进行具体评价,并采取措施消除或降低系统的危险性,使其达到允许的范围。所以,系统安全评价是一项综合性的工作。

图 1-2　系统安全评价的内容

二、系统安全评价的分类

目前,国内通常将安全评价根据工程、系统生命周期和评价的目的分为安全预评价、安全验收评价、安全现状评价和安全专项评价四类(实际它是三大类,即安全预评价、安全验收评价、安全现状评价,专项评价应属现状评价的一种,属于政府在特定的时期内进行专项整治时开展的评价)。

1. 安全预评价

安全预评价是根据建设项目可行性研究报告的内容,分析和预测该建设项目可能存在的危险、有害因素的种类和程度,提出合理可行的安全对策措施及建议。

安全预评价实际上就是在项目建设前应用安全评价的原理和方法对系统(工程、项目)的危险性、危害性进行预测性评价。

安全预评价以拟建项目作为研究对象,根据建设项目可行性研究报告提供的生产工艺过程、使用和产出的物质、主要设备和操作条件等,研究系统固有的危险及有害因素,应用系统安全工程的方法,对系统的危险性和危害性进行定性、定量分析,确定系统的危险、有害因素及其危险、危害程度;针对主要危险、有害因素及其可能产生的危险、危害后果,提出消除、预防和降低的对策措施;评价采取措施后的系统是否能满足规定的安全要求,从而得出建设项目应如何设计、管理才能达到安全指标要求的结论。总之,对安全预评价可概括为以下四点:

(1) 安全预评价是一种有目的的行为,它是在研究事故和危害为什么会发生、是怎样发生的和如何防止发生等问题的基础上,回答建设项目依据设计方案建成后的安全性如何、是否能达到安全标准的要求及如何达到安全标准、安全保障体系的可靠性如何等至关重要的问题。

(2) 安全预评价的核心是对系统存在的危险、有害因素进行定性、定量分析,即针对特定的系统范围,对发生事故、危害的可能性及其危险、危害的严重程度进行评价。

(3) 安全预评价用有关标准(安全评价标准)对系统进行衡量,分析、说明系统的安全性。

(4) 安全预评价的最终目的是确定采取哪些优化的技术、管理措施,使各子系统及建设项目整体达到安全标准的要求。

经过安全预评价形成的安全预评价报告,将作为项目报批的文件之一,同时也是项目最终设计的重要依据文件之一。具体地说,安全预评价报告主要提供给建设单位、设计单位、业主、政府管理部门。在设计阶段,必须落实安全预评价所提出的各项措施,切实做到建设项目在设计中的"三同时"。

2. 安全验收评价

安全验收评价是在建设项目竣工验收之前、试生产运行正常之后,通过对建设项目的设施、设备、装置实际运行状况及管理状况的安全评价,查找该建设项目投产后存在的危险、有害因素,确定其程度,提出合理可行的安全对策措施及建议。

安全验收评价是运用系统安全工程原理和方法,在项目建成试生产正常运行后,在正式投产前进行的一种检查性安全评价。它通过对系统存在的危险和有害因素进行定性和定量的评价,判断系统在安全上的符合性和配套安全设施的有效性,从而作出评价结论并提出补救或补偿措施,以促进项目实现系统安全。

安全验收评价是为安全验收进行的技术准备,最终形成的安全验收评价报告将作为建设单位向政府安全生产监督管理机构申请建设项目安全验收审批的依据。另外,通过安全验收,还可检查生产经营单位的安全生产保障,确认《中华人民共和国安全生产法》的落实。

在安全验收评价中,要查看安全预评价在初步设计中的落实,初步设计中的各项安全措施落实的情况,施工过程中的安全监理记录,安全设施调试、运行和检测情况等,以及隐蔽工程等安全落实情况,同时落实各项安全管理制度措施等。

3. 安全现状评价

安全现状评价是针对系统、工程的(某一个生产经营单位总体或局部的生产经营活动的)安全现状进行的安全评价,通过评价查找其存在的危险、有害因素,确定其程度,提出合理可行的安全对策措施及建议。

这种对在用生产装置、设备、设施、储存、运输及安全管理状况进行的全面综合安全评价,是根据政府有关法规的规定或是根据生产经营单位职业安全、健康、环境保护的管理要

求进行的,主要包括以下内容:

(1) 全面收集评价所需的信息资料,采用合适的安全评价方法进行危险识别,给出量化的安全状态参数值。

(2) 对于可能造成重大后果的事故隐患,采用相应的数学模型进行事故模拟,预测极端情况下的影响范围,分析事故的最大损失以及发生事故的概率。

(3) 对发现的隐患,根据量化的安全状态参数值、整改的优先度进行排序。

(4) 提出整改措施与建议。

评价形成的现状综合评价报告的内容应纳入生产经营单位安全隐患整改和安全管理计划,并按计划加以实施和检查。

4. 安全专项评价

安全专项评价是根据政府有关管理部门的要求进行的,是对专项安全问题进行的专题安全分析评价,如危险化学品专项安全评价、非煤矿山专项安全评价等。

安全专项评价一般是针对某一项活动或场所(如一个特定的行业、产品、生产方式、生产工艺或生产装置等)存在的危险、有害因素进行的安全评价,目的是查找其存在的危险、有害因素,确定其程度,提出合理可行的安全对策措施及建议。

如果生产经营单位是生产或储存、销售剧毒化学品的企业,评价所形成的安全专项评价报告则是上级主管部门批准其获得或保持生产经营营业执照所要求的文件之一。

三、系统安全预测的内容及分类

安全预测就要预测造成事故后果的许多前级事件,包括起因事件、过程事件和情况变化;随着生产的发展和新工艺、新技术的开展,预测会产生什么样的新危险、新的不安全因素;随着科学技术的发展,预测未来的安全生产面貌及应采取的安全对策。

系统安全预测的实质就是充分分析、理解安全系统发展变化的规律,根据安全系统的过去和现在估计未来,根据已知预测未知,从而减少对未来危险认识的不确定性,以指导我们的安全决策行动,减少安全决策的盲目性。

通常按预测技术的性质不同,将系统安全预测分为定性预测和定量预测两大类。

(1) 定性预测。所谓定性,就是确定预测目标未来发展的性质。定性预测是一种直观性预测。它主要根据预测人员的经验和判断能力,不用或仅用少量的计算,即可从对被预测对象过去和现在的有关资料及相关因素的分析中,揭示出事物发展规律,求得预测结果。定性预测是应用最早的一种预测技术,它的作用十分重要。即使是在定量预测技术得到很大发展,出现了诸如时间序列分析、因果关系分析、概率统计及灰色预测等大量的定量预测方法,电子计算机技术进入预测领域的今天,定性预测技术仍有其不可忽视的重要作用,不失为实用而又科学的预测方法。定性预测主要有专家调查法、市场调查法、主观概率法、交叉概率法、领先指标法、类推法等较常用的方法。

(2) 定量预测。所谓定量,就是确定未来事件可能出现的具体结果(数据),从数量上来描述事件发展的趋势和程度。其中,利用历史数据来推断事物发展趋势的叫外推法,主要有时间序列方法;利用系统内部发展因素的因果关系来预测系统发展趋势的叫因果法,常用的有回归分析法、系统动力学方法等。

第三节 系统安全评价的发展及现状

一、国外安全评价概况

安全评价技术起源于20世纪30年代,是随着保险业的发展需要而发展起来的。保险公司为客户承担各种风险,必然要收取一定的费用,而收取的费用多少是由所承担的风险大小决定的。因此,就产生了一个衡量风险程度的问题,这个衡量风险程度的过程就是当时的美国保险协会所从事的风险评价。

安全评价技术在20世纪60年代得到了很大的发展,首先使用于美国军事工业。1962年4月美国公布了第一个有关系统安全的说明书"空军弹道导弹系统安全工程",以此作为对民兵式导弹计划有关的承包商提出的系统安全的要求,这是系统安全理论的首次实际应用。1969年美国国防部批准颁布了最具有代表性的系统安全军事标准《系统安全大纲要点》(MIL-STD-822),对完成系统在安全方面的目标、计划和手段,包括设计、措施和评价,提出了具体要求和程序,此项标准于1977年修订为MIL-STD-822A,1984年又修订为MIL-STD-822B,该标准对系统整个寿命周期中的安全要求、安全工作项目都做了具体规定。我国于1990年10月由国防科学技术工业委员会批准发布了类似美国军用标准MIL-STD-822B的军用标准《系统安全性通用大纲》(GJB 900-1990)。MIL-STD-822系统安全标准从一开始实施就对世界安全和防火领域产生了巨大影响,迅速为日本、英国和欧洲其他国家引进使用。此后,系统安全工程方法陆续推广到航空、航天、核工业、石油、化工等领域,并不断发展、完善,成为现代系统安全工程的一种新的理论、方法体系,在当今安全科学中占有非常重要的地位。

系统安全工程的发展和应用,为预测、预防事故的系统安全评价奠定了可靠的基础。安全评价的现实作用又促使许多国家政府、生产经营单位加强对安全评价的研究,开发自己的评价方法,对系统进行事先、事后的评价,分析、预测系统的安全可靠性,努力避免不必要的损失。

1964年美国道(Dow)化学公司根据化工生产的特点,首先开发出"火灾、爆炸危险指数评价法",用于对化工装置的安全评价,该法已修订6次,1993年已发展到第七版。它是以单元重要危险物质在标准状态下的火灾、爆炸或释放出危险性潜在能量大小为基础,同时考虑工艺过程的危险性,计算单元火灾、爆炸指数($F\&EI$),确定危险等级,并提出安全对策措施,使危险降低到人们可以接受的程度。由于该评价方法日趋科学、合理、切合实际,所以在世界工业界得到了一定程度的应用,引起各国的广泛研究、探讨,推动了评价方法的发展。1974年英国帝国化学公司(ICI)蒙德(Mond)部在道化学公司评价方法的基础上引进了毒性概念,并发展了某些补偿系数,提出了"蒙德火灾、爆炸、毒性指标评价法"。1975年10月美国原子能委员会在没有核电站事故先例的情况下,应用系统安全工程分析方法,提出了著名的《反应堆安全研究:美国核动力厂事故风险评价》(WASH-1400),并被以后发生的核电站事故所证实。1976年日本劳动省颁布了"化工厂安全评价六阶段法",该法采用了一整套系统安全工程的综合分析和评价方法,使化工厂的安全性在规划、设计阶段就能得到充分的保证,并陆续开发了匹田法等评价方法。由于安全评价技术的发展,安全评价已在现代生产经营单位管理中占有优先的地位。

由于安全评价在减少事故特别是重大恶性事故方面取得了巨大效益,许多国家政府和生产经营单位愿意投入巨额资金进行安全评价。美国原子能委员会1975年发表的《反应堆安全研究:美国核动力厂事故风险评价》就用了70人·a的工作量,耗资300万美元,相当于建造一座1 000 MW核电站投资的百分之一。据统计,美国各公司共雇佣了3 000名左右的风险专业评价和管理人员。美国、加拿大等国就有50余家专门进行安全评价的安全评价咨询公司,且业务繁忙。当前,大多数工业发达国家已将安全评价作为工厂设计和选址、系统设计、工艺过程、事故预防措施及制订应急计划的重要依据。近年来,为了适应安全评价的需要,世界各国开发了包括危险辨识、事故后果模型、事故频率分析、综合危险定量分析等内容的商用化安全评价计算机软件包。随着信息处理技术和事故预防技术的进步,新的实用安全评价软件不断地进入市场。计算机安全评价软件包可以帮助人们找出导致事故发生的主要原因,认识潜在事故的严重程度,并确定降低危险的方法。

另一方面,20世纪70年代以后,世界范围内发生了许多震惊世界的火灾、爆炸、有毒物质的泄漏事故。例如:1974年6月1日英国林肯郡弗利克斯堡的一家化工厂发生的环己烷蒸气爆炸事故,死亡29人,受伤109人,直接经济损失达700万美元;1975年荷兰国营矿业公司10万t乙烯装置中的烃类气体逸出,发生蒸气爆炸,死亡14人,受伤106人,毁坏大部分设备;1978年7月11日14时30分,西班牙巴塞罗那市和巴来西亚市之间的双轨环形线的340号通道上,一辆满载丙烷的槽车因充装过量发生爆炸,当时正有800多人在风景区度假,烈火浓烟造成150人被烧死,120多人被烧伤,100多辆汽车和14幢建筑物被烧毁的惨剧;1984年11月19日墨西哥城液化石油气供应中心站发生爆炸,事故中约有490人死亡,4 000多人受伤,另有900多人失踪,供应站内所有设施毁损殆尽;1988年7月6日21时31分,英国北海石油平台因天然气压缩间发生大量泄漏而引起大爆炸,在平台上工作的230余名工作人员只有67人幸免于难,使英国北海油田减产12%;1984年12月3日凌晨印度博帕尔农药厂发生一起甲基异氰酸酯泄漏的恶性中毒事故,有几千人中毒死亡,20余万人中毒,深受其害,是世界上的大惨案。我国近年也曾发生过火灾、爆炸、毒物泄漏等重大事故。如:1994年12月8日新疆克拉玛依友谊馆发生特大火灾,死亡325人,受伤住院130人;2000年12月25日,河南省洛阳市老城区的东都商厦发生特大火灾,造成309人丧生,火灾造成直接经济损失273万多元;2005年2月14日15时01分,辽宁省阜新矿业(集团)有限责任公司孙家湾煤矿海州立井发生特别重大瓦斯爆炸事故,造成214人死亡,30人受伤,直接经济损失4 968.9万元。

恶性事故造成的人员严重伤亡和巨大的财产损失,促使各国政府、议会立法或颁布规定,规定工程项目、技术开发项目都必须进行安全评价并对安全设计提出明确的要求。日本《劳动安全卫生法》规定由劳动基准监督署对建设项目实行事先审查和许可证制度;美国对重要工程项目的竣工、投产都要求进行安全评价;英国政府规定,凡未进行安全评价的新建生产经营单位不准开工;欧洲共同体(以下简称"欧共体")于1982年颁布《关于工业活动中重大危险源的指令》,欧共体成员国陆续制定了相应的法律;国际劳工组织(ILO)也先后公布了1988年的《重大事故控制指南》、1990年的《重大工业事故预防实用规程》和1992年的《工作中安全使用化学品实用规程》,对安全评价提出了要求。2002年欧盟未来化学品白皮书中,明确危险化学品的登记注册及风险评价,将其作为政府的强制性指令。

二、我国安全评价现状

20世纪80年代初期,安全系统工程引入我国,受到许多大中型生产经营单位和行业管理部门的高度重视。通过吸收、消化国外安全检查表和安全分析方法,机械、冶金、化工、航空、航天、煤炭等行业的有关生产经营单位开始应用安全分析评价方法,如安全检查表(SCL)、事故树分析(FTA)、故障模式和影响分析(FMEA)、事件树分析(ETA)、预先危险性分析(PHA)、危险与可操作性研究(HAZOP)、作业条件危险性评价(LEC)等,有许多生产经营单位将安全检查表和事故树分析法应用到生产班组和操作岗位。此外,一些石油、化工等易燃、易爆危险比较大的生产经营单位,应用道化学公司火灾、爆炸危险指数评价方法进行了安全评价,许多行业和地方政府有关部门制定了安全检查表和安全评价标准。

为推动和促进安全评价方法在我国生产经营单位安全管理中的实践和应用,1986年劳动人事部分别向有关科研单位下达了机械工厂危险程度分级、化工厂危险程度分级、冶金工厂危险程度分级等科研项目。

1987年机械电子部首先提出了在机械行业内开展机械工厂安全评价,并于1988年1月1日颁布了第一个部颁安全评价标准《机械工厂安全性评价标准》,1997年进行了修订,并颁布了修订版。该标准的颁布执行,标志着我国机械工业安全管理工作进入了一个新的阶段,修订版则更贴近国家最新安全技术标准,覆盖面更宽,指导性和可操作性更强,计分更趋合理。机械工厂安全性评价标准分为两部分:一是危险程度分级,通过对机械行业1 000多家重点生产经营单位30余年事故统计分析结果,用18种设备(设施)及物品的拥有量来衡量生产经营单位固有的危险程度并将其作为划分危险等级的基础;二是机械工厂安全性评价,包括综合管理评价、危险性评价、作业环境评价三个方面,主要评价生产经营单位安全管理绩效,采用了以安全检查表为基础,打分赋值的评价方法。

由原化工部劳动保护研究所提出的化工厂危险程度分级方法,是在吸收道化学公司火灾、爆炸危险指数评价方法的基础上,通过计算物质指数、物量指数和工艺参数、设备系数、厂房系数、安全系数、环境系数等,得出工厂的固有危险指数进行固有危险性分级,用工厂安全管理的等级修正工厂固有危险等级后,得出工厂的危险等级。

《机械工厂安全性评价标准》已应用于我国1 000多家生产经营单位,化工厂危险程度分级方法和冶金工厂危险程度分级方法等也在相应行业的几十家生产经营单位进行了实践。此外,我国有关部门还颁布了《石化生产经营单位安全性综合评价办法》、《电子生产经营单位安全性评价标准》、《航空航天工业工厂安全评价规程》、《兵器工业机械工厂安全性评价方法和标准》、《医药工业生产经营单位安全性评价通则》等。

1991年国家"八五"科技攻关课题中,将安全评价方法研究列为重点攻关项目。由原劳动部劳动保护科学研究所等单位完成的"易燃、易爆、有毒重大危险源识别、评价技术研究",将重大危险源评价分为固有危险性评价和现实危险性评价。后者是在前者的基础上考虑各种控制因素,反映了人对控制事故发生和事故后果扩大的主观能动作用。固有危险性评价主要反映物质的固有特性、危险物质生产过程的特点和危险单元内、外部环境状况,分为事故易发性评价和事故严重度评价。事故易发性取决于危险物质事故易发性与工艺过程危险性的偶合。易燃、易爆、有毒重大危险源的识别、评价方法,填补了我国跨行业重大危险源评价方法的空白,在事故严重度评价中建立了伤害模型库,采用了定量的计算方法,使我国工业安全评价方法的研究初步从定性评价进入定量评价阶段。

与此同时,安全预评价工作在建设项目"三同时"工作向纵深发展的过程中开展起来。1988年国内一些较早实施建设项目"三同时"的省、市,根据劳动部〔1988〕48号文的有关规定,在借鉴国外安全性分析、评价方法的基础上,开始了建设项目安全预评价实践。经过几年的实践,在初步取得经验的基础上,1996年10月劳动部颁发了第3号令,规定六类建设项目必须进行劳动安全卫生预评价。预评价是根据建设项目的可行性研究报告内容,运用科学的评价方法,分析和预测该建设项目存在的职业危险、有害因素的种类和危险、危害程度,提出合理可行的安全技术和管理对策,作为该建设项目初步设计中安全技术设计和安全管理、监察的主要依据。与之配套的规章、标准还有劳动部颁布的第10号令、第11号令和部颁标准《建设项目(工程)劳动安全卫生预评价导则》(LD/T 106—1998)等。这些法规和标准对进行预评价的阶段、预评价承担单位的资质、预评价程序、预评价大纲和报告的主要内容等方面做了详细的规定,规范和促进了建设项目安全预评价工作的开展。我国加入世界贸易组织以后,制定的标准与国际标准趋向同一性,建立在高技术含量基础上的政府决策、越来越大的社会评价需求,将对安全评价和安全中介组织的发展提出更新、更高的要求。

2014年8月31日中华人民共和国第70号主席令颁布了修订后的《中华人民共和国安全生产法》,规定生产经营单位的建设项目必须实施"三同时",同时还规定矿山建设项目和用于生产、储存危险物品的建设项目应进行安全条件论证和安全评价。2011年2月16日国务院第144次常务会议修订通过了《危险化学品安全管理条例》,在规定了对危险化学品各环节管理和监督办法等的同时,第二十二条规定"生产、储存危险化学品的企业,应当委托具备国家规定的资质条件的机构,对本企业的安全生产条件每3年进行一次安全评价,提出安全评价报告。安全评价报告的内容应当包括对安全生产条件存在的问题进行整改的方案。"《中华人民共和国安全生产法》和《危险化学品安全管理条例》的颁布,必将进一步推动安全评价工作向更广、更深的方向发展。

国务院机构改革后,国家安全生产监督管理总局重申要继续做好建设项目安全预评价、安全验收评价、安全现状评价及专项安全评价。2004年10月20日,国家安全生产监督管理局发布了《安全评价机构管理规定》,并陆续颁布了一系列配套的办法和工作规则,对安全评价机构及其从业人员的条件、责任、权利、义务和行为准则作出了详尽的具体规定。2007年1月4日,国家安全生产监督管理总局发布了《安全评价通则》(AQ 8001—2007)、《安全预评价导则》(AQ 8002—2007)、《安全验收评价导则》(AQ 8003—2007),于2007年4月1日开始实施。通过安全评价人员培训班和专项安全评价培训班,对全国安全评价从业人员进行培训和资格认定,使得安全评价更加有章可依,从业人员素质大大提高,为新形势下的安全评价工作提供了技术和质量保证。

尽管国内外已研究开发出几十种安全评价方法和商业化的安全评价软件包,但由于安全评价不仅涉及自然科学,而且涉及管理学、逻辑学、心理学等社会科学的相关知识,另外,安全评价指标及其权值的选取与生产技术水平、安全管理水平、生产者和管理者的素质以及社会和文化背景等因素密切相关,因此,每种评价方法都有一定的适用范围和限度。定性评价方法主要依靠经验判断,不同类型评价对象的评价结果没有可比性。美国道化学公司开发的火灾、爆炸危险指数评价法,主要用于评价规划和运行的石油、化工生产经营单位生产、储存装置的火灾、爆炸危险性,该方法在指标选取和参数确定等方面还存在缺陷。概率风险评价方法以人机系统可靠性分析为基础,要求具备评价对象的元部件和子系统以及人的可靠性数据库和相关的事故后果伤害模型。定量安全评价方法的完善,还需进一步研究各类事故后果模型、事故经济损失评价方法、事故对生态环境影响评价方法、人的行为安全性评价方法以及不同行业可接受的风险标准等。

目前,国外现有的安全评价方法适用于评价危险装置或单元发生事故的可能性和事故后果的严重程度;国内研究开发的机械工厂安全性评价方法标准、化工厂危险程度分级、冶金工厂危险程度分级等方法,主要用于同行业生产经营单位的安全评价。

本章小结

本章主要对系统安全评价与预测的基本概念、内容、分类及发展概况进行了介绍。首先介绍了安全和危险、事故、风险、系统、系统工程、安全系统、安全系统工程、预测等基本概念;然后介绍了系统安全评价的内容及分类,系统预测的内容及分类;最后介绍了国内外系统安全评价的发展及现状。

思考题

1. 请解释基本概念:安全、风险、事故、系统工程、安全系统、安全系统工程、预测。
2. 请简述系统安全评价的主要内容。
3. 常用的安全评价方法可以分为哪几类?各有什么特点?
4. 系统预测通常分为哪几类?各类的主要特点有哪些?

第二章

事故致因理论及危险源辨识

第一节 概 述

现代科学技术和工业生产迅猛发展,一方面,丰富了人类的物质生活,另一方面,现代化大生产隐藏着众多的潜在危险,各类工业生产事故频繁发生。为了防止事故的发生,必须明确事故为什么会发生,事故是怎样发生的以及如何防止事故的发生,同时,对生产中存在的可能导致事故的根源——危险源进行辨识,有利于采取相应的措施消除生产中存在的危险、有害因素。

一、基本概念

事故隐患:泛指现存系统中可导致事故发生的物的危险状态以及人的不安全行为和管理上的缺陷。

危险、有害因素:能对人造成伤亡或影响人的身体健康甚至导致疾病,对物造成突发性损坏或慢性损坏的因素。

危险物质:一种物质或若干种物质的混合物,它的化学、物理或毒性特性使其具有易导致火灾、爆炸或中毒的危险。

重大事故:工业活动中发生的重大火灾、爆炸或毒物泄漏事故,并给现场人员或公众带来严重危害,或对财产造成重大损失,对环境造成严重污染。

重大事故隐患:可能导致重大人身伤亡或者重大经济损失的事故隐患。事故隐患是指作业场所、设备及设施的不安全状态以及人的不安全行为和管理上的缺陷。

风险评价:也称危险评价或安全评价,是对系统存在的危险进行定性或定量分析,得出系统发生危险的可能性及其后果严重程度的评价,确定风险是否可以接受,通过评价寻求最低事故率、最少的损失和最优的安全投资效益。

二、事故的影响因素

影响事故是否发生的因素有五项:人、物、环境、管理和事故处理。

其中最主要的因素是前四项:

(1)人的因素:包括操作工人、管理人员、事故现场的在场人员和有关人员等。他们的不安全行为是事故的重要致因。

(2)物的因素:包括原料、燃料、动力、设备、工具等。物的不安全状态是构成事故的物质基础,它构成生产中的事故隐患和危险源。

(3) 环境因素：主要指自然环境异常和生产环境不良等。不安全的环境是引起事故的物质基础，是事故的直接原因。

(4) 管理因素：管理的缺陷，主要指技术缺陷以及劳动组织、现场指导、操作规程、教育培训、人员选用等问题。管理的缺陷是事故的间接原因，是事故的直接原因得以存在的条件。

物的不安全状态、人的不安全行为以及环境的恶劣状况都是导致事故发生的直接原因。

三、危险、有害因素的分类

危险、有害因素分类的方法多种多样，常用按导致事故的直接原因和参照事故类别的方法进行分类。

1. 按导致事故的直接原因进行分类

根据2009年修订的《生产过程危险和有害因素分类与代码》(GB/T 13861—2009)规定，将生产过程中的危险和有害因素分为四大类：

(1) 人的因素

① 心理、生理性危险和有害因素；

② 行为性危险和有害因素。

(2) 物的因素

① 物理性危险和有害因素；

② 化学性危险和有害因素；

③ 生物性危险和有害因素。

(3) 环境因素

① 室内作业场所环境不良；

② 室外作业场地环境不良；

③ 地下(含水下)作业环境不良。

(4) 管理因素

① 职业安全卫生组织机构不健全；

② 职业安全卫生责任制未落实；

③ 职业安全卫生管理规章制度不完善；

④ 职业安全卫生投入不足；

⑤ 职业健康管理不完善；

⑥ 其他管理因素缺陷。

2. 参照事故类别进行分类

参照《企业职工伤亡事故分类》(GB 6441—1986)，事故类别分为20类。综合考虑起因物、引起事故的诱导性原因、致害物、伤害方式等，可分析导致事故发生的危险、有害因素。事故类别包括：

(1) 物体打击。指物体在重力或其他外力的作用下产生运动，打击人体，造成人身伤亡事故，不包括因机械设备、车辆、起重机械、坍塌等引发的物体打击。

(2) 车辆伤害。指企业机动车辆在行驶中引起的人体坠落和物体倒塌、下落、挤压伤亡事故，不包括起重设备提升、牵引车辆和车辆停驶时发生的事故。

(3) 机械伤害。指机械设备运动(静止)部件、工具、加工件直接与人体接触引起的夹击、碰撞、剪切、卷入、绞、碾、割、刺等伤害,不包括车辆、起重机械引起的机械伤害。

(4) 起重伤害。指各种起重作业(包括起重机安装、检修、试验)中发生的挤压、坠落、(吊具、吊重)物体打击和触电。

(5) 触电。包括雷击伤亡事故。

(6) 淹溺。包括高处坠落淹溺,不包括矿山、井下透水淹溺。

(7) 灼烫。指火焰烧伤、高温物体烫伤、化学灼伤(酸、碱、盐、有机物引起的体内外灼伤)、物理灼伤(光、放射性物质引起的体内外灼伤),不包括电灼伤和火灾引起的烧伤。

(8) 火灾。

(9) 高处坠落。指在高处作业中发生坠落造成的伤亡事故,不包括触电坠落事故。

(10) 坍塌。指物体在外力或重力作用下,超过自身的强度极限或因结构稳定性破坏而造成的事故,如挖沟时的土石塌方、脚手架坍塌、堆置物倒塌等,不适用于矿山冒顶片帮和车辆、起重机械、爆破引起的坍塌。

(11) 冒顶片帮。

(12) 透水。

(13) 爆破。指爆破作业中发生的伤亡事故。

(14) 火药爆炸。指火药、炸药及其制品在生产、加工、运输、储存中发生的爆炸事故。

(15) 瓦斯爆炸。

(16) 锅炉爆炸。

(17) 容器爆炸。

(18) 其他爆炸。

(19) 中毒和窒息。

(20) 其他伤害。

此种分类方法所列的危险、有害因素与企业职工伤亡事故处理(调查、分析、统计)和职工安全教育的途径基本一致,为安全生产监督管理部门、行业主管部门职业安全卫生管理人员和企业广大职工、安全管理人员所熟悉,易于接受和理解,便于实际应用。但缺少全国统一规定,尚待在应用中进一步提高其系统性和科学性。

四、事故的特点

可以总结出事故具有如下特点:

(1) 事故是一种发生在人类生产、生活活动中的特殊事件,人类的任何生产、生活活动过程中都可能发生事故。因此,人们若想把活动按自己的意图进行下去,就必须努力采取措施来防止事故。

(2) 事故是一种突然发生的、出乎人们意料的意外事件。这是由于导致事故发生的原因非常复杂,往往是由许多偶然因素引起的,因而事故的发生具有随机性质。在一起事故发生之前,人们无法准确地预测什么时候、什么地方、发生什么样的事故。由于事故发生的随机性,使得认识事故、弄清事故发生的规律及防止事故发生成为一件非常困难的事情。

(3) 事故是一种迫使进行着的生产、生活活动暂时或永久停止的事件。事故中断、终止活动的进行,必然给人们的生产、生活带来某种形式的影响。因此,事故是一种违背人们意志的、人们不希望发生的事件。

(4) 事故这种意外事件除了影响人们的生产、生活活动顺利进行之外,往往还可能造成人员伤害、财物损坏或环境污染等其他形式的后果。

但值得指出的是,事故和事故后果(consequence)是具有因果关系的两件事情。由于事故的发生产生了某种事故后果。但是在日常生产、生活中,人们往往把事故和事故后果看做一件事件,这是不正确的。之所以产生这种认识,是因为事故的后果,特别是给人们带来严重伤害或损失的后果,给人的印象非常深刻,相应地使人们注意了带来这种后果的事故;相反,当事故带来的后果非常轻微,没有引起人们注意的时候,相应地也就使人们忽略了这种事故。

五、事故的基本特性

大量的事故调查、统计、分析表明,事故有其自身特有的属性。掌握和研究这些特性,对于指导人们认识事故、了解事故和预防事故具有重要意义。

(1) 普遍性

自然界中充满着各种各样的危险,人类的生产、生活过程中也总是伴随着危险。所以,发生事故的可能性普遍存在。危险是客观存在的,在不同的生产、生活过程中,危险性各不相同,事故发生的可能性也就存在着差异。

(2) 随机性

事故发生的时间、地点、形式、规模和事故后果的严重程度都是不确定的。何时、何地、发生何种事故,其后果如何,都很难预测,从而给事故的预防带来一定困难。但是,在一定的范围内,事故的随机性遵循数理统计规律,亦即在大量事故统计资料的基础上,可以找出事故发生的规律,预测事故发生概率的大小。因此,事故统计分析对制定正确的预防措施具有重要作用。

(3) 必然性

危险是客观存在的,而且是绝对的。因此,人们在生产、生活过程中必然会发生事故,只不过是事故发生的概率大小、人员伤亡的多少和财产损失的严重程度不同而已。人们采取措施预防事故,只能延长事故发生的时间间隔,降低事故发生的概率,而不能完全杜绝事故。

(4) 因果相关性

事故是由系统中相互联系、相互制约的多种因素共同作用的结果。导致事故的原因多种多样,从总体上事故原因可分为人的不安全行为、物的不安全状态、环境的不良刺激作用;从逻辑上又可分为直接原因和间接原因等。这些原因在系统中相互作用、相互影响,在一定的条件下发生突变,即酿成事故。通过事故调查分析,探求事故发生的因果关系,搞清事故发生的直接原因、间接原因和主要原因,对于预防事故发生具有积极作用。

(5) 突变性

系统由安全状态转化为事故状态实际上是一种突变现象,事故一旦发生,往往十分突然,令人措手不及。因此,制定事故预案,加强应急救援训练,提高作业人员的应激反应能力和应急救援水平,对于减少人员伤亡和财产损失尤为重要。

(6) 潜伏性

事故的发生具有突变性,但在事故发生之前存在一个量变过程,亦即系统内部相关参数的渐变过程,所以事故具有潜伏性。一个系统可能长时间没有发生事故,但这并非就意味着该系统是安全的,因为它可能潜伏着事故隐患。这种系统在事故发生之前所处的状态不稳定,为了达到系统的稳定态,系统要素在不断发生变化。当某一触发因素出现,即可导致事故。事故的潜伏性往往会引起人们的麻痹思想,从而酿成重大恶性事故。

(7) 危害性

事故往往造成一定的财产损失或人员伤亡,严重者会制约企业的发展,带来不良影响。因此,人们面对危险,全力抗争而追求安全。

(8) 可预防性

尽管事故的发生是必然的,但可以通过采取控制措施来预防事故发生或者延缓事故发生的时间间隔。充分认识事故的这一特性,对于防止事故发生有促进作用。通过事故调查,探求事故发生的原因和规律,采取预防事故的措施,可降低事故发生的概率。

第二节　事故致因理论

事故致因理论是从本质上阐明事故的因果关系,说明事故的发生、发展过程和后果的理论。事故致因理论的出现已有 90 多年历史,是从最早的单因素理论发展到不断增多的复杂因素的系统理论。其目的在于:① 认识事故本质;② 指导事故调查与分析;③ 提出事故预防措施。所以说,事故致因理论是描述事故成因、经过和后果的理论,是研究人、物、环境、管理及事故处理这些基本因素如何作用而形成事故、造成损失的理论。

1919 年格林伍德和 1926 年纽伯尔德,都曾认为事故在人群中并非随机分布,某些人比其他人更易发生事故,因此,就用某种方法将有事故倾向的工人与其他人区别开来。这种理论的缺点是过分夸大了人的性格特点在事故中的作用,而且不能解释为何在同等危险暴露的情况下人们受伤害的概率并非都不相等。

1939 年法默和凯姆伯斯又重复提出,一个有事故倾向的人具有较高的事故率,而与工作任务、生活环境和经历等无关。1951 年阿布斯和克利克的研究指出,个别人的事故率具有明显的不稳定性,对具有事故倾向的个性类型的量度界限也难以测定。广泛的批评使这一单一因素理论——具有事故倾向的素质论被排出事故致因理论的地位。1971 年邵合赛克尔仅主张将这一观点提供给工种考选的参考,他只着意于多发事故,而丝毫无意涉及人的个性。淘汰"多发事故人"是受泰勒的科学管理理论的影响。

1936 年海因里希提出了应用多米诺骨牌原理研究人身受到伤害的五个顺序过程,即伤亡事故顺序五因素。

1953 年巴尔将上述骨牌原理发展为"事件链"理论,认为事故的前级诸致因因素是一系列事件的链锁,一环生一环,一环套一环,链的末端是事件后果——事故和损失。

1961 年美国的沃森提出了以逻辑分析中的演绎分析法和逻辑电路的逻辑门形式绘制事故模型。

由于火箭技术发展的需要,系统安全工程应运而生。美国在 1962 年 4 月首次公开了"空军弹道导弹系统安全工程"的说明书,1965 年 Kolodner 在安全性定量化的论文中,在沃森的基础上系统地介绍了事故树分析,同年 Rechtt 也介绍了事故树分析及故障模式和影响。这些系统安全分析方法,实质上是事件链理论的发展。1970 年 Driessen 明确地将事件链理论发展为分支事件过程逻辑理论。事故树分析等树枝图形,实质上是分支事件过程的解析。

1961 年由吉布森提出的并在 1966 年由哈登完善的"能量转移论",指出了人体受到伤害只能是能量转移的结果,从而明确了事故致因的本质是能量逆流于人体。

1969年瑟利提出了S-O-R人因素模型,该模型包括两组问题(危险构成和显现危险),每组又分别包括三类心理-生理成分,即对事件的感知、刺激(S),对事件的理解、响应和认识(O),生理行为、响应或举动(H)。这是系统理论的人因素致因模型。

1978年安德森又对上述模型进行了修正。1972年毕纳提出了起因于"扰动"而促成事故的理论,即P理论,进而提出"多重线性事件过程图解法"。扰动起源论把事故看成是相继发生的事件过程,以破坏自动调节的动态平衡——"扰动"为起源事件,以伤害或损坏而告终(终了事件)。该理论指出了事故发生是由于系统运行中出现了失衡而扰动,并对扰动失控而造成的。在发生事故前改善环境条件,使之自动动态平衡,砍断向事故后果发展的链条,即可防止事故发生。

1972年威格勒沃茨提出了以人因失误为主因的事故模型(人因事故模型),主要以人的行为失误构成伤害为基础,指出人如果"错误地或不适当地响应刺激"就会发生失误,从而可能导致事故发生。

1974年劳汶斯根据上述理论发展为能适用于自然条件复杂的、连续作业情况下的"矿山以人因失误为主因的事故模型"。

1975年约翰逊从管理角度出发提出了管理失误和危险树,把事故致因质点放在管理缺陷上,指出造成伤亡事故的本质原因是管理失误。

近四十年来,许多学者较一致地认为,事故的直接原因不外乎人的不安全行为(或失误)和物的不安全状态(或故障)两大因素作用的结果。即人与物两系列运动轨迹的交叉点就是发生事故的"时空","轨迹交叉论"应运而生。

我国的安全同行专家在事故致因理论上的综合研究方兴未艾。我们认为事故是多种因素综合造成的,是社会因素、管理因素和生产中的危险因素被偶然事件触发而形成的伤亡和损失的事件,事故致因的本质是基础原因。"综合论"是在我国较重视的事故致因理论。

目前世界上有代表性的事故模式有十几种,下面介绍有代表性的八类事故理论。

一、事故频发倾向论

(一)事故频发倾向

事故频发倾向(accident proneness)是指个别人容易发生事故的、稳定的、个人的内在倾向。1919年,格林伍德和伍兹对许多工厂里伤害事故发生次数的资料按如下三种统计分布进行了统计检验:

(1)泊松分布(poisson distribution)。当人员发生事故的概率不存在个体差异,即不存在事故频发倾向者时,一定时间内事故发生的次数服从泊松分布。在这种情况下,事故的发生是由于工厂里的生产条件、机械设备方面的问题以及一些其他偶然因素引起的。

(2)偏态分布(biased distribution)。一些工人由于存在着精神或心情方面的毛病,如果在生产操作过程中发生过一次事故,则会造成胆怯或神经过敏,当再继续操作时,就有重复发生第二次、第三次事故的倾向。造成这种统计分布的是人员中存在少数有精神或心理缺陷的人。

(3)非均等分布(distribution of unequal liability)。当工厂中存在许多特别容易发生事故的人时,发生不同次数事故的人数服从非均等分布,即每个人发生事故的概率不相同。在这种情况下,事故的发生主要是由于人的因素引起的。

为了检验事故频发倾向的稳定性,他们还计算了被调查工厂中同一个人在前3个月里和后3个月里发生事故次数的相关系数。结果发现,工厂中存在着事故频发倾向者,并且前、后3个月事故次数的相关系数变化在0.37±0.12到0.72±0.07之间,皆为正相关。

1926年,纽鲍尔德研究大量工厂中事故发生次数的分布,证明事故发生次数服从发生概率极小且每个人发生事故概率不等的统计分布。他计算了一些工厂中前5个月和后5个月里事故次数的相关系数,其结果为0.04±0.09到0.71±0.06之间。之后,马勃跟踪调查了一个有3 000人的工厂,结果发现,第一年里没有发生事故的工人在以后几年里平均发生0.30～0.60次事故;第一年里发生过一次事故的工人在以后平均发生0.86～1.17次事故;第一年里出过两次事故的工人在以后平均发生1.04～1.42次事故。这些都充分证明了存在着事故频发倾向。

1939年,法默和查姆勃明确提出了事故频发倾向的概念,认为事故频发倾向者的存在是工业事故发生的主要原因。

据国外文献介绍,事故频发倾向者往往有如下的性格特征:
(1) 感情冲动,容易兴奋;
(2) 脾气暴躁;
(3) 厌倦工作,没有耐心;
(4) 慌慌张张,不沉着;
(5) 动作生硬而工作效率低;
(6) 喜怒无常,感情多变;
(7) 理解能力低,判断和思考能力差;
(8) 极度喜悦或悲伤;
(9) 缺乏自制力;
(10) 处理问题轻率、冒失;
(11) 运动神经迟钝,动作不灵活。

日本的丰原恒男发现,容易冲动的人、不协调的人、不守规矩的人、缺乏同情心的人和心理不平衡的人发生事故次数较多,见表2-1。

表 2-1　　　　　　　　　　事故频发者的特征

性格特征	事故频发者/%	其他人/%
容易冲动	38.9	21.9
不协调	42.0	26.0
不守规矩	34.6	26.8
缺乏同情心	30.7	0
心理不平衡	52.5	25.7

根据事故发生次数是否符合非均等分布,可以判断企业中是否存在事故频发倾向者。根据非均等分布,对于一个人数为 N 的工厂,发生 x 次事故的人数分布 $P(x)$ 为

$$P(x) = N\left(\frac{C}{C+1}\right)\left[1 + \frac{r}{C+1} + \frac{r(r+1)}{2!(C+1)^2} + \frac{r(r+1)(r+2)}{3!(C+1)^3} + \cdots\right]$$

式中　　C——发生事故的人数；

　　　　r——发生事故的次数，$r=Cm$；

　　　　m——每人平均发生的事故次数。

该式是一种理论分布公式，实际应用时计算很复杂。青岛贤司给出如下的近似计算公式，用于判断工厂里是否存在着事故频发倾向者。

设工厂里一年中发生过一次事故的人数为 N_0，则发生事故的总人数 N_s 为

$$N_s = N_0\left(1 + \frac{1}{2} + \frac{1}{2^2} + \frac{1}{2^3} + \cdots + \frac{1}{2^{n-1}}\right)$$

由此公式可以导出发生事故总人数已知时发生事故次数最多的人数。一年中发生 n 次事故的人数 X_n 为

$$X_n = N_0\left(\frac{1}{2}\right)^{n-1}$$

注意，上述公式中的事故次数没有包括没休工的事故。

对于发生事故次数较多、可能是事故频发倾向者的人，可以通过一系列的心理学测试来判别。例如，日本曾采用内田-克雷贝林测验测试人员大脑工作状态曲线，采用 YG 测验测试工人的性格来判别事故频发倾向者。另外，也可以通过对日常工人行为的观察来发现事故频发倾向者。一般来说，具有事故频发倾向的人在进行生产操作时往往精神动摇，注意力不能经常集中在操作上，因而不能适应迅速变化的外界条件。

（二）事故遭遇倾向

事故遭遇倾向（accident liability）是指某些人员在某些生产作业条件下容易发生事故的倾向。

许多研究结果表明，前后不同时期里事故发生次数的相关系数与作业条件有关。例如，罗奇发现，工厂规模不同，生产作业条件也不同，大工厂的场合相关系数在 0.6 左右，小工厂则或高或低，表现出劳动条件的影响。高勒考察了 6 年和 12 年间两个时期事故频发倾向的稳定性，结果发现前后两段时间内事故发生次数的相关系数与职业有关，变化在 $-0.08 \sim 0.72$ 的范围之内。当从事规则的、重复性作业时，事故频发倾向较为明显。

明兹和布户姆建议用事故遭遇倾向取代事故频发倾向的概念，认为事故的发生不仅与个人因素有关，而且与生产条件有关。根据这一见解，克尔调查了 53 个电子工厂中 40 项个人因素及生产作业条件因素与事故发生频度和伤害严重度之间的关系，发现影响事故发生频度的主要因素有搬运距离短、噪声严重、临时工多、工人自觉性差等；与事故后果严重度有关的主要因素是工人的"男子汉"作风，其次是缺乏自觉性、缺乏指导、老年职工多、不连续出勤等，证明事故发生情况与生产作业条件有着密切关系。

一些研究表明，事故的发生与工人的年龄有关，青年人和老年人容易发生事故。此外，事故的发生还与工人的工作经验、熟练程度有关。米勒等人的研究表明，对于一些危险性高的职业，工人要有一个适应期间，在此期间内新工人容易发生事故。大内田对东京出租汽车司机的年平均事故件数进行了统计，发现平均事故数与参加工作后的一年内的事故数无关，而与进入公司后工作时间的长短有关。司机们在刚参加工作的头 3 个月里事故数相当于每年 5 次，之后的 3 年里事故数急剧减少，在第五年里则稳定在每年一次左右。这符合经过练

习而减少失误的心理学规律,表明熟练可以大大减少事故。

许多研究结果证明,事故频发倾向者并不存在:

(1)当每个人发生事故的概率相等且概率极小时,一定时期内发生事故次数服从泊松分布。根据泊松分布,大部分工人不发生事故,少数工人只发生一次,只有极少数工人发生两次以上事故。大量的事故统计资料是服从泊松分布的。例如,莫尔等人研究了海上石油钻井工人连续两年时间内的伤害事故情况,得到了受伤次数多的工人数没有超出泊松分布范围的结论。

(2)许多研究结果表明,某一段时间里发生事故次数多的人,在以后的时间里往往发生事故次数不再多了,并非永远是事故频发倾向者。通过数十年的实验及临床研究,很难找出事故频发者稳定的个人特征。换言之,许多人发生事故是由于他们行为的某种瞬时特征引起的。

(3)根据事故频发倾向理论,防止事故的重要措施是人员选择。但是许多研究表明,把事故发生次数多的工人调离后,企业的事故发生率并没有降低。例如,韦勒对司机的调查,伯纳基对铁路调车员的调查,都证实了调离或解雇发生事故多的工人,并没有减少伤亡事故发生率。

在我国,企业职工队伍中存在少数容易发生事故的人这一现象并不罕见。在实际安全工作中,也有通过调整这些人员工作来预防事故的例子。例如,某钢铁公司把容易出事故的人称做"危险人物",把这些"危险人物"调离原工作岗位后,企业的伤亡事故明显减少;某运输公司把发生事故多的司机定为"危险人物",规定这些司机不能担负长途运输任务,也取得了较好的预防事故效果。

其实,工业生产中的许多操作对操作者的素质都有一定的要求,或者说,人员有一定的职业适合性。当人员的素质不符合生产操作要求时,人在生产操作中就会产生失误或不安全行为,从而导致事故发生。危险性较高的、重要的操作,特别要求人具有较高的素质。例如,特种作业的场合,操作者要经过专门的培训、严格的考核,获得特种作业资格后才能上岗。因此,尽管事故频发倾向论把工业事故的发生归因于少数事故频发倾向者的观点是错误的,然而从职业适合性的角度来看,关于事故频发倾向的认识也有一定可取之处。

二、海因里希事故因果连锁论

海因里希首先提出了事故因果连锁论,用以阐明导致事故的各种原因因素之间及与事故、伤害之间的关系。该理论认为,伤害事故的发生不是一个孤立的事件。尽管伤害的发生可能在某个瞬间,却是一系列互为因果的原因事件相继发生的结果。

在事故因果连锁中,以事故为中心,事故的结果是伤害(伤亡事故的场合),事故的原因包括三个层次的原因:直接原因、间接原因、基本原因。由于对事故各层次的原因认识不同,形成了不同的事故致因理论。因此,后来的人们也经常用事故因果连锁的形式来表达某种事故致因理论。

最初,海因里希把工业伤害事故的发生、发展过程描述为具有如下因果关系的事件的连锁:

(1)人员伤亡的发生是事故的结果。

(2)事故的发生是由于人的不安全行为或(和)物的不安全状态造成的。

(3)人的不安全行为、物的不安全状态是由于人的缺点造成的。

(4) 人的缺点是由于不良环境诱发的,或者是由先天的遗传因素造成的。

于是,海因里希的事故因果连锁过程包括如下五个因素:

① 遗传及社会环境。可能造成鲁莽、固执、贪婪及其他性格上的缺点的遗传因素,妨碍教育、助长性格上的缺点发展的社会环境,是造成性格上的缺点的原因。

② 人的缺点。鲁莽、过激、神经质、暴躁、轻率、缺乏安全操作知识等先天或后天的缺点,是产生不安全行为或造成物的危险状态的直接原因。

③ 人的不安全行为或物的不安全状态。诸如在起重机的吊臂下停留、不发信号就启动机器、工作时间打闹或拆除安全防护装置等不安全行为,没有防护齿轮、扶手、照明不良等机械、物的不安全状态,是事故的直接原因。

④ 事故。这里把事故定义为,由于物体、物质、人或放射线的作用或反作用,使得人员受到伤害或能受到伤害的、出乎意料的、失去控制的事件。

⑤ 伤害。直接由于事故而产生的人员伤害。

人们用多米诺骨牌来形象地描述这种事故因果连锁关系,得到图 2-1 所示的多米诺骨牌系列。在多米诺骨牌系列中,一颗骨牌被碰倒了,则将发生连锁反应,其余的几颗骨牌相继被碰倒。如果移去连锁中的一颗骨牌,则连锁被破坏,事故过程被中止。海因里希认为,企业事故预防工作的中心就是防止人的不安全行为,消除机械或物质的不安全状态,中断事故连锁的进程而避免事故的发生。

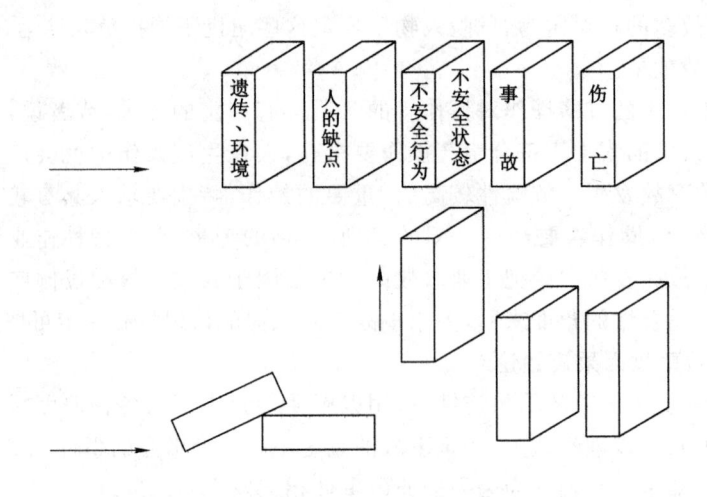

图 2-1 海因里希因果事故连锁论

海因里希事故因果连锁理论强调了消除不安全行为和不安全状态在事故预防工作中的重要地位,这一点多少年来一直得到广大安全工作者的赞同。但是,把不安全行为和不安全状态的发生完全归因于工人的缺点,暴露了该理论的局限性。

三、能量意外释放论

1961 年吉布森、1966 年哈登等人提出了解释事故发生物理本质的能量意外释放论。他们认为,事故是一种不正常的或不希望的能量释放。

(一) 能量在事故致因中的地位

能量在人类的生产、生活中是不可缺少的,人类利用各种形式的能量做功以实现预定的目的。生产、生活中利用能量的例子随处可见,如机械设备在能量的驱动下运转,把原料加工成产品;热能把水煮沸等。人类在利用能量的时候必须采取措施控制能量,使能量按照人们的意图产生、转换和做功。从能量在系统中流动的角度,应该控制能量按照人们规定的能量流通渠道流动。如果由于某种原因失去了对能量的控制,就会发生能量违背人的意愿意外释放或逸出,使进行中的活动中止而发生事故。如果发生事故时意外释放的能量作用于人体,并且能量的作用超过人体的承受能力,则将造成人员伤害;如果意外释放的能量作用于设备、建筑物、物体等,并且能量的作用超过它们的抵抗能力,则将造成设备、建筑物、物体的损坏。

生产、生活活动中经常遇到各种形式的能量,如机械能、热能、电能、化学能、电离及非电离辐射、声能、生物能等,它们的意外释放都可能造成伤害或损坏。

1. 机械能

意外释放的机械能是导致事故时人员伤害或财物损坏的主要类型的能量。机械能包括势能和动能。位于高处的人体、物体、岩体或结构的一部分相对于低处的基准面有较高的势能。当人体具有的势能意外释放时,可能会发生坠落或跌落事故;当物体具有的势能意外释放时,物体自高处落下可能发生物体打击事故;当岩体或结构的一部分具有的势能意外释放时,可能会发生冒顶、片帮、坍塌等事故。运动着的物体都具有动能,如各种运动中的车辆、设备或机械的运动部件、被抛掷的物料等。它们具有的动能意外释放并作用于人体,则可能发生车辆伤害、机械伤害、物体打击等事故。

2. 电能

意外释放的电能会造成各种电气事故,如可能使电气设备的金属外壳等导体引燃易爆物质而发生火灾、爆炸事故;强烈的电弧可能灼伤人体等。

3. 热能

现今的生产、生活中到处利用热能,人类利用热能的历史可以追溯到远古时代。失去控制的热能可能灼烫人体、损坏财物、引起火灾。火灾是热能意外释放造成的最典型的事故。应该注意,在利用机械能、电能、化学能等其他形式的能量时也可能产生热能。

4. 化学能

有毒有害的化学物质使人员中毒,是化学能引起的典型伤害事故。在众多的化学物质中,相当多的物质具有的化学能会导致人员急性、慢性中毒,致病、致畸、致癌。火灾中化学能转变为热能,爆炸中化学能转变为机械能和热能。

5. 电离及非电离辐射

电离辐射主要指 α 射线、β 射线和中子射线等,它们会造成人体急性、慢性损伤。非电离辐射主要为 X 射线、γ 射线、紫外线、红外线和宇宙射线等射线辐射。工业生产中常见的电焊、熔炉等高温热源放出的紫外线、红外线等有害辐射会伤害人的视觉器官。

麦克法兰特在解释事故造成的人身伤害或财物损坏的机理时说,所有的伤害事故(或损坏事故)都是因为以下两个方面:① 接触了超过机体组织(或结构)抵抗力的某种形式的过量能量;② 有机体与周围环境的正常能量交换受到了干扰(如窒息、淹溺等)。因而,各种形式能量的意外释放构成了伤害的直接原因。

人体自身也是个能量系统。人的新陈代谢过程是一个吸收、转换、消耗能量,与外界进行能量交换的过程;人进行生产、生活活动时消耗能量。当人体与外界的能量交换受到干扰,即人体不能进行正常的新陈代谢时,人员将受到伤害甚至死亡。

表2-2为人体受到超过其承受能力的各种形式能量作用时受伤害的情况;表2-3为人体与外界的能量交换受到干扰而发生伤害的情况。

表 2-2　　　　　　　　　　　能量类型与伤害

能量类型	产生的伤害	事 故 类 型
机械能	刺伤、割伤、撕裂、挤压皮肤和肌肉、骨折、内部器官损伤	物体打击、车辆伤害、机械伤害、起重伤害、高处坠落、坍塌、冒顶片帮、爆破、火药爆炸、瓦斯爆炸、锅炉爆炸、压力容器爆炸
热能	炎症、凝固、烧焦和焚化,伤及身体任何层次	灼伤、火灾
电能	干扰神经-肌肉功能、电伤	触电
化学能	化学性皮炎、化学性烧伤、致癌、致遗传突变、致畸、急性中毒、窒息	中毒和窒息、火灾

表 2-3　　　　　　　　　　　干扰能量交换与伤害

影响能量交换类型	产生的伤害	事故类型
氧的利用	局部或全身生理损害	中毒和窒息
其他	局部或全身生理损害(冻伤、冻死)、热痉挛、热衰竭、热昏迷	

研究表明,人体对各种形式能量的作用都有一定的承受能力,或者说有一定的伤害阈值。例如,球形弹丸以4.9 N的冲击力打击人体时,只能轻微地擦伤皮肤;重物以68.6 N的冲击力打击人的头部时,会造成颅骨骨折。

事故发生时,在意外释放的能量作用下人体(或结构)能否受到伤害(或损坏)以及伤害(或损坏)的严重程度如何,取决于作用于人体(或结构)的能量的大小和集中程度、人体(或结构)接触能量的部位、能量作用的时间和频率等。显然,作用于人体的能量越大、越集中,造成的伤害越严重;人的头部或心脏受到过量的能量作用时会有生命危险;能量作用的时间越长,造成的伤害越严重。

该理论阐明了伤害事故发生的物理本质,指明了防止伤害事故就是防止能量意外释放,防止人体接触能量。根据这种理论,人们要经常注意生产过程中能量的流动、转换以及不同形式能量的相互作用,防止发生能量的意外释放或逸出。

(二)防止能量意外释放的措施

从能量意外释放论出发,预防伤害事故就是防止能量或危险物质的意外释放,防止人体与过量的能量或危险物质接触。我们把约束、限制能量,防止人体与能量接触的措施叫做屏蔽。这是一种广义的屏蔽。在工业生产中经常采用的防止能量意外释放的屏蔽措施主要有以下几种:

(1)用安全的能源代替不安全的能源。有时被利用的能源具有较高的危险性,这时可考虑用较安全的能源取代。例如,在容易发生触电的作业场所,用压缩空气动力代替电力,可以防止发生触电事故。但是应该注意,绝对安全的事物是没有的,以压缩空气做动力虽然避免了触电事故,但压缩空气管路破裂、脱落的软管抽打等都带来了新的危害。

(2) 限制能量。在生产工艺中尽量采用低能量的工艺或设备,这样即使发生了意外的能量释放,也不致发生严重伤害。例如,利用低电压设备以防止电击;限制设备运转速度以防止机械伤害;限制露天爆破装药量以防止个别飞石伤人等。

(3) 防止能量蓄积。能量的大量蓄积会导致能量突然释放,因此要及时泄放多余的能量,防止能量蓄积。例如,通过接地消除静电蓄积,利用避雷针放电保护重要设施等。

(4) 缓慢地释放能量。缓慢地释放能量可以降低单位时间内释放的能量,减轻能量对人体的作用。例如,各种减振装置可以吸收冲击能量,防止人员受到伤害。

(5) 设置屏蔽设施。屏蔽设施是一些防止人员与能量接触的物理实体,即狭义的屏蔽。屏蔽设施可以被设置在能源上,例如安装在机械转动部分外面的防护罩;也可以被设置在人员与能源之间,例如安全围栏等。人员佩戴的个体防护用品,可被看做是设置在人员身上的屏蔽设施。

(6) 在时间或空间上把能量与人隔离。在生产过程中也有两种或两种以上的能量相互作用引起事故的情况。例如,一台吊车移动的机械能作用于化工装置,使化工装置破裂导致有毒物质泄漏,引起人员中毒。针对两种能量相互作用的情况,我们应该考虑设置两组屏蔽设施,一组设置于两种能量之间,防止能量达及人体。

(7) 信息形式的屏蔽。各种警告措施等信息形式的屏蔽,可以阻止人员的不安全行为或避免发生行为失误,防止人员接触能量。

根据可能发生的意外释放的能量大小,可以设置单一屏蔽或多重屏蔽,并且应该尽早设置屏蔽,做到防患于未然。

从能量的观点出发,按能量与被害者之间的关系,可以把伤害事故分为三种类型,相应的,应该采取不同的预防伤害的措施。

(1) 能量在人们规定的能量流通渠道中流动,人员意外地进入能量流通渠道而受到伤害。设置防护装置之类屏蔽设施防止人员进入,可以避免此类事故。警告、劝阻等信息形式的屏蔽可以约束人的行为。

(2) 在与被害者无关的情况下,能量意外地从原来的渠道里逸脱出来,开辟新的流通渠道使人员受害。按事故发生时间与伤害发生时间之间的关系,又可分为两种情况:

① 事故发生的瞬间人员即受到伤害,甚至受害者尚不知发生了什么就遭受了伤害。这种情况下,人员没有时间采取措施避免伤害。为了防止伤害,必须全力以赴地控制能量,避免事故的发生。

② 事故发生后人员有时间躲避能量的作用,可以采取恰当的对策防止受到伤害。例如,发生火灾、有毒有害物质泄漏事故的场合,远离事故现场的人们可以恰当地采取隔离、撤退或避难等行动,避免遭受伤害。这种情况下人员行为正确与否往往决定他们的生死存亡。

(3) 能量意外地越过原有的屏蔽而开辟新的流通渠道,同时被害者误进入新开通的能量渠道而受到伤害。实际上,这种情况较少。

(三) 能量观点的事故因果连锁

调查伤亡事故原因发现,大多数伤亡事故都是因为过量的能量或干扰人体与外界正常能量交换的危险物质的意外释放引起的,并且毫无例外地,这种过量能量或危险物质的释放都是由于人的不安全行为或物的不安全状态造成的。即人的不安全行为或物的不安全状态使得能量或危险物质失去了控制,是能量或危险物质释放的导火线。

美国矿山局的札别塔基斯依据能量意外释放理论,建立了新的事故因果连锁模型(见图2-2)。

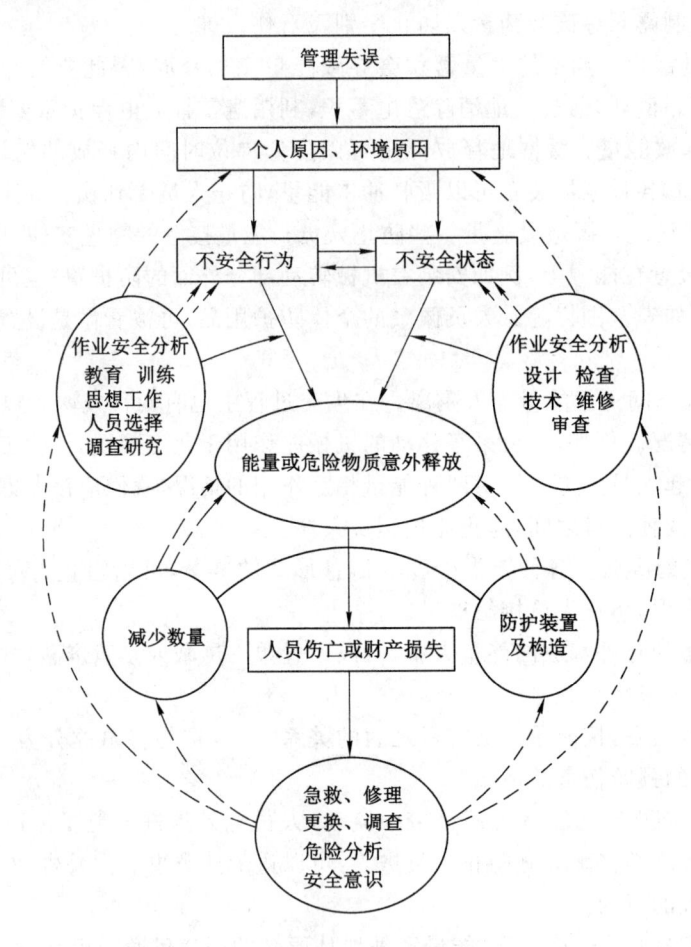

图 2-2 能量观点的事故因果连锁

1. 事故

事故是能量或危险物质的意外释放,是伤害的直接原因。为防止事故发生,可以通过技术改进来防止能量意外释放,通过教育训练提高职工识别危险的能力,通过佩戴个体防护用品来避免伤害。

2. 不安全行为和不安全状态

人的不安全行为和物的不安全状态是导致能量意外释放的直接原因,它们是管理缺欠、控制不力、缺乏知识、对存在的危险估计错误或其他个人因素等基本原因的具体反映。

3. 基本原因

基本原因包括三个方面的问题:

(1)企业领导者的安全政策及决策。它涉及生产及安全目标,职员的配置,信息的利用,责任及职权范围,对职工的选择、教育、训练、安排、指导和监督,信息传递,设备、装置及器材的采购、维修正常时和异常时的操作规程,设备的维修保养等。

(2) 个人因素。能力、知识、训练、动机、行为,身体及精神状态反应时间,个人兴趣等。

(3) 环境因素。

为了从根本上预防事故,必须查明事故的基本原因,并针对查明的基本原因采取措施。

四、人因失误论

这类事故理论都有一个基本观点,即人因失误会导致事故,而人因失误的发生是由于人对外界刺激(信息)的反应失误造成的。

(一) 威格里沃斯模型

威格里沃斯1972年提出,人因失误构成了所有类型事故的基础。他把人因失误定义为:人错误地或不适应地响应一个外界刺激。他认为:在生产操作过程中,各种各样的信息不断地作用于操作者的感官,给操作者以"刺激"。若操作者能对刺激作出正确的响应,事故就不会发生;反之,如果错误或不恰当地响应了一个刺激(失误),就可能出现危险。危险是否会带来伤害事故,则取决于一些随机因素。

威格里沃斯事故模型可用图2-3中的流程图来表示,该模型给出了人因失误导致事故的一般模型。

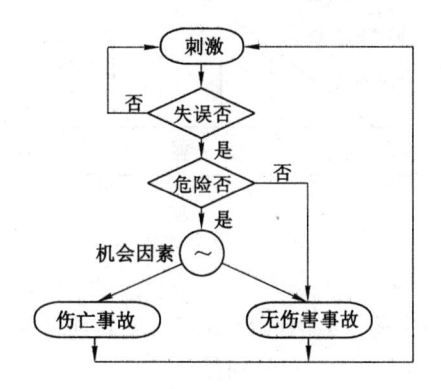

图 2-3 威格里沃斯事故模型

研究认为,将由初始原因开始到最后结果为止的事故动态过程中所有因素联系在一起的理论体系或模型具有很大的实用价值。然而,若客观上存在着不安全因素或危险,事故是否能造成伤害,这就取决于各种机会因素(opportunity factors),即可能造成伤亡,也可能是没有伤亡的事故。尽管这个模型突出了人的不安全行动来描述事故现象,但却不能解释人为什么会发生失误,它也不适用于不以人因失误为主的事故。

(二) 瑟利模型

瑟利模型是在1969年由美国人瑟利(J. Surry)提出的,是一个典型的根据人的认知过程分析事故致因的理论。

该模型把事故的发生过程分为危险出现和危险释放两个阶段,这两个阶段各自包括一组类似的人的信息处理过程,即感觉、认识和行为响应。在危险出现阶段,如果人的信息处理的每个环节都正确,危险就能被消除或得到控制;反之,就会使操作者直接面临危险。

在危险释放阶段,如果人的信息处理过程的各个环节都是正确的,则虽然面临着已经显现出来的危险,但仍然可以避免危险释放出来,不会带来伤害或损害;反之,危险就会转化成伤害或损害。瑟利模型如图2-4所示。

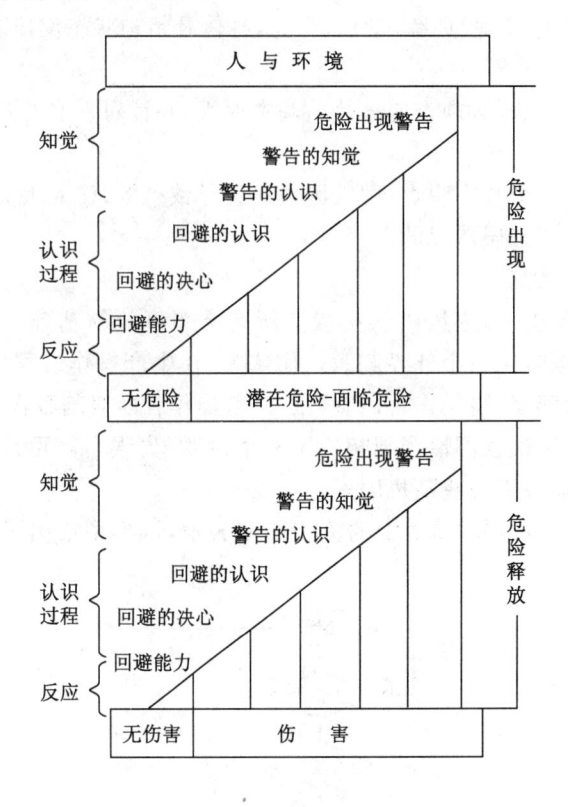

图 2-4 瑟利模型

由图 2-4 中可以看出,两个阶段具有相类似的信息处理过程,即三个部分。六个问题则分别是对这三个部分的进一步阐述,它们分别是:

(1) 危险的出现(或释放)有警告吗?这里警告的意思是指工作环境中对安全状态与危险状态之间的差异的指示。任何危险的出现或释放都伴随着某种变化,只是有些变化易于察觉,有些则不然。而只有使人感觉到这种变化或差异,才有避免或控制事故的可能。

(2) 感觉到这个警告吗?这包括两个方面:一是人的感觉能力问题,包括操作者本身感觉能力,如视力、听力等或集中于工作或其他方面的注意力;二是工作环境对人的感觉能力的影响问题。

(3) 认识到了这个警告吗?这主要是指操作者在感觉到警告信息之后,是否正确理解了该警告所包含的意义,进而较为准确地判断出危险的可能后果及其发生的可能性。

(4) 知道如何避免危险吗?主要指操作者是否具备为避免危险或控制危险作出正确的行为响应所需要的知识和技能。

(5) 决定要采取行动吗?无论是危险的出现或释放,其是否会对人或系统造成伤害或破坏是不确定的,而且在有些情况下,采取行动固然可以消除危险,却要付出相当大的代价。特别是对于冶金、化工等企业中连续运转的系统更是如此。究竟是否采取立即的行动,应主要考虑两个方面的问题:一是该危险立即造成损失的可能性;二是现有的措施和条件控制该危险的可能性，包括操作者本人避免和控制危险的技能。当然，这种决策也与经济效益、工作效率紧密相关。

(6) 能够避免危险吗？在操作者决定采取行动的情况下，能否避免危险则取决于人采取的行动是否迅速、正确、敏捷和是否有足够的时间等其他条件使人能作出行为响应。

上述六个问题中，前两个问题都是与人对信息的感觉有关的，第3～5个问题是与人的认识有关的，最后一个问题与人的行为响应有关。这六个问题涵盖了人的信息处理全过程，并且反映了在此过程中有很多发生失误进而导致事故的机会。

瑟利模型不仅分析了危险出现、释放直至导致事故的原因，而且还为事故预防提供了一个良好的思路。即要想预防和控制事故，首先，应采用技术的手段使危险状态充分地显现出来，使操作者能够有更好的机会感觉到危险的出现或释放，这样才有预防或控制事故的条件和可能；其次，应通过培训和教育的手段，提高人感觉危险信号的敏感性，包括抗干扰能力等，同时也应采用相应的技术手段帮助操作者正确地感觉危险状态信息，如采用能避开干扰的警告方式或加大警告信号的强度等；第三，应通过教育和培训的手段，使操作者在感觉到警告之后准确地理解其含义，并知道应采取何种措施避免危险发生或控制其后果，同时，在此基础上，结合各方面的因素作出正确的决策；最后，则应通过系统及其辅助设施的设计使人在作出正确的决策后，有足够的时间和条件作出行为响应，并通过培训的手段使人能够迅速、敏捷、正确地作出行为响应。这样，事故就会在相当大的程度上得到控制，取得良好的预防效果。

(三) 金矿山人因失误模型

劳伦斯在威格里沃斯和瑟利等人的人因失误模型的基础上，通过对南非金矿山中发生的事故研究，于1974年提出了针对金矿山企业以人因失误为主因的事故模型，如图2-5所

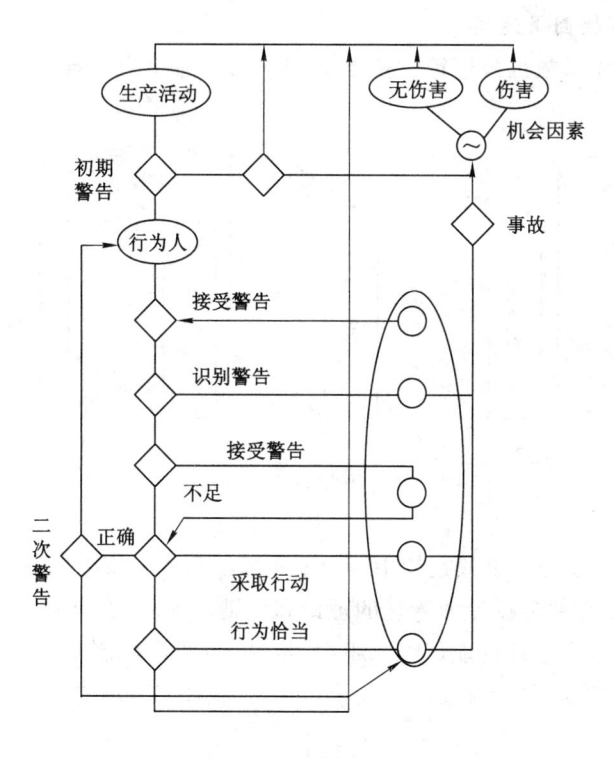

图 2-5 金矿山人因失误模型

示。该模型指出一般矿山企业和其他企业中往往会产生某种形式的信息,向人们发出警告,如突然出现或不断扩大的裂缝、异常的声响、刺激性的烟气等,这种警告信息叫做初期警告。初期警告还包括各种安全监测设施发出的报警信号(如商场的 CO 报警器、矿井的 CH_4 报警器等)。如果没有初期警告就发生了事故,则往往是由于缺乏有效的监测手段,或者是管理人员事先没有提醒人们存在着危险因素。行为人在不知道危险存在的情况下发生的事故属于管理失误事故。

在发出了初期警告的情况下,行为人在接受、识别警告或对警告作出反应等方面出现失误,也都可能导致事故。

当行为人发生对危险估计不足的失误时,如果他还是采取了相应的行动,则仍然有避免事故的可能;反之,如果他麻痹大意,既对危险估计不足,又不采取行动,则会导致事故的发生。这里,行为人如果是管理人员或指挥人员,则低估危险的后果更加严重。

矿山生产作业往往是多人、连续作业。行为人在接受了初期警告、识别了警告并正确估计了危险性之后,除了自己采取适当的行动避免伤害事故外,还应该向其他人员发出警告,提醒他们采取防止事故的措施,这种警告叫做二次警告。其他人接到二次警告后,也应按照正确的方式对警告加以响应。

金矿山人因失误模型适用于类似矿山生产的多人作业生产方式。在这种生产方式下,危险主要来自于自然环境,而人的控制能力相对有限,在许多情况下,人们唯一的对策是迅速撤离危险区域。因此,为了避免发生伤害事故,人们必须及时发现、正确评估危险,并采取适当的行动。

五、管理失误论

(一)博德的事故因果连锁

博德在海因里希事故因果连锁的基础上,提出了反映现代安全观点的事故因果连锁,见图 2-6。

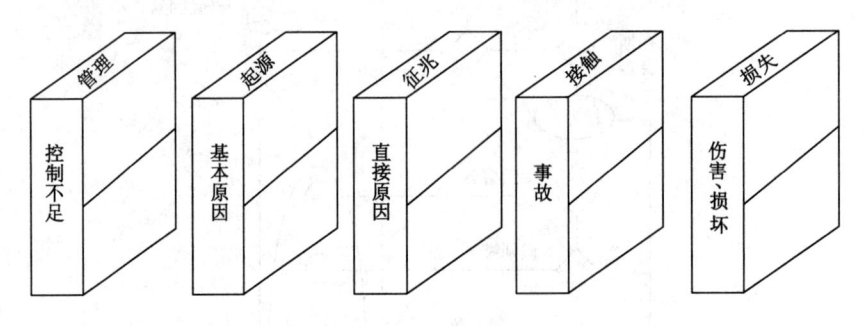

图 2-6 博德的事故因果连锁

(1)控制不足—管理。事故连锁中一个最重要的因素是安全管理。安全管理人员应该充分理解,他们的工作要遵循专业管理的理论和原则。因此,安全管理人员应懂得管理的基本理论和原则。控制是管理机能(计划、组织、指导、协调及控制)中的一种机能。安全管理中的控制是指损失控制,包括对人的不安全行为、物的不安全状态的控制,它是安全管理工作的核心。

(2)基本原因—起源。管理系统是随着生产的发展而不断完善的,十全十美的管理系统并不存在。管理的缺欠使得导致事故的基本原因出现。这里,既包括个人原因,也包括与工作有关的原因。个人原因包括缺乏知识或技能、动机不正确、身体上或精神上的问题。工作方面的原因,包括操作规程不合适,设备、材料不合格,通常的磨损及异常的使用方法等。只有找出这些基本原因,才能有效地控制事故的发生。

(3) 直接原因—征兆。不安全行为或不安全状态是事故的直接原因。这一直是最重要的,必须加以追究的原因。但是,直接原因只不过是深层原因的征兆,是一种表面的现象。在实际工作中,如果只抓住了作为表面现象的直接原因而不追究其背后隐藏的深层原因,就永远不能从根本上杜绝事故的发生。另一方面,安全管理人员应该能够预测及发现这些作为管理缺欠的征兆的直接原因,采取恰当的改善措施;同时,为了在经济上可能及实际可行的情况下采取长期的控制对策,必须努力找出其基本原因。

(4) 事故—接触。这里把事故定义为最终导致人员肉体损伤、死亡和财物损失的不希望事件,是人的身体或构筑物、设备与超过其阈值的能量的接触,或人体与妨碍正常生理活动的物质接触。于是,防止事故就是防止接触。为了防止接触,可以采取隔离、屏蔽、防护、吸收及稀释等技术措施。

(5) 伤害、损坏—损失。博德的模型中的伤害,包括工伤、职业病以及对人员精神方面、神经方面或全身性的不利影响。人员伤害及财物损坏统称为损失。

(二) 亚当斯的事故因果连锁

亚当斯提出了与博德的事故因果连锁论类似的事故因果连锁模型,如表 2-4 所列。该理论的核心为:操作者的不安全行为及生产作业中的不安全状态等致危因素,是由于企业领导者及事故预防工作人员的管理失误造成的。

表 2-4　　　　　　　　　　亚当斯的事故因果连锁论

管理体制	管理失误		现场失误	事　　故	伤害或损坏
	领导者在下述范围决策错误或没做决定	安全技术人员在下述范围管理失误或疏忽			
目标 组织 机能	政策 目标 权威 责任 职责 注意范围 权限授予	行为 责任 权威 规则 指导 主动性 积极性 业务活动	不安全行为 不安全状态	伤亡事故 损坏事故 无伤害事故	对人 对物

在该因果连锁理论中,第四、五个因素基本上与博德理论相似。这里把事故的直接原因、人的不安全行为及物的不安全状态称作现场失误。本来,不安全行为和不安全状态是操作者在生产过程中的错误行为及生产条件方面的问题。采用"现场失误"这一术语,主要目的在于提醒人们注意不安全行为及不安全状态的性质。

该理论的核心在于对现场失误的背后原因进行了深入的研究。操作者的不安全行为及生产作业中的不安全状态等现场失误,是由于企业领导者及事故预防工作人员的管理失误造成的。管理人员在管理工作中的差错或疏忽,企业领导人决策错误或没有作出决策等失误,对企业经营管理及事故预防工作具有决定性的影响。管理失误反映企业管理系统中的问题,它涉及管理体制,即如何有组织地进行管理工作,确定怎样的管理目标,如何计划、实现确定的目标等方面的问题。管理体制反映作为决策中心的领导人的信念、目标及规范,它决定各级管理人员安排工作的轻重缓急、工作基准及指导方针等重大问题。

六、扰动起源论

1972年贝纳(Benner)提出了解释事故致因的综合概念和术语,同时把分支事件链和事故过程链结合起来,并用逻辑图加以显示。他指出,从调查事故起因的目的出发,把一个事件看成某种发生过的事物是一次瞬时的重大情况变化,是导致下一事件发生的偶然事件。一个事件的发生势必由有关人或物所造成。将有关人或物统称为"行为者",其举止活动则称为"行为"。这样,一个事件可用术语"行为者"和"行为"来描述。"行为者"可以是任何有生命的机体,如车工、司机、厂长;或者是任何非生命的物质,如机械、车轮、设计图。"行为"可以是发生的任何事,如运动、故障、观察或决策。事件必须按单独的行为者和行为来描述,以便把事故过程分解为若干部分加以分析综合。

1974年劳伦斯(Lawrence)利用上述理论提出了扰动起源论。该理论认为"事件"是构成事故的因素。任何事故当它处于萌芽状态时就有某种非正常的"扰动",此扰动为起源事件。事故形成过程是一组自觉或不自觉的,指向某种预期的或不可测结果的相继出现的事件链。这种事故进程包括外界条件及其变化的影响。相继事件过程是在一种自动调节的动态平衡中进行的。如果行为者行为得当或受力适中,即可维持能流稳定而不偏离,从而达到安全生产;如果行为者行为不当或发生过故障,则对上述平衡产生扰动,就会破坏和结束自动动态平衡而开始事故进程,一事件继发另一事件,最终导致"终了事件"——事故和伤害。这种事故和伤害或损坏又会依次引起能量释放或其他变化。

扰动起源论把事故看成从相继事件过程中的扰动开始,最后以伤害或损坏而告终。这可称之为"P理论"(Perturbation理论)。

依照上述对事故起源、发生发展的解释,可按时间关系描绘出事故现象的一般模型,如图2-7所示。

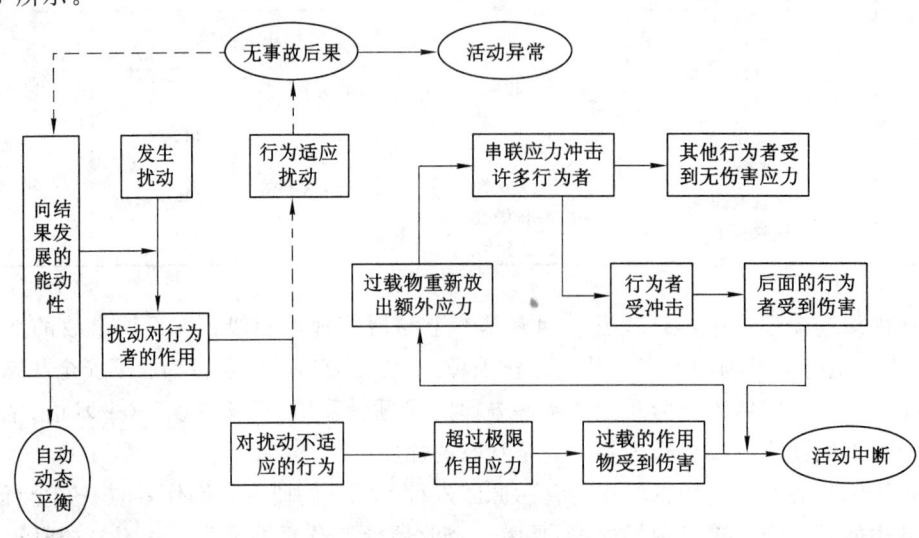

图2-7 扰动起源论

七、轨迹交叉论

在系统中人的不安全行为是一种人因失误；物的不安全状态多为机械故障和物的不安全放置；人与物两系统一旦发生时间和空间上的轨迹交叉就会造成事故。

轨迹交叉论把人、物两系列看成两条事件链，两链的交叉点就是发生事故的"时空"。在多数情况下，企业安全管理不善，使得工人缺乏安全教育和训练或者机械设备缺乏维护、检修以及安全装置不完善，导致了人的不安全行为或者物的不安全状态。物的不安全状态导致起因物发生作用，引发施害物，再与人的行动轨迹相交，构成事故，如图2-8所示。

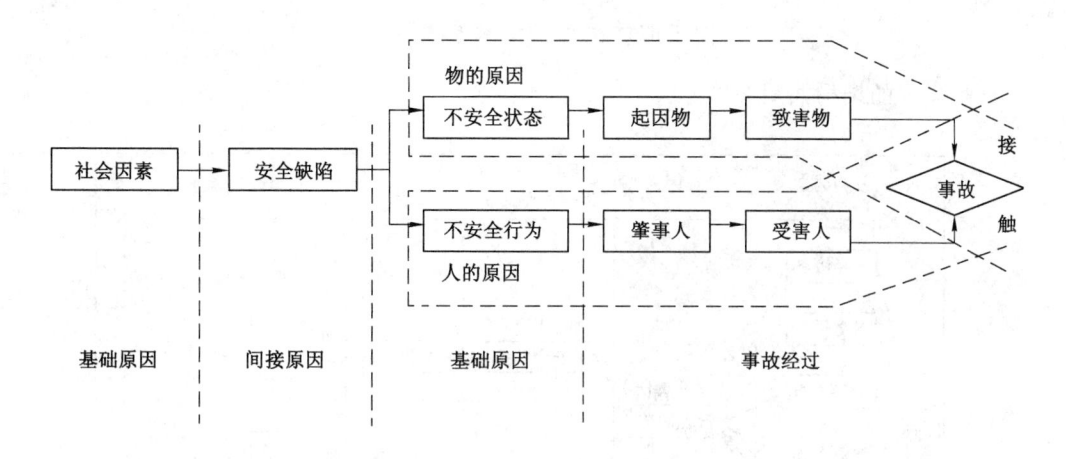

图2-8 人与物两系列形成事故的系统

加强安全教育和技术训练，进行科学的安全管理，从生理、心理和操作技能等方面控制不安全行为的产生，就可以砍断导致伤亡事故发生的人这一方向的事件链。而加强设备管理，提高机械设备的可靠性，增设安全装置、保险装置和信号装置以及自控安全闭锁设施，就是控制设备的不安全状态，砍断设备方面的事件链。物质的安全放置、安全储运以及机动车的安全行驶等的出发点亦是在于控制物的不安全状态。

轨迹交叉论是一种从事故的直接和间接原因出发研究事故致因的理论。其基本思想是伤害事故是许多相互关联的事件顺序发展的结果。这些事件可分为人和物(包括环境)两个发展系列。当人的不安全行为和物的不安全状态在各自发展过程中，在一定时间、空间发生接触，使能量逆流于人体时，伤害事故就会发生。而人的不安全行为和物的不安全状态之所以产生和发展，又是受多种因素作用的结果。轨迹交叉论的事故模型如图2-8所示，其反映了绝大多数事故的情况。统计数字表明，80%以上的事故既与人的不安全行为有关，也与物的不安全状态有关，因而从这个角度来看，如果我们采取相应措施，控制人的不安全行为或物的不安全状态，避免二者在某个时间、空间上交叉，就会在相当大的程度上控制事故的发生。这不失为一种极好的预防事故的思路，而且安全成本也会得到相应的降低。因而轨迹交叉论对于指导事故的预防与控制、进行事故原因调查等工作都是一种极为有效的概念和方法。

当然，在人和物两大系列的运动中，二者往往是相互关联、互为因果、相互转化的。有时人的不安全行为促进了物的不安全状态的发展,或导致新的不安全状态的出现;而有时物的不安全状态也可以诱发人的不安全行为。因此,事故的发生并非完全如图2-8所示的那样简单地按人、物两条轨迹独立地运行,而是呈现较为复杂的因果关系。这也是轨迹交叉论的理论缺陷之一。

八、综合论的事故模型

综合论认为,事故的发生绝不是偶然的,而是有其深刻原因的,包括直接原因、间接原因和基础原因。事故乃是社会因素、管理因素和生产中的危险因素被偶然事件触发所造成的结果。可用下列公式表达:

$$生产中的危险因素 + 触发因素 = 事故$$

这种模式的结构如图2-9所示。

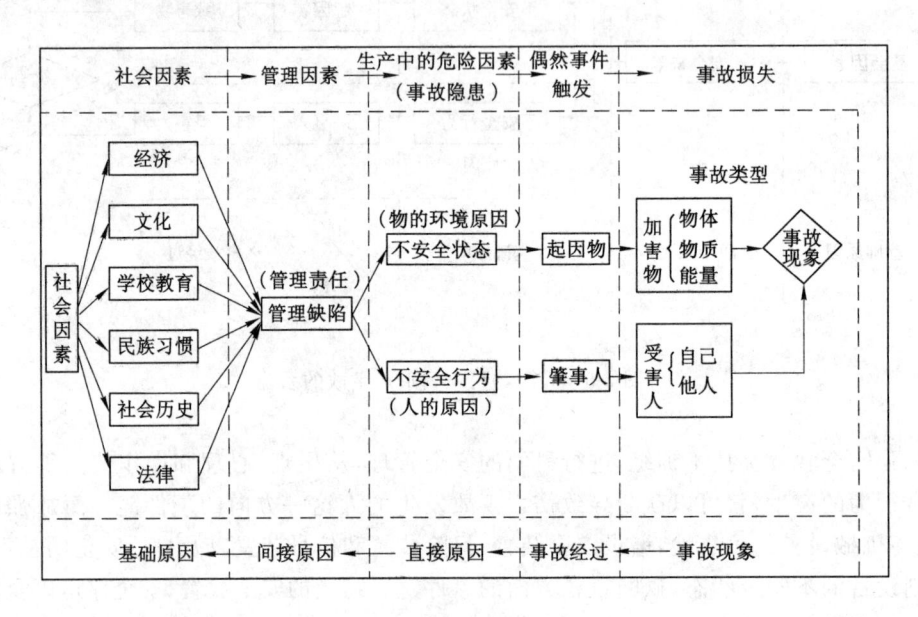

图2-9 综合论事故模型

事故的直接原因是指不安全状态(条件)和不安全行为(动作)。这些物质的、环境的以及人的原因构成了生产中的危险因素(或称为事故隐患)。

所谓间接原因,是指管理缺陷、管理因素和管理责任。造成间接原因的因素称为基础原因,包括经济、文化、学校教育、民族习惯、社会历史和法律等。

所谓偶然事件触发,是指由于起因物和肇事人的作用,造成一定类型的事故和伤害的过程。

很显然,这个理论综合地考虑了各种事故现象和因素,因而比较正确,有利于各种事故的分析、预防与处理,是当今世界上最为流行的理论。美国、日本和中国都主张按这种模式分析事故。

事故的发生过程是:由"社会因素"产生"管理因素",进一步产生"生产中的危险因素",通过偶然事件触发而发生伤亡和损失。

调查事故的过程则与此相反,应当通过事故现象查询事故经过,进而了解直接原因、间接原因和基础原因。

第三节 危险源辨识概述

随着科学技术的不断进步,设备、工艺及产品越来越复杂。各种大规模的复杂系统相继问世,这些复杂的系统往往由非常复杂的关系相连接,人们在研制、开发、使用及维护这些大规模复杂系统的过程中,逐渐萌发了系统安全的基本思想。

人们在系统安全研究中,认为危险源的存在是事故发生的根本原因,防止事故就是消除、控制系统中的危险源。"危险源"一词译自英文 hazard,按英文辞典的解释,"a source of danger",即危险的根源的意思。

哈默(Willie Hammer)将"危险源"定义为可能导致人员伤亡或物质损失事故的潜在的不安全因素。因此,各种事故致因因素都是危险源。

一、危险源辨识

危险源辨识、危险性评价和危险源控制构成系统安全工程的基本内容。危险源辨识是危险性评价和危险源控制的基础,是指发现、识别系统中危险源的工作。

(一)危险源辨识的基本原则

对危险源的辨识、确认是实行监控、管理的基础。对危险源的辨识基本原则主要是以下几个方面:

(1)本质属性有潜在危险性。① 有发生爆炸、火灾危险;② 有中毒窒息危险;③ 有高空坠落危险;④ 有烧伤、烫伤、腐蚀危险;⑤ 有飞溅物打击危险;⑥ 有被物体绞、碾、挤压、撞击、切割、刮带危险;⑦ 有被车辆提升系统伤害危险;⑧ 有坍塌、倾覆、滑坡、压埋危险;⑨ 有触电伤害危险;⑩ 其他容易导致人员伤害、建筑物破坏、设备损坏的危险。

(2)隐患容易产生又不易被发觉且难以控制。隐患泛指潜在发生事故,造成人员伤亡或经济损失的物或环境的不安全状态。从理论上而言,凡存在隐患的设备、岗位、场所都可视为危险源,但是不能一概而论地认为凡是有本质属性危险性的设备、岗位、场所都存在隐患,都将其作为危险源辨识和风险评价的根本依据,否则会造成危险源过多过滥,失去重点监控意义。

(3)有统计分析依据,即危险性导致事故发生概率的大小。有些本质危险属性的设备、岗位、场所,由于设计、施工(或生产)考虑合理,其岗位危险性引发的概率很小。

(二)危险源辨识的主要内容

尽管现代企业千差万别,但如果能够通过事先对危险、有害因素的识别,找出可能存在的危险、危害,就能够对所存在的危险、危害采取相应的措施(如修改设计、增加安全设施等),从而大大提高系统的安全性。

在进行危险、有害因素的识别时,要全面、有序地进行,防止出现漏项,宜从厂址、总平面布置、道路运输、建构筑物、生产工艺、物流、主要设备装置、作业环境、安全措施管理等方面进行。识别的过程实际上就是系统安全分析的过程。

1. 厂址

从厂址的工程地质、地形地貌、水文、气象条件、周围环境、交通运输条件、自然灾害、消防设施等方面进行分析、识别。

2. 总平面布置

从功能分区、防火间距和安全间距、风向、建筑物朝向、危险有害物质设施、动力设施(氧气站、乙炔气站、压缩空气站、锅炉房、液化石油气站等)、道路、储运设施等方面进行分析、识别。

3. 道路及运输

从运输、装卸、消防、疏散、人流、物流、平面交叉运输和竖向交叉运输等方面进行分析、识别。

4. 建构筑物

从厂房的生产火灾危险性分类、耐火等级、结构、层数、占地面积、防火间距、安全疏散等方面进行分析、识别。

从库房储存物品的火灾危险性分类、耐火等级、结构、层数、占地面积、安全疏散、防火间距等方面进行分析、识别。

5. 工艺过程

(1) 对新建、改建、扩建项目设计阶段进行危险、有害因素的识别。

① 对设计阶段是否通过合理的设计进行考查,尽可能从根本上消除危险、有害因素。

② 当消除危险、有害因素有困难时,对是否采取了预防性技术措施进行考查。

③ 在无法消除危险或危险难以预防的情况下,对是否采取了减少危险、危害的措施进行考查。

④ 在无法消除、预防、减弱危险、危害的情况下,对是否将人员与危险、有害因素隔离等进行考查。

⑤ 当操作者失误或设备运行一旦达到危险状态时,对是否能通过联锁装置来终止危险、危害的发生进行考查。

⑥ 在易发生故障和危险性较大的地方,对是否设置了醒目的安全色、安全标志和声、光警示装置等进行考查。

(2) 对安全现状综合评价可针对行业和专业的特点及行业和专业制定的安全标准、规程进行分析、识别。

针对行业和专业的特点,可利用各行业和专业制定的安全标准、规程进行分析、识别。例如,原劳动部曾会同有关部委制定了冶金、电子、化学、机械、石油化工、轻工、塑料、纺织、建筑、水泥、制浆造纸、平板玻璃、电力、石棉、核电站等一系列安全规程、规定,评价人员应根据这些规程、规定、要求对被评价对象可能存在的危险、有害因素进行分析和识别。

(3) 根据典型的单元过程(单元操作)进行危险、有害因素的识别。

典型的单元过程是各行业中具有典型特点的基本过程或基本单元。这些单元过程的危险、有害因素已经归纳总结在许多手册、规范、规程和规定中,通过查阅均能得到。这类方法可以使危险、有害因素的识别比较系统,避免遗漏。

6. 生产设备、装置

对于工艺设备,可从高温、低温、高压、腐蚀、振动、关键部位的备用设备、控制、操作、检修和故障、失误时的紧急异常情况等方面进行识别。对于机械设备,可从运动零部件和工件、操作条件、检修作业、误运转和误操作等方面进行识别。对于电气设备,可从触电、断电、火灾、爆炸、误运转和误操作、静电、雷电等方面进行识别。

另外,还应注意识别高处作业设备、特殊单体设备(如锅炉房、乙炔站、氧气站)等的危险、有害因素。

7. 作业环境

注意识别存在毒物、噪声、振动、高温、低温、辐射、粉尘及其他有害因素的作业部位。

8. 安全管理措施

可以从安全生产管理组织机构、安全生产管理制度、事故应急救援预案、特种作业人员培训、日常安全管理等方面进行识别。

二、重大危险源辨识

防止重大工业事故发生的第一步,是辨识或确认高危险性的工业设施(危险源)。由政府主管部门或权威机构在物质毒性、燃烧和爆炸特性的基础上,确定危险物质及其临界量标准(重大危险源辨识标准)。通过危险物质及其临界量标准,就可以确定哪些是可能发生重大事故的需优先控制的潜在危险源。

重大危险源定义为长期地或临时地生产、加工、搬运、使用或储存危险物质,且危险物质的数量等于或超过临界量的单元。单元指一个(套)生产装置、设施或场所,或同属一个工厂的且边缘距离小于 500 m 的几个(套)生产装置、设施或场所。

(一)国外重大危险源辨识标准

英国是最早系统地研究重大危险源控制技术的国家,1976 年英国重大危险源咨询委员会(ACMH)首次建议了重大危险源的标准,并于 1979 年提出了修改标准。在此基础上,1982 年 6 月欧共体颁布了《工业活动中重大事故危险法令》(ECC Directive 82/501,简称《塞韦索法令》),该法令列出了 180 种物质及其临界标准。为突出重点,《塞韦索法令》列出了 19 类重点控制的危险物质及其临界量的清单,如表 2-5 所列。

表 2-5　　欧共体用于重大危险源辨识的重点控制危险物质

类　别	物质名称	临界量	类　别	物质名称	临界量
一般性易燃物质	易燃气体	200 t	特殊毒性物质	二氧化硫	250 t
	极易燃液体	50 000 t		硫化氢	50 t
特殊易燃物质	氢气	50 t		氰化物	20 t
	环氧乙烷	50 t		二硫化碳	200 t
特殊爆炸性物质	硝铵	2 500 t		氟化氢	50 t
	硝酸甘油	10 t		氯化氢	250 t
	梯恩梯	50 t		三氧化硫	75 t
特殊毒性物质	丙烯腈	200 t	极毒物质	甲基异氰酸盐	150 kg
	氨气	500 t		光气	750 kg
	氯气	25 t			

1996 年 12 月欧共体通过了 82/501/EEC 的修正件,其附表 1 中列出了 29 种(类)物质及临界量,附表 2 列出了 10 类物质及临界量。

经济合作与发展组织在 OECD Council Act(88)84 中也列出了表 2-6 所列的 19 种重点控制的危险物质。

表 2-6　　　　　　　OECD 用于重大危险源辨识的重点控制危险物质

类　别	物质名称	临界量	类　别	物质名称	临界量
易燃、易爆或易氧化物质	易燃气体	200 t	毒物	二氧化硫	250 t
	极易燃液体	50 000 t		丙烯腈	200 t
	环氧乙烷	50 t		光气	750 kg
	氯酸钠	250 t		甲基溴化物	200 t
	硝酸铵	2 500 t		四乙铅	50 t
毒物	氨气	500 t		乙拌磷	100 kg
	氯气	25 t		硝苯硫酸酯	100 kg
	氰化物	20 t		杀鼠灵	100 kg
	氟化氢	50 t		涕天威	100 kg
	甲基异氰酸盐	150 kg			

1992 年美国劳工部职业安全卫生管理局颁布了《高度危害化学品处理过程的安全管理》标准(PSM)，该标准定义的处理过程是指涉及一种或一种以上高危险化学物品的使用、储存、制造、处理、搬运等任何一种活动或这些活动的结合,在标准中提出了 130 多种化学物质及其临界量。

美国环境保护署(EPA)颁布了《预防化学泄漏事故的风险管理程序》(RMP)标准,对重大危险源辨识提出了规定。

(二)我国重大危险源辨识标准

由政府主管部门和权威机构在物质毒性、燃烧和爆炸特性的基础上,制定出危险物质及其临界量标准。通过危险物质及其临界量标准,可以确定哪些是可能发生事故的潜在危险源。

国际劳工组织认为,各国应根据具体的工业生产情况制定合适的危险物质及其临界量标准。该标准应能代表本国优先控制的危险物质,并便于根据新的知识和经验进行修改和补充。

参考国外同类标准,结合我国工业生产特点和火灾、爆炸、毒物泄漏重大事故的发生情况,以及 1997 年由劳动部组织实施的重大危险源普查试点工作中对重大危险源辨识进行试点的情况,由国家安全生产监督管理总局提出,中国安全生产科学研究院负责起草又再次修订了国家标准《危险化学品重大危险源辨识》(GB 18218—2009)。

(1)危险化学品重大危险源的辨识依据

危险化学品重大危险源的辨识依据是危险化学品的危险特性及其数量,具体如表 2-7 和表 2-8 所列。

表 2-7　　　　　　　　　　　危险化学品名称及其临界量

序号	类别	危险化学品名称和说明	临界量/t
1	爆炸品	叠氮化钡	0.5
2		叠氮化铅	0.5
3		雷酸汞	0.5
4		三硝基苯甲醚	5
5		三硝基甲苯	5
6		硝酸甘油	1
7		硝化纤维素	10
8		硝酸铵(含可燃物＞0.2%)	5
9	易燃气体	丁二烯	5
10		二甲醚	50
11		甲烷,天然气	50
12		氯乙烯	50
13		氢	5
14		液化石油气(含丙烷、丁烷及其混合物)	50
15		一甲胺	5
16		乙炔	1
17		乙烯	50
18	毒性气体	氨	10
19		二氟化氧	1
20		二氧化氮	1
21		二氧化硫	20
22		氟	1
23		光气	0.3
24		环氧乙烷	10
25		甲醛(含量＞90%)	5
26		磷化氢	1
27		硫化氢	5
28		氯化氢	20
29		氯	5
30		煤气(CO,CO 和 H_2、CH_4 的混合物等)	20
31		砷化三氢(胂)	12
32		锑化氢	1
33		硒化氢	1
34		溴甲烷	10

续表 2-7

序号	类别	危险化学品名称和说明	临界量/t
35	易燃液体	苯	50
36		苯乙烯	500
37		丙酮	500
38		丙烯腈	50
39		二硫化碳	50
40		环己烷	500
41		环氧丙烷	10
42		甲苯	500
43		甲醇	500
44		汽油	200
45		乙醇	500
46		乙醚	10
47		乙酸乙酯	500
48		正己烷	500
49	易于自燃的物质	黄磷	50
50		烷基铝	1
51		戊硼烷	1
52	遇水放出易燃气体的物质	电石	100
53		钾	1
54		钠	10
55	氧化性物质	发烟硫酸	100
56		过氧化钾	20
57		过氧化钠	20
58		氯酸钾	100
59		氯酸钠	100
60		硝酸(发红烟的)	20
61		硝酸(发红烟的除外,含硝酸≥70%)	100
62		硝酸铵(含可燃物≤0.2%)	300
63		硝酸铵基化肥	1 000
64	有机过氧化物	过氧乙酸(含量≥60%)	10
65		过氧化甲乙酮(含量≥60%)	10

续表 2-7

序号	类别	危险化学品名称和说明	临界量/t
66	毒性物质	丙酮合氰化氢	10
67		丙烯醛	20
68		氟化氢	1
69		环氧氯丙烷(3-氯-1,2-环氧丙烷)	20
70		环氧溴丙烷(表溴醇)	20
71		甲苯二异氰酸酯	100
72		氯化硫	1
73		氰化氢	1
74		三氧化硫	75
75		烯丙胺	20
76		溴	20
77		乙撑亚胺	20
78		异氰酸甲酯	0.75

表 2-8　　未在表 2-7 中列举的危险化学品类别及其临界量

类别	危险性分类及说明	临界量/t
爆炸品	1.1A 项爆炸品	1
	除 1.1A 项外的其他 1.1 项爆炸品	10
	除 1.1 项外的其他爆炸品	50
气体	易燃气体:危险性属于 2.1 项的气体	10
	氧化性气体:危险性属于 2.2 项非易燃无毒气体且次要危险性为 5 类的气体	200
	剧毒气体:危险性属于 2.3 项且急性毒性为类别 1 的毒性气体	5
	有毒气体:危险性属于 2.3 项的其他毒性气体	50
易燃液体	极易燃液体:沸点≤35 ℃且闪点<0 ℃的液体;或保存温度一直在其沸点以上的易燃液体	10
	高度易燃液体:闪点<23 ℃的液体(不包括极易燃液体);液态退敏爆炸品	1 000
	易燃液体:23 ℃≤闪点<61 ℃的液体	5 000
易燃固体	危险性属于 4.1 项且包装为 Ⅰ 类的物质	200
易于自燃的物质	危险性属于 4.2 项且包装为 Ⅰ 或 Ⅱ 类的物质	200
遇水放出易燃气体的物质	危险性属于 4.3 项且包装为 Ⅰ 或 Ⅱ 类的物质	200
氧化性物质	危险性属于 5.1 项且包装为 Ⅰ 类的物质	50
	危险性属于 5.1 项且包装为 Ⅱ 或 Ⅲ 类的物质	200
有机过氧化物	危险性属于 5.2 项的物质	50
毒性物质	危险性属于 6.1 项且急性毒性为类别 1 的物质	50
	危险性属于 6.1 项且急性毒性为类别 2 的物质	500

注:以上危险化学品危险性类别及包装类别依据 GB 12268 确定,急性毒性类别依据 GB 3000.18 确定。

(2) 重大危险源的辨识指标

单元内存在危险化学品的数量等于或超过表 2-7、表 2-8 规定的临界量,即被定为重大危险源。单元内存在的危险化学品的数量根据处理危险化学品种类的多少区分为以下两种情况:

① 单元内存在的危险化学品为单一品种,则该危险化学品的数量即为单元内危险化学品的总量,若等于或超过相应的临界量,则定为重大危险源。

② 单元内存在的危险化学品为多品种时,则按下式计算,若满足下式,则定为重大危险源:

$$\frac{q_1}{Q_1} + \frac{q_2}{Q_2} + \cdots + \frac{q_n}{Q_n} \geqslant 1$$

式中　$q_1, q_2, \cdots, q_n$——每种危险化学品的实际存在量,t;
　　　$Q_1, Q_2, \cdots, Q_n$——与各危险化学品相对应的临界量,t。

(3) 危险化学品重大危险源分级

① 分级指标

采用单元内各种危险化学品实际存在(在线)量与其在《危险化学品重大危险源辨识》(GB 18218—2009)中规定的临界量比值,经校正系数校正后的比值之和 R 作为分级指标。

② R 的计算方法

$$R = \alpha \left(\beta_1 \frac{q_1}{Q_1} + \beta_2 \frac{q_2}{Q_2} + \cdots + \beta_n \frac{q_n}{Q_n} \right)$$

式中　$q_1, q_2, \cdots, q_n$——每种危险化学品的实际存在(在线)量,t;
　　　$Q_1, Q_2, \cdots, Q_n$——与各危险化学品相对应的临界量,t;
　　　$\beta_1, \beta_2, \cdots, \beta_n$——与各危险化学品相对应的校正系数;
　　　α——该危险化学品重大危险源厂区外暴露人员的校正系数。

③ 校正系数 β 的取值

根据单元内危险化学品的类别不同,设定校正系数 β 值,如表 2-9 和表 2-10 所列。

表 2-9　　校正系数 β 取值表

危险化学品类别	毒性气体	爆炸品	易燃气体	其他类危险化学品
β	见表 2-10	2	1.5	1

注:危险化学品类别依据《危险货物品名表》中分类标准确定。

表 2-10　　常见毒性气体校正系数 β 值取值表

毒性气体名称	一氧化碳	二氧化硫	氨	环氧乙烷	氯化氢	溴甲烷	氯
β	2	2	2	2	3	3	4
毒性气体名称	硫化氢	氟化氢	二氧化氮	氰化氢	碳酰氯	磷化氢	异氰酸甲酯
β	5	5	10	10	20	20	20

注:未在表 2-10 中列出的有毒气体可按 $\beta=2$ 取值,剧毒气体可按 $\beta=4$ 取值。

④ 校正系数 α 的取值

根据重大危险源的厂区边界向外扩展 500 m 范围内常住人口数量,设定厂外暴露人员

校正系数 α 值,如表 2-11 所列。

表 2-11　　　　　　　　　　校正系数 α 取值表

厂外可能暴露人员数量	100 人以上	50~99 人	30~49 人	1~29 人	0 人
α	2.0	1.5	1.2	1.0	0.5

⑤ 分级标准

根据计算出来的 R 值,按表 2-12 确定危险化学品重大危险源的级别。

表 2-12　　　　　　危险化学品重大危险源级别和 R 值的对应关系

危险化学品重大危险源级别	一级	二级	三级	四级
R 值	$R \geqslant 100$	$100 > R \geqslant 50$	$50 > R \geqslant 10$	$R < 10$

第四节　第一类危险源辨识

一、危险源分类

(一) 两类危险源

简单地说,危险源是导致事故的根源。根据能量意外释放论,事故是能量或危险物质的意外释放。能量或危险物质不能孤立存在,它们必须处于一定的载体中,而该载体也必须处于一定的环境中。为此,把系统中存在的、可能发生意外释放能量或危险物质的设备、设施或场所称作危险源。影响危险源安全性的因素种类繁多、非常复杂,它们在导致事故发生、造成人员伤害和财物损失方面所起的作用很不相同。20 世纪 90 年代初,陈宝智等根据危险源在事故发生、发展中的作用把危险源划分为两大类,即第一类危险源和第二类危险源。

1. 第一类危险源

作用于人体的过量的能量或干扰人体与外界能量交换的危险物质是造成人员伤害的直接原因。于是,把系统中存在的、可能发生意外释放的能量或危险物质称作第一类危险源。实际工作中往往把产生能量的能量源或拥有能量的能量载体看做第一类危险源来处理。例如,带电的导体、奔驰的车辆等。常见的第一类危险源如下:

(1) 产生、供给能量的装置、设备;

(2) 使人体或物体具有较高势能的装置、设备、场所;

(3) 能量载体;

(4) 一旦失控可能产生巨大能量的装置、设备、场所,如强烈放热反应的化工装置等;

(5) 一旦失控可能发生能量蓄积或突然释放的装置、设备、场所,如各种压力容器等;

(6) 危险物质,如各种有毒、有害、可燃烧爆炸的物质等;

(7) 生产、加工、储存危险物质的装置、设备、场所;

(8) 人体一旦与之接触将导致人体能量意外释放的物体。

表 2-13 列出了导致各种伤害事故的典型的第一类危险源。

表 2-13　　　　　　　　　　伤害事故类型与第一类危险源

事故类型	能量源或危险物质的产生、储存	能量载体或危险物质
物体打击	产生物体落下、抛出、破裂、飞散的设备、场所、操作	落下、抛出、破裂、飞散的物体
车辆伤害	车辆,使车辆移动的牵引设备、坡道	运动的车辆
机械伤害	机械的驱动装置	机械的运动部分、人体
起重伤害	起重、提升机械	被吊起的重物
触电	电源装置	带电体、高跨步电压区域
灼烫	热源设备、加热设备、炉、灶、发热体	高温物体、高温物质
火灾	可燃物	火焰、烟气
高处坠落	高差大的场所人员借以升降的设备、装置	人体
坍塌	土石方工程的边坡、料堆、料仓、建筑物、构筑物	边坡土(岩)体、物料、建筑物、构筑物、载荷
冒顶片帮	矿山采掘空间的围岩体	顶板、两帮围岩
放炮、火药爆炸	炸药	
瓦斯爆炸	可燃性气体、可燃性粉尘	
锅炉爆炸	锅炉	蒸汽
压力容器爆炸	压力容器	内容物
淹溺	江、河、湖、海、池塘、洪水、储水容器	水
中毒窒息	产生、储存、聚积有毒有害物质的装置、容器、场所	有毒有害物质

第一类危险源具有的能量越多,其一旦发生事故的后果越严重;相反,第一类危险源处于低能量状态时比较安全。同样,第一类危险源包含的危险物质的量越多,干扰人的新陈代谢越严重,其危险性越大。

2. 第二类危险源

在生产、生活中,为了利用能量,让能量按照人们的意图在系统中流动、转换和做功,必须采取措施约束、限制能量,即必须控制危险源。约束、限制能量的屏蔽应该可靠地控制能量,防止能量意外地释放。实际上,绝对可靠的控制措施并不存在。在许多因素的复杂作用下约束、限制能量的控制措施可能失效,能量屏蔽可能被破坏而发生事故。导致约束、限制能量措施失效或破坏的各种不安全因素称作第二类危险源。

从系统安全的观点来考察,使能量或危险物质的约束、限制措施失效、破坏的原因因素,即第二类危险源,包括人、物、环境三个方面的问题:

(1) 人因失误可能直接破坏对第一类危险源的控制,造成能量或危险物质的意外释放。例如,合错了开关使检修中的线路带电;误开阀门使有害气体泄放等。人因失误也可能造成物的故障,物的故障进而导致事故。例如,超载起吊重物造成钢丝绳断裂,发生重物坠落事故。

(2) 物的因素问题可以概括为物的故障。物的故障可能直接使约束、限制能量或危险物质的措施失效而发生事故。例如,管路破裂使其中的有毒有害介质泄漏等。有时一种物的故障可能导致另一种物的故障,最终造成能量或危险物质的意外释放。例如,压力容器的泄压装置出现故障,使容器内部介质压力上升,最终导致容器破裂。物的故障有时会诱发人因失误,人因失误也会造成物的故障,实际情况比较复杂。

(3)环境因素主要指系统运行的环境,包括温度、湿度、照明、粉尘、通风换气、噪声和振动等物理环境,以及企业和社会的软环境。不良的物理环境会引起物的故障或人因失误。例如,潮湿的环境会加速金属腐蚀而降低结构或容器的强度;工作场所强烈的噪声影响人的情绪,分散人的注意力而发生人因失误;企业的管理制度、人际关系或社会环境影响人的心理,可能引起人因失误。

第二类危险源往往是一些围绕第一类危险源随机发生的现象,它们出现的情况决定事故发生的可能性。第二类危险源出现得越频繁,发生事故的可能性越大。

3. 危险源与事故

一起事故的发生是两类危险源共同作用的结果。一方面,第一类危险源的存在是事故发生的前提,没有第一类危险源就谈不上能量或危险物质的意外释放,也就无所谓事故。另一方面,如果没有第二类危险源破坏对第一类危险源的控制,也不会发生能量或危险物质的意外释放。第二类危险源的出现是第一类危险源导致事故的必要条件。

在事故的发生、发展过程中,两类危险源相互依存、相辅相成。第一类危险源在事故时释放出的能量是导致人员伤害或财物损坏的能量主体,决定事故后果的严重程度;第二类危险源出现的难易决定事故发生的可能性的大小。两类危险源共同决定危险源的危险性。

(二)三类危险源

2006年田水承在前面两类危险源研究的基础上,基于煤矿调研,提出了三类危险源的观点。由于在调研过程中,没有发现与人、组织的不安全行为无关的伤亡事故,且事故案例与安全研究表明:一方面,随着科技的发展,设备的可靠性不断提高,安全生产硬支撑总体上得到了较大的改善;另一方面,由于现代工业生产和组织的复杂性,以及人在生理、心理、社会和精神等方面的特点存在较大的可塑性、不可靠性(与机器相比)和难控性,更重要的是企业没有建立起完善而有效的安全生产自我约束机制。因而,必须分类区别繁杂多样的事故原因因素,以便更加准确迅速地进行危险辨识,更加科学有效地进行危险控制。在充分吸收前人研究成果的基础上,结合调查,认为可用如图2-10所示的事故致因机理模型。

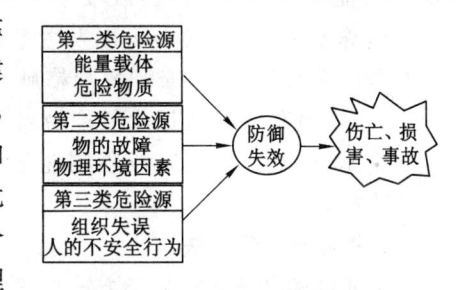

图2-10 事故致因机理模型

事故致因机理模型有两个主要特点:

一是强调防御失效(含不设防、防御漏洞)是所有工业伤亡事故发生的必要环节,是事故根源和事故后果之间的中间环节,突出强调的是防御对事故控制的重要性。

二是把组织不安全行为、失误列为第三类危险源,试图使人们能更全面地认识不同类型的危险源。

三类危险源分别是指:能量载体或危险物质,即第一类危险源;物的故障、物理性环境因素或个体人因失误,即第二类危险源(侧重安全设施等物的故障、物理性环境因素);组织因素——不符合安全的组织因素(组织程序、组织文化、规则、制度等),即第三类危险源,包含组织人(不同于个体人)的不安全行为、失误等。

三类危险源之间有一定的关系:第一类危险源是事故发生的(物质性)前提,影响事故发生后果的严重程度;第二类危险源是事故发生的触发条件;第三类危险源是事故发生的本质根源,是前两类尤其是第二类危险源的深层原因,是事故发生的组织性前提。例如安全的组织因素可使第一类危险源中的危险物质如炸药限量分组、分散储存或置于安全无人地带,以减小其爆炸伤害、破坏的威力和造成的后果;对煤矿而言,可采用安全炸药以防引起瓦斯爆炸;可使第二类危险源中的物、环境的不安全状态通过改变配置或协调维护而得以消除或控制。反之,不安全的组织因素则有利于形成具有重大危险性的危险源或事故,不良的组织因素会使第一类、第二类危险源进一步恶化,使事故后果扩大、严重化。第三类危险源之所以重要是因为:① 容易被忽视;② 直接能导致防御失效;③ 仅依靠企业组织本身力量难以确保其有能力或有主动性去积极辨识、控制和消除危险源。第三类危险源在一定条件下,甚至决定着第一、第二类危险源的危险等级和风险程度。

基于上述讨论,可得出三类危险源之间的关系,如图 2-11 所示。

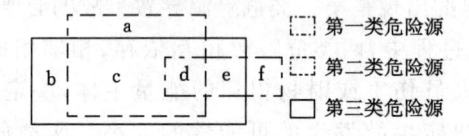

图 2-11 三类危险源之间的关系

在图 2-11 中,运用集合理论给出了三类危险源之间的关系。区域 a:个体行为的不可完全控制,可能发生个体事故(偶发失误、仅涉及个体人的事故)。区域 b:不发生事故,虽然存在第三类危险源(组织失误),但无第一类危险源和第二类危险源的直接诱发因素。区域 c:可能发生个体事故。区域 d:可能发生组织事故(除个体事故以外的事故,例如矿井瓦斯爆炸事故)。区域 e:可能发生组织事故。区域 f:可能发生自然灾害事故。为防止第一类危险源导致事故,必须采取措施约束、限制能量或危险物质,控制危险源。在正常情况下,生产过程中的能量或危险物质受到约束或限制,不会发生意外释放,即不会发生事故。但是,一旦这些约束或限制能量、危险物质的措施受到破坏、失效或出现故障,则将发生事故。

二、危险源辨识方法

在上面的两种危险源分类方法中,第一类危险源均指系统中存在的、可能发生意外释放的能量或危险物质,是事故发生的(物质性)前提,影响到事故发生后果的严重程度。对第一类危险源的有效辨识,可提前采取措施,从而防止事故的发生。选用哪种辨识方法要根据分析对象的性质、特点、寿命的不同阶段以及分析人员的知识、经验和习惯来定。

常用的辨识方法有直观经验分析方法和系统安全分析方法。

(一)直观经验分析方法

直观经验分析方法适用于有可供参考先例、有以往经验可以借鉴的系统,不能应用在没有可供参考先例的新开发系统。

1. 对照、经验法

指对照有关标准、法规、检查表或依靠分析人员的观察分析能力,借助于经验和判断能力对评价对象进行直观分析的方法。

以前,人们主要根据以往的事故经验进行危险源辨识。例如,海因里希建议通过与操作人员交谈或到现场安全检查、查阅以往的事故记录等方式发现危险源;日本中央劳动灾害防治协会推广危险预知活动进行危险源辨识。

20世纪60年代以后,国外开始根据法规、标准和安全检查表进行危险源辨识。例如,美国职业安全卫生局(OSHA)等安全机构制定、发行了各种安全检查表。安全检查表是集合以往的事故分析、找出的问题形成的,其优点是简单易行,缺点是重点不突出,又难免挂一漏万。

2. 类比方法

利用相同或相似工程系统或作业条件的经验和劳动安全卫生的统计资料来类推、分析评价对象,辨识危险源。

(二)系统安全分析方法

随着系统安全工程的兴起,系统安全分析方法逐渐成为危险源辨识的主要方法。系统安全分析是从安全的角度进行的系统分析,它通过揭示系统中可能导致系统故障或事故的各种因素及其相互关系来辨识系统中的危险源。它既可以用来辨识可能带来严重后果的危险源,也可以用来辨识没有事故先例的系统的危险源。系统越复杂,越需要利用系统安全分析方法辨识危险源。

系统安全分析就是运用相关性原理、类推和概率推断原理、惯性原理等系统安全理论,对工业生产系统(包括生产工艺过程、生产装置、工作环境以及工作人员等)的安全状况进行定性定量诊断分析,对系统存在的事故隐患进行辨识。从系统安全观点出发,对生产系统进行全面分析,掌握系统的组成及功能任务,熟悉系统与环境的相互关系及变化趋势,进而辨识出系统的薄弱环节,对消除危险、防止灾害、改进系统安全状况有重要作用,还能使生产系统在规定的功能、时间、成本等边界限制条件下,达到人员伤害和设备财产损失最小,投资效益最好。实践证明,系统安全分析是实现系统安全的重要手段。对于诸如航空航天、交通运输、机械、化工、煤炭、矿山等复杂集成项目及变量众多的系统,更应仔细地进行系统安全分析。只有分析正确,才能采取适宜的安全预防措施,消除和控制事故的发生。

在系统安全分析过程中,针对生产系统、工作环境、研究对象等因素的不同,国内外相继提出了几十种具体的系统安全分析技术方法。例如:事故树分析、事件树分析、故障模式和影响分析、管理疏忽与危险树分析(MORT)、预先危险性分析、故障危险分析(FHA)、系统安全检查表、危险指数法等。这些安全分析方法对促进安全生产、减少生产事故发挥了重要作用。但是,由于各种系统安全分析方法是各行业部门在特定的安全分析需要的基础上根据各自的特殊情况研究提出的,不同的分析方法有不同的研究思路和侧重点。同时,系统安全状况与技术水平、人员素质、管理水平、社会环境等诸多因素密切相关。因此,每种分析评价方法都有一定的适用范围和局限性。这样,对各种系统安全分析方法进行对比研究,针对具体的应用系统,选择切实可行的安全分析方法有着重要意义。

1. 国内外系统安全分析方法简介

(1) 定性分析方法

定性分析方法主要是根据工作经验和判断能力对生产系统的工艺、设备、环境、管理、人员等方面的安全状况进行定性分析与评价。安全检查表法,预先危险性分析,故障危险分析,运行危险分析(OHA),系统危险分析及子系统危险分析(SHA),故障模式、影响及致命度分析(FMECA),危险可操作性研究(OS)等方法均可归属于定性分析方法。这类方法的特点是理论简单、便于操作、评价过程及结果直观。该方法一般通过检查表形式来实施,在我国安全管理实践中得到了广泛应用。

(2) 概率危险评价技术

概率危险评价技术是根据系统元部件或子系统的事故发生概率,求解整个系统的事故发生概率。这类分析评价技术方法常用事故树分析法、事件树分析法来具体实施。应用概率危险评价技术,通过对系统可能发生的事故进行事故树分析或事件树分析,建立数学模型、选定目标函数,然后求解。该方法是一种定性定量相结合的技术方法,通常要求基础数据准确、逻辑分析正确、判断和假设合理。

(3) 危险指数评价方法

典型的危险指数评价方法有美国道化学公司的火灾、爆炸指数法,英国帝国化学公司蒙德工厂的蒙德评价法,日本劳动省的六阶段安全评价法,我国化工厂普遍采用的危险程度分级方法等。定量指数的采用使得化工厂这类系统结构复杂、用概率难以表述各类因素危险性的危险源的评价有了一个可行的方法。危险指数评价方法以危险物质为基础,同时考虑了工艺过程中其他诸如操作方式、工艺条件、设备状况、物料处理、安全装置等因素的影响,来计算各单元的危险度数值,然后按照数值大小划分危险度等级。该方法操作简单实用,广泛应用于石油化工、兵器工业等领域。

(4) 基于人-机-环-管四因素的系统综合评价方法

该方法主要通过对系统综合管理、系统危险性、设备危险性、作业环境、人员素质等因素进行可靠性分析,从系统固有危险性、系统安全管理及系统现实危险性三个方面,建立综合的系统安全分析评价方法。它在我国机械、化工、航空、地质、冶金、煤炭等行业不同程度地得到了应用。该方法在工艺设备比较规范、操作人员比较稳定、管理档案及统计数据比较齐全的条件下有较高的置信度。

(5) 系统安全分析的人工神经网络方法

因影响系统安全性的基本因素多,关系复杂,数据干扰大,因素测度难以确定,将高度非线性的人工神经网络模型应用于系统安全分析评价,通过不同层之间神经元之间的学习、组织和推理,以网络输出层的评价模式作为分析评价的结果,为系统安全分析与评价提供了新思路。

2. 系统安全分析评价技术方法对比分析研究

经过对上述各种系统安全分析评价技术进行对比研究可以发现,各种技术方法之间既有紧密的联系,又有明显的区别。从时间域(主要指系统生命周期)、空间维(主要指宏观、微观)等不同角度及层次上分析研究,可以得到以下几个特点。

(1) 从时间域的角度分析。尽管系统安全分析评价方法很多,但其具体应用可以归为三个阶段:

其一为系统设计阶段,此时需要对其技术路线、工艺流程、设备设施等进行安全分析与评价,以使系统投产后达到最佳安全状况。

其二为生产过程分析评价阶段,以辨识运行系统、设备设施的安全可靠性,以保证系统处于良性循环状态。

其三为系统寿命终结阶段,系统设备零部件设计寿命即将完结,可靠性能变差,对其进行安全分析评价,以保证系统安全正常运转。

对应生产系统运行寿命周期各阶段,可以先后或交叉应用预先危险性分析、故障危险分析、运行危险分析、系统危险分析及子系统危险分析模式,故障模式、影响及致命度分析等技术方法。一般在一项工程活动(包括设备、设施、生产等活动)之前,对其系统危险性还没有很深的认识,可以运用 PHA 对系统存在的危险性类别、出现条件、可能导致事故的后果等作一宏观概略性的分析,以避免不安全技术路线、危险物质、工艺和设备的潜伏。在系统初步设计进行一段之后,进入技术设计阶段就可开始运用 SHA、FHA、OHA、FMECA 等技术对具体子系统、设备故障、典型致命性故障等进行安全性分析评价。

(2) 从空间维的角度分析,系统安全分析评价技术既有宏观分析,亦有微观剖解。由各种技术方法不难看出,工业安全分析评价技术基本上分为两大体系:一种是对工艺过程和生产装置危险度的评价分析体系;另一种则是对系统的安全性和可靠性的分析体系。前者以美国道化学公司使用的对化工装置和过程的火灾爆炸危险度评价及相应的安全措施方法为代表,包括杜邦公司和美国保险协会提出的方法、日本劳动省六阶段安全评价法、英国帝国化学公司蒙德标准等许多改进类型。后者是以事故树分析为代表,包括 FTA、ETA、FMEA、FMECA、OS 等。以道化学公司和日本劳动省为代表的对工艺过程和生产装置危险度的评价分析属于概略性的分析评价方法,它是从商品化上对工艺过程和生产装置的危险程度进行评定,而不是具体分析会出现什么样的危险以及危险的发生过程。以事故树分析为代表的安全性和可靠性的分析则属于详细的分析评价方法,具体地分析和查明系统会产生什么故障和事故、受哪些因素的影响以及这些影响因素之间的相互关系。如 FMEA 方法就是对子系统或设备元部件可能会发生的故障类型、状态以及对子系统甚至整个系统的影响进行分析,其中特别严重的故障类型还要进行致命度分析。在实际应用过程中,往往通过宏观分析,找出事故隐患,再通过微观仔细剖解,寻找发生事故隐患的原因和可能性,以防止事故的发生。

(3) 从系统安全分析评价方法的性质特点考虑,其既有定性的分析,也有定量的计算。如 SCL、PHA、FMECA、MORT、SHA 等属于定性分析,FTA、ETA 为定性定量结合分析,以道化学公司为代表的指数分析则属于定量计算。定性分析主要用于工厂考察、审查、诊断和安全检查,主要包括设计阶段、施工阶段、安全审查和试运行阶段、正常运行阶段的危险评价。诸如厂址选择及工厂环境布置、工艺过程的潜在危险性、机构设备的安全装置、误操作防止装置、仪器仪表、安全应急措施评价等。定量评价的目的在于判定事故危险的程度,用定量的形式将危险性表示出来,便于人们将其与相关的标准规范进行比较,从而进行事故预防和控制。定量指标可分为两类:以系统安全性和可靠性为基础的定性定量综合分析评价方法,先查明系统隐患,求出损失率,再与相关的安全标准进行比较,若小于规定的安全标准,则说明其处于安全状态,否则就意味着危险;另以物质系数为基础,以道化学公司和日本劳动省为代表的综合评分定量评价分析办法,其方法是将物质的危险性折合成火灾、爆炸、毒物扩散等定量指数,符合相关安全等级分数的指数则算是安全,否则属于危险。

(4) 从逻辑思维方法分析,可将安全分析方法划分为四种形式:一种是从基本故障类型或各种失误(原因)推测可能导致的灾害事故(结果),如 FMECA 从具体故障开始,分析并判明其对系统的影响结果;一种是对既定的灾害事故按系统的构成逐项展开,以探明原因或结果,如FTA以顶上事件为出发点,将构成其原因的事件按因果关系逐项列出,直至分析到部件故障为止,它实际上是一种演绎推理分析过程,而ETA则是从总体上分析事故发生发展的动态过程和相关因素,并可以从中判明事故结果及严重程度,它实际上是一种逻辑归纳分析过程;再一种是从已知的中间原因(如工艺参数的变动)推测其可能导致的后果,并找出原因,如OS即探讨状态参数(如温度、压力、流量、组分等)变动(偏差)的影响及其发生的原因;还有一种如人工神经网络模型,可以理解为反馈型,从影响系统安全的基本因素开始,通过正向推理、误差校正、反馈学习等过程,对系统安全状况进行分析评价。

3. 系统安全分析与评价的实际应用要点

工业生产系统是一个包含许多子系统、拥有众多不同类型设备、设计方案时有改变的开放综合型复杂大系统,分析评价对象涉及系统中人员素质、机械装备、管理状况、环境设置、物料质量等各方面。经验表明,很难用单一的方法完成分析评价任务。从各种系统安全分析与评价方法的特点也可以看出,其本身就是一个定性定量、宏观微观、局部整体的方法综合。因此,我们在实际应用过程中根据自己的分析思路、研究系统及研究对象的复杂性以及分析条件的局限性,从系统生命周期、定性定量、整体局部等多层次考虑,在充分分析其相关信息资料的基础上,从方法的科学化、综合性、适用性出发,选择切实可行的分析评价方法。如果所分析的系统较为简单,如标准化的常规设备,不要求严格的危险计算结果,一般仅需综合应用几种定性分析方法,找出系统存在的事故隐患即可。对于比较复杂的分析系统,则必须进行定性定量等全面分析计算。在具体应用中,我们可以用事件树对系统危险进行动态分析,预测系统可能发生的各种事故后果,并进行定量风险评价,选择其中风险率超过允许界限的结果事件为顶上事件进行事故树分析,以便对形成该结果事件的事故机理进行微观分析,寻求控制事故的安全措施,使系统风险率降低到规定安全指标以下。在进行事件树、事故树分析之前,若能采用PHA进行危险初步分析,对一些典型事故进行一些故障模式和影响分析,必能得到更佳的安全分析效果。日本劳动省提出的化工装置安全评价六阶段法,实际上就是包含了定性定量及事故树分析等多种分析评价方法的综合分析方法。我国机械、化工、煤炭、冶金、航空等行业普遍推行的安全分析评价方法,其对象覆盖了人民素质、管理状况、生产设施、作业环境等方面,应用了定性分析及定量计算,也是比较典型的综合分析评价方法。

三、危险性评价

危险性评价是评价危险源导致事故、造成人员伤亡或财产损失的危险程度的工作。一般的,危险性涉及危险源导致事故的可能性和一旦发生事故造成人员伤亡、财产损失的严重程度两方面的问题。

当危险源的危险性很小,可以被忽略时,不必采取控制措施。在危险性评价的基础上,按其危险性的大小将危险源排序,为确定采取控制措施的优先次序提供依据。评价第一类危险源的危险性时,主要考察以下几个方面。

(一)能量或危险物质的量

第一类危险源具有的能量越高,一旦发生事故,其后果越严重;反之,具有的能量越低,对人或物的危害越小。第一类危险源处于低能量状态时比较安全。同样,第一类危险源具有的危险物质的量越大,干扰人的新陈代谢功能越严重,其危险性越大。

第一类危险源导致事故的后果严重程度,主要取决于发生事故时意外释放的能量或危险物质的多少。一般的,第一类危险源拥有的能量或危险物质越多,则发生事故时可能意外释放的量越多。因此,第一类危险源拥有的能量或危险物质的量是危险性评价中的最主要指标。当然,有时也会有例外的情况,有些第一类危险源拥有的能量或危险物质只有部分意外释放。

(二)能量或危险物质意外释放的程度

指事故发生时单位时间内释放的能量。在意外释放的能量或危险物质的总量相同的情况下,释放强度越大,能量或危险物质对人员或物体的作用越强烈,造成的后果越严重。

(三)能量的种类和危险物质的危险性质

不同种类的能量造成人员伤害、财产损失的机理不同,其后果也很不相同。

危险物质的危险性主要取决于自身的物理、化学性质。燃烧爆炸性物质的物理、化学性质决定其导致火灾、爆炸事故的难易程度及事故后果的严重程度。工业毒物的危险性主要取决于其自身的毒性大小,在引起急性中毒的场合,常用半数致死剂量评价其自身的毒性。

(四)意外释放的能量或危险物质的影响范围

事故发生时意外释放的能量或危险物质的影响范围越大,可能遭受其作用的人或物越多,事故造成的损失越大。例如,有毒有害气体泄漏时可能影响到下风侧的很大范围。

评价第一类危险源危险性的主要方法有后果分析和划分危险等级两种方法。后果分析通过详细分析、计算意外释放的能量、危险物质造成的人员伤害和财产损失,定量地评价危险源的危险性。后果分析需要的数学模型准确度较高,需要的数据较多,计算复杂,一般仅用于危险性特别大的重大危险源的危险性评价。划分危险等级的方法是一种简单易行且得到广泛应用的方法。划分危险等级,是一种相对的评价方法,它通过比较危险源的危险性,人为地划分出一些危险等级,区分不同危险源的危险性,为采取危险源控制措施或进行更详细的危险性评价提供依据。一般的,危险等级越高,危险性越大。

本章小结

本章第一节介绍了与本章相关的一些基本概念,如事故隐患、危险物质等,事故的影响因素,危险、有害因素的分类,事故的特点及事故的基本特性。第二节简述了事故致因理论的发展历程,并介绍了有代表性的八类事故致因理论,有利于从不同角度分析事故发生的原因,从而采取相应的措施防止事故的发生。危险源是导致事故发生的根源,本章第三节介绍了危险源辨识的基本原则,危险、有害因素辨识的内容,以及国内外重大危险源辨识标准相关内容,有利于辨识生产中存在的重大危险源。最后一节介绍了目前危险源的分类——两类危险源和三类危险源,针对第一类危险源做了详细阐述,并介绍了危险源辨识的方法和第一类危险源的危险性评价。

思考题

1. 与事故相关的概念有哪些?它们的含义是什么?有什么联系?
2. 事故的影响因素有哪些?
3. 危险、有害因素的分类有哪些?每一类包含哪些内容?

4. 事故致因理论主要有几类？其内容是什么？
5. 危险源辨识的基本原则是什么？
6. 危险、有害因素辨识的内容有哪些？
7. 国内外重大危险源辨识标准是什么？
8. 两类危险源和三类危险源的内容包含什么？两者之间的区别是什么？
9. 危险源辨识方法有哪些？

第三章

系统可靠性分析

第一节 可靠性的基本概念及度量指标

一、可靠性及故障

1. 可靠性的定义

可靠性是指产品在规定条件下和规定时间内,完成规定功能的能力。这里的产品可以泛指任何系统、设备和元器件。产品可靠性定义的要素是三个"规定":"规定条件"、"规定时间"、"规定功能"。

"规定条件"包括使用时的环境条件和工作条件。如温度、湿度、振动、冲击、辐射等环境条件,使用时的应力条件、维护方法,储存时的储存条件,使用时对操作人员的技术等级要求等。在不同的规定条件下,产品的可靠性是不同的。例如,同一型号的汽车在高速公路和在崎岖山路上行驶其可靠性的表现就大不一样。要谈论产品的可靠性,必须指明规定的条件。

"规定时间"是指产品规定了的任务时间。随着产品任务时间的增加,产品出现故障的概率将增加,而产品的可靠性将是下降的。因此,谈论产品的可靠性离不开规定的任务时间。不同类型的产品对应的时间单位可能不同。例如,火箭发射装置,其可靠性对应的时间以秒计;海底通信电缆则以年计。此外,时间单位不仅可以是年、月、日、时、分、秒,也可以是工作次数(如继电器)、循环次数(如发动机)、行驶里程(如车辆)等。

"规定功能"是指产品规定了的必须具备的功能及其技术指标。所要求产品功能的多少和其技术指标的高低,直接影响到产品可靠性指标的高低。例如,电风扇的主要功能有转叶、摇头、定时,规定功能是三者都要,还是仅需要转叶,所得出的可靠性指标是大不一样的。因此,在分析评价产品的可靠性时,必须首先明确要求产品完成的规定功能是什么,只有规定了清晰的功能及性能界限,才能给出明确的产品故障判据。

2. 故障及其分类

产品或产品的一部分不能或将不能完成预定功能的事件或状态,称之为故障。对于不可修复产品(如电子元器件)也可以称为失效。故障也可以简单地定义为产品丧失了规定的功能。故障的表现形式,称为故障模式。引起故障的物理、化学变化等内在的原因,称为故障机理。

产品的故障按其故障的规律可以分为两大类:偶然故障与渐变故障。偶然故障是由于偶然因素引起的故障,只能通过概率统计方法来预测。如电容在规定的使用条件下使用时出现击穿等。偶然故障的发生概率由产品本身的材料、工艺、设计所决定。渐变故障是通过事前的检测或监测可以预测到的故障。它是由于产品的规定性能随使用时间（循环、次数等）增加而逐渐衰退引起的。对于电子产品也可以称之为漂移故障。轴承则由于使用磨损，性能逐渐退化，最终超过规定技术指标不能再用。对于渐变故障主要是采取预防为主的措施，掌握故障的发展规律，预防故障的发生。

产品的故障按其后果可以分为致命性故障与非致命性故障。致命性故障是使产品不能完成规定任务或可能导致人或物的重大损失的故障或故障组合。致命性故障的发生将影响任务的完成。而非致命性故障的发生不影响任务的完成，但会导致非计划的维修和保障需求。

产品的故障按其统计特性可以分为独立故障与从属故障。不是由另一产品故障引起的故障称为独立故障，反之则称为从属故障。在进行产品的故障次数统计时，只统计产品本身的独立故障。

在实际工作中，有时出现这样的故障：产品的故障可以在有限时间内不经修复而自行恢复功能，这类故障叫做间歇故障。如元器件在振动过程中出现瞬间短路，这类故障有时会导致严重后果。间歇故障原因是多种多样的，例如元器件瞬间短路可能就是由于封装时混入金属细丝，在振动中与金属引线表面接触造成的。

二、可靠度函数、累积故障分布函数

1. 可靠度及可靠度函数

产品在规定的条件下和规定的时间内，完成规定功能的概率称为可靠度。依定义可知，产品的可靠度是时间的函数，表示为

$$R(t) = P(\xi > t) \tag{3-1}$$

式中　$R(t)$——可靠度函数；
　　　ξ——产品故障前的工作时间；
　　　t——规定的时间。

由可靠度的定义可知：

$$R(t) = \frac{N_0 - r(t)}{N_0} \tag{3-2}$$

式中　N_0——$t=0$ 时，在规定条件下进行工作的产品数；
　　　$r(t)$——在 0 到 t 时刻的工作时间内，产品的累计故障数（产品故障后不予修复）。

2. 累积故障分布函数

产品在规定的条件下和规定的时间内，丧失规定功能的概率称为累积故障概率（又称为不可靠度）。依定义可知，产品的累积故障概率是时间的函数，表示为

$$F(t) = P(\xi \leqslant t) \tag{3-3}$$

由不可靠度的定义可知：

$$F(t) = \frac{r(t)}{N_0} \tag{3-4}$$

显然，以下关系式成立：

$$R(t) + F(t) = 1 \tag{3-5}$$

三、产品的寿命特征

对于渐变故障可以用可靠寿命、使用寿命、首次翻修期限、翻修间隔期限、总寿命、储存

期限等对其寿命特征进行描述。

1. 可靠寿命

指给定的可靠度所对应的产品的工作时间。

2. 使用寿命

指产品在规定的使用条件下,具有可接受的故障率的工作时间区间。

3. 首次翻修期限(首翻期)

指在规定条件下,产品从开始使用到首次翻修的工作时间或日历持续时间。翻修是指把产品分解成零部件、清洗、检查并通过修复或替换故障零部件,使其恢复产品寿命,等于或接近其首翻期的修理。通常把可靠寿命或使用寿命作为首翻期的基值。

4. 翻修间隔期限

指在规定条件下,产品两次相继翻修间隔的工作时间、循环次数或日历持续时间。

5. 总寿命

指在规定条件下,产品从开始使用到规定报废的工作时间、循环次数或日历持续时间。

6. 储存期限

指在规定条件下,产品能够储存的日历持续时间;在此时间内,产品启封使用能满足规定要求。

第二节 故障发生规律

一、故障时间分布

可靠性问题总是与产品的故障或产品失效相关,因此有必要对产品失效及其故障时间分布做一些讨论。

故障时间分布是描述产品失效的特征量,主要包括:寿命分布函数、失效密度函数和失效率等。

(一)寿命分布函数

产品丧失规定的功能称为失效。产品从开始工作到失效前的一段时间 T 是产品能够正常工作的时间段,称为产品寿命。由于产品发生失效的时间是随机的,所以寿命 T 是一个随机变量。设寿命 T 的分布函数为 $F(t)$,则有

$$F(t) = P(T \leqslant t) \tag{3-6}$$

它表示在规定条件下,产品的寿命 T 不超过某一个规定时间 t 的概率。或者说,产品在时刻 t 前发生失效的概率。在可靠性中,寿命 T 的分布函数 $F(t)$ 常称为寿命分布函数。确定一种产品的寿命分布函数是一件非常重要和非常基础的工作,因为以后的统计推断很多是要在这个基础上进行的。

对一批产品而言,在产品开始使用或试验时,即 $t=0$ 时,我们认为产品均是好的。因此,$F(0)=0$。随着工作时间的增加,产品发生失效的可能性会越来越大。随着 t 的增长,将有更多的产品在 t 内失效,即 $F(t)$ 的值随 t 的增加而增大,是一个增函数。当 t 充分大时,所有产品总会全部坏的,因此有 $t \to \infty$ 时,$\lim\limits_{t \to \infty} F(t) = 1$。$F(t)$ 随 t 变化的关系如图3-1所示。

设有一批相同产品,总量为 N_0,从 $t=0$ 时刻开始同时工作,考察在某一时刻 t 的寿命分布。

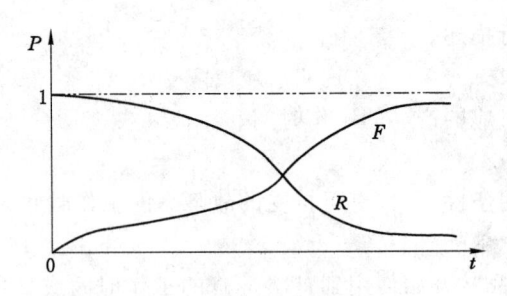

图 3-1 $F(t)$ 随 t 变化的关系

将 $(0,t)$ 分为 m 等份，则每一等份为 $\Delta t = t/m$。设在第 i 个时间段 $[(i-1)\Delta t, i\Delta t]$ ($i=1,\cdots,m$) 内产品失效数目记为 n_i，则截止到时刻 t，产品总的失效数目为 $N_f = \sum_{i=1}^{m} n_i$，显然 N_f 与时间有关，可写成 $N_f(t)$。

按照式(3-6)，寿命分布函数可用下式计算：

$$F(t) = \frac{N_f(t)}{N_0} = \frac{\sum_{i=1}^{m} n_i}{N_0} \tag{3-7}$$

该式表示某一时刻的寿命分布函数的函数值，可近似利用到时刻 t 失效产品的数目与投入工作的产品总数的比值来表示。它表示区间 $[0,t]$ 内出现失效的频率。

其严格形式如下：

$$F(t) = \lim_{\substack{m \to \infty \\ N_0 \to \infty}} \frac{\sum_{i=1}^{m} n_i}{N_0} \tag{3-8}$$

式(3-8)表明，当参与工作的产品数目充分大 ($N_0 \to \infty$)，时间间隔取得充分小 ($\Delta t \to 0$) 时，式(3-8)计算将趋于精确，并等于该产品工作到时刻 t 的寿命分布函数。

(二) 失效密度函数

寿命分布函数 $F(t)$ 表达了产品失效的积累效应，它不能明确反映产品在某一时刻的失效性能。为了表征寿命分布函数随时间的变化，引入了失效的另一特征量——失效密度函数 $f(t)$，其定义表达式为

$$f(t) = \lim_{\substack{\Delta t \to 0 \\ N_0 \to \infty}} \frac{n_i/N_0}{\Delta t} \tag{3-9}$$

其含义是，一个从 $t=0$ 开始工作的产品在时刻 t 处的单位时间内失效的概率。由式(3-8)和式(3-9)可得出 $f(t)$ 与 $F(t)$ 的关系为

$$\frac{dF(t)}{dt} = \frac{d}{dt}\left(\frac{N_f(t)}{N_0}\right) = \frac{1}{N_0}\frac{dN_f(t)}{dt} = \frac{1}{N_0}\frac{\Delta N_f(t)}{\Delta t} = \frac{1}{N_0}\frac{n_i}{\Delta t} = f(t) \tag{3-10}$$

即 $f(t)$ 是产品寿命 T 的概率密度函数，简称为密度函数。

失效密度函数有如下性质：

$$\int_0^\infty f(t)dt = 1 \tag{3-11}$$

$$F(t) = \int_0^t f(x)\mathrm{d}x \tag{3-12}$$

(三) 失效率

用失效密度函数 $f(t)$ 来量度产品的可靠性,可以了解寿命分布随时间变化的情况,通过 $f(t)$ 还可求出 $F(t)$。但由定义式(3-7)可知,到了使用或试验的后期,正常工作的产品数目越来越少,在同样一段时间 Δt 内失效数 n_i 也越来越少,最后失效密度将趋近于 0,显然,这不能说明产品具有的如下可靠性特性:对一件产品而言,随工作时间的增加,其可靠性是逐渐降低的,即该产品发生失效的概率是逐渐增加的。为了准确描述产品的这种可靠性特性,引入了失效率的概念。

一个工作到时刻 t 尚未失效的产品,在 t 时刻以后的下一个单位时间内发生失效的概率,叫瞬时失效率,简称失效率,有时也称之为失效强度。它是时间 t 的函数,记作 $\lambda(t)$。失效率的观测值为在 t 时刻以后的下一个单位时间内发生失效的产品数目与工作到该时刻尚未失效的产品数目之比。

设有 N_0 个相同产品,从 $t=0$ 开始工作,截止到时刻 t,发生失效的产品数为 $N_f(t)$,残存的能够工作的产品数目为 $N_s(t) = N_0 - N_f(t)$;若在 $(t+\Delta t)$ 内发生失效的产品数目记为 $\Delta N_f(t) = N_f(t+\Delta t) - N_f(t)$,则 $\Delta N_f(t)/\Delta t$ 表示在单位时间内发生失效的概率。$\dfrac{\Delta N_f(t)/\Delta t}{N_s(t)}$ 则表示一个工作到时刻 t 依然没有失效的产品在单位时间内发生失效的概率。根据定义,在时刻 t 的失效率可表示为

$$\lambda(t) = \lim_{\substack{\Delta t \to 0 \\ N_0 \to \infty}} \frac{\Delta N_f(t)}{N_s(t)\Delta t} = \frac{1}{N_s(t)} \frac{\mathrm{d}N_f(t)}{\mathrm{d}t} \tag{3-13}$$

失效率所反映的是某一时刻 t 尚未失效的产品,在其随后一个单位时间内发生失效的概率。因此,它更直观地反映了产品每个时刻的失效情况。而失效密度反映的是产品在时刻 t 后随后一个单位时间内发生失效的概率,主要反映的是产品在所有可能工作范围内的失效情况。

失效率是衡量产品可靠性的主要标志之一,失效率越低,产品的可靠性越高。

(四) 可靠性特征量之间的关系

1. $\lambda(t)$ 与 $F(t)$、$f(t)$ 的关系

由式(3-10)、式(3-13),得

$$\lambda(t) = \frac{N_0}{N_s(t)N_0} \frac{\mathrm{d}N_f(t)}{\mathrm{d}t} = \frac{N_0}{N_0 - N_f(t)} \frac{1}{N_0} \frac{\mathrm{d}N_f(t)}{\mathrm{d}t} = \frac{1}{1-F(t)} f(t)$$

引入 $f(t) = \dfrac{\mathrm{d}F(t)}{\mathrm{d}t}$ 得

$$\lambda(t) = \frac{\dfrac{\mathrm{d}F(t)}{\mathrm{d}t}}{1-F(t)} = -\frac{\mathrm{d}}{\mathrm{d}t}[\ln(1-F(t))] \tag{3-14}$$

两边积分后整理得

$$F(t) = 1 - \exp\left[-\int_0^t \lambda(t)\mathrm{d}t\right] \tag{3-15}$$

则有

$$f(t) = \frac{\mathrm{d}F(t)}{\mathrm{d}t} = \lambda(t)\exp\left[-\int_0^t \lambda(t)\mathrm{d}t\right] \tag{3-16}$$

式(3-14)～式(3-16)表明了 $\lambda(t)$ 与 $F(t)$、$f(t)$ 三个特征量之间的关系,只要知道其中一个,其余两个也可以通过相应的关系式求出。

2. 可靠度与寿命分布函数

对比寿命分布函数的定义和可靠度的定义,有

$$R(t) = 1 - F(t) \tag{3-17}$$

可见求出 $F(t)$ 后即可以得到 $R(t)$。

3. $R(t)$ 与 $f(t)$ 和 $\lambda(t)$ 的关系

利用式(3-17)以及式(3-14)～式(3-16),得

$$R(t) = 1 - F(t) = 1 - \int_0^t f(t)\mathrm{d}t = \int_t^\infty f(t)\mathrm{d}t \tag{3-18}$$

$$f(t) = -\frac{\mathrm{d}R(t)}{\mathrm{d}t} \tag{3-19}$$

$$\lambda(t) = -\frac{\mathrm{d}\ln R(t)}{\mathrm{d}t} = -\frac{R'(t)}{R(t)} \tag{3-20}$$

$$R(t) = \mathrm{e}^{-\int_0^t \lambda(t)\mathrm{d}t} \tag{3-21}$$

上述诸式表明,已知可靠度函数 $R(t)$,即可求出失效率 $\lambda(t)$ 函数;反之亦然。

二、典型的故障时间分布

以上对失效的概念、失效率的定义及其计算做了介绍,这里对典型的故障时间分布再做进一步的讨论。

(一) 典型失效率曲线

实际使用经验及试验结果表明,许多设备的失效率随时间的变化曲线有如图 3-2 所示的形状。这种曲线类似一个浴盆,故常常称为浴盆曲线,它是最典型的失效率曲线,也叫做故障率曲线。

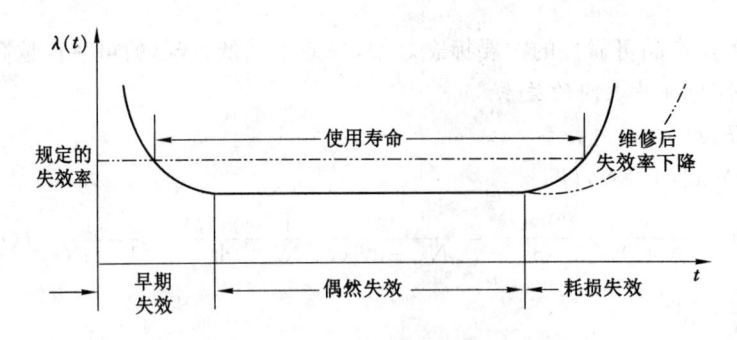

图 3-2 产品典型的失效率曲线

设备的失效率 $\lambda(t)$ 随时间的变化可以分为三个阶段:早期失效期、偶然失效期和耗损失效期。

1. 早期失效期

早期失效出现在产品的试制阶段或产品投入使用的初期。其特点是失效率较高,且随

时间的增加，失效率迅速下降，呈递减型。早期失效区主要是由于设计、制造上的错误以及材料缺陷所引起的。例如，设计中选用的原材料有缺陷，结构不合理，制造工艺措施不当，生产设备落后，操作人员粗心大意及质量控制检验不严格等，均有可能造成设备的早期失效。

当采取修正设计、改进生产、加强质量控制等措施后，大量早期失效隐患会得以消除，早期失效率会得到有效降低。

除修正设计、改进生产之外，消除早期失效的有力措施是对大批元器件进行百分之百的筛选，挑出有隐患的次品，进行长时间内的功率老化，观察元器件特征，把性能差或失效的元器件挑出来。同时为确保排除早期失效或潜在失效，整机制成后还要进行"磨合"工作，使不合格的产品在出厂前就被剔除。

2. 偶然失效期

偶然失效期，又叫随机失效期。早期失效的产品被淘汰后，产品的失效率就会大体趋于稳定状态并保持长时间不变。其特点是失效率低而稳定，近似为常数，失效率与工作时间无关，或者随时间的增加仅略有增加。这一阶段是产品最好的工作期，其持续时间也比较长，所以也称作产品的使用寿命期。

产品在这一阶段的失效是随机的，是由各种偶然因素引起的。例如，失效原因可能是长时间工作的元器件老化，也可能是错误的操作。因此，失效是偶然的、不可预测的，既不能通过延长"磨合"期来消除，也不能由定期更换元器件来预防。一般来说，再好的维护工作也不能消除偶然性失效。降低偶然失效期失效率的主要方法是改善产品的设计、选用更好的材料等。

3. 耗损失效期

耗损失效期出现在设备投入使用的后期。其特点刚好与早期失效期相反，失效率随时间的增长而上升，呈递增型。这个时期的失效是由于设备内部物理的或化学的变化，引起设备的某些元器件老化、耗损、疲劳以及机件的磨损、腐蚀等使产品功能衰竭而造成的。如陶瓷电容器介质的不可逆变化引起介电常数降低、绝缘电阻的阻值下降等。

防止耗损失效的办法是进行预防性检修，当我们知道耗损期开始的时刻后，就可以在这一时刻之前更换接近耗损失效期的元器件，不让它工作到耗损失效期，失效率就不会急剧增加。但是最积极的办法则是努力发展长寿命的元器件，以延长产品的使用寿命期。随着技术水平的提高，新的生产工艺的采用，不少电子元器件的寿命已经大大增长。常见的例子就是电视机，现在生产的电视机的工作寿命已经远远超过20年前生产的电视机的寿命。

以上介绍的设备失效曲线是一般情况，但并不是所有的产品都具有这三个失效期，有些产品只具有其中的一个或两个失效期。而某些质量低劣的产品，偶然失效期很短，甚至早期失效期过后紧接着就是耗损失效期，对这样的产品进行任何可靠性筛选都是无济于事的。然而，高质量的半导体器件则具有另一种特点，到目前为止，在高温老化和功率老化的试验中还没有发现耗损失效期的出现，而且在偶然失效期内的失效率还会缓慢地下降。半导体器件由于本身的这一特点，如果只考虑正常工作下的温度因素，而不考虑密封性及外行线腐蚀等因素的影响，它的理论寿命一般都是相当长的。

掌握设备的失效规律是非常重要的。只有对失效规律有了全面的了解，才可以采取有效措施来提高设备的可靠性。例如，对没有早期失效期的产品就不能用筛选的办法，否则只能引起平均寿命的降低而不会带来任何好处。而对没有耗损失效期的产品，则可加强其筛选条件,以剔除早期失效的产品,提高产品可靠性。

可靠性研究虽然涉及上述三种失效类型或三个失效期,但是着重研究的是随机失效,因为它发生在产品的正常使用期。

(二) 典型失效率曲线的数学模型

浴盆曲线的左边是递减的,中间大致水平,右边是递增的。根据这一特征,可以采用以下五种方法构造浴盆曲线的失效率模型:

(1) 将 $\lambda(t)$ 表示成递减函数与递增函数之和的形式,这类模型称为和形式模型。

(2) 将 $\lambda(t)$ 表示成递减函数与递增函数之积的形式,这类模型称为积形式模型。

(3) 将具有单调递减失效率的模型右截短,这类模型称为右截短形式模型。

(4) 在三段不同时间区间内分别采用一个函数来描述,这类模型称为分段模型。

(5) 对已知模型做特别的变量代换,形成新的浴盆曲线模型,这类模型称为变量代换模型。

除此之外,还有一些其他模型。即使在上述同一种模型中,其构造函数的具体形式也可以多种多样。

下面举例说明浴盆曲线失效率函数的构造过程。

1. 和形式模型

Gaver 和 Acar 提出的和形式模型如下:

$$\lambda(t) = g(t) + \lambda_0 + k(t) \tag{3-22}$$

这里 λ_0 是正常数。很多情况下,可靠性数据是取 $(0,\infty)$ 的失效时间的。设 $F(t)$ 定义在时间区间 (a,b) 内,α 是一正实数,$F(t)$ 或 $R(t)$ 是一模型,则 $F^\alpha(t)$ 或 $R^\alpha(t)$ 也是一模型,当 $\alpha=1$ 时,新的模型即退化为原模型。

如果 $g(t)$ 是一个正的递减函数,$k(t)$ 是一个正的递增函数,同时限定 $g(\infty)=0$,$k(0)=0$ 以及 $k(\infty)=\infty$,则可以预期 $\lambda(t)$ 具有浴盆曲线的特征。

取

$$g(t) = \frac{a}{\alpha + t}, \quad k(t) = bt \tag{3-23}$$

联立式(3-20)~式(3-23)得到可靠度函数为

$$R(t) = \exp\left[-\int_0^t \lambda(t)\mathrm{d}t\right] = \left(\frac{a}{\alpha+t}\right)^\alpha \mathrm{e}^{-\lambda_0 t - \frac{b}{2}t^2}$$

将式(3-23)代入式(3-22)并求导数得

$$\lambda'(t) = b - \frac{a}{(\alpha+t)^2}$$

如果 $\lambda'(0) = b - \frac{a}{\alpha^2} < 0$,则 $\lambda(t)$ 具有浴盆曲线特征,其最低点对应的时间 t 为

$$t = \sqrt{\frac{a}{b}} - \alpha \tag{3-24}$$

如果将 $k(t) = bt$ 修改成 $k(t) = bt^\rho$,则该模型更富有弹性,可以适应更复杂的情况,具体形式不再详细叙述。

2. 积形式模型

Smith 和 Bain 于 1975 年提出了一个积形式的模型（Smith-Bain 模型），其可靠度函数为

$$R(t) = \exp\left[1 - \exp\left(\frac{t}{\eta}\right)^{\beta}\right] \quad (t \geqslant 0; \eta, \beta > 0) \tag{3-25}$$

这是一个两参数模型，其失效率为

$$\lambda(t) = \frac{\mathrm{d}\ln R(t)}{\mathrm{d}t} = \frac{\beta}{\eta}\left(\frac{t}{\eta}\right)^{\beta-1}\exp\left[\left(\frac{t}{\eta}\right)^{\beta}\right] \tag{3-26}$$

它可以看作是两个函数 $\lambda_1(t) = \frac{\beta}{\eta}\left(\frac{t}{\eta}\right)^{\beta-1}$ 和 $\lambda_2(t) = \exp\left[\left(\frac{t}{\eta}\right)^{\beta}\right]$ 的乘积。其中，当 $\beta < 1$ 时，$\lambda_1(t)$ 为递减函数，$\lambda_2(t)$ 为递增函数。对式(3-26)求导，得

$$\lambda'(t) = \frac{\beta\lambda(t)}{t}\left[\left(\frac{t}{\eta}\right)^{\beta} - \left(\frac{1}{\beta} - 1\right)\right]$$

从上式可以看出：

(1) 当 $\beta < 1$ 时，$\lambda(t)$ 具有浴盆曲线特征，其最低点对应的时间 t 为

$$t_v = \eta\left(\frac{1}{\beta} - 1\right)^{\frac{1}{\beta}} \tag{3-27}$$

(2) 当 $\beta = 1$ 时，$\lambda(t)$ 是增函数，且有 $\lambda(0) = 1/\eta$。

(3) 当 $\beta > 1$ 时，$\lambda(t)$ 是增函数，且有 $\lambda(0) = 0$。

三、故障次数分布

(一) 正态分布

1. 正态分布的定义

若连续型随机变量 x 的概率分布密度函数为

$$f(x) = \frac{1}{\sigma\sqrt{2\pi}}\mathrm{e}^{-\frac{(x-\mu)^2}{2\sigma^2}} \tag{3-28}$$

其中，μ 为平均数，σ^2 为方差，则称随机变量 x 服从正态分布（normal distribution），记为 $x \sim N(\mu, \sigma^2)$。相应的概率分布函数为

$$F(x) = \frac{1}{\sigma\sqrt{2\pi}}\int_{-\infty}^{x}\mathrm{e}^{-\frac{(x-\mu)^2}{2\sigma^2}}\mathrm{d}x \tag{3-29}$$

分布密度曲线如图 3-3 所示。

2. 标准正态分布

由上述正态分布的特征可知，正态分布是依赖于参数和 σ^2（或 σ）的一簇分布，正态曲线的位置及形态随 μ 和 σ^2 的不同而不同。这就给研究具体的正态总体带来困难，需将一般的 $N(\mu, \sigma^2)$ 转换为 $\mu = 0, \sigma^2 = 1$ 的正态分布。我们称 $\mu = 0, \sigma^2 = 1$ 的正态分布为标准正态分布。标准正态分布的概率密度函数及分布函数分别记作 $\varphi(u)$ 和 $\Phi(u)$，由式(3-28)及式(3-29)得

$$\varphi(u) = \frac{1}{\sqrt{2\pi}}\mathrm{e}^{-\frac{u^2}{2}} \qquad \Phi(u) = \frac{1}{\sqrt{2\pi}}\int_{-\infty}^{u}\mathrm{e}^{-\frac{1}{2}u^2}\mathrm{d}u \tag{3-30}$$

随机变量 u 服从标准正态分布,记作 $u \sim N(0,1)$,分布密度曲线如图 3-3 所示。

对于任何一个服从正态分布 $N(\mu,\sigma^2)$ 的随机变量 x,都可以通过标准化变换:

$$u = \frac{x-\mu}{\sigma} \tag{3-31}$$

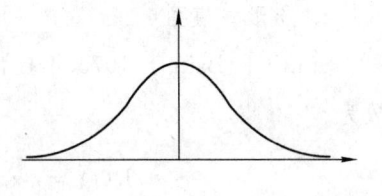

图 3-3 标准正态分布密度曲线

将其变换为服从标准正态分布的随机变量 u。u 称为标准正态变量或标准正态离差。

(二) 二项分布

1. 二项分布定义

设随机变量 x 所有可能取的值为零和正整数,且有

$$P_n(k) = C_n^k p^k q^{n-k} \quad (k=0,1,2,\cdots,n)$$

其中,$p>0$,$q>0$,$p+q=1$,则称随机变量 x 服从参数为 n 和 p 的二项分布,记为 $x \sim B(n,p)$。

显然,二项分布是一种离散型随机变量的概率分布。参数 n 称为离散参数,只能取正整数;p 是连续参数,它能取 0 与 1 之间的任何数值(q 由 p 确定,故不是另一个独立参数)。

二项分布由 n 和 p 两个参数决定:

(1) 当 p 值较小且 n 不大时,分布是偏倚的。但随着 n 的增大,分布逐渐趋于对称,如图 3-4 所示。

(2) 当 p 值趋于 0.5 时,分布趋于对称,如图 3-5 所示。

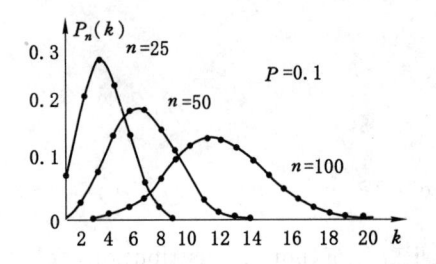

图 3-4 n 值不同的二项分布比较

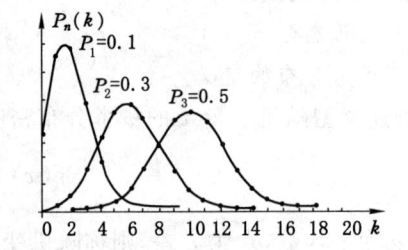

图 3-5 p 值不同的二项分布比较

(3) 对于固定的 n 及 p,当 k 增加时,$P_n(k)$ 先随之增加并达到其极大值,以后又下降。

2. 二项分布的平均数与标准差

统计学证明,服从二项分布的随机变量之平均数 μ、标准差 σ 与参数 n、p 有如下关系。

当试验结果以事件 A 发生次数 k 表示时:

$$\mu = np \tag{3-32}$$

$$\sigma = \sqrt{npq} \tag{3-33}$$

当试验结果以事件 A 发生的频率 k/n 表示时:

$$\mu_p = p \tag{3-34}$$

$$\sigma_p = \sqrt{(pq)/n} \tag{3-35}$$

σ_p 也称为总体百分数标准误,当 p 未知时,常以样本百分数 $\hat{p}$ 来估计。此时式(3-35)改写为

$$S_p = \sqrt{(\hat{p}\hat{q})/n}, \hat{q} = 1 - \hat{p} \qquad (3\text{-}36)$$

S_p 称为样本百分数标准误。

(三) 泊松分布

1. 泊松分布的意义

若随机变量 $x(x=k)$ 只取零和正整数值,且其概率分布为

$$P(x = k) = \frac{\lambda^k}{k!} e^{-\lambda} \quad (k = 0, 1, 2, \cdots) \qquad (3\text{-}37)$$

其中,$\lambda > 0$,e 是自然对数的底数,则称 x 服从参数为 λ 的泊松分布,记为 $x \sim P(\lambda)$。

泊松分布作为一种离散型随机变量的概率分布有一个重要的特征,这就是它的平均数和方差相等,都等于常数 λ,即 $\mu = \sigma^2 = \lambda$。利用这一特征,可以初步判断一个离散型随机变量是否服从泊松分布。

λ 是泊松分布所依赖的唯一参数。λ 值愈小,分布愈偏倚,随着 λ 的增大,分布趋于对称(如图3-6所示)。当 $\lambda = 20$ 时分布接近于正态分布;当 $\lambda = 50$ 时,可以认为泊松分布呈正态分布。所以在实际工作中,当 $\lambda \geq 20$ 时就可以用正态分布来近似地处理泊松分布的问题。

2. 泊松分布的概率计算

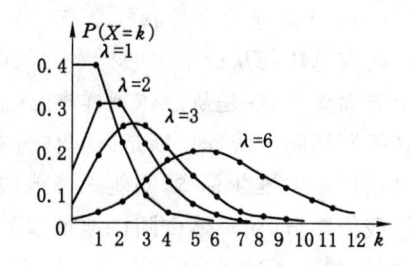

图 3-6 不同 λ 的泊松分布

由式(3-37)可知,泊松分布的概率计算依赖于参数 λ 的确定,只要参数 λ 确定了,把 $k=0,1,2,\cdots$ 代入式(3-37)即可求得各项的概率。但是在大多数服从泊松分布的实例中,分布参数 λ 往往是未知的,只能从所观察的随机样本中计算出相应的样本平均数作为 λ 的估计值,将其代替式(3-37)中的 λ,计算出 $k=0,1,2,\cdots$ 时的各项概率。

例 3-1 为监测饮用水的污染情况,现检验某社区每毫升饮用水中细菌数,共得 400 个记录,如表 3-1 所列。试分析饮用水中细菌数的分布是否服从泊松分布。若服从,按泊松分布计算每毫升水中细菌数的概率及理论次数,并将次数分布与泊松分布作直观比较。

表 3-1　　　　　　　　　　饮用水的污染情况

1 mL 水中细菌数	0	1	2	≥3	合　计
次数 f	243	120	31	6	400

经计算得每毫升水中平均细菌数 $\bar{x} = 0.500$,方差 $S^2 = 0.496$。两者很接近,故可认为每毫升水中细菌数服从泊松分布。以 $\bar{x} = 0.500$ 代替式(3-37)中的 λ,得

$$P(x = k) = \frac{0.5^k}{k!} e^{-0.5} \quad (k = 0, 1, 2, \cdots)$$

计算结果如表 3-2 所列。

表 3-2　　　　　　　　　　　　　　细菌数的泊松分布

1 mL 水中细菌数	0	1	2	≥3	合计
实际次数	243	120	31	6	400
频　率	0.607 5	0.300 0	0.077 5	0.015 0	1.00
概　率	0.606 5	0.303 3	0.075 8	0.014 4	1.00
理论次数	242.60	121.32	30.32	5.76	400

可见细菌数的频率分布与 $\lambda=0.5$ 的泊松分布是相当吻合的,进一步说明用泊松分布描述单位容积(或面积)中细菌数的分布是适宜的。

应当注意,二项分布的应用条件也是泊松分布的应用条件。比如二项分布要求 n 次试验是相互独立的,这也是泊松分布的要求。对于在单位时间、单位面积或单位容积内,所观察的事物由于某些原因分布不随机时,亦不呈泊松分布。

(四) 样本平均数的抽样分布

研究总体与从中抽取的样本之间的关系是统计学的中心内容。对这种关系的研究可从两个方面着手:一是从总体到样本,这就是研究抽样分布的问题;二是从样本到总体,这就是统计推断问题。统计推断是以总体分布和样本抽样分布的理论关系为基础的。为了能正确地利用样本去推断总体,并能正确地理解统计推断的结论,须对样本的抽样分布有所了解。

我们知道,由总体中随机地抽取若干个体组成样本,即使每次抽取的样本含量相等,其统计量(如 $\bar{x}$, S)也将随样本的不同而有所不同,因而样本统计量也是随机变量,也有其概率分布。我们把统计量的概率分布称为抽样分布。

由总体随机抽样的方法可分为有返置抽样和不返置抽样两种。前者指每次抽出一个个体后,这个个体应返置回原总体;后者指每次抽出的个体不返置回原总体。对于无限总体,返置与否都可保证各个体被抽到的机会相等。对于有限总体,就应该采取返置抽样,否则各个体被抽到的机会就不相等。

设有一个总体,总体平均数为 μ,方差为 σ^2,总体中各变数为 x,将此总体称为原总体。现从这个总体中随机抽取含量为 n 的样本,样本平均数记为 $\bar{x}$。可以设想,从原总体中可抽出很多甚至无穷多个含量为 n 的样本。由这些样本算得的平均数有大有小,不尽相同,与原总体平均数 μ 相比往往表现出不同程度的差异。这种差异是由随机抽样造成的,称为抽样误差(sampling error)。显然,样本平均数也是一个随机变量,其概率分布叫做样本平均数的抽样分布。由样本平均数 $\bar{x}$ 构成的总体称为样本平均数的抽样总体,其平均数和标准差分别记为 $\mu_{\bar{x}}$ 和 $\sigma_{\bar{x}}$。$\sigma_{\bar{x}}$ 是样本平均数抽样总体的标准差,简称标准误差,它表示平均数抽样误差的大小。统计学上已证明 $\bar{x}$ 总体的两个参数与 x 总体的两个参数有如下关系:

$$\mu_{\bar{x}} = \mu, \sigma_{\bar{x}} = \frac{\sigma}{\sqrt{n}} \tag{3-38}$$

为了验证这个结论及了解平均数抽样总体与原总体概率分布间的关系,我们进行一个模拟抽样试验。

设有一个 $N=4$ 的有限总体,变数为 2、3、3、4。根据 $\mu = \sum x/N$ 和 $\sigma^2 = \sum(x-\mu)^2/N$,求得该总体的 μ、σ^2、σ 为

$$\mu = 3, \sigma^2 = 1/2, \sigma = \sqrt{\frac{1}{2}} = 0.707$$

从有限总体作返置随机抽样,所有可能的样本数为 N^n 个,其中 n 为样本含量。以上述总体而论,如果从中抽取 $n=2$ 的样本,共可得 $4^2=16$ 个样本;如果样本含量 n 为 4,则一共可抽得 $4^4=256$ 个样本。分别求这些样本的平均数,其次数分布如表 3-3 所列。

表 3-3 $N=4, n=2$ 和 $n=4$ 时 $\bar{x}$ 的次数分布

\multicolumn{4}{c}{$N^n = 4^2 = 16$}	\multicolumn{4}{c}{$N^n = 4^4 = 256$}
$\bar{x}$	f	$f\bar{x}$	$f\bar{x}^2$	$\bar{x}$	f	$f\bar{x}$	$f\bar{x}^2$
2.0	1	2.0	4.00	2.00	1	2.00	4.000 0
2.5	4	10.0	25.00	2.25	8	18.00	40.500 0
3.0	6	18.0	54.00	2.50	28	70.00	175.000 0
3.5	4	14.0	49.00	2.75	56	154.00	423.500 0
4.0	1	4.0	16.00	3.00	70	210.00	630.000 0
				3.25	56	182.00	591.500 0
				3.50	28	98.00	343.000 0
				3.75	8	30.00	112.500 0
				4.00	1	4.00	16.000 0
合计	16	48.0	148.00	合计	256	768.00	2 336.000 0

根据表 3-3,在 $n=2$ 的试验中,样本平均数抽样总体的平均数、方差与标准差分别为

$$\mu_{\bar{x}} = \sum f\bar{x}/N^n = 48.0/16 = 3 = \mu$$

$$\sigma_{\bar{x}}^2 = \frac{\sum f(\bar{x} - \mu_{\bar{x}})^2}{N^n} = \frac{\sum f\bar{x}^2 - (\sum f\bar{x})^2/N^n}{N^n}$$

$$= \frac{148 - 48^2/16}{16} = 4/16 = 1/4 = (1/2)/2 = \sigma^2/n$$

$$\sigma_{\bar{x}} = \sqrt{\sigma_{\bar{x}}^2} = \sqrt{1/4} = \sqrt{1/2}/\sqrt{2} = \sigma/\sqrt{n}$$

同理,可得 $n=4$ 时:

$$\mu_{\bar{x}} = 768/256 = 3 = \mu$$

$$\sigma_{\bar{x}}^2 = 32/256 = 1/8 = (1/2)/4 = \sigma^2/n$$

$$\sigma_{\bar{x}} = \sqrt{\frac{1}{8}} = \sqrt{\frac{1}{2}}/\sqrt{4} = \frac{\sigma}{\sqrt{n}}$$

这就验证了 $\mu_{\bar{x}} = \mu, \sigma_{\bar{x}} = \sigma/\sqrt{n}$ 的正确性。

若将表 3-3 中两个样本平均数的抽样总体作次数分布图,则抽样平均数 μ 与分布函数 $f(x)$ 的关系如图 3-7 所示。

由以上模拟抽样试验可以看出,虽然原总体并非正态分布,但从中随机抽取样本,即使样本含量很小($n=2, n=4$),样本平均数的分布却趋向于正态分布形式。随着样本含量 n 的增大,样本平均数的分布愈来愈从不连续趋向于连续的正态分布。比较图 3-7 两个分布,

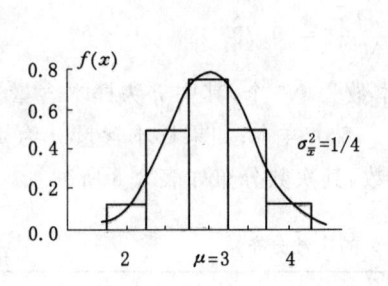

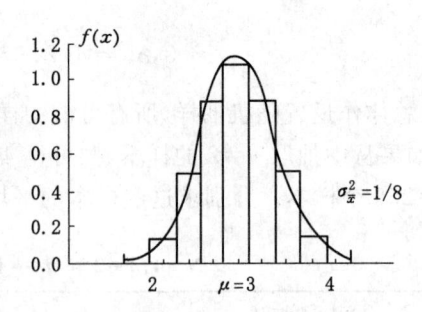

图 3-7 平均数 $\bar{x}$ 的抽样分布

在 n 由 2 增到 4 时,这种趋势表现得相当明显。当 $n>30$ 时,$\bar{x}$ 的分布就近似正态分布了。x 变量与 $\bar{x}$ 变量概率分布间的关系可由下列两个定理说明:

(1) 若随机变量 x 服从正态分布 $N(\mu,\sigma^2)$,$x_1,x_2,\cdots,x_n$ 是由 x 总体得来的随机样本,则统计量 $\bar{x}=\sum x/n$ 的概率分布也是正态分布,且有 $\mu_{\bar{x}}=\mu$,$\sigma_{\bar{x}}=\sigma/\sqrt{n}$,即 $\bar{x}$ 服从正态分布 $N(\mu,\sigma^2/n)$。

(2) 若随机变量 x 服从平均数是 μ,方差是 σ^2 的分布(不是正态分布);$x_1,x_2,\cdots,x_n$ 是由此总体得来的随机样本,则统计量 $\bar{x}=\sum x/n$ 的概率分布,当 n 相当大时逼近正态分布 $N(\mu,\sigma^2/n)$。这就是中心极限定理。

上述两个结果保证了样本平均数的抽样分布服从或者逼近正态分布。

中心极限定理告诉我们:不论 x 变量是连续型还是离散型,也无论 x 服从何种分布,一般只要 $n>30$,就可认为 $\bar{x}$ 的分布是正态的。若 x 的分布不很偏倚,在 $n>20$ 时,$\bar{x}$ 的分布就近似于正态分布了。这就是为什么正态分布较之其他分布应用更为广泛的原因。

(五) t 分布

由样本平均数抽样分布的性质知道:若 $x\sim N(\mu,\sigma^2)$,则 $\bar{x}\sim N(\mu,\sigma^2/n)$。将随机变量 $\bar{x}$ 标准化得:$u=(\bar{x}-\mu)/\sigma_{\bar{x}}$,则 $u\sim N(0,1)$。当总体标准差 σ 未知时,σ 以样本标准差 S 代替 σ 所得到的统计量 $(\bar{x}-\mu)/S_{\bar{x}}$ 记为 t。在计算 $S_{\bar{x}}$ 时,由于采用 S 来代替 σ,使得 t 变量不再服从标准正态分布,而是服从 t 分布(t-distribution)。它的概率分布密度函数如下:

$$f(t)=\frac{1}{\sqrt{\pi df}}\frac{\Gamma[(df+1)/2]}{\Gamma(df/2)}\left(1+\frac{t^2}{df}\right)^{-\frac{df+1}{2}} \qquad (3-39)$$

式中,t 的取值范围是 $(-\infty,+\infty)$;$df=n-1$,为自由度。

t 分布的平均数和标准差为

$$\mu_t=0(df>1),\sigma_t=\sqrt{df/(df-2)} \quad (df>2) \qquad (3-40)$$

t 分布密度曲线如图 3-8 所示,其 t 分布的概率分布函数为

$$F_{t(df)}=P(t<t_1)=\int_{-\infty}^{t_1}f(t)\mathrm{d}t \qquad (3-41)$$

因而 t 在区间 $(t_1,+\infty)$ 取值的概率——右尾概率为 $1-F_{t(df)}$。由于 t 分布左右对称,t 在区间 $(-\infty,-t_1)$ 取值的

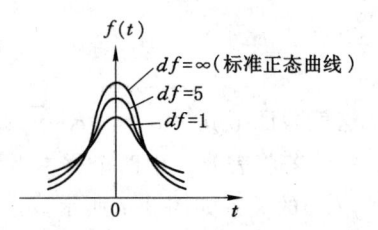

图 3-8 不同自由度的 t 分布密度曲线

概率也为 $1-F_{t(df)}$。于是 t 分布曲线下由 $-\infty$ 到 $-t_1$ 和由 t_1 到 $+\infty$ 两个相等的概率之和——两尾概率为 $2(1-F_{t(df)})$。

第三节　简单系统可靠性

一、系统的组成及功能逻辑框图

（一）系统的组成

系统和单元的含义均为相对而言,由研究的对象而定。例如,把一条生产线当成一个系统时,组成作业线的各个部分或单机都是单元;把一台设备作为系统时,组成设备的部件（或零件）都可以当作单元;当部件作为系统研究时,组成部件的零件或运动副等就作为单元了。因此,单元可以是子系统、机器、部件或零件等。

（二）系统可靠性功能逻辑框图

在分析系统可靠性时,要透彻了解系统中每个单元的功能,各单元之间在可靠性功能上的联系以及这些单元功能、失效模式对系统功能的影响,即就其功能研究系统可靠性。为了表示系统与单元功能间的逻辑关系,要建立功能逻辑框图,用方框表示单元功能,每一个方框表示一个单元,方框之间用短线联结起来,表示单元功能与系统功能的关系,这就是系统功能逻辑框图,简称系统逻辑框图或称为系统功能图。建立系统逻辑框图时绝不能从结构上判定系统类型,而应从功能上研究系统类型。图 3-9 所示流体系统,从结构上看是由管道及其上装有 1、2 两个阀门串联组成的。为确定系统类型,一定要分析系统的功能及其失效模式。

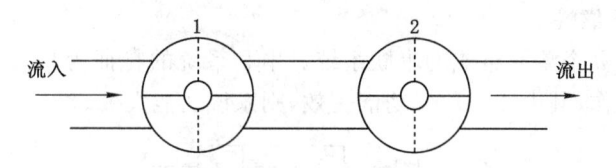

图 3-9　两个串联系统示意图

（1）当阀 1 与阀 2 处于开启状态时,功能是液体流通,系统失效是液体不能流通,其中包括阀门关闭。

（2）当阀 1 与阀 2 处于闭合状态时（图 3-9 中虚线所示）,两个阀的功能是截流,不能截流为系统失效,其中包括阀门泄漏。

由上述对流体系统的分析,可见单元的功能对系统功能的影响。分析中一定要指出哪些单元必须正常工作,才能保证系统能完成其预期的功能。比如在第一种情况时,若单元 1、2 功能是相互独立的,只有每个单元都实现自己的功能（开启）,系统才能实现液体流通的功能,若其中有一个单元功能失效,则系统功能就失效,液体就被截流。这种系统称为串联系统,其功能逻辑框图如图 3-10(a)所示。在第二种情况下,单元 1、2 至少有一个功能正常,系统就能实现截流功能,只有当所有的单元功能都失效,系统功能才失效。这种系统称为并联系统,其功能逻辑框图如图 3-10(b)所示。

由于系统逻辑框图只表明各单元功能与系统功能的逻辑关系,不表明各单元之间结构上的关系,因而各单元的排列次序无关紧要。一般情况下,输入和输出单元的位置常常相应

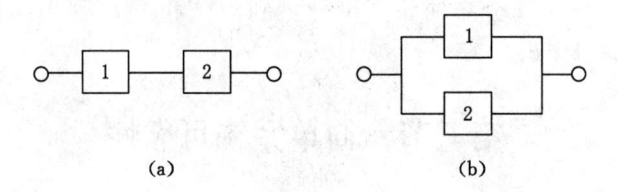

图 3-10 系统功能逻辑框图
(a) 串联系统；(b) 并联系统

地排列在系统逻辑框图的首和尾,而中间其他单元的次序可任意排列。

(三) 系统类型

根据单元在系统中所处的状态及其对系统的影响,系统可分为如下类型:

$$
\text{系统}\begin{cases} \text{非储备系统——串联系统} \\ \text{储备系统}\begin{cases} \text{工作储备系统}\begin{cases} \text{并联系统} \\ \text{混联系统} \\ \text{表决系统} \end{cases} \\ \text{非工作储备系统——旁联系统} \end{cases} \\ \text{复杂系统} \end{cases}
$$

下面介绍几种常用的典型系统及其可靠性特征量计算。为简化问题,先做两点假设:

(1) 认为系统及其组成的各单元均可能处于两种状态——正常和失效;
(2) 各单元所处的状态是相互独立的。

二、串联系统可靠性

图 3-11 所示为 n 个单元组成的串联系统。串联系统的特征为只有 n 个单元都正常工作时,系统才正常工作,其中任一单元功能失效,则系统功能失效。

图 3-11 串联系统逻辑框图

若令事件 A 为系统处于正常工作状态,事件 $A_i(i=1,2,\cdots,n)$ 为单元 i 处于正常工作状态,则由串联系统特征可知:

$$A = \bigcap_{i=1}^{n} A_i$$

由于诸 A_i 相互独立,故有

$$P(A) = \prod_{i=1}^{n} P(A_i)$$

即系统可靠度 $R_s(t)$ 与单元 $R_i(t)$ 可靠度关系为

$$R_s(t) = \prod_{i=1}^{n} R_i(t) \tag{3-42}$$

式(3-42)说明串联系统可靠度等于各独立单元可靠度的连乘积。

若各单元寿命均服从指数分布,即各单元失效都属于偶然失效,令单元失效率为 λ_i(常数),其可靠度为 $R_i(t) = e^{-\lambda_i t}$,则系统可靠度为

$$R_s(t) = \prod_{i=1}^{n} e^{-\lambda_i t} = e^{-\sum_{i=1}^{n}\lambda_i t} = e^{-\lambda_s t} \qquad (3-43)$$

式(3-43)表明串联系统的寿命也服从指数分布,则系统的失效率 λ_s 也为常数,且

$$\lambda_s = \sum_{i=1}^{n} \lambda_i \qquad (3-44)$$

串联系统的平均寿命 θ_s 为

$$\theta_s = \frac{1}{\lambda_s} \qquad (3-45)$$

若 $\lambda_1 = \lambda_2 = \cdots = \lambda_n = \lambda = \frac{1}{\theta}$,则 $\lambda_s = n\lambda$,那么

$$R_s(t) = R^n(t) = e^{-n\lambda t} \qquad (3-46)$$

$$\theta_s = \frac{1}{n\lambda} = \frac{\theta}{n} \qquad (3-47)$$

式(3-47)表明当单元失效率为 λ 时,单元平均寿命为 θ,系统的平均寿命 θ_s 是单元平均寿命的 $1/n$ 倍。

由式(3-42)可知,在串联系统中,单元数越多,系统可靠度越低。为提高串联系统的可靠度,应该主要注意提高串联系统中可靠度最低的单元可靠度,即注意提高系统中薄弱单元的可靠度。

三、并联系统可靠性

图 3-12 所示为 n 个单元组成的并联系统。其特征是,其中任一个单元正常工作,系统就能正常工作,只有 n 个单元全部失效时,系统才失效。

令事件 A 为系统正常,$\overline{A}$ 为系统失效,A_i 及 $\overline{A}_i$ ($i=1,2,\cdots,n$)为第 i 个单元正常及失效,则由并联特征可以写出:

$$\overline{A} = \bigcap_{i=1}^{n} \overline{A}_i$$

假设各单元状态相互独立,则由概率乘法定理可得到系统的不可靠度 $F_s(t)$ 为

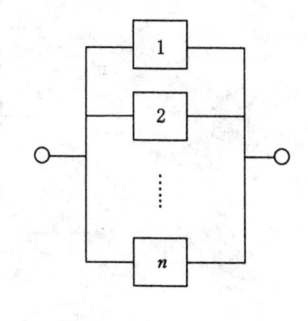

图 3-12 并联系统逻辑框图

$$F_s(t) = P(\overline{A}) = \prod_{i=1}^{n} P(\overline{A}_i) = \prod_{i=1}^{n} F_i(t) \qquad (3-48)$$

由互补定理可得系统可靠度 $R_s(t)$ 为

$$R_s(t) = 1 - F_s(t) = 1 - \prod_{i=1}^{n} F_i(t) = 1 - \prod_{i=1}^{n} [1 - R_i(t)] \qquad (3-49)$$

若各单元分布均为失效率为 λ_i(常数)的指数分布,则

$$R_s(t) = 1 - \prod_{i=1}^{n} (1 - e^{-\lambda_i t}) \qquad (3-50)$$

把式(3-50)展开得

$$R_s(t) = \sum_{i=1}^{n} e^{-\lambda_i t} - \sum_{1 \leq i \leq j \leq n} e^{-(\lambda_i + \lambda_j)t} + \cdots + (-1)^{n-1} e^{-\sum_{i=1}^{n}\lambda_i t} \qquad (3-51)$$

系统的平均寿命为

$$\theta_s = \int_0^{+\infty} R_s(t)dt = \sum_{i=1}^{n} \frac{1}{\lambda_i} - \sum_{1 \leqslant i \leqslant j \leqslant n} \frac{1}{\lambda_i + \lambda_j} + \cdots + (-1)^{n-1} \frac{1}{\sum_{i=1}^{n}\lambda_i} \quad (3-52)$$

系统的失效率 $\lambda_s(t)$ 为

$$\lambda_s(t) = \frac{F'_s(t)}{R_s(t)} = -\frac{R'_s(t)}{R_s(t)} \quad (3-53)$$

由上述分析可知,并联系统可靠度 $R_s(t)$ 大于单元可靠度最大的值。n 越大,$R_s(t)$ 越高。并联系统单元数多,说明系统的结构尺寸大,重量及造价都高。所以,机械系统中一般采用并联单元数不多,例如在动力装置、安全装置、制动装置采用并联时,常取 $n=2\sim3$。

四、混联系统可靠性

混联系统包括一般混联系统、串-并联混联系统、并-串联混合系统等形式。在此仅讲一般混联系统,其系统逻辑框图及等效框图见图 3-13。

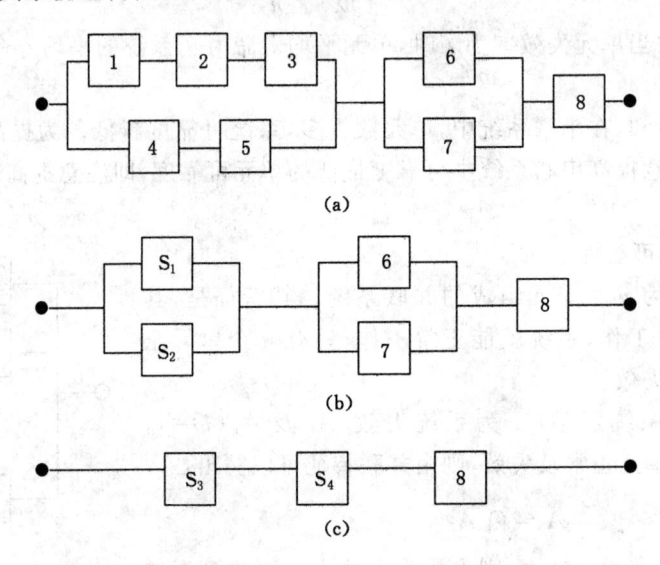

图 3-13 混联系统及其等效框图

对于一般混联系统,可用串联和并联原理,将混联系统中的串联和并联部分简化成等效单元——子系统[图 3-13(b)、(c)]。先利用串联和并联系统可靠性特征量计算公式求出子系统的可靠性特征量,最后,把每一个子系统作为一个等效单元,得到一个与混联系统等效的串联或并联系统,即可求得全系统的可靠性特征量。例如图 3-13(a)所示一般混联系统,可得

$$R_{s1}(t) = R_1(t)R_2(t)R_3(t)$$
$$R_{s2}(t) = R_4(t)R_5(t)$$
$$R_{s3}(t) = 1 - [1-R_{s1}(t)][1-R_{s2}(t)]$$
$$= R_{s1}(t) + R_{s2}(t) - R_{s1}(t)R_{s2}(t)$$
$$= R_1(t)R_2(t)R_3(t) + R_4(t)R_5(t) - R_1(t)R_2(t)R_3(t)R_4(t)R_5(t)$$
$$R_{s4}(t) = 1 - [1-R_6(t)][1-R_7(t)] = R_6(t) + R_7(t) - R_6(t)R_7(t)$$

全系统可靠度、失效率及平均寿命分别为

$$R_s(t) = R_{s3}(t)R_{s4}(t)R_8(t)$$
$$= [R_1(t)R_2(t)R_3(t) + R_4(t)R_5(t) - R_1(t)R_2(t)R_3(t)R_4(t)R_5(t)] \times$$
$$[R_6(t) + R_7(t) - R_6(t)R_7(t)]R_8(t)$$
$$\lambda_s(t) = -\frac{R'_s(t)}{R_s(t)}$$
$$\theta_s = \int_0^{+\infty} R_s(t)dt$$

五、表决系统可靠性

图 3-14 所示为 n 个单元组成的表决系统，其系统的特征是组成系统的 n 个单元中，至少 r 个单元正常工作，系统才能正常工作，大于 $(n-r)$ 个单元失效，系统就失效。这样的系统称为 r/n 表决系统。

首先研究 2/3 表决系统，如图 3-15 所示，其中图 3-15(b) 是图 3-15(a) 的等效系统框图。

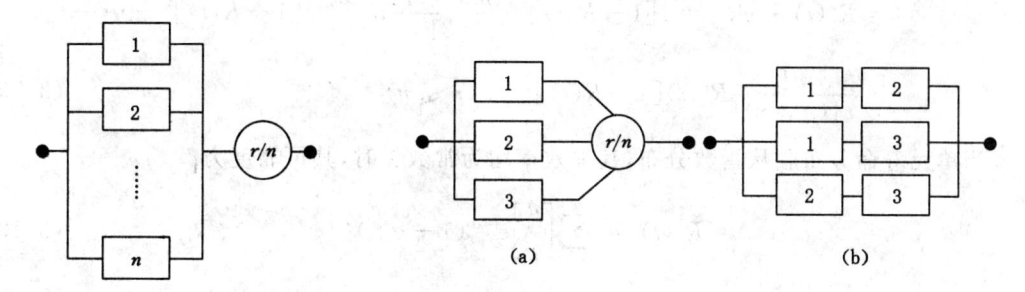

图 3-14 表决系统逻辑框

图 3-15 2/3 表决系统逻辑框图

若系统的单元为 1,2,3，每个单元可靠度为 $R_i(t)$，第 i 个单元处于正常工作的事件为 A_i，系统处于正常工作的事件为 A，则
$$R_i(t) = P(A_i) \quad (i=1,2,3)$$
$$A = (A_1 \cap A_2) \cup (A_1 \cap A_3) \cup (A_2 \cap A_3)$$

设系统中各单元之间的工作相互独立，$(A_1 \cap A_2)$、$(A_1 \cap A_3)$、$(A_2 \cap A_3)$ 相容，则系统可靠度为
$$R_s(t) = P(A)$$
$$= P(A_1 \cap A_2) + P(A_1 \cap A_3) + P(A_2 \cap A_3) -$$
$$P(A_1 \cap A_2 \cap A_1 \cap A_3) - P(A_1 \cap A_2 \cap A_2 \cap A_3) -$$
$$P(A_1 \cap A_3 \cap A_2 \cap A_3) + P(A_1 \cap A_2 \cap A_1 \cap A_3 \cap A_2 \cap A_3)$$
$$= R_1(t_1)R_2(t_2) + R_1(t_1)R_3(t_3) + R_2(t_2)R_3(t_3) - 2R_1(t_1)R_2(t_2)R_3(t_3)$$

如果单元及系统时间均为 t 时，则有
$$R_s(t) = R_1(t)R_2(t) + R_1(t)R_3(t) + R_2(t)R_3(t) - 2R_1(t)R_2(t)R_3(t) \tag{3-54}$$

若各单元可靠度均为 $R(t)$，则
$$R_s(t_1) = 3R^2(t) - 2R^3(t)$$

如果各单元寿命服从指数分布，即 $R_i(t) = e^{-\lambda_i t}$，则
$$R_s(t) = e^{-(\lambda_1+\lambda_2)t} + e^{-(\lambda_1+\lambda_3)t} + e^{-(\lambda_2+\lambda_3)t} - 2e^{-(\lambda_1+\lambda_2+\lambda_3)t} \tag{3-55}$$

系统的平均寿命为

$$\theta_s = \int_0^{+\infty} R_s(t)dt = \frac{1}{\lambda_1+\lambda_2} + \frac{1}{\lambda_1+\lambda_3} + \frac{1}{\lambda_2+\lambda_3} - \frac{2}{\lambda_1+\lambda_2+\lambda_3} \quad (3-56)$$

若各单元的失效率均为 λ 时，单元可靠度为 $R(t)=e^{-\lambda t}$，则

$$R_s(t) = 3R^2(t) - 2R^3(t) = 3e^{-2\lambda t} - 2e^{-3\lambda t} \quad (3-57)$$

$$\theta_s = \frac{3}{2\lambda} - \frac{2}{3\lambda} = \frac{5}{6\lambda} \quad (3-58)$$

一般来说，对于 r/n 表决系统，当单元可靠度均为 $R(t)$ 时，由二项分布可知，表决系统可靠度为

$$\begin{aligned} R_s(t) &= \sum_{i=r}^{n}\left\{\begin{bmatrix}n\\i\end{bmatrix} R^r(t)[1-R(t)]^{n-r}\right\} \\ &= R^n(t) + nR^{n-1}(t)[1-R(t)] + \frac{n(n-1)}{2!}R^{n-2}(t)[1-R(t)]^2 + \cdots + \\ &\quad \frac{n!}{r!(n-r)!}R^r(t)[1-R(t)]^{n-r} \quad (r \leqslant n) \end{aligned} \quad (3-59)$$

当单元寿命分布服从指数分布，其失效率均为常数 λ 时，其可靠度为

$$R_s(t) = \sum_{i=r}^{n}\begin{bmatrix}n\\i\end{bmatrix}e^{-\lambda t}(1-e^{-\lambda t})^{n-i} \quad (3-60)$$

系统的平均寿命为

$$\theta_s = \int_0^{+\infty} R_s(t)dt = \sum_{i=r}^{n}\begin{bmatrix}n\\i\end{bmatrix}\int_0^{+\infty}e^{-\lambda t}(1-e^{-\lambda t})^{n-i}dt = \sum_{i=r}^{n}\frac{1}{i\lambda} \quad (3-61)$$

式(3-60)为一般公式。如果 $r=n$，即当全部单元正常工作时系统才能正常工作，则得 $R_s(t)=R_n(t)$，此为串联系统可靠度计算公式。如果 $r=1$，则至少有一个单元正常，系统就能正常工作，则为典型的并联系统。

六、储备系统可靠性

为了提高系统的可靠性，在正常工作单元以外，还可以储备一些单元，以便当工作单元失效时，能够立即通过转换开关使储备单元依次地替换已经失效的工作单元，从而使系统能够继续工作下去。这种系统叫做储备系统，也称为冗余系统，有些文献又称其为旁联系统。

储备系统分为冷储备系统和热储备系统两种。所谓冷储备，是指储备单元在储备期内不发生失效。所谓热储备，是指系统中做储备的单元也存在失效的可能，但储备单元的失效率与其工作失效率不同，一般要小得多。

（一）冷储备

图 3-16 是由 n 个单元组成的冷储备系统，其中一个单元工作，$n-1$ 个单元冷储备，S 为转换开关，当然储备系统中还应有失效探测器来检查失效，为简明计，可忽略不计。

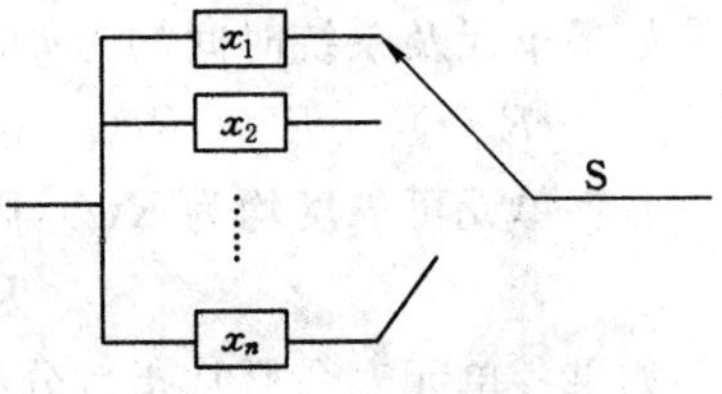

图 3-16 冷储备系统

1. 转换开关完全可靠的冷储备系统

(1) 相同单元组成的冷储备系统

设系统由 n 个单元组成，单元失效率均为 λ_0。在 0 到 t 时间内系统要正常工作，只能允许发生 $n-1$ 次单元失效。由于指数单元具有无记忆性，因此，系统中 $n-1$ 个单元各发生一次失效是等价的。按照系统可靠度 $R_s(t)$ 的定义，$R_s(t)$ 是在 0 到 t 时间内不出现失效的概率，也就是一个单元发生失效的次数少于 n 的概率。

根据泊松分布的定义，一个单元在 $[0,t]$ 内发生 k 失效的概率为 $P_k = \dfrac{(\lambda_0 t)^k}{k!} e^{-\lambda_0 t}$，故 $R_s(t) = \sum\limits_{k=0}^{n-1} P_k$，即

$$R_s(t) = \sum_{k=0}^{n-1} \frac{(\lambda_0 t)^k}{k!} e^{-\lambda_0 t} \tag{3-62}$$

系统的平均寿命：

$$MTTF_s = \sum_{i=1}^{n} MTTF_i$$

引入 $MTTF_i = \dfrac{1}{\lambda_0}$，得

$$MTTF_s = \frac{n}{\lambda_0} \tag{3-63}$$

(2) 不同单元组成的冷储备系统

设 n 个单元的失效率分别为 $\lambda_1, \lambda_2, \cdots, \lambda_n$，当它们两两不同时，可以证明此系统的可靠度为

$$R_s(t) = \sum_{k=1}^{n} \left(\prod_{\substack{i=1 \\ i \neq k}}^{n} \frac{\lambda_i}{\lambda_i - \lambda_k} \right) e^{-\lambda_k t} \tag{3-64}$$

系统的平均寿命：

$$MTTF_s = \sum_{i=1}^{n} \frac{1}{\lambda_i} \tag{3-65}$$

当 $n=2$ 时，有

$$R_s(t) = \frac{\lambda_2}{\lambda_2 - \lambda_1} e^{-\lambda_1 t} + \frac{\lambda_1}{\lambda_1 - \lambda_2} e^{-\lambda_2 t} \tag{3-66}$$

$$MTTF_s = \frac{1}{\lambda_1} + \frac{1}{\lambda_2} \tag{3-67}$$

当 $n=3$ 时，有

$$R_s(t) = \frac{\lambda_2 \lambda_3 e^{-\lambda_1 t}}{(\lambda_2 - \lambda_1)(\lambda_3 - \lambda_1)} + \frac{\lambda_1 \lambda_3 e^{-\lambda_2 t}}{(\lambda_1 - \lambda_2)(\lambda_3 - \lambda_2)} + \frac{\lambda_1 \lambda_2 e^{-\lambda_3 t}}{(\lambda_1 - \lambda_3)(\lambda_2 - \lambda_3)} \tag{3-68}$$

$$MTTF_s = \frac{1}{\lambda_1} + \frac{1}{\lambda_2} + \frac{1}{\lambda_3} \tag{3-69}$$

(3) 多个单元工作的冷储备系统

设 n 个单元组成的系统中有 l 个工作，$n-l$ 个冷储备，且 n 个单元的失效率均为 λ_0，系

统的可靠度如何求得呢?

系统中 l 个单元工作,失效总是一个一个发生的,在极小 Δt 内同时发生两个或两个以上单元失效的概率是小概率(Δt),可以忽略不计。故一个单元发生失效后,可以立即由一个储备单元顶替,系统始终保持 l 个单元工作。因此可以把该系统看成是一个失效率为 $l\lambda_0$ 的等效单元在工作,$n-l$ 个单元储备等待的系统,这种冷储备系统的可靠度及平均寿命公式如下:

$$R_s(t) = e^{-l\lambda_0 t}\left[1 + l\lambda_0 t + \frac{1}{2!}(l\lambda_0 t)^2 + \cdots + \frac{1}{(n-l)!}(l\lambda_0 t)^{n-l}\right] \tag{3-70}$$

$$MTTF_s = \frac{(n-l)+1}{l\lambda_0} \tag{3-71}$$

2. 转换开关不完全可靠的冷储备系统

系统由 n 个相同单元和一个转换开关组成,其中 1 个单元工作,$n-1$ 个单元储备。当工作单元失效时,逐次由储备单元顶替。设开关的可靠度为 R_{sw},单元、开关两两相互独立。

n 个相同单元的寿命分别记为 $T_1, T_2, \cdots, T_n$,是 n 个独立随机变量,各单元的寿命都是参数为 λ_0 的指数分布。系统的寿命为

$$T_s = T_1 + T_2 + \cdots + T_n$$

系统的寿命分布函数为

$$F_s = P(T_s \leqslant t) = 1 - R_s(t)$$

系统的可靠度函数为

$$R_s = P(T_s > t) = P\{(T_1 + T_2 + \cdots + T_n) > t\}$$

应用全概率公式,可得系统可靠度

$$\begin{aligned}
R_s(t) &= P\{(T_1 + T_2 + \cdots + T_v) > t\} \\
&= \sum_{k=1}^{n} P\{(T_1 + T_2 + \cdots + T_v) > t \mid v = k\} P\{v = k\} \\
&= \sum_{k=1}^{n-1} P\{(T_1 + T_2 + \cdots + T_k) > t\} P\{v = k\} + P\{(T_1 + T_2 + \cdots + T_n) > t\} R_{sw}^{n-1}
\end{aligned} \tag{3-72}$$

系统的平均寿命:

$$MTTF_s = E(T_s) = E\{T_1 + T_2 + \cdots + T_n\}$$

经过推导,上式最后可化为

$$MTTF_s = \frac{1}{\lambda_0(1-R_{sw})}(1-R_{sw}^n) \tag{3-73}$$

例如,当 $n=2$ 时:

$$R_s(t) = e^{-\lambda_0 t} + R_{sw}\lambda t e^{-\lambda_0 t} \tag{3-74}$$

$$MTTF_s = \frac{1}{\lambda_1} + R_{sw}\frac{1}{\lambda_2} \tag{3-75}$$

类似地,可得两个单元失效率不相同时系统可靠度计算公式:

$$R_s(t) = e^{-\lambda_1 t} + \frac{\lambda_1 R_{sw}}{\lambda_1 - \lambda_2}(e^{-\lambda_2 t} - e^{-\lambda_1 t}) \tag{3-76}$$

$$MTTF_s = \frac{1}{\lambda_1} + R_{sw}\frac{1}{\lambda_2} \tag{3-77}$$

(二) 热储备

所谓热储备系统是指储备的单元也有可能失效。一般热储备系统比冷储备系统计算起来要复杂得多,因此我们只讨论两单元构成的热储备系统。设工作单元的失效率为 λ_1,储备单元在储备期间的失效率为 λ'_2,投入工作后的失效率为 λ_2。假设两单元相互独立,则系统的可靠度与平均寿命的计算式如下:

$$R_s(t) = e^{-\lambda_1 t} + \frac{\lambda_1}{\lambda_1 + \lambda'_2 + \lambda_2}[e^{-\lambda_2 t} - e^{-(\lambda_1 + \lambda'_2)t}] \tag{3-78}$$

$$MTTF_s = \frac{1}{\lambda_1} + \frac{1}{\lambda_2}\left(\frac{\lambda_1}{\lambda_1 + \lambda'_2}\right) \tag{3-79}$$

当 $\lambda'_2 = 0$ 时,即为两单元冷储备系统,有

$$R_s(t) = e^{-\lambda_1 t} + \frac{\lambda_1}{\lambda_1 - \lambda_2}[e^{-\lambda_2 t} - e^{-\lambda_1 t}] \tag{3-80}$$

$$MTTF_s = \frac{1}{\lambda_1} + \frac{1}{\lambda_2} \tag{3-81}$$

当 $\lambda'_2 = \lambda_2$ 时,即为两个单元并联的系统,有

$$R_s(t) = e^{-\lambda_1 t} + e^{-\lambda_2 t} - e^{-(\lambda_1 + \lambda_2)t}$$

$$MTTF_s = \frac{1}{\lambda_1} + \frac{1}{\lambda_2}\left(\frac{1}{\lambda_1 + \lambda_2}\right) = \frac{1}{\lambda_1} + \frac{1}{\lambda_2} - \left(\frac{1}{\lambda_1 + \lambda_2}\right) \tag{3-82}$$

如果转换开关不完全可靠时,有

$$R_s(t) = e^{\lambda_1 t} + R_{sw}\frac{\lambda_1}{\lambda_1 + \lambda'_2 - \lambda_2}[e^{-\lambda_2 t} - e^{-(\lambda'_2 + \lambda_2)t}] \tag{3-83}$$

$$MTTF_s = \frac{1}{\lambda_1} + R_{sw}\frac{\lambda_1}{(\lambda_1 + \lambda'_2)\lambda_2} \tag{3-84}$$

第四节 复杂系统可靠性

前面几节讨论了串联、并联、混联等系统可靠度,但是除此之外,还有一些复杂系统难以用前述的方法进行分析与计算。本章将就一般网络系统的可靠度的求法做一些讨论。复杂系统可靠度的计算方法比较多,有概率图法、状态枚举法、全概率公式法、最小路集法、最小割集法等。

为了使分析简化,本章所研究的问题都假设只具有两态。这是系统可靠性中最常见的情况。所谓两态就是单元和系统都只有两种状态——正常状态或失效状态,且两种状态必居其一。

一、结构函数

(一) 定义

一个系统正常与否,完全由系统的结构[例如串联、并联或 $k/n(G)$ 表决等]以及单元的状态所决定。

由于系统和单元都只能有两种状态,于是可以用开关代数来描述两态问题。可靠性文献中习惯地把这种开关代数所表示的函数关系称为结构函数。结构函数是一个 n 元的二值函数,因此结构函数具有二值变量的性质,可以运用布尔代数运算规则化简计算。

设系统 X 由 n 个单元组成,用二值变量 x_i 来表示 i 单元的状态,且

$$x_i = \begin{cases} 1 & (\text{当第 } i \text{ 个部件正常时}) \\ 0 & (\text{当第 } i \text{ 个部件故障时}) \end{cases} \tag{3-85}$$

记系统的状态向量 $X=(x_1,x_2,\cdots,x_n)$,则系统有 2^n 个状态向量,系统的这 2^n 个状态向量对应于系统的两种状态——正常或者失效。我们称

$$\Phi(X) = \Phi(x_1,x_2,\cdots,x_n) = \begin{cases} 1 & (\text{当系统正常时}) \\ 0 & (\text{当系统故障时}) \end{cases} \tag{3-86}$$

为系统的结构函数。

显然,系统的结构函数 $\Phi(X)=\Phi(x_1,x_2,\cdots,x_n)$ 是二值单元向量 $x_1,x_2,\cdots,x_n$ 的二值函数。

为研究方便,引入"关联系统"的概念。关联系统中,组成系统的 n 个单元中的每一个都对系统有影响。而且在其他单元状态保持不变的条件下,一个单元或一些单元正常时,与它们失效时相比,系统正常的可能性要大,这就是关联系统的有关性和单调性。

采用数学语言将关联性和单调性描述如下:
用

$$\begin{aligned}(1_i,X) &= (x_1,x_2,\cdots,x_{i-1},x_{i+1},\cdots,x_n) \\ (0_i,X) &= (x_1,x_2,\cdots,x_{i-1},x_{i+1},\cdots,x_n)\end{aligned} \tag{3-87}$$

分别表示 n 维向量 X 中第 i 个元素取值为 1、0 的情况。

如果不管向量 X 中的其他分量保持什么状态,对第 i 个分量 x_i 而言,总有 $\Phi(1_i,X)=\Phi(0_i,X)$ 成立,即第 i 分量 x_i 的取值对系统结构函数的数值无影响,则称第 i 个单元与结构 Φ 无关;否则称第 i 个单元与结构有关。

如果 $\Phi(0,0,\cdots,0)=0, \Phi(1,1,\cdots,1)=1$,并且对任意的 $X \leqslant Y$,有 $\Phi(X) \leqslant \Phi(Y)$,则称结构 Φ 是单调的,其中 $X \leqslant Y$ 表示相应的分量,$X_i \leqslant Y_i (i=1,2,\cdots,n)$。

若 Φ 中每一个单元都是有关的,且 Φ 是单调的,则称结构 Φ 是关联的,或称系统 X 是关联系统。我们后面研究的都假设是关联系统,关联系统由其结构函数唯一确定。

引入结构函数的概念后,就可以方便地用结构函数来表示系统。

根据上述定义,可写出几种典型的可靠性逻辑框图的结构函数如下。

1. 串联系统

n 个单元组成的串联系统的结构函数定义式为

$$\Phi(X) = x_1 \cap x_2 \cap \cdots \cap x_n \tag{3-88}$$

如果 n 个单元是互相独立的,上式可以展开为

$$\Phi(X) = x_1 x_2 \cdots x_n = \prod_{i=1}^{n} x_i$$

其含义是,当 n 个单元均取值为 1 时,系统结构函数才等于 1,表明系统是完好的,这与串联系统的定义是一致的。

2. 并联系统

n 个单元组成的并联系统的结构函数为

$$\Phi(X) = x_1 \cup x_2 \cup \cdots \cup x_n \tag{3-89}$$

如果 n 个单元是互相独立的，上式可以展开为

$$\Phi(X) = \prod_{i=1}^{n} x_i = 1-(1-x_1)(1-x_2)\cdots(1-x_n) = 1-\prod_{i=1}^{n}(1-x_i)$$

其含义是，当 n 个单元中只要有一个单元取值为 1 时，系统结构函数就等于 1，表明系统是完好的，这与并联系统的定义也是一致的。

应该指出，只有在单元独立的前提下式(3-88)、式(3-89)才能如上展开，否则，应采用不交化规则展开。

3. $k/n(G)$ 表决系统

其结构函数为

$$\Phi(X) = \begin{cases} 1 & (\text{当} \sum_{i=1}^{n} x_i \geqslant k \text{ 时}) \\ 0 & (\text{其他}) \end{cases} \tag{3-90}$$

（二）结构函数与可靠度

根据系统的结构函数可以求出系统的可靠度，设系统的结构函数为 $\Phi(X)$，则系统的可靠度为

$$R_s = P\{\Phi(X) = 1\} = E[\Phi(X)] \tag{3-91}$$

例如，对于 n 个独立单元组成的串联系统，有

$$R_s = E[\Phi(X)] = E(x_1 x_2 \cdots x_n) = P(x_1)P(x_2)\cdots P(x_n) = \prod_{i=1}^{n} P_i$$

式中，$P_i(i=1,2,\cdots,n)$ 是各个单元的工作概率。

二、全概率分解法

这是一种将非串并联复杂系统化为串并联系统的解析方法。其理论根据是，任一单元的正常事件 x 与其逆事件 $\bar{x}$ 均构成一完备事件组。故反复利用全概率公式，就可将非串并联系统分解简化为一般的串并联系统。基本计算公式如下：

$$R_s = P(S) = P(x)P(S|x) + P(\bar{x})P(S|\bar{x}) \tag{3-92}$$

式中　$P(S)$——系统的正常工作概率（即可靠度）；
　　　$P(x)$——所选定事件 x 的可靠度；
　　　$P(\bar{x})$——所选定事件 x 的不可靠度；
　　　$P(S|x)$——所选定事件正常时，系统正常的条件概率；
　　　$P(S|\bar{x})$——所选定事件失效时，系统正常的条件概率。

三、最小路法

前节讨论的桥式系统等，实际上就是网络系统。为深入讨论问题，引入网络的概念。

（一）网络及其路集

1. 网络图

所谓网络就是由节点以及连接节点的弧所构成的图形。根据系统的可靠性框图，把表示单元的每个框用弧表示并表明方向，然后在各框的连接处标注上节点，就构成了系统的网

络图。弧分为有向弧和无向弧两种,无向弧可以理解为双向弧,节点分为输入节点、输出节点和中间节点三种。输入节点是只有流出弧而无流入弧的节点,而输出节点则是只有流入弧而无流出弧的节点,其他节点称为中间节点。

如果组成网络的弧全是有向弧,则网络称为有向网络;如果全是无向弧,则称为无向网络;既有有向弧又有无向弧的网络叫做混合型网络。无向网络一旦指定了输出节点和输入节点,就成了有向网络。

2. 路集

系统的可靠性网络图能够明确地反映出系统可靠性与单元可靠性之间的关系。在利用可靠性逻辑网络图对系统可靠性进行分析、运算时,将用到路集、最小路集的概念,下面通过例子来阐述这些概念。

考察图3-17所示的网络图。可以看出,当单元集合(x_1,x_4)、(x_2,x_5)、(x_1,x_3,x_4)、(x_2,x_3,x_5)等中的任意一个集合内的元素(即单元)都正常时,系统就能正常工作。我们把一个集合称为系统的路集合,简称路集或称为一条路。可以看出,该系统有多个路集(多条路)。

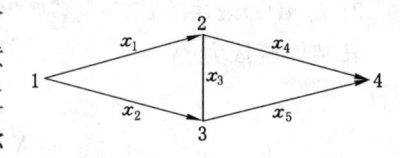

图 3-17 桥式网络

同时,还注意到上面这些路集的情况并不完全相同。如(x_1,x_3,x_4)中去掉x_3后仍然是一个路集;但集合(x_1,x_4)中任意去掉一个后,就不能构成一个路集了。我们把这种去掉一个元素就不能构成一个路集的集合称为最小路集。

路集、最小路集的定义如下:

(1) 在网络图中,从节点i出发,经过一系列的弧可以到达节点j,则称这个弧序列是从节点i到节点j的一个路集或一条路。

(2) 如果在一个路集内,任意去掉一条弧后,它就不是一个路集,那么该路集就是一个最小路集。

根据定义,一个路集增加一条弧以后仍然是一个路集。

一般对于平面图而言,如果网络的节点数目为n,并且任意两节点之间只能有一条弧,则该网络包含的弧数目最多为$\frac{1}{2}n(n-1)$,网络的最小路数目为2^{n-2},例如对桥式网络,节点数目为4,最大可能的弧数为6,实际为5;因为输入点和输出点之间没有直接弧,最小路数目为4。

(二) 系统最小路集的求法

1. 联络矩阵法

给定一个任意网络S,有n个节点,节点分别以$1,2,\cdots,n$表示。建立相应的n阶矩阵$\boldsymbol{C}=[C_{ij}]$,其中,C_{ij}定义为

$$C_{ij} = \begin{cases} x & (\text{节点}i\text{到节点}j\text{之间有弧}x\text{直接连接}) \\ 0 & (\text{节点}i\text{到节点}j\text{之间无弧直接相连}) \end{cases}$$

则称矩阵$\boldsymbol{C}$为网络S的联络矩阵或关联矩阵。

例3-2 写出图3-18桥式网络的联络矩阵。

解 根据定义,结合图3-18,联络矩阵写为

$$C = \begin{bmatrix} 0 & x_1 & x_2 & 0 \\ 0 & 0 & x_3 & x_4 \\ 0 & x_3 & 0 & x_5 \\ 0 & 0 & 0 & 0 \end{bmatrix} \quad (3-93)$$

由该例可看出联络矩阵具有以下特点:
① 对角线各元素均为 0,即 $C_{ii}=0$。
② 输入节点所在的列中所有元素均为 0。本例中"1"是输入节点,故第 1 列元素全为 0。
③ 输出节点所在行中所有元素均为 0。本例中"4"是输出节点,故第 4 行元素全为 0。
④ 节点 i,j 之间的弧若是无向弧,则可看成双向的,即 $C_{ij}=C_{ji}$。

联络矩阵有如下乘方规则:
$$C^2 = [C_{ij}^{(2)}] \quad (i,j=1,\cdots,n) \quad (3-94)$$

其中
$$C_{ij}^{(2)} = \sum_{k=1}^{n} C_{ij} \cdot C_{kj}$$

$C_{ij}^{(2)}$ 表示从节点 i 到节点 j 之间长度为 2 的最小路的全体。如果 $C_{ij}^{(2)}$ 小于 2(即只有一条弧),则应将 $C_{ij}^{(2)}$ 改为零。

$$C^r = C \cdot C^{r-1} = [C_{ij}^{(r)}] \quad (3-95)$$

其中
$$C_{ij}^{(r)} = \sum_{k=1}^{n} C_{ik} \cdot C_{kj}^{(r-1)} (r=2,\cdots,n)$$

同样,$C_{ij}^{(r)}$ 表示从节点 i 到节点 j 之间长度为 r 的最小路的全体。

在一个有 n 个节点的网络 S 中,任意两个节点之间的最小路的最大长度不大于 $n-1$,因此,只要通过多次乘法就可以求得各种长度最小路的全体。不过,一般我们最关心的是输入节点和输出节点之间的最小路,因此,只需求出 $C^2,\cdots,C^{n-1}$ 中的某一列元素即可。

2. 布尔行列式法

布尔行列式法步骤比较简明,已知条件给出网络的网络矩阵 C。首先构造一个与网络矩阵同维数的单位矩阵 U,并与 C 相加,得到 $U+C$;其次,将此矩阵中对应于输入点的列和对应于输出点的行都删去,从而构成了一个新的行列式 S;最后,将 S 展开成为各项代数和形式,并且令各项均取正值,即可得到网络最小路集。

例 3-3 用布尔行列式法求图 3-17 所示桥式网络的全体最小路集。

解 其网络矩阵为
$$C = \begin{bmatrix} 0 & x_1 & x_2 & 0 \\ 0 & 0 & x_3 & x_4 \\ 0 & x_3 & 0 & x_5 \\ 0 & 0 & 0 & 0 \end{bmatrix}$$

又
$$U = \begin{bmatrix} 1 & 0 & 0 & 0 \\ 0 & 1 & 0 & 0 \\ 0 & 0 & 1 & 0 \\ 0 & 0 & 0 & 1 \end{bmatrix}$$

故

$$U+C = \begin{bmatrix} 1 & x_1 & x_2 & 0 \\ 0 & 1 & x_3 & x_4 \\ 0 & x_3 & 1 & x_5 \\ 0 & 0 & 0 & 1 \end{bmatrix}$$

行列式 S 为

$$S = \begin{vmatrix} x_1 & x_2 & 0 \\ 1 & x_3 & x_4 \\ x_3 & 1 & x_5 \end{vmatrix} = x_1 x_3 x_5 + x_2 x_3 x_4 - x_1 x_4 - x_2 x_5$$

所以最小路集为 $S = x_1 x_3 x_5 + x_2 x_3 x_4 + x_1 x_4 + x_2 x_5$，或表示为 $\{x_1 x_3 x_5, x_2 x_3 x_4, x_1 x_4, x_2 x_5\}$。

（三）由最小路集计算系统可靠度

1. 精确计算法

一般求得的最小路集是相交的，也就是各条路不是相互独立的。从相交的最小路集出发直接求系统的可靠度很复杂。一般的处理办法是先把相交的最小路集转化为不相交的最小路集，然后再计算系统的可靠度，这一过程称为不交化过程。下面介绍不交化规则及其方法。

（1）第一类不交化规则

结构函数化简的主要工具是集合运算规则，即布尔代数运算规则。

定义集合 A、B，则有

交换律：$A \cup B = B \cup A$

$A \cap B = B \cap A$

结合律：$A \cup (B \cup C) = (A \cup B) \cup C$

$A \cap (B \cap C) = (A \cap B) \cap C$

分配律：$A \cap (B \cup C) = (A \cap B) \cup (A \cap C)$

$A \cup (B \cap C) = (A \cup B) \cap (A \cup C)$

德·摩根定律：$\overline{A \cup B} = \overline{A} \cap \overline{B}$

$\overline{A \cap B} = \overline{A} \cup \overline{B}$

主元律：$A \cup \varnothing = A$

$A \cap \Omega = A$

互补律：$A \cap \overline{A} = \varnothing$

$A \cup \overline{A} = \Omega$

等幂律：$A \cap A = A$

$A \cup A = A$

吸收律：$A \cup (A \cap B) = A$

$A \cap (A \cup B) = A$

覆盖律：$A \cup B = A \cup (\overline{A} \cap B)$

事件之间的运算规则与集合运算规则相同。一般习惯上，集合运算符号用"$\cup$"、"$\cap$"表示；事件运算符号用"·"、"+"表示，或"·"省略不写，即

$$\begin{cases} A + B = B + A \\ AB = BA \end{cases} \tag{3-96}$$

$$\begin{cases} A + (B + C) = (A + B) + C \\ A(BC) = (AB)C \end{cases} \tag{3-97}$$

$$\begin{cases} A(B + C) = AB + AC \\ A + BC = (A + B)(A + C) \end{cases} \tag{3-98}$$

$$\begin{cases} \overline{A + B} = \overline{A}\,\overline{B} \\ \overline{AB} = \overline{A} + \overline{B} \end{cases} \tag{3-99}$$

$$\begin{cases} A + A = A \\ A \cdot A = A \end{cases} \tag{3-100}$$

$$\begin{cases} A + AB = A \\ A(A + B) = A \end{cases} \tag{3-101}$$

$$A + B = A + \overline{A}B \tag{3-102}$$

(2) 第二类不交化规则

① 设某系统 S 有 n 条最小路，$K_1, K_2, \cdots, K_n$，它们可能是相交的，则关于最小路 $S = K_1 + K_2 + \cdots + K_n$ 的不交化有如下公式：

$$\begin{aligned} S &= K_1 + K_2 + \cdots + K_n = K_1 + \overline{K_1} \cdot K_2 + \overline{K_1} \cdot \overline{K_2} \cdot K_3 + \cdots + \overline{K_1} \cdot \overline{K_2} \cdots \overline{K_{n-1}} \cdot K_n \\ &= \sum_{i=1}^{n} K_i - \sum_{i<j=2}^{n} K_i K_j + \sum_{i<j,k=3}^{n} K_i K_j K_k + \cdots + (-1)^{n-1} K_1 K_2 \cdots K_n \end{aligned} \tag{3-103}$$

② n 个单元组成的并联系统 S 的不相交型表达式为

$$S = x_1 + \overline{x_1} x_2 + \overline{x_1}\,\overline{x_2} x_3 + \cdots + \overline{x_1}\,\overline{x_2} \cdots \overline{x_{n-1}} x_n \tag{3-104}$$

其中 x_i 代表 i 弧（单元）正常的概率，即单元 i 的可靠度。$\overline{x_i} = 1 - x_i$ 是弧不正常的概率，即不可靠度。

③ n 个单元组成的串联系统 S 的不相交型表达式为

$$S = x_1 x_2 \cdots x_n \tag{3-105}$$

④ 德·摩根（De Morgan）定理的不相交型表示式为

$$\begin{cases} \overline{x_1 x_2 \cdots x_n} = \overline{x_1} + x_1 \overline{x_2} + x_1 x_2 \overline{x_3} + \cdots + x_1 x_2 \cdots x_{n-1} \overline{x_n} \\ \overline{x_1 + \overline{x_1} x_2 + \cdots + \overline{x_1}\,\overline{x_2} \cdots \overline{x_{n-1}} x_n} = \overline{x_1}\,\overline{x_2} \cdots \overline{x_n} \end{cases} \tag{3-106}$$

对串并联网络系统可反复应用以上诸关系式，再经过布尔展开、相补、吸收、归并计算，即可得到网络可靠度不交型最简表示式。然后将单元可靠度值代入，即可求得系统可靠度的值。

对于非串并联复杂网络，应先反复应用全概率公式分解法将其化为串并联网络系统，然后再应用上面的关系式进行不交化，以求得系统可靠度。

选择被分解弧 x 时，可以按如下原则选取：

① 任一无向弧都可作为分解弧；
② 任一有向弧，当其中两端点中有一端只有流出或流入弧时可作分解弧；
③ 分解过程中所用无用弧可以去掉，如输入点的流入弧、输出点的流出弧、自环等；
④ 选择的分解弧应尽可能使分解过程简化。

2. 近似计算法

根据式(3-106)，忽略掉高阶小量，可以得到计算系统可靠度的近似计算公式：

$$R_s = \sum_{i=1}^{n} P(K_i) \tag{3-107}$$

式(3-107)的计算值大于其真实值。

或

$$R_s = \sum_{i=1}^{n} P(K_i) - \sum_{i<j=2}^{n} P(K_i K_j) \tag{3-108}$$

式(3-108)的计算值小于其真实值。

四、最小割法

(一) 基本概念

1. 割集与最小割集

割集是网络中由弧构成的一个集合，如果这些弧全部失效时，将导致网络由起点到终点的有效路径全部失效，即系统失效，则这个集合称为网络 S 的一个割集。

假设 $C=\{x_1,x_2,\cdots,x_n\}$ 是一个割集，如果从 C 中任意去掉一条弧以后就不再是割集，则称 C 为网络 S 的一个最小割集。

2. 结构函数

在割集中仍然可以采用结构函数描述单元和系统的状态。设系统 S 由 n 个单元组成，用二值变量 x_i 来表示 i 单元的状态：

$$x_i = \begin{cases} 1 & (\text{当第 } i \text{ 个部件失效时}) \\ 0 & (\text{当第 } i \text{ 个部件正常时}) \end{cases}$$

系统状态可以用结构函数 $\Phi(X)=\Phi(x_1,x_2,\cdots,x_n)$ 表示：

$$\Phi(X) = \begin{cases} 1 & (\text{当系统失效时}) \\ 0 & (\text{当系统正常时}) \end{cases}$$

例如在图 3-17 所示的桥式网络中，割集有 $x_1 x_2$、$x_1 x_3 x_5$、$x_1 x_2 x_5$、$x_1 x_2 x_4 x_5$、$x_1 x_2 x_3 x_4 x_5$ 等 16 个。其中最小割集为 $S = x_1 x_2 + x_4 x_5 + x_1 x_3 x_5 + x_2 x_3 x_4$。

注意：这里单元状态和系统状态取值的定义与在最小路法中的定义正好相反。

(二) 最小割集的方法

一般求出最小路集后通过集合运算规则反演变换后即可求出最小割集。例如假设已经求得全体最小路集为

$$S = x_1 x_4 + x_2 x_5 + x_1 x_3 x_5 + x_2 x_3 x_4$$

则

$$\begin{aligned} S &= \overline{x_1 x_4 + x_2 x_5 + x_1 x_3 x_5 + x_2 x_3 x_4} \\ &= \overline{x_1 x_3 x_5} \cdot \overline{x_2 x_3 x_4} \cdot \overline{x_1 x_4} \cdot \overline{x_2 x_5} \\ &= (\overline{x_1}+\overline{x_3}+\overline{x_5})(\overline{x_2}+\overline{x_3}+\overline{x_4})(\overline{x_1}+\overline{x_4})(\overline{x_2}+\overline{x_5}) \end{aligned}$$

$$= (\overline{x_1} + \overline{x_1}\,\overline{x_3} + \overline{x_1}\,\overline{x_5} + \overline{x_1}\,\overline{x_4} + \overline{x_3}\,\overline{x_4} + \overline{x_4}\,\overline{x_5})(\overline{x_2} + \overline{x_2}\,\overline{x_3} + \overline{x_2}\,\overline{x_4} + \overline{x_2}\,\overline{x_5} + \overline{x_3}\,\overline{x_5} + \overline{x_4}\,\overline{x_5})$$
$$= (\overline{x_1} + \overline{x_3}\,\overline{x_4} + \overline{x_4}\,\overline{x_5})(\overline{x_2} + \overline{x_3}\,\overline{x_5} + \overline{x_4}\,\overline{x_5})$$
$$= \overline{x_1}\,\overline{x_2} + \overline{x_1}\,\overline{x_3}\,\overline{x_5} + \overline{x_2}\,\overline{x_3}\,\overline{x_4} + \overline{x_2}\,\overline{x_4}\,\overline{x_5} + \overline{x_4}\,\overline{x_5}$$
$$= \overline{x_1}\,\overline{x_2} + \overline{x_4}\,\overline{x_5} + \overline{x_2}\,\overline{x_3}\,\overline{x_4} + \overline{x_1}\,\overline{x_3}\,\overline{x_5}$$

即最小割集为 $\{\overline{x_1}\,\overline{x_2}\}$,$\{\overline{x_4}\,\overline{x_5}\}$,$\{\overline{x_2}\,\overline{x_3}\,\overline{x_4}\}$,$\{\overline{x_1}\,\overline{x_3}\,\overline{x_5}\}$。

注意:在最小路法中 $\overline{x_i}$ 表示单元失效,而在最小割法中 x_i 表示单元失效。如果采用最小割法中的状态定义后,最小割集可以表示为 $\{x_1x_2\}$、$\{x_4x_5\}$、$\{x_2x_3x_4\}$、$\{x_1x_3x_5\}$。

第五节　可维修系统可靠性

一、维修的基本概念

(一)可修复系统

可修复系统是指系统的组成单元(或零件、部件)发生故障后,经过修理系统恢复到工作状态。系统发生故障后,一般要寻找故障部位,对其进行修理或更换,一直到系统恢复到正常工作状态,这一系列工作过程称为修复过程。

由于故障发生的原因、部位、程度不同,系统所处的环境不同以及维修设备及修理人员的水平不同,因而修复所用的时间是一个随机变量。人们需要研究修复时间这一随机变量的变化规律。修复时间和修复质量都将影响设备(产品)的可靠性水平。

可用性是可靠性和维修性综合起来的尺度。对于可修复的系统来说,可靠性是为了尽可能延长设备在使用中不出故障的时间,是表示产品出现故障难易的量度;而维修性则是设备一旦出了故障,使其修复的时间是表示修复难易程度的量度。前者是设备处于工作状态,属于"可用时间";后者是设备处于维修状态,属于"停用时间"。可靠性研究中常用"可用度"这一术语来表示设备的工作和维修能力。

(二)可修复系统可靠特征量

1. 维修方式

对可修复系统而言,在系统运行中或故障后要进行维修。维修方式有多种,下面是几种常见的维修方式。

(1) 最小维修(minimal repair)

也称为基本维修,其基本特征是"维修如旧"。这种维修仅仅是更换或修复那些直接导致设备失效的单元,而不对其他单元进行维修或更换。此种维修只是使系统恢复工作即可。在这种维修下,相应的数学假设就是不改变系统的失效率函数,也就是认为刚维修好的系统失效率与系统故障前瞬间的失效率是相同的。例如,一个系统的失效率函数为 $\lambda(t)$,每当失效时都采用最小维修,而且维修时间可以忽略不计,则其在时间 $(0,T]$ 内的平均修理次数(故障次数)为

$$M(T) = \lambda(t)\mathrm{d}t$$

(2) 完全维修或更换(perfect repair or replacement)

这种维修不仅使机器从失效状态恢复到工作状态,而且其内部各部件全部得到检测、调整、修复,而使得机器的"健康"状态就像新的一样,其基本特征是"维修如新"。可是如果把

一台故障机器换成一台同样的新机器,则可认为是一种完全维修。

(3) 预防性维修(preventive maintenance)

这种维修是预先计划的而不是等到系统故障后才决定进行的。其目的在于改进机器的"健康"状况,其方式可以是润滑、调整、更换磨损或失效的部件。有的研究者假设预防性维修有完全维修的特征;也有人假设它与最小维修没有区别。但多数研究者认为预防性维修的功效介于完全维修与最小维修之间,至于哪种更为接近,则取决于工作范围。

(4) 计划维修(schedule maintenance)

这种维修是预先计划的,与系统有无故障无关。最常见的计划维修就是定期维修,即每隔一定时间进行一次的方法。计划维修和预防维修是同一概念的不同表述。

另外,还有被迫维修、理想维修等维修方式,在此不再详细叙述。

2. 维修特征量

对可修复系统而言,其可靠性特征量主要有可用度、维修度、首次平均工作时间、平均故障间隔时间、平均修复时间以及修复率等。

(1) 可用度

可用度的定义为:在规定的条件下,当任务需要的任何时刻,系统能处于可使用状态的概率,记作 $A(t)$。

可用度从时间特性上来看,可分为瞬时可用度和稳态可用度。

瞬时可用度是指产品在某时刻具有或维持其规定功能的概率。瞬时可用度也可理解为在给定时间间隔内的任何瞬间,产品处于可使用状态的概率。

稳态可用度(极限可用度)是指当时间趋于无限时,瞬时可用度的极限值。产品稳态可用度通常可以由下式求出:

$$A = \frac{能工作时间}{能工作时间 + 不能工作时间}$$

"能工作时间"指产品处于工作和能完成规定功能状态下的时间长度。"不能工作时间"指产品处于不能完成规定功能状态下的时间长度。另外,能工作时间还包括待命时间;不能工作时间则包括改进时间、维修时间、预防维修时间等。

(2) 维修度 $M(t)$

维修度(maintainability)定义是,在规定条件下使用的产品,在规定的时间内按照规定的程序和方法进行维修时,保持或恢复到能完成规定功能状态的概率,记作 $M(t)$。维修度是时间 t 的函数。就是说,在规定时间 t 内完成维修的概率为 $M(t)$。所以越容易维修的产品,对相同的时间 t 内 $M(t)$ 为单调递增函数。维修度的数学表达式为

$$M(t) = P(T \leqslant t)$$

式中　$M(t)$——维修度;

t——规定的维修时间;

T——维修时间,随机变量。

与故障密度函数相类似,对维修度来说也是维修度函数。维修度函数是维修度对时间 t 的微分,用 $m(t)$ 表示维修度函数:

$$m(t) = \frac{\mathrm{d}M(t)}{\mathrm{d}t} \tag{3-109}$$

(3) 修复率

修复率的定义为：修理时间已达到某个时刻但尚未修复的产品，在该时刻后的单位时间内完成修复的概率，记作 $\mu(t)$，用数学式表示为

$$\mu(t) = \frac{1}{1-M(t)} \frac{\mathrm{d}M(t)}{\mathrm{d}t} = \frac{m(t)}{1-M(t)} \tag{3-110}$$

$\mu(t)$ 是瞬时修复率，简称修复率。它与瞬时故障率 $\lambda(t)$ 是相对应的。

由式(3-110)得

$$M(t) = 1 - \mathrm{e}^{-\int_0^t \mu(t)\mathrm{d}t} \tag{3-111}$$

当 $\mu(t)$ 为常数时，式(3-111)可写为

$$M(t) = 1 - \mathrm{e}^{-\mu t} \tag{3-112}$$

(4) 平均修复时间(MTTR)

平均修复时间(mean time to repair)是只可修复系统每次故障后修复时间的平均值，记作 $MTTR$。

平均修复时间是一个重要参数，其基本计算方法是总修复停用时间除以修复活动进行的次数，即

$$MTTR = \frac{\sum_{i=1}^{N_r} t_i}{N_r} \tag{3-113}$$

式中 t_i——第 i 次的修复时间；
  N_r——修复活动的总次数。

(5) 平均故障间隔时间(MTBF)

平均故障间隔时间是可维修产品在相邻两次故障工作时间的数学期望。有些文献也称为平均无故障工作时间等。

$MTBF$ 近似等于产品的工作时间与此段时间内产品故障次数之比，即

$$MTBF = \frac{t}{N_f(t)} \tag{3-114}$$

式中 t——产品的工作时间；
  $N_f(t)$——产品在 $[0, t]$ 时间内的故障次数。

如果投入使用或试验的不是一件产品，而是 N_0 个同类可维修的产品，则平均故障间隔时间可按下式近似求出：

$$MTBF = \frac{\sum_{i=1}^{N_0} t_i}{\sum_{i=1}^{N_0} N_{fi}} \tag{3-115}$$

式中 t_i——第 i 个产品的工作时间；
  N_{fi}——第 i 个产品在工作时间内的故障次数。

(三) 马尔可夫型可维修系统

显然，由于可维修系统的修复因素，所以对可修复系统的可靠性分析要比不可修复

系统复杂得多。但是,如果系统正常工作的寿命分布和故障后的维修时间分布均为指数分布,就可以借助随机过程中的一类特殊过程——马尔可夫(Markov)过程来描述。如系统中出现的分布函数不服从指数分布时,就不能用马尔可夫过程来描述,而需要用其他的数学工具来研究,如更新过程、马尔可夫更新过程、补充变量方法等。寿命和维修均服从指数分布的马尔可夫可维修系统是可维修系统中最简单的一种,本节只讨论马尔可夫型可维修系统。

马尔可夫型可维修系统进行可靠性分析时,主要研究下述一些特征量:
(1) 系统在指定时刻的可靠度 $R(t)$ 和不可靠度 $F(t)$(亦称系统首次故障的时间分布)。
(2) 系统首次故障前的平均时间 $MTTF$。
(3) 系统在指定时刻的瞬态可用度 $A(t)$ 和瞬态不可用度 $Q(t)$。
(4) 系统可用度及不可用度的稳态值 $A(\infty)$ 和 $Q(\infty)$。
(5) 系统的平均故障间隔时间 $MTBF$。

为研究方便,做如下一些规定:
(1) 系统和单元只取正常或故障两种状态,处于故障状态下的单元又可分为正在修理和等待修理两种状态。
(2) 单元的状态转移率、故障率 λ 和修复率 μ 均为常数,这是为了保证服从指数分布,从而可用马尔可夫过程来描述。
(3) 状态转移可在任意时刻进行,但在相当小的时间区间 Δt 内不会发生两个或两个以上的状态转移。
(4) 单元的故障和修复过程是相互独立的。

可修复系统是可修复理论中主要研究内容之一,也是实际中最有用的系统之一。为分析和计算马尔可夫型可修系统,先介绍一下随机过程中马尔可夫过程。

二、马尔可夫过程概述

(一) 随机过程

自然界事物变化的过程可分成两大类。

1. 确定性过程

这一类事物的变化过程有特定的形式。用数学语言来说,就是其变化过程可以用一个(或数个)确定的时间函数来描述。如电网中的电流强度随时间是正弦变化,如下式表示:

$$i(t) = I_m \sin \omega t \tag{3-116}$$

因此,电流随时间的变化具有确定性,在某一确定时刻的电流大小是可以准确计算出来的。

2. 非确定性过程

这一类事物的变化过程具有不确定的形式。用数学语言来说,就是其变化过程不能用一个(或数个)确定的时间函数来描述。例如,对某电阻两端热噪声电压进行长时间测量,并把结果自动记录下来,便得到一个电压与时间的函数关系式 $V_1(t)$。该函数关系式不能预先确定,必须通过测量才能得到,而且若在相同的条件下独立地再进行一次测量,将会得到不同于 $V_1(t)$ 的结果 $V_2(t)$。

与随机试验类似,可以把对电阻热噪声电压变化过程的观测看做是一个随机试验,则每次观测结果便是在某个时间范围内随机过程的一次物理实现。这样就可以用电阻所可能产生的一族(不可列个)电压-时间函数来描述该电阻的热噪声电压的变化过程。

应用此例,下面引入随机过程的概念。

设 E 是随机试验,e 是一次随机试验的结果,$S=\{e\}$ 是它的样本空间,如果对于每一个 $e\in S$,总可以依照某种规则确定一个时间 t 的函数:
$$X(t) \quad t\in T \tag{3-117}$$
与之对应(T 是时间的变化范围),则对于所有的 $e\in S$ 来说,就得到一族时间 t 的函数,称此族时间的函数为随机过程。而族中的每一个函数称为这个随机过程的样本函数。

随机过程可以用族中的典型样本函数 $X(e,t)$ 来表征。通常为了简便起见,省去 $X(e,t)$ 中的 e,用记号 $X(t)$ 表示随机过程。$X(t)$ 在不同情况下有不同的意义:

(1) 对于特定的 $e_i\in S$,亦即对于一个特定的试验结果,$X(t)$ 是一个确定的样本函数,它可以理解为随机过程的一次物理实现,以 $X(t)$ 表示。

(2) 对于每一个固定的时刻,例如 $t=t_i$,$X(t)$ 是一个随机变量。对应于一个确定时间 t_i,$X(t)$ 的数值是不能确定的。工程上有时亦把 $X(t)$ 称作随机过程 $X(t)$ 在 $t=t_1$ 时的状态,因此,随机过程 $X(t)$ 是依赖于时间 t 的一族随机变量或随机变量的集合。

随机过程的两种描述在本质上是一致的,只是描述方式不同而已。在理论分析时多采用第二种描述方法,而在实际测量中则多采用第一种描述方法。二者在理论和实际两方面是互为补充的。

随机过程依其状态可分为连续型和离散型两大类:如果一个随机过程 $X(t)$ 对于任意的 $t\in T$ 都是连续型随机变量,则称此随机过程为连续型随机过程;如果一个随机过程 $X(t)$ 对于任意的 $t\in T$ 都是离散型随机变量,则称此随机过程为离散型随机过程。

随机过程还可依其时间参数进行分类:如果时间 t 的变化范围 T 是有限或无限区间,则称 $X(t)$ 是连续参数随机过程;如果 T 是可列个数的集合,则称 $X(t)$ 为离散参数随机过程,或简称随机变量序列。

概括之,随机过程依其状态和时间参数可以分为以下四种类型:离散状态空间,离散时间参数;连续状态空间,连续时间参数;离散状态空间,连续时间参数;连续状态空间,离散时间参数。

(二) 马尔可夫过程

在马尔可夫过程中利用状态转移来描述系统的运行情况。对于一个可修复系统,用一个变量 $X(t)$ 来描述系统的状态,当 $X(t)$ 取不同的数值时则代表了系统处于不同的状态。如果 $X(t)$ 由一个特定数值变化成为另一个特定数值,则代表系统状态发生了转移。例如,对于某一设备系统,存在正常状态 S 和故障状态 F。由于出现故障,系统会从正常状态 S 转移到故障状态 F;由于修复成功,系统也会由故障状态 F 转移到正常状态 S。由于产品故障出来的时刻是随机的,故障出现后修复时间的长短也是随机的,故这种状态转移的过程完全是随机的,也就是说,它们的转移规律不能确定,而只能按照某种(可能性)概率转移。

在一个随机过程中,如果在某一时刻 t_0,系统由一种状态转移到另一种状态的转移概率只与系统现在所处的状态有关,而与 t_0 以前所处的状态无关,也就是这种转移概率只与现在状态有关,而与 t_0 时刻之前的状态无关,则这种过程称为马尔可夫过程。该性质采用分布函数可描述为
$$\begin{aligned}&P\{X(t_n)=x_n/X(t_{n-1})=x_{n-1}\}\\&=P\{X(t_n)=x_n/X(t_{n-1})=x_{n-1},X(t_{n-2})=x_{n-2},\cdots,X(t_1)=x_1\}\end{aligned} \tag{3-118}$$

式中，$X(t_i) = x_i$ 表示处于 $t_i (i = 1, 2, \cdots, n)$ 时刻的状态。

式(3-118)说明了过程在某一时刻 t_n 所处的状态仅仅与 t_{n-1} 时刻的状态有关，而与此前的所有状态无关。这个性质称作无后效性(无记忆性)，或称为马氏性。

在可维修系统的讨论中，经常用到的是时间连续、状态数有限的马尔可夫过程，其定义是：设 $\{X(t), t \geq 0\}$ 是马尔可夫过程，且时间 t 可以连续取值，即 $0 \leq t \leq \infty$，过程的状态是离散有限的，即有限状空间 $X(t) \in S = \{0, 2, \cdots, N\}$，则称该过程为时间连续、状态数有限的马尔可夫过程。公式如下：

$$P\{X(t_n) = i / X(t_1) = i_1, \cdots, X(t_{n-1}) = i_{n-1}\} = P\{X(t_n) = i / X(t_{n-1}) = i_{n-1}\} \tag{3-119}$$

式中，$i_1, i_2, \cdots, i_n \in S$。

特别情况，如果对任意的 t 和 Δt，$\Delta t > 0$，则有公式

$$P_{ij}(t) = P\{X(t + u) = j / X(u) = i\} \tag{3-120}$$

对任何 $i、j、u$ 都成立，则称该马尔可夫过程是齐次的，$P_{ij}(\Delta t)$ 称为转移概率函数。式(3-120)表明，转移概率只和时间间隔 Δt 有关，而与时间的起点 t 无关。对齐次马尔可夫过程，有下述关系式：

$$\begin{cases} P_{ij}(\Delta t) \geq 0 \\ \sum_{j \in S} P_{ij}(\Delta t) = 1 \\ \sum_{k \in S} P_{ik}(u) P_{kj}(v) = P_{ij}(u + v) \end{cases} \tag{3-121}$$

式(3-121)中第 2 式说明，在任意一个时刻，系统要么发生转移，要么不发生转移，二者必居其一；第 3 式称为切普曼-哥莫柯洛夫方程，它表明了系统由状态 i 经过多步转移后到达 j 和从 i 经过一步直接到达 j，二者概率是相等的。这一点是由系统的齐次性决定的。

$P_{ij}(\Delta t)$ 构成的矩阵称为微系数转移概率矩阵，形式如下：

$$\boldsymbol{P}(\Delta t) = \begin{bmatrix} P_{00}(\Delta t) & P_{01}(\Delta t) & \cdots & P_{0n}(\Delta t) \\ P_{10}(\Delta t) & P_{11}(\Delta t) & \cdots & P_{1n}(\Delta t) \\ \vdots & \vdots & & \vdots \\ P_{n0}(\Delta t) & P_{n1}(\Delta t) & \cdots & P_{nn}(\Delta t) \end{bmatrix} \tag{3-122}$$

或有转移概率矩阵

$$\boldsymbol{P} = \begin{bmatrix} P_{00} & P_{01} & \cdots & P_{0n} \\ P_{10} & P_{11} & \cdots & P_{1n} \\ \vdots & \vdots & & \vdots \\ P_{n0} & P_{n1} & \cdots & P_{nn} \end{bmatrix} \tag{3-123}$$

式中，P_{ij} 表示单位时间内由状态 i 转移到状态 j 的概率。显然有

$$\sum_{j=0}^{n} P_{ij} = 1 (i = 0, 1, 2, \cdots, n)$$

定义转移密度矩阵如下：

$$A = P - I = \begin{bmatrix} a_{00} & a_{01} & \cdots & a_{0n} \\ a_{10} & a_{11} & \cdots & a_{1n} \\ \vdots & \vdots & & \vdots \\ a_{n0} & a_{n1} & \cdots & a_{m} \end{bmatrix} \tag{3-124}$$

式中,I 是与 P 同阶的单位矩阵;$a_{ij}(i \neq j)$ 表示单位时间内由状态 i 转移到状态 j 的概率;$a_{ij} = \sum_{j=0}^{n} \dfrac{1 - P_{ij}(\Delta t)}{\Delta t}$,也就是使得每一行元素的和为 0。

式(3-121)经过变换后可以写成如下矩阵形式:

$$\frac{\mathrm{d}\boldsymbol{P}(t)}{\mathrm{d}t} = \boldsymbol{P}(t)\boldsymbol{A} \tag{3-125}$$

式中,$\boldsymbol{P}(t) = [P_1(t), P_2(t), \cdots, P_n(t)]$ 和 $\dfrac{\mathrm{d}\boldsymbol{P}(t)}{\mathrm{d}t} = \left[\dfrac{\mathrm{d}P_1(t)}{\mathrm{d}t} \quad \dfrac{\mathrm{d}P_2(t)}{\mathrm{d}t} \quad \cdots \quad \dfrac{\mathrm{d}P_n(t)}{\mathrm{d}t}\right]$ 都是行向量。因为该方程表征了系统的状态变化,因此有时候也称其为系统的状态方程。

当 $t \to \infty$ 时,$\dfrac{\mathrm{d}P_i(t)}{\mathrm{d}t} \to 0$,故 $t \to \infty$,系统的稳态可靠度可以由下式求得:

$$0 = \boldsymbol{P}(t)\boldsymbol{A} \tag{3-126}$$

根据上述讨论,可以总结出计算可修复系统可用度的一般步骤如下:
(1) 进行系统分析,确定系统的各个状态以及各个状态之间的转移关系;
(2) 建立状态转移图;
(3) 写出转移密度矩阵 $\boldsymbol{A}$;
(4) 建立方程(3-125)、方程(3-126);
(5) 结合初始条件求解;
(4) 建立方程(3-125)写出系统的可用度,$A(t) = \sum_{i \in w} P_i(t)$,$w$ 是系统工作态的集合。

第六节　提高系统可靠性

一、可靠性设计

(一) 目的

在进行可靠性设计分析时,需采用一些工程技术措施,注意细节设计,这样才能使设计出来的产品达到规定的可靠性要求。实践证明,制定和贯彻可靠性设计准则是一项行之有效、深受广大设计人员欢迎的措施。

为了将产品的可靠性要求和规定的约束条件转换为产品设计应遵循的、具体而有效的可靠性技术设计细则,应根据产品的类型、特点、任务、要求及其他约束条件,将通用的标准、规范进行剪裁,同时加入已有产品研制的丰富经验,从而形成产品专用的可靠性设计准则。不仅顶层装备要求设计准则,而且其分系统、设备等各层次产品也应按总的要求及具体产品特点制定相应的可靠性设计准则。经审查和批准颁发后,供广大设计人员对照执行,从而将可靠性设计到产品中去。它不仅是产品设计的依据,也是可靠性评审的重要依据。

(二) 可靠性设计准则的主要内容

可靠性设计准则涉及面较广,现将其主要项目列于表 3-4 中。

表 3-4　　　　　　　　　　　　　可靠性设计准则及项目

序号	名称	目的	可采用的设计技术或可参考的标准、手册
1	元器件、零部件的选择与控制	元器件、零部件是产品的基本组成单元,它们的可靠性直接影响产品的可靠性。设计过程中应严格选择和控制,以满足产品可靠性要求	MIL-STD-965 MIL-HDBK-338-2 MIL-STD-975 HB 6429—90
2	降额设计	元器件、零部件的故障率与其承受的应力有关。降低其应力可提高其使用中的可靠性。降额是相对于它们能承受的额定应力而言的	MIL-HDBK-338-2 GJB/Z 35—93 QJ 1417—88
3	热设计	产品(特别是电子产品)周围环境温度过高是造成故障率增大的重要原因。因此利用热传导、对流、辐射等原理进行合理的热设计,将大大提高产品的可靠性	MIL-HDBK-251 GJB/Z 27—92 QJ 1474—88
4	简化设计	产品越复杂,其可靠性越低,因此在确保满足其功能及不会给其元器件、零部件造成过高应力的情况下,采用简化设计技术,可以提高产品的可靠性	(a) 深入进行功能分析,去掉多余或不必要的功能简化设计目标; (b) 在保证必要的功能、性能前提下,尽量减少硬件数量及软件指令数; (c) 压缩元器件、零件和设备的品种、规格; (d) 尽量用数字电路实现模拟电路的功能; (e) 对逻辑电路可采用布尔代数简化系统的结构函数
5	余度设计	用一套以上的设备(线路、管路、能源等)来完成规定任务。采用余度设计可提高产品的任务可靠性,而降低其成本可靠性;增加体积、重量和费用。因此采用余度技术时要根据产品研制的目标及限制条件权衡	根据具体情况可采用并联、旁联余度模型
6	环境防护设计	当产品在冲击、振动、潮湿、高低温、盐雾、霉菌、核辐射等恶劣环境下工作时,其中部分单元难以承受这种环境应力的影响而产生故障,因此需要采取环境防护设计以提高其可靠性	(a) 对于冲击可采用加固构件,降低惯性和动量及缓冲装置技术; (b) 对于振动,可采用加固、控制谐振及减振装置技术; (c) 对于潮湿,可采用密封、干燥剂和防护涂层等技术,选用耐潮材料; (d) 对于高低温,可采用散热(加热)、冷却、隔热技术,选用耐高(低)温材料和元器件; (e) 对于盐雾,可采用密封、干燥剂,用非金属防护盖,在接触处用相同的金属材料; (f) 对于霉菌,可采用密封技术、抗霉材料、干燥剂和防护涂层; (g) 对核辐射,可采用屏蔽、选择元器件进行核加固

续表 3-4

序号	名称	目的	可采用的设计技术或可参考的标准、手册
7	人因工程设计	将人和机器看成一个"人机系统"共同完成规定的任务。从提高系统使用效能和可靠性角度出发,在系统设计时,解决人-机间相互协调的问题	(a) 人体特性和能力; (b) 人所处的环境(包括地理环境,工作环境); (c) 人机界面
8	电磁兼容设计	电子设备的内、外部都存在着电磁干扰,当干扰电平超过允许值时,就会使电子设备性能降低或根本不能工作。进行电磁兼容设计,以提高电子设备的可靠性	采用屏蔽、接地、去耦、滤波等设计技术,选择合适的材料和元器件

注:MIL-STD-××——美国军用标准;MIL-HDBK-××——美国军用手册;HB××——航空标准;GJB/Z××——国家军用手册;QJ××——航天标准。

(三)可靠性设计准则及应注意的事项

可靠性设计准则的制定有一个逐步完善、细化的过程。在方案设计开始前,应颁发供方案选择、确定、总体布局时应遵循的较简化的设计准则;在详细设计前,应颁发供详细设计时遵循的细化设计准则(可按分系统、设备等分别编写)。并同时颁发"实施规则",以便于检查落实。

可靠性设计准则是根据可靠性的理论、方法并总结前人的设计、生产、使用的经验教训,经归纳、提炼而成的,因此必须由系统组织可靠性专业人员和有经验的产品设计人员共同制定,经反复征求意见,完善、修改后再正式颁发。

(四)其他可靠性设计分析方法

1. 健壮设计

健壮设计是一种系统的设计,它使系统的性能对在制造期间的变异和使用环境(包括维修、运输、储存)的变异不敏感,并且使系统在其寿命周期内,不管其元器件、组件的性能参数发生漂移或老化,都能持续满意地工作。实质上是将田口方法(或称三次设计——系统设计、参数设计、容差设计)与 FMEA、FTA、新 QC 七工具、统计过程控制等方法结合起来,配套使用。该方法正在发展完善之中。

2. 潜在通路分析

潜在通路是指电路在某种情况下(并非元器件故障)可能出现的异常状态或不应有的通路,这将抑制电路的正常功能或产生错误功能。潜在通路分析技术的基础是对电路进行拓扑简化,以便于线索模型的识别。其分析过程工作量较大,一般要用计算机处理。目前仅美国波音飞机公司有此分析软件,并正在作简化修改,以进一步适应工程应用。

3. 软件可靠性设计

由于电子计算机的广泛应用,软件可靠性问题日益突出。某飞机的飞行控制系统在 20 000 h 的地面试验时间内,硬件故障出现 271 次,而软件故障出现 309 次,超过了硬件的故障数,因而软件可靠性问题日益受到人们的重视。常用的软件可靠性设计方法是:N 版本编程法,相当于硬件的余度技术,即尽可能用不同的算法与语言,不同人员并行编制以提高各软件版本的独立性;恢复块法,即把程序划分成若干"块",给需要作容错处理的"块"提供备份块。目前软件可靠性设计方法尚不成熟,有待进一步发展和工程化。

4. 可靠性设计咨询专家系统

它是利用人工智能技术,将可靠性专家和设计专家的理论、经验、知识收集起来,建立知识库,并模拟专家的思维方式进行推理,针对具体设计要求及约束条件,向设计人员提供可靠性设计咨询意见。这类专家系统目前正在国内外得到广泛的重视和发展。

二、可靠性维修

维修性要求可定性和定量地予以描述,故维修性要求可分为定性要求与定量要求。

(一) 定性要求

维修性的定性要求是维修简便、迅速、经济的具体化,根据国内外的实践经验,定性要求可概括为以下几个方面。

1. 具有良好的维修可达性

维修可达性是指维修产品时,能够迅速方便地达到维修部位的特性。通俗地说,就是维修部位能够"看得见、够得着",而不需拆卸、搬动其他机件。很显然,可达性好,维修就迅速、简便,而且差错、事故也会减少,所需费用也少。所以,可达性是维修性定性要求中最重要的一条。为此要合理地布置装备各组成部分及其检测点、润滑点、维护点;要保证维修操作有足够的空间,包括使用工具、器材的空间;合理开设维修通道、窗孔。某型飞机在研制过程中,根据维修需要开设通道、窗孔340余处,改善了维修性。

2. 提高标准化和互换性程度

标准化、通用化、模件(块)化和互换性,是现代设计与制造的要求。它们对于武器装备的维修与保障尤其有意义,不但可简化维修,而且有利于减轻后勤保障(备件、工具、设备等)负担和战时拆拼修理。因此,发达国家都极为重视武器装备的标准化、通用化、模件化、互换化,并且近一步发展到"共用性",即系统和设备或部队相互提供服务的能力。

3. 具有完善的防差错措施及识别标记

维修中的各种差错,轻则延误时间,重则伤人、伤装备。国内外发生的由于维修差错造成飞机事故、火炮损毁的事件屡见不鲜,经验教训很多。因此,要采取措施防止维修差错。

要从结构设计上消除差错的可能性。如要使零部件只有装对了才能装得上,装错、装反就装不上;插头、插件只有插对才插得进,发生差错能立即发觉并纠正。

合理地设置标记也是防止差错的辅助措施,标记还有助于提高维修效率。因此,要从便于维修和防差错的角度,设置必要的文字、数字、符号、图形等标记。

4. 保证维修安全

维修安全性是指防止维修时损伤人员、装备的一种设计特性。维修中的安全与使用中的安全有差别。使用通常是在装备处于正常状态、完整状态下进行操作的;而维修则常常是在装备处于故障状态、分解状态下进行操作的。因此,装备仅有使用安全还不够,还要保证维修安全。这就需要在设计时考虑并采取必要的保护装置、措施,包括防机械损伤、防电击、防火、防爆、防毒、防核事故等。

5. 检测诊断准确、快速、简便

随着武器装备的功能多样化、结构复杂化,故障检测诊断、性能测试已经成为维修工作中的关键问题。特别是电子设备和复杂系统,运用传统手段的故障诊断时间往往占整个维修时间的60%以上。因此,通过设计实现检测诊断简便、迅速、准确是装备发展的重要要求。在装备研制早期就应考虑检测诊断问题,包括检测方式、检测系统、检测点配置等。要把测试性纳入装备研制领域,与其他性能综合权衡,检测系统与主装备同步研制或选配、试验与评定。

6. 重视零部件的可修复性

零部件的可修复性是指其磨损、变形、耗损或以其他形式失效后,能够对原件进行修理,使之恢复原有功能的特性。装备上一些重要而昂贵的零部件应具有可修复性,这不仅可以节省维修费用,而且有助于减轻后勤(备件)保障负担和战时检修。因此,应使之具有可矫(正)、可焊(接)、可拆(装)、可镀性,以便采用有效的原件修复措施。

7. 符合维修中的人因工程要求

人因工程(human factors engineering)或称人机工程,主要研究如何达到人与机器有效的结合和对机器的有效利用。维修人因工程要求充分考虑人的生理因素、心理因素和人体几何尺寸等因素,以提高维修工作效率和质量,减轻人员疲劳。

此外,还要求减轻维修工作负担,降低维修的技术难度,以便于维修人员培训和补充。

以上定性要求是有普遍意义的,但对不同类型的装备应有所侧重。例如,对某些电子装备,要着重强调模块化、插件连接、自动检测;而对某些机械装备,可能更宜强调可达性、互换性、通用性、贵重件的可修复性等要求。

(二) 定量要求

维修性的定量要求即各项维修性指标,是维修性参数的要求值。它们要反映装备的使用需求和维修性工作的目标,即提高战备完好性(或可靠性)和任务成功性,降低维修人力和其他资源消耗的要求。同时,这些指标又应是有明确定义、能够在研制中跟踪和验证或评估的。这些要求可以分为维修性使用参数与指标和合同参数与指标。其含义与可靠性参数、指标相似,此处不再赘述。对不同类型的装备,适合的维修性参数、指标不尽相同,表3-5列出了一些常用的参数。

表 3-5　　　　　　　　　　　常用维修性参数

名　称	定　义
平均修复时间(MTTR)	排除一次故障所需修复时间的平均值。其度量方法是,在规定的条件下和规定的时间内,产品在任一规定的维修级别上,修复性维修总时间与该级别上被修复产品的总故障数之比
平均预防性维修时间	产品每项或某个维修级别一次预防性维修所需时间的平均值
维修停机时间率	产品单位工作时间所需停机时间的平均值
维修工时率	产品单位工作时间所需的维修工时平均值。其度量方法是,在规定的条件下和规定的时间内,产品直接维修工时总数与产品寿命单位总数之比
平均系统恢复时间(MTTRS)	在规定的条件下和规定的时间内,由不能工作事件引起的系统修复性维修总时间(不包括离开系统的维修和卸下部件的修理时间)与不能工作事件总数之比
恢复功能用的任务时间(MTTRF)	在一个规定的任务剖面内,产品致命性故障的总维修时间与致命性故障总数之比

(三) 生产与使用阶段的维修性工作

维修性是产品的固有属性,强调研制中的维修性工作是完全正确的。但是,不应当忽视生产阶段和使用阶段的维修性。这些工作需要生产与使用部门共同努力来完成。

1. 生产阶段的维修性工作

(1) 制造对维修性的影响

产品的维修性由设计决定,但设计要靠制造来实现。是否能圆满地达到设计要求,同制造工艺是否完善,制造人员的技能水平高低,质量保证工作的完善性高低,所用材料、元器件零部件的质量好坏等因素密切相关。制造对维修性的影响主要有以下方面:

① 互换性。不良的制造使零部件不能保证规定的功能与尺寸互换的要求。

② 可修复性。不良的制造工艺,使零部件失去修复基准(无法测量或夹持)、不能焊补或矫正、无法进行某些表面处理等。

③ 生产过程中的工艺、材料、外购件等的更改给维修带来困难。

另一方面,由于批生产比研制产品数量大,拆装、维修随之增多,维修性数据的积累也为改进产品维修性提供了基础。

(2) 主要目的

生产阶段维修性工作的主要目的是保证达到要求的维修性并使其增长。所谓保证,就是通过合理的制造工艺、良好的制造与质量管理,保证达到设计赋予的维修性。所谓增长,就是通过生产阶段的加工、装配、试验、维修等活动,收集与反馈有关维修性的信息,特别在生产阶段进一步暴露的维修性与保障缺陷,通过有计划的纠正措施提高产品维修性。

(3) 内容

生产阶段维修性工作的要点主要有:

① 加强制造中的质量管理,严格按定型图纸、技术规程生产,产品达到规定的结构、形状尺寸及装配等要求,保证设计的维修性。

② 把保持互换性,包括零部件、配套设备与工具、各种接口等的互换性作为重要内容,必要时应进行互换性检验。

③ 保证贵重件的可修复性,包括保留必要的加工与测量基准、合理的表面处理与热处理等,使之在修复时可折或可焊、可镀、可矫。

④ 控制更改,保持兼容。对于生产中的工艺、材料、零部件、外购件等的代换或改动要加以控制,必要的更改要注意保持新老兼容,以便于部件维修。

⑤ 收集与反馈信息,采取措施实现维修性增长。这些措施主要是更改不合理的设计与工艺,同时,也可采用改进维修工具、设备、软件等措施。

2. 使用阶段的维修性工作

(1) 使用维修对装备维修性的影响

① 维修组织、制度、工艺、资源等对使用条件下维修性水平的影响。在装备固有维修性不变的情况下,维修的组织、制度和工艺是否合理,资源保证是否充分,势必影响使用条件下维修性水平的高低。

② 使用维修可能影响固有维修性的保持。例如,不良的修复工艺可能破坏零部件原有的互换性、可修复性、安全性和识别标志,给以后的维修带来困难。

③ 使用维修中的数据所暴露的维修性问题将为改进维修性提供依据。

(2) 维修性信息与评价工作

使用阶段维修性信息与评价工作的主要目的是:

① 测定实际使用维修条件下的维修性参数值,发现薄弱环节,为维修性改进提供依据;
② 为修订、完善预防性维修大纲(制度)提供依据;
③ 为改进、完善各项维修保障资源提供依据;
④ 为研制新装备确定维修性指标、改善维修性提供依据。使用阶段的维修性信息,主要依靠使用部门在实际使用维修中收集、统计与整理并按系统上报装备主管部门。

(3) 维修性改进

产品维修性要靠设计赋予、生产保证。但由于研制中的产品数和维修作业样本数终究比较少,且实际使用维修条件的变化,故障与维修问题的暴露与解决还不一定很充分。因此,在使用阶段要继续关注维修性,根据需要和可能改进维修性。国内外经验证明,这种改进是有很大效益的。
① 增开(大)维修通道、窗口;
② 改进零部件、元器件的连接方式;
③ 增加安全防护装置;
④ 增加识别标志;
⑤ 改进或增加检测工具、仪器,或在装备上增加测试点,检测接口;
⑥ 收进或增加拆装、调校工具等。

本章小结

可靠性是一门新兴的工程学科,是研究产品全寿命过程中故障的发生原因、发展规律,达到预防故障、降低故障率、提高产品质量之目的的工程技术。本章提出了可靠性的基本概念、可靠度、故障概率、故障概率密度、失效率以及寿命特性等。学生学习本章应掌握系统的可靠性框图分析以及串并联系统的分析计算方法,了解表决系统、储备系统等的分析计算过程。具有可靠性设计的基本概念,能从设计与维修等方面掌握提高系统可靠性的主要途径及主要方法。

思考题

1. 假定某飞机上无线电设备故障率为100万菲特(菲特为故障率或失效率的单位,1菲特$=10^{-9}$/h),求该设备工作到5 h时的可靠度、$MTBF$各是多少?如果要求有99.9%的把握不出故障,其飞行时间应为多少才合理?
2. 试比较产品的故障率函数$\lambda(t)$与故障密度函数$f(t)$的特点。
3. 指数分布与威布尔分布有何特点?为何在可靠性研究中得到广泛应用?
4. 某器件的失效率为$\lambda=1\times10^{-6}$/h是个常数,试求该器件开始工作1 h和开始工作20 h的可靠度。
5. 某型发动机18台(该发动机失效后不进行修复),从开始使用到发生失效前工作时间的数据如下(单位为小时):26,39,60,80,100,150,180,210,250,301,340,400,484,570,620,1 100,2 500,3 100。试求其平均寿命。
6. 如果一个串联系统由三个平均寿命分别为1 500 h、1 000 h、500 h的单元组成,三个单元的寿命均服从指数分布,计算系统寿命。

7. 两个不同单元组成并联系统,单元失效率分别为 λ_1、λ_2,计算系统的可靠性指标。

8. 试比较两单元冷储备系统与两单元并联系统的可靠性。假定单元相同,失效率 λ_0 为常数。

9. 用户对电源供电系统有如下要求:平日最大供电量为 6 kW·h,紧急情况下需 12 kW·h。假定电源分别由下列方案构成时,试比较各个方案的可靠度(设各发电机的可靠度是相同的,且发生失效是相互独立的)。

方案(1):12 kW 发电机 1 台。

方案(2):6 kW 发电机 2 台。

方案(3):4 kW 发电机 3 台。

第四章

系统安全性分析

系统安全性分析(system safety analysis)的目的是为了保证系统安全运行,查明系统中的危险因素,以便采取相应措施消除系统故障或事故。

第一节 系统安全性分析概述

一、系统安全性分析的内容和方法

系统安全性分析是从安全角度对系统中的危险因素进行分析的,主要分析导致系统故障或事故的各种因素及其相关关系。系统安全性分析通常包括如下内容:

(1) 对可能出现的初始的、诱发的及直接引起事故的各种危险因素及其相互关系进行调查和分析。

(2) 对与系统有关的环境条件、设备、人员及其他有关因素进行调查和分析。

(3) 对能够利用适当的设备、规程、工艺或材料控制或根除某种特殊危险因素的措施进行分析。

(4) 对可能出现的危险因素的控制措施及实施这些措施的最好方法进行调查和分析。

(5) 对不能根除的危险因素失去或减少控制可能出现的后果进行调查和分析。

(6) 对危险因素一旦失去控制,为防止伤害和损害的安全防护措施进行调查和分析。

目前,系统安全分析方法有许多种,可适用于不同的系统安全分析过程。这些方法可以按实行分析过程的相对时间进行分类,也可按分析的对象、内容进行分类。按数理方法,可分为定性分析和定量分析;按逻辑方法,可分为归纳分析和演绎分析。

简单地讲,归纳分析是从原因推论结果的方法,演绎分析是从结果推论原因的方法,这两种方法在系统安全分析中都有应用。从危险源辨识的角度,演绎分析是从事故或系统故障出发查找与该事故或系统故障有关的危险因素,与归纳分析相比较,可以把注意力集中在有限的范围内,提高工作效率;归纳分析是从故障或失误出发探讨可能导致的事故或系统故障,再来确定危险源,与演绎方法相比较,可以无遗漏地考察、辨识系统中的所有危险源。实际工作中可以把两类方法结合起来,以充分发挥各类方法的优点。

在煤矿危险因素辨识中得到广泛应用的系统安全分析方法主要有以下几种:

(1) 安全检查表法(safety check list,SCL);

(2) 预先危险性分析(preliminary hazard analysis,PHA);

(3) 故障模式和影响分析(failure mode and effect analysis,FMEA);

(4) 危险性和可操作性研究(hazard and operability analysis, HOA);
(5) 事件树分析(event tree analysis, ETA);
(6) 事故树分析(fault tree analysis, FTA);
(7) 因果分析(cause-consequence analysis, CCA)。

此外,尚有 What If(如果出现异常将会怎样)分析, MORT(management oversight & risk tree,管理疏忽和风险树)分析等方法,可用于特定目的的危险因素辨识。

二、系统安全性分析方法的选择

在系统寿命不同阶段的危险因素辨识中,应该选择相应的系统安全分析方法。例如,在系统的开发、设计初期,可以应用预先危险性分析方法;在系统运行阶段,可以应用危险性和可操作性研究、故障模式和影响分析等方法进行详细分析,或者应用事件树分析、事故树分析或因果分析等方法对特定的事故或系统故障进行详细分析。系统寿命期内各阶段适用的系统安全分析方法如表 4-1 所列。

表 4-1　　　　　　　　　系统安全分析方法适用情况

系统分析方法	开发研制	方案设计	详细设计	建成投产	日常运行	改扩建	事故调查
安全检查表		√	√	√		√	
预先危险性分析	√	√	√		√		
危险性和可操作性研究			√				√
故障模式和影响分析			√		√	√	√
事件树分析					√	√	√
事故树分析		√	√		√	√	√
因果分析			√				√

在进行系统安全分析方法选择时应根据实际情况,并考虑如下几个问题。

1. 分析的目的

系统安全分析方法的选择应该能够满足对分析的要求。系统安全分析的最终目的是辨识危险源,而在实际工作中要达到一些具体目的,例如:

(1) 对系统中所有危险源,查明并列出清单;
(2) 掌握危险源可能导致的事故,列出潜在事故隐患清单;
(3) 列出降低危险性的措施和需要深入研究部位的清单;
(4) 将所有危险源按危险大小排序;
(5) 为定量的危险性评价提供数据。

在进行系统安全分析时,某些方法只能用于查明危险因素,而大多数方法都可以用于列出潜在的事故隐患或确定降低危险性的措施,但能提供定量数据的方法并不多。

2. 资料的影响

关于资料收集的多少、详细的程度、内容的新旧等,都会对选择系统安全分析方法有着至关重要的影响。

一般来说,资料的获取与被分析的系统所处的阶段有直接关系。例如,在方案设计阶段,采用危险性和可操作性研究或故障模式和影响分析的方法就难以获取详细的资料。随着系统的发展,可获得的资料越来越多、越详细。为了能够正确分析,应该收集最新的、高质量的资料。

3. 系统的特点

针对被分析系统的复杂程度和规模、工艺类型、工艺过程中的操作类型等影响来选择系统安全分析方法。

对于复杂和规模大的系统,由于需要的工作量和时间较多,应先用较简捷的方法进行筛选,然后根据分析的详细程度选择相应的分析方法。

对于某些工艺过程或系统,应选择恰当的系统安全分析方法。例如,对于分析采煤工艺过程可采用危险性和可操作性研究;对于分析机械、电气系统可采用故障模式和影响分析。因此,应该根据分析对象的类型,选择相应的分析方法。

对于不同类型的操作过程,若事故的发生是由单一故障(或失误)引起的,则可以选择危险性与可操作性研究;若事故的发生是由许多危险因素共同引起的,则可以选择事件树分析、事故树分析等方法。

4. 系统的危险性

当系统的危险性较高时,通常采用系统、严格、预测性的方法,如危险性与可操作性研究、故障模式和影响分析、事件树分析、事故树分析等方法。当危险性较低时,一般采用经验的、不太详细的分析方法,如安全检查表法等。

对危险性的认识与系统无事故运行时间、严重事故发生次数以及系统变化情况等有关。此外,还与分析者所掌握的知识和经验、完成期限、经费状况以及分析者和管理者的喜好等有关。

第二节 预先危险性分析

预先危险性分析是在一项工程活动(设计、施工、运行、维护等)之前,首先对系统可能存在的主要危险因素及其出现条件和导致事故的后果所作的宏观、概略分析。其目的是尽量防止采取不安全的技术路线,避免使用危险物质、工艺和设备。如果必须使用,也可以从设计和工艺上考虑采取安全防护措施,使这些危险因素不致发展为事故。它的特点是做在行动之前,避免由于考虑不周而造成损失。

一、概述

预先危险性分析法,是指在一个系统或子系统(包括设计、施工、生产)运转活动之前,集中大家的经验和智慧,按照一定的计划和步骤对系统存在的危险类别、发生条件、可能造成的结果,作出宏观、概略的分析。

进行预先危险性分析的目的,在于防止系统采用不安全的技术路线,防止系统使用危险性物质、工艺和设备,如果必须使用时,则从设计或工艺上采取相应的安全措施,使这些危险不致发展成为事故。

当系统处于新开发阶段,人们对其危险性还没有很深的认识,或者是采用新的操作方法,接触新的危险物质、工具和设备等时,使用预先危险性分析就十分合适。其突出特点是分析工作做在各项活动之前,几乎不耗费什么资金,而且可以取得防患于未然的效果。所以应该推广这种分析方法。

二、预先危险性分析方法

（一）分析的步骤

预先危险性分析，大体可以分为以下几个步骤：

（1）熟悉系统。在对系统进行分析之前，首先要对系统的目的、工艺流程、操作运行条件、周围环境等做充分的调查。在此基础上，由熟悉系统的有关人员进行讨论研究，根据以往的经验、资料及同类系统发生过的事故信息，分析对象系统是否也会出现类似情况，预先考虑系统可能发生的事故。

（2）辨识危险因素。根据事故致因理论，辨识能够造成人员伤亡、财产损失和使系统完不成任务的危险因素。

（3）找出危险因素产生的原因和由危险因素发展为事故的条件。

（4）确定危险因素的危险等级和研究防止事故的安全措施。

最后以预先危险性分析表的形式表示其分析结果。

（二）危险因素的辨识

要对系统进行危险性分析，首先要找出系统可能存在的所有危险因素，即危险因素的辨识。所谓危险因素，就是在一定条件下能够导致事故发生的潜在因素。既然危险因素有一定潜在性质，辨识危险因素就需要有丰富的知识和实践经验。为了能够尽快辨识危险因素，可以从以下三个方面入手：

（1）从能量转移考虑。能量转移论认为，生物体（人）受伤害只能是能量转移的结果。从能量转移论出发，事故的三要素是能量、转移途径和受害对象。由此，我们可以断言，凡是有能量积聚的地方就存在危险因素。能量既可以在受控的情况下做有用功、生产产品、为人类服务，又可能在失控状态下做破坏功，造成人员伤亡、职业病和财产损失。因此，在对一个系统进行危险因素辨识的时候，首先要辨识系统内存在的各种类型的能源，以及它们存在的部位，有无发生能量失控转移的可能，这种转移危及的范围内受害对象是什么，等等。在按照能量转移论辨识危险因素时，既要找出能够引起人体直接伤害的各种能的类型，如机械能、电能、热能、势能、辐射能等，还要找出能够使人体内部能量交换发生障碍的能，如化学能、热能、缺氧等。

当然，也可以从轨迹交叉论辨识人的不安全行为和物的不安全状态等危险因素，从扰动起源论辨识扰动发生的可能性等。

（2）从人的操作失误考虑。一个系统运行状况和危险程度，除了机械设备本身的性能、工艺条件外，很重要的影响因素是人的可靠性。特别是我国，由于受科技发展水平和经济条件的限制，多数设备尚达不到本质安全地步，在系统运行中必然存在程度不同的危险因素，这样的系统尤其要靠人来控制危险因素，防止其发展为事故。这样，人的操作行为的可靠度对系统安全性就有着更加重要的影响。然而，人作为系统的一个组成部分，其失误概率要比机械、电气、电子组件高几个数量级。这就要求在辨识系统可能存在的危险因素时，还要根据工艺要求查找偏离正常操作标准而引发事故的误操作。在这方面，人机工程和行为科学都有专门的研究。

（3）从外界因素考虑。系统的安全状况不仅取决于系统内部的人、物、环境因素及其匹配状况，有时还要受系统以外的其他危险因素的影响。其中有外界发生事故对系统的影响，如火灾、爆炸；也有自然灾害对系统的影响，如地震、洪水、雷击等。尽管外界危险因素发生的可能性很小,但危害却很大。因此,在辨识系统危险因素时也应考虑这些因素,特别是处于设计阶段的系统。

(三) 危险等级划分

为了对危险因素进行有效的控制,按照轻重缓急采取安全措施,有必要对危险因素划分危险等级。一般按其形成事故的可能性和损失的严重程度划分为四个等级:

Ⅰ级——破坏性的,会造成灾难性事故(多人伤亡,系统损毁),必须立即排除。

Ⅱ级——危险的,必然会造成人员伤亡和财产损失,要立即采取措施。

Ⅲ级——临界的,处于事故的边缘状态,暂时还不会造成人员伤亡和财产损失,应当予以排除或采取控制措施。

Ⅳ级——安全的,尚不能造成事故。

为预防事故的发生,人们必须首先使危险程度高的危险因素尽量排除,一旦不能排除时,应尽量把它的受害程度控制在较轻的程度上。

(四) 危险性控制的准则与方法

事故的发生必须具备两个基本因素:一是必须有引起破坏的能力(危险因素),二是必须有遭受破坏的对象,二者缺一不可。而且两个基本因素必须能相互影响,才能造成事故。显然,减少或消除危险因素是防止或减少事故发生的根本途径。

1. 危险性控制的准则

危险因素转化为事故是有条件的。只要危险因素不具备转化为事故的条件,就可避免事故的发生。那么怎样进行危险性(危险因素)控制,才能避免或减少事故的发生呢?下面简介十一项准则:

(1) 消除准则。采取措施消除有害因素,如矿井加强通风、吹散炮烟。

(2) 减弱准则。对无法消除者,则必须减弱到无害程度。如煤矿进行瓦斯抽采和开采保护层、采取急救医疗措施降低受害人危险程度等。

(3) 吸收准则。采取吸收措施,消除有害因素,如矿井排水、消除噪声、减振措施等。

(4) 屏蔽准则。设置屏障限制有害因素的侵袭或人员接触危险因素。如矿工安全帽、防护栅栏、防火门、防水闸门、密闭墙等。

(5) 加强准则。保证有足够的强度,万一发生意外也不会发生破坏而导致事故,如为确保安全而采用的各种安全系统和各种冗余技术,再如防护罩、洁气水幕、提高个体耐受能力。

(6) 设置薄弱环节准则。在一个系统中设置一些薄弱环节,通过提前释放能量或消除危险因素,以保证安全。如煤矿风井防爆门、供电线路上的熔断器、高压锅上的安全阀、防爆膜、隔爆岩粉棚、水袋。

(7) 互锁准则。如有的机械运行时不能检修,检修时不能运行;又如很多电气设备开盖即不能送电。

(8) 预警准则。静态系统的预告标志(如井下盲巷挂牌),动态系统的极限值报警信号(如井下瓦斯监测的报警装置)。

(9) 时空调节准则。即时间调节准则和空间调节准则,如提升运输巷中的保险挡、保险栏、躲避硐,又如规定在提升斜巷中"开车不行人,行人不开车"。

(10) 预防性试验准则。为了预防事故,确保安全,有的部件甚至一个系统在选用前

(或选用后定期)做好试验是必需的。如受压容器的水压试验(井下防水闸门的水压试验);又如《煤矿安全规程》规定:检修好的支柱,还必须进行压力试验,合格后方可使用。新提升钢丝绳到货后,应由检验单位进行验收试验,合格后方可使用,使用期间还必须做定期试验。

(11) 机械化-自动化-机代人的准则。这是一条减少人身伤亡事故的本质措施,目的在于尽量提高操作、管理的准确性和尽量避开人在危险条件下工作,从而达到消除人的伤亡和物的损失。如综合机械化采煤法、各种通风安全预警救灾软件。

2. 危险性控制的方法

根据以上准则,可采用以下几种控制方法:

(1) 限制能源或使用安全能源。如使用限速装置、低电压设备、安全设备、限制生产用量等。

(2) 防止能量积蓄。如使用温度自动调节器、保险丝、气体检测器、锐利工具等。

(3) 防止能量散逸。如使用同位素的放射源铅容器、绝缘材料、安全带等。

(4) 能量缓冲装置。如使用爆破板、安全阀、保险带、冲击吸收装置等。

(5) 在能量放出的必经路上和放出的时间采取保护措施。如使用除尘器、防护性接地、安全联锁、安全标志、划定禁止入内区域等。

(6) 对能量危险源采取防范措施。如使用防护罩、水幕或喷水装置、过滤器、防噪声装置、隔火装置、隔水装置等。

(7) 在能量源与人之间设立防护措施。如使用玻璃视镜、设置防护栅栏或防火墙等。

(8) 采取个人防护措施。如使用防护眼镜、安全靴、头盔、手套、呼吸器、防护用具等。

(9) 提高个人耐受能力。采取耐久性材料和选用适应性强的人。

(10) 降低损害程度。如紧急冲浴、采取急救医疗措施等。

(11) 防止人因失误。应该为工人提供安全性较强的工作条件、加强安全教育、严格规章制度的监督检查、用人机工程学原理改善人机界面状况等。

一般来说,能量是危险因素的基础,所以以上这些措施大都是从能量的角度来考虑的,当然也有一些事故与能量无关,如中毒、窒息事故等。因此,对危险因素的影响和预防措施要从各方面来考虑。

三、分析示例

作为煤矿四大件之一的空气压缩机在煤矿上使用过程中曾多次发生爆炸事故。如1974年1月17日,铜川矿务局桃园矿风包爆炸,有1块 $1.3\ m^2$ 的铁板飞出 126 m 被高山挡住,同时爆炸冲击波把墙推倒 8 m,震坏空气压缩机和邻近机房玻璃 114 块。又如 1980 年 2 月 13 日,鸡西恒山矿的空气压缩机也发生过爆炸。此外,北票矿务局的单缸空压机发生过几次爆炸。徐州某矿 4 号机组曾发生 2 级气缸排气阀室和 2 级活塞爆炸,国内其他矿也曾发生风包爆炸、输送管道爆炸及设备损坏等。因此,对于空气压缩机的防爆问题应引起足够重视,应作预先危险性分析,如表 4-2 所列。

表 4-2 的预先危险性分析格式不是一成不变的,根据实际需要可以做相应简化。例如,有的企业在实行"看板管理"中,将预先危险性分析表改造为仅有危险因素、事故情况、安全措施、项目责任人四个栏目的形式,收到良好效果。总之,简单、有效就是好方法。

表 4-2　　　　　　　　　空气压缩机预先危险性分析表

系统名称	运行方式	失效方式	可能性估计	危险描述	危险结果	危险等级	建议的控制方法（措施）	备注
限温保护	连续工作	温度超过规定	水和油供应不上	温度超限引起爆炸	伤亡和损失	Ⅱ	(1) 设超温自动停机保护；(2) 对高低压气缸排出的压缩空气温度要设温度表监视，不得超过规定；(3) 压缩机润滑油的闪点不低于 215 ℃；(4) 提高风阀的严密性	
断水保护	连续供水，当供水不足时自动停机	(1) 水泵出故障；(2) 水路系统被堵	水量供应不上	断水造成高温引起爆炸	伤亡和损失	Ⅱ	(1) 必须设有断水保护信号，做到断水自动停机；(2) 气缸水套要定期清扫	
超压保护	压力过高时，安全阀、释压阀自动排气卸压	(1) 安全阀失灵；(2) 释压阀失灵	超压不自动排气卸压	超压造成爆炸	伤亡和损失	Ⅱ	(1) 风包出口装置释压阀；(2) 风包和排出管路每年要清扫；(3) 压力表和安全阀要定期校验，必须符合规定要求	
缺油保护	润滑油不足时能自动停机	(1) 油泵不供油；(2) 注油器和油路被堵	缺油	高温烧坏	部分损失	Ⅲ	安装油压自动保护装置	

第三节　故障模式和影响分析

故障模式和影响分析是安全系统工程中重要的分析方法之一，主要用于系统的安全设计。它是按故障模式，分析对系统发生影响的所有子系统（或元素）的故障，并且研究这些故障的影响，进而指明每种故障发生的模式及其对系统运行所产生的影响程度，最终提出减少或避免这些影响的措施。故障模式和影响分析本质上是一种定性的、归纳的分析方法，为了能将它使用于定量分析，又增加了危险度分析（CA）的内容，发展成为故障模式、影响及危险度分析（FMECA）。

1957 年，美国开始在飞机发动机上使用故障模式和影响分析。接着航天航空局和陆军进行工程项目招标时，都要求承包商提供故障模式、影响及危险度分析。此外，航天航空局还把故障模式、影响及危险度分析作为保证宇航飞船可靠性的基本方法。目前这种方法已在核电、动力工业、仪器仪表工业中得到了广泛的应用。

一、故障模式

故障模式和影响分析起源于可靠性技术，过去多用于航空、宇航、军事等大型工程中，如今它已广泛用于机械、电子、电力、化工、交通等几乎所有重要工业领域。故障模式和影响分析就是对系统的各个组成部分即子系统（或元素）进行分析，找出它们的缺点或潜在的缺陷，进而分析各子系统（或元素）的故障模式及其对系统（或上一层次结构）的影响，以便采取措施予以防止或消除。为此,有必要对这个方法涉及的一些概念加以阐述。

(一) 故障和故障模式

1. 故障

所谓故障,是指元件、子系统、系统在运行时不能达到设计规定的要求,因而完不成规定任务或完成得不好。显然,并非所有的故障都会造成严重后果,而是其中一部分故障会影响系统完不成任务或造成事故损失。

2. 元件

所谓元件是构成系统、子系统的单元或单元组合,它分为以下几种:

(1) 零件:不能进一步分解的单个部件,具有设计规定的性能。

(2) 组件:由两个以上零部件构成,在子系统中保持特定性能。

(3) 功能件:由几个到成百个零部件组成,具有独立的功能。

元件发生故障时,其呈现的模式可能不止一种。例如一个阀门发生故障,至少可能有内部泄漏、外部泄漏、打不开、关不紧等四种模式,它们都会对子系统甚至系统产生不同程度的影响。

3. 故障模式

故障模式就是故障出现的状态,也就是故障的表现形式,一般可以从以下几个方面考虑:① 运行过程中的故障;② 过早地启动;③ 规定时间不能启动;④ 规定时间不能停车;⑤ 运行能力降级、超量或受阻。

以上各种故障还可分为数十种模式。例如:变形、裂纹、破损、磨耗、腐蚀、脱落、咬紧、松动、折断、烧坏、变质、泄漏、渗透、杂物、开路、短路、杂音等都是故障表现形式,都会对子系统产生不同程度的影响。

4. 元件发生故障的原因

元件发生故障的原因大致有下述五类:

(1) 设计上的缺点。由于设计所采取的原则、技术路线等不当,带来先天性缺陷,或者由于图纸不完善或有错误等。

(2) 制造上的缺点。加工方法不当或组装方面的失误。

(3) 质量管理方面的缺点。检验不够或失误以及工程管理不当等。

(4) 使用上的缺点。误操作或未按设计规定条件操作。

(5) 维修方面的缺点。维修操作失误或检修程序不当等。

(二) 故障模式的分级

鉴于各种故障模式所引起的子系统或系统障碍程度与范围有很大的不同,因而在处理措施方面也应分清轻重缓急,区别对待。因此,用适当的科学的尺度评定故障模式的等级是非常必要的。评定时可以从以下几方面考虑:① 故障影响大小;② 对系统造成影响的范围;③ 故障发生的频率;④ 防止故障的难易;⑤ 是否重新设计。

故障模式的等级是按照故障模式对子系统或系统影响程度不同而划分的,主要目的是按故障等级安排安全措施。

一般将故障模式分为四个等级:

Ⅰ级——致命的。可能造成人员死亡或整个系统损坏。

Ⅱ级——严重的。可能造成重伤、严重的职业病或主要系统损坏。

Ⅲ级——临界的。可能造成轻伤、轻度职业病或次要系统损坏。

Ⅳ级——可忽略的。不会造成伤害或职业病,系统不会损坏。

划分故障模式的等级可以采用这种定性的方法,直接判定故障类型的故障等级。它基本上只考虑事故的严重性,而不考虑事故的发生概率,有一定的片面性。为了更全面地确定故障模式的等级,则采用定量方法,即按式(4-1)计算故障等级值 C_s。

$$C_s = \sqrt[5]{C_1 C_2 C_3 C_4 C_5} \tag{4-1}$$

式中 C_1——故障影响大小,即损失严重度;

C_2——故障影响范围,即影响到系统的哪个层次;

C_3——故障频率;

C_4——防止故障的难易程度;

C_5——是否为新设计的工艺。

$C_1 \sim C_5$ 的取值范围均为 $1 \sim 10$,可请 $3 \sim 5$ 位有经验的专家讨论的办法确定 C_i 值。最后,根据 C_s 值的大小划分等级,如表 4-3 所列。也可以采取各因素影响值 C_i 累计求和的办法,即按式(4-2)计算 C_s 值。

$$C_s = \sum_{i=1}^{5} C_i \tag{4-2}$$

表 4-3　　　　　　　　　　　故障等级划分表

故障等级	C_s 值	内容	应采取的措施
Ⅰ(致命)	7～10	系统完不成任务,人员伤亡	变更设计
Ⅱ(严重)	4～7	大部分完不成任务	重新讨论设计,也可变更设计
Ⅲ(临界)	2～4	一部分完不成任务	不必变更设计
Ⅳ(可忽略)	<2	无影响	无

这时,C_i 按表 4-4 取值,等级按表 4-3 划分。

表 4-4　　　　　　　　　　　C_i 取值表

评价因素	内容	C_i 值
故障影响大小(C_1)	造成生命损失	5.0
	造成相当程度的损失	3.0
	组件功能损失	1.0
	无功能损失	0.5
故障影响范围(C_2)	对系统造成两处以上的重大影响	2.0
	对系统造成一处重大影响	1.0
	对系统无过大影响	0.5
故障频率(C_3)	容易发生	1.5
	能够发生	1.0
	不大发生	0.7

续表 4-4

评价因素	内　　容	C_i 值
防止故障的难易程度(C_4)	不能防止	1.3
	能够防止	1.0
	易于防止	0.7
是否为新设计的工艺(C_5)	内容相当新的工艺	1.2
	内容和过去相类似的设计	1.0
	内容和过去一样的设计	0.8

注:发生概率:非常容易发生,1×10^{-1};容易发生,1×10^{-2};偶尔发生,1×10^{-3};不常发生,1×10^{-4};几乎不发生,1×10^{-5};很难发生,1×10^{-6}。

（三）故障模式和影响分析的格式

故障模式和影响分析的一般格式见表 4-5。

表 4-5　　　　　　　　标准的故障模式和影响分析格式

系　统＿＿＿＿						页号＿＿＿＿			
子系统＿＿＿＿			故障模式和影响分析			日期＿＿＿＿			
订合同人＿＿＿＿						制表＿＿＿＿			
						批准＿＿＿＿			
1	2	3	4	5		6	7	8	9
对象	功能	故障模式	设想原因	故障影响		检测方法	补偿措施	危险度	备注
				子系统	系统				

在表头栏内填写所列系统、子系统名称等内容。此表格可用于子系统中的组件或零件,所以只列了子系统名称。表头中的"批准"项分别记入制表人、负责人姓名。下面依次对各项目加以说明。

(1) 对象——设备、组件、零件等

每次列出组成子系统的一个单元。记入它在预先画制的逻辑图上的编号,或设计图上的零件编号等识别标号,两者都可记入,也可只记入其中之一。目前所见的实例中,有的把方框图也列入标题栏内,若子系统简单,这种做法是可以的。

(2) 功能

写明(1)栏所列对象原定应完成的功能。对于研制初期的功能进行故障模式和影响分析,由于零件、组件还未确定下来,所以没有(1)栏,只能从本栏开始分析。当设计确定之后,只列分析对象,也可以省略本栏,这种情况为数不少。

(3) 故障模式

故障模式也称故障的形态。具有代表性的故障模式有:电器部件的短路、断路、回路无输出、不稳定;机械系统中的变形、磨损、黏结;流体系统的泄漏、污染等。在故障模式和影响分析中,不考虑同时出现两个以上的故障,但对同一对象,则要考虑两个以上的故障模式,只不过每次只列举一个进行分析。

(4) 设想原因

记入经过分析所设想的原因,包括只能引起偶然故障的原因及非预期的外力(环境、使用条件)原因,也应考虑制造上的或潜在的缺陷问题。一般认为,对于这类问题,维修部门掌握了大量资料。

(5) 故障影响

假设(3)栏所列故障模式已经发生,则在此栏内记述它对上级层次所产生的影响。首先容易记入的是与其直接相连的上一级硬件的影响,进而向更上一级分析。有时也填入对系统完成任务的影响。此外,对生命和财产有危险时,常另设一栏,以记载这方面的影响。

(6) 检测方法

记述故障发生后,用什么方法查出故障,例如通过声音变小和仪表读数的变化进行检查,又如对人造卫星通过遥测技术,等等。

(7) 补偿措施

此栏与前一栏相类似,记述在现有的设计中对故障有哪些补偿措施。例如可用手动代替自动功能,等等。

(8) 危险度

分析到此,故障结果会产生何种程度的危险度?在此栏内要根据一定的标准或尺度确定危险度等级,一般多以故障发生的频率及影响的重要度作为分级标准,有的还进一步考虑了对应的时间裕度(紧迫性)。多数情况是根据系统的特性及其所承担任务的性质来决定级别。

(9) 备注

这一栏是为了记载上述各栏尚未说清楚的事项或对阅表人有用的辅助性说明。

二、分析程序

进行故障模式和影响分析时,一般应遵循以下程序:

(1) 熟悉系统。熟悉系统是所有系统安全分析方法必需的前提条件。这里所说的熟悉系统主要是了解系统的构成情况,系统、子系统、组件的划分情况,各部分的功能及其相互关系,系统的工作原理、工艺流程及有关可靠性参数等,重点了解系统的故障情况。

(2) 确定分析深度。根据分析目的决定故障模式和影响分析的深度。用于系统的安全设计,要详细分析,对每一个组件都不能放过。用于系统的安全管理,特别是对现有系统的安全管理,则允许分析得粗一些,可以把由若干组件组成的、具有独立功能的所谓功能件作为组件分析,如泵、电机等。按照分析目的确定分析深度,既可避免安全设计时不应有的遗漏,又可减少安全管理工作者不必要的繁琐分析过程。

(3) 绘制系统功能框图或可靠性框图。绘制这两种框图的目的是要从系统功能或可靠性方面弄清系统的构成情况和完成功能的情况,并以此作为故障模式和影响分析的出发点。

绘制框图,可以是功能框图,也可以是可靠性框图。功能框图是根据系统各部分所具有的功能及其相互关系表示系统总体功能的一种框图。系统可靠性框图是根据系统可靠性的相关关系绘制的一种框图。图 4-1 分别给出了串联的、并联的、串并联的系统可靠性框图。

一般情况下，只有构成一个系统的所有子系统都能正常运行，才能保证系统正常运行的情况，用串联形式把子系统连接起来，如图 4-1(a)所示。如果构成系统的任何一个子系统正常就能保证系统正常，则用并联形式，如图 4-1(b)所示。根据这种原则，也存在串并联连接形式，如图 4-1(c)所示。同理，也可以绘制子系统的可靠性框图，其系统结构必是串联。而并联系统，其可靠性框图则不一定是并联。例如，某几个并联电阻，其输出为一定电阻值，在可靠性框图中，这几个电阻就必须用串联表示。

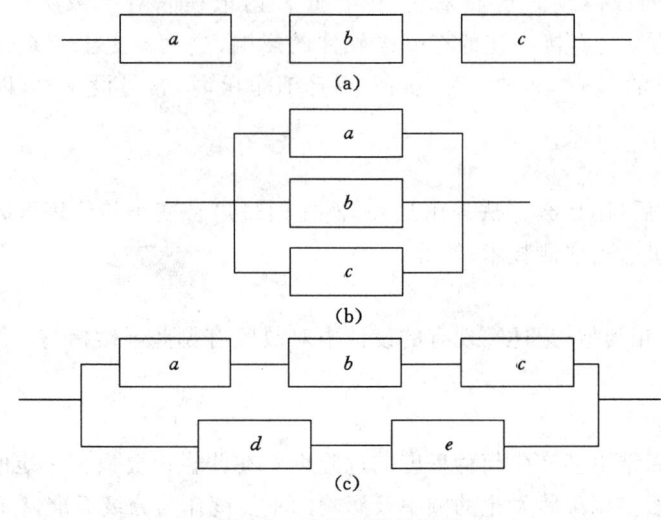

图 4-1　系统可靠性框图
(a) 串联；(b) 并联；(c) 串并联

（4）列出所有故障模式并分析其影响。按框图绘出与系统功能和系统可靠性有关的部件、组件，根据过去的经验和有关故障资料信息，列出所有可能的故障类型，并分析其对子系统、系统以及对人的影响。

（5）分析构成故障模式的原因及其检测方法，并制成故障模式和影响分析表。

三、危险度分析

（一）危险度分析的含义

危险度分析(criticality analysis，CA)是在故障模式和影响分析的基础上扩展出来的。在系统进行初步分析(如故障模式和影响分析)之后，对其中特别严重的故障模式(如Ⅰ级，有时也对Ⅱ级)单独再进行详细分析。危险度分析就是对系统中各个不同的严重故障模式计算临界值——危险度指数，即给出某故障模式产生危险度影响的概率。它是一种定量分析方法，与故障模式和影响分析结合使用时叫做故障模式、影响及危险度分析(FMECA)。

（二）危险度分析的目的

危险度分析的主要目的是：① 尽量消除危险度高的故障模式；② 当无法消除故障模式时，应尽量从设计、制造、使用和维修等方面去降低其危险度和减少其发生的概率；③ 根据故障模式不同的危险度，对其零部件或产品提出相应的不同质量要求，以提高其可靠性和安全性；④ 根据不同情况，可采取对产品或部件的有关部位增设保护装置、监测预报系统等措施。

美国汽车工程师学会把故障危险度分成表 4-6 所列的四个等级。

表 4-6　　　　　　　　　　　　　危险度等级与内容

等级	内　容	等级	内　容
Ⅰ	有可能丧失生命的危险	Ⅲ	设计运行推迟和损失的危险
Ⅱ	有可能使系统损坏的危险	Ⅳ	造成计划外维修的可能

（三）危险度指数的计算

一般情况下，使用下式计算出危险度指数 C_γ，它表示元件运行 100 万 h(次)发生的故障次数。

$$C_\gamma = \sum_{j=1}^{n}(\alpha\beta k_A k_E \lambda_G t \cdot 10^6)_j \tag{4-3}$$

式中　j——组件的危险故障类型序数，$j=1,2,\cdots,n$；

n——组件的危险故障类型数；

λ_G——组件的故障率；

t——完成一次任务，组件的运行时间；

k_A——运行强度修正系数，实际运行强度与实验室测定 λ_G 时运行强度之比；

k_E——环境修正系数；

α——λ_G 中第 j 个故障模式所占的比率；

β——发生故障时造成危险影响的概率，其值如表 4-7 所列。

表 4-7　　　　　　　　　发生故障时造成危险影响的概率

影响	发生概率	影响	发生概率
实际损失	$\beta=1.0$	可能损失	$0<\beta<0.1$
可预计损失	$0.1\leqslant\beta<1.0$	无影响	$\beta=0$

四、应用实例

（一）故障模式和影响分析应用实例

例如，图 4-2 为矿用空气压缩机空气压缩系统示意图。电动机驱动空气压缩机运转，空

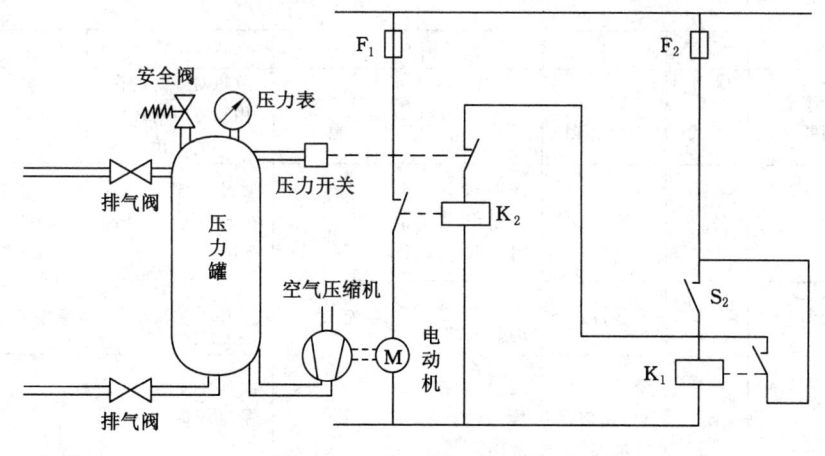

图 4-2　空气压缩系统示意图

气被压缩而压力升高,进入压力罐中以供使用。压力罐上安有压力表以显示气体压力;压力开关按预定的压力值自动地关断电源以保持罐内压力稳定。当罐内气体压力超过额定压力时安全阀开启,泄放气体使罐内压力降低以保证安全。对该系统中几个主要部件的分析见表 4-8~表 4-10。

表 4-8　　　　　　　　空气压缩系统压力罐故障模式和影响分析表

系统:空气压缩系统			部件:压力罐	
原始状况	原始状况	环境条件		文件资料
无故障按规定压力输送	最大允许工作压力=2 MPa 最大工作压力=1.8 MPa	室内温度 10~30 ℃ 空气湿度≤80% 无尘空气		图 系统说明书

1	2	3	4	5	6	7	8	9
编号	基本功能	故障模式	可能的故障原因	故障辨别	现有对抗措施	故障对系统的作用和有时对环境的作用	故障评价	备注
1.1	储气	小缝隙	罐的接口不严	压缩机开停频率增加,巡查时对噪声的辨别	由压缩机补充	通过压缩机的运行来补偿压力的下降	欠维护保养,维修时系统要切断电源	
1.2	储气	大缝隙	焊缝有裂口	压力指示装置的显示,巡查	无	压力迅速下降	系统故障	
1.3	储气	破裂	材料缺陷或在运输过程受到外部作用	压力指示装置的显示,巡查	无	压力迅速下降造成压力罐周围设备的损坏	系统故障危险状况	

表 4-9　　　　　　　　空气压缩系统压力阀故障模式和影响分析表

系统:空气压缩系统			部件:压力阀	
原始状况	原始状况	环境条件		文件资料
无故障按规定压力输送	关	室内温度 10~30 ℃ 空气湿度≤80% 无尘空气		图 系统说明书

1	2	3	4	5	6	7	8	9
编号	基本功能	故障模式	可能的故障原因	故障辨别	现有对抗措施	故障对系统的作用和有时对环境的作用	故障评价	备注
2.1	常关	漏气	弹簧疲劳	压缩机开停频率增加,巡查时对噪声的辨别	由压缩机补充	通过压缩机的运行来补偿压力的下降	欠维护,维修时要断开系统电源	
2.2	常关	错误的开启	弹簧折断	压力指示装置的显示,巡查	无	压力迅速下降	系统故障	
2.3	开 2 MPa ≤p≤ 2.2 MPa	关闭	锈蚀,污物,阀门调节错误	无,只能在阀门检验时辨别故障	无	没有直接作用,但在超压时失去安全功能	不允许系统状况	

表 4-10　　　　　　　　空气压缩系统压力开关故障模式和影响分析表

系统:空气压缩系统			部件:压力开关					
原始状况			原始状况		环境条件		文件资料	
无故障按规定运行压力输送			关或开		室内温度 10～30 ℃ 空气湿度≤80% 无尘空气		图 系统说明书	
1	2	3	4	5	6	7	8	9
编号	基本功能	故障模式	可能的故障原因	故障辨别	现有对抗措施	故障对系统的作用和有时对环境的作用	故障评价	备注
3.1	$p \geqslant 1.8$ MPa 时开启	关闭	机械故障,污物	压力指示,压缩机连续运行,巡查时对噪声的辨别	2 MPa $\leqslant p \leqslant 2.2$ MPa 时安全阀打开	形成压力,通过安全阀限制压力,按操作说明书停车	系统故障	
3.2	$p \leqslant 1.5$ MPa 时关闭	开启	机械故障,污物	压力指示装置的显示	无	压缩空气排出后,压力继续下降	系统故障	

(二) 应用故障模式和影响分析注意事项

(1) 在故障模式和影响分析之前,常将故障模式的发生概率、故障模式的严重度、故障模式的检测难度等根据不同产品(系统)划分成实用的等级,确定评定标准。评定标准采用投票表决法较为容易。若没有这一标准,各实施小组在对故障模式作定量评定时,就不能用共同的标准找出重点的故障模式。

(2) 故障模式严重度的等级划分,即使是对同一产品,系统层次的故障模式和影响分析与零件层次的故障模式和影响分析不同,也应采用分别划分评定标准的方法。若从系统的故障模式和影响分析起到零件的故障模式和影响分析止用同一评定标准进行分析,对故障模式的评价就会发生混乱,不同层次上的严重度也会模糊不清了。

(3) 在与人身事故无关的、一般零件的故障模式严重度评级中,受到法规限制的故障模式,原则上评定其危险度为最高等级。

与限制排出气体的法规、环境保护法、电器用品限制法等限制有关的项目,必须要满足其全部要求。

(4) 对零件(元素)数较多的产品(系统),首先要进行全面的系统层次的故障模式和影响分析,明确不希望发生的故障模式(设计方案上的强弱环节),对其中原因不明的致命性的故障模式,应当利用事故树分析法,彻底地追查其发生的途径和原因,并采取对策。

若进行从系统层次起至零件层次止的全部的故障模式和影响分析,则其工作量增大,要耗费相当多的时间。

(5) 在故障模式的评价中,分析层次取到什么程度合适,应因情况不同而各异,原则上,严重度和危险优先级非常低的模式是可以去掉的。至于故障模式和影响分析的研究到何处为止,以研究小组取得一致意见为宜。

第四节 事件树分析

在事故发展的过程中出现的事件有两种可能的发展途径,其发生的形式虽然有很大的随机性,但最终以事故发生或不发生为结果。因此,若能掌握可能导致事故发生的事件链的时序和发展结果,对事故的分析、预测及预防均具有较大的意义。事件树是于1965年前后发展起来的"决策树",它是一种将系统内各元素按其状态(如成功或失败)进行分支,最后直至系统状态输出为止的水平放置树状图。1972年以前,事件树分析法主要用于管理工作中进行决策,1972年以后,开始应用于安全方面的事故分析。

一、事件树分析概述

1. 事件树分析的概念

事件树分析法是一种时序逻辑的事故分析方法,它是按照事故的发展顺序,分成阶段,一步一步地进行分析,每一步都从成功和失败两种可能后果考虑,直到最终结果为止,所分析的情况用水平树枝状图表示,故叫事件树。

事件树分析法是安全系统工程中重要的分析方法之一,它既可以定性地了解整个事故的动态变化过程,又可以定量地计算出各阶段的概率,最终了解事故的各种状态的发生概率。事件树分析着眼于事故的起因事件或诱因事件进入系统时,与此相关联发生的机械设备各部分、作业施工各阶段中的安全机能的状态会对后续的一系列机能维持的成败造成怎样的影响,确定应采取的程序,根据这一程序把系统分成在保持安全机能方面的成功与失败,展开成树枝状,在失败的各分支上假定发生的故障、事故的种类,分别确定它们的发生概率,由此求得最终的事故种类和发生概率。

2. 事件树分析的功能

可以在事故前用事件树分析预测事故及不安全因素,估计事故的可能后果,寻找最经济的预防手段和方法;又可在事故后用事件树分析事故原因;此外,还可以用事件树分析的分析资料作安全教育资料。

当积累了大量事故资料时,采用计算机模拟,使事件树分析对事故的预测更为有效。在安全管理上用事件树分析对重大问题进行决策,更是其他方法所不能代替的。

3. 事件树分析的优点

(1) 简单易懂,启发性强,能够直观地表明如何做可防止事故发生,便于安全教育;

(2) 容易找出由不完全因素造成的后果,能清晰地指出消除事故的根本点,便于预防措施的制定;

(3) 既可定性分析,又可定量分析。

二、事件树分析法

1. 事件树分析的理论依据

事件树分析的理论基础是系统工程决策论。决策论中的一种决策方法是用决策树进行决策的,而事件树分析则是从决策树引申而来的分析方法,即决策树用在安全分析时便称之为事件树。

事件树分析最初用于可靠性分析,它是用元件的可靠性表示系统可靠性的系统分析方法之一。系统中每个元件都存在具有与不具有某种规定功能的两种可能。元件正常,说明其具有某种规定功能；元件失效（故障），说明其丧失某种规定功能。把元件正常状态记为成功，其状态值为1，把失效状态记为失败，其状态值为0。按照系统的构成状况，顺序分析各元件成功或失败的两种可能，将成功作为上分支，将失败作为下分支，不断延续分析，直到最后一个元件，形成一个水平放置的树形图。

例如，由一个泵和两个串联阀门组成的液体物料输送系统，如图4-3所示。物料沿箭头方向顺序经过泵A和阀门B、C。根据系统的构成情况，当泵A接到启动信号后，可能有两种状态：正常启动开始运行，或失效，不能输送物料。将正常作为上分支，失效作为下分支。理论上，n个组件两种状态的组合应有2^n种组合状态。实际上，事件树的结构则是按照系统的具体情况作出的。因此，阀门B的正常与失效分析只接在泵的正常状态分支上。泵A失效，系统就失败，阀门B、C对此结果没有影响，不再延续分析。同样，阀门B失效也导致系统失效，不再分析C的状态，从而只分析B正常时C的两种状态。这样，就得到4种系统状况（结果）。于是得到这个系统的事件树分析图，如图4-4所示。

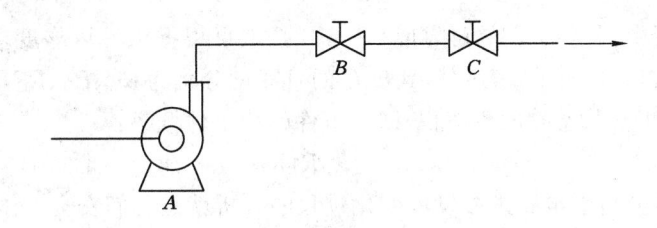

图4-3 阀门串联的物料输送系统

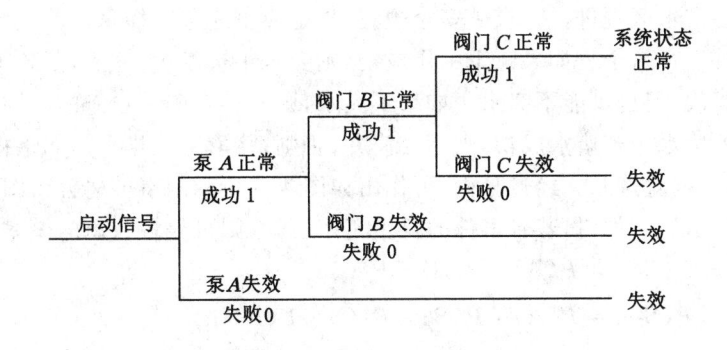

图4-4 阀门串联系统的事件树

2. 事件树分析的方法

事故的发生是一个动态过程，经过孕育、成长和发生三个阶段，而事故在发生过程中出现的事件可能有两种情况，即发生和不发生（成功和失败），一个事件按哪种情况变化是偶然的。在连续出现的事件中，前一个阶段的事件影响着后一个阶段的事件的发展变化。

事件树分析从事故的起因事件或诱发事件开始，途径原因事件，到结果事件为止。每一事件都按成功和失败两种状态进行分析，用树枝代表事件的发展过程。一般把希望发生的事件(成功)分支画在上面,把不希望发生的事件(失败)分支画在下面,若有可能可标上事件发生的概率,最后得出各种可能的事件结果,可定量计算出各种事件结果的发生概率值。

3. 事件树分析的程序

在进行事件树分析时,一般应遵循以下程序:

(1) 确定系统及其构成要素,也就是明确所要分析的对象和范围,找出系统的组成要素,以便展开分析。

(2) 分析各要素的因果关系及成功与失败的两种状态。

(3) 从系统的起始状态或诱因事件开始,按照系统构成要素的排列顺序,从左至右逐步编制与展开事件树。

(4) 根据需要可标出各结点的成功与失败的概率值,进行定量计算,求出因失败造成事故的发生概率。

4. 事故发生概率的确定

在事件树分析中,若各组件的可靠度是已知的,就可根据组件可靠度求取系统可靠度。例如,如图4-3和图4-4所示,若组件 A、B、C 的可靠度分别为 R_A、R_B、R_C,则系统可靠度 R_s 为 A、B、C 均处于正常状态时的概率积,即三事件的积事件概率:

$$R_s = R_A R_B R_C$$

把这种可靠度分析引申到事故发展变化过程的分析就是我们安全工作所需要的事件树分析。

三、实例分析

某矿井水文地质条件复杂,开拓位于富水区内的区段石门时突然涌水,使矿井被淹,造成淹井事故。在富水区掘进,按《煤矿安全规程》规定应事先进行探水。若探水成功,则应根据所探水文条件进行疏干。如果疏干工作成功,则突水不会发生;反之,若疏干工作失败,就可能发生突水事故,但也可能不突水。如果不突水,则不存在矿井被淹的问题;否则,将取决于突水发生后的堵水。若堵水成功,则不会淹井;否则,将取决于排水。如果排水措施成功,则不发生淹井;否则就淹井。经过分析,可作出如图4-5所示的事件树分析图。

如图4-5所示的事件树,若各事件的发生概率已知,则可得各状态的概率:

$$P(S_1) = P(A) \cdot P(B) \cdot P(C)$$

$$P(S_2) = P(A) \cdot P(B) \cdot P(\overline{C}) \cdot P(D)$$

$$P(S_3) = P(A) \cdot P(B) \cdot P(\overline{C}) \cdot P(\overline{D}) \cdot P(E)$$

$$P(S_4) = P(A) \cdot P(B) \cdot P(\overline{C}) \cdot P(\overline{D}) \cdot P(\overline{E}) \cdot P(F)$$

$$P(S_5) = P(A) \cdot P(B) \cdot P(\overline{C}) \cdot P(\overline{D}) \cdot P(\overline{E}) \cdot P(\overline{F})$$

$$P(S_6) = P(A) \cdot P(\overline{B}) \cdot P(D)$$

$$P(S_7) = P(A) \cdot P(\overline{B}) \cdot P(\overline{D}) \cdot P(E)$$

$$P(S_8) = P(A) \cdot P(\overline{B}) \cdot P(\overline{D}) \cdot P(\overline{E}) \cdot P(F)$$

$$P(S_9) = P(A) \cdot P(\overline{B}) \cdot P(\overline{D}) \cdot P(\overline{E}) \cdot P(\overline{F})$$

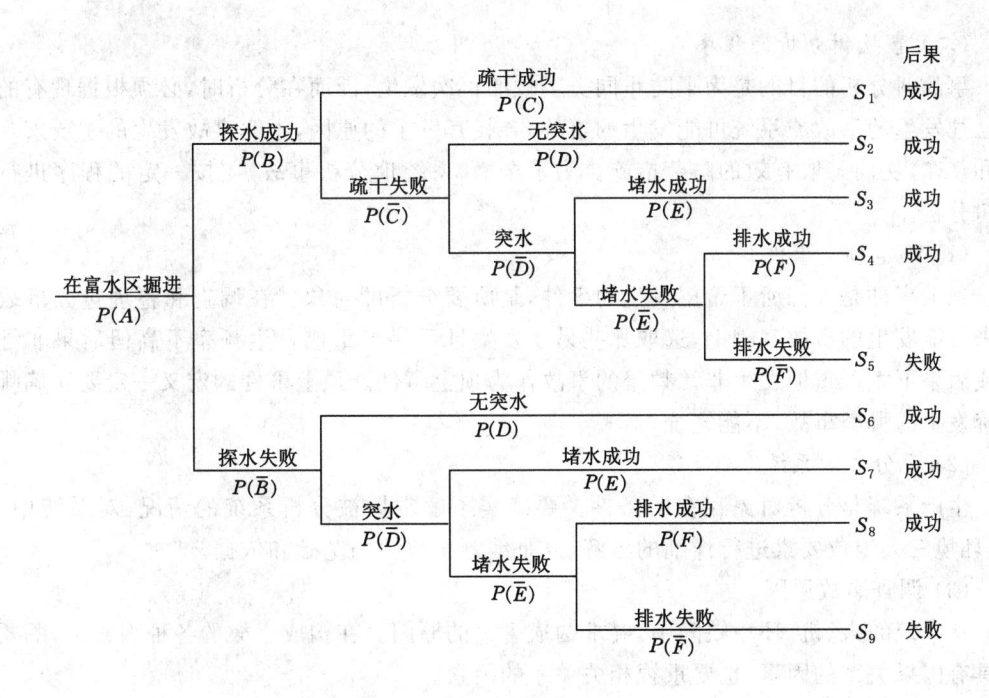

图 4-5 矿井突水淹井事件树分析

第五节 事故树分析

事故树分析是安全系统工程的重要分析方法之一。该方法起源于美国贝尔电话研究所。20 世纪 60 年代主要用于航空安全领域，1974 年美国原子能委员会利用事故树分析法对核电站事故危险性进行了评价和预测，发表了著名的拉斯姆逊（N. C. Rasmussen）报告，从此引起了世界各国的普遍关注。事故树分析在各行各业的安全管理领域中都得到了不同程度的应用。我国煤炭行业在安全管理中应用事故树分析起步较晚，目前停留在定性分析阶段。

一、事故树分析概述

（一）事故树分析的概念

事故树是由图论理论发展而来的。将图论中的树的节点看成是事件的代表，而树枝中的节点之间用逻辑门连接，这样连接而成的树图反映了事故的因果关系，称这样的有向树为事故树。

事故树分析是从一个可能的事故开始，一层一层地逐步寻找引起事故的触发事件、直接原因和间接原因，直到基本事件，并分析这些事故原因之间的相互逻辑关系，用逻辑树图把这些原因以及它们的逻辑关系表示出来。事故树分析法是一种演绎分析方法，即从结果分析原因的分析方法。该方法实质上是一个布尔逻辑模型，这个模型描绘了系统中事件之间的关系。这些事件的组合最终导致一个结果的发生，即顶上事件。在安全分析中，顶上事件被定义为一个不希望发生的事件（事故或故障）。

(二) 事故树分析的程序

事故树分析的目的是为了防止同类事故的再次发生,因而在分析时,必须根据现有的以及已往发生的事故或系统可能发生的事故,寻找其发生的原因,了解事故发生的主要宏观趋势和规律,从而采取有效的防范措施。为了全面、系统地分析事故,应按一定的程序进行事故树分析。

(1) 确定顶上事件

顶上事件是人们所不希望发生的事件,是所要分析的对象。在调查和整理过去事故或将来可能发生的事故基础上,选取那些易于发生且后果严重或发生频率不高但后果非常严重或后果不太严重但发生非常频繁的事故作为顶上事件。顶上事件的定义一定要明确哪个系统发生的哪类事故,不能笼统。

(2) 充分了解系统

生产系统是分析对象存在的条件。要确实了解掌握被分析系统的情况,对系统中人、机、环境三大组成要素进行详细的了解,这是编制事故树的基础和依据。

(3) 调查事故原因

从系统的人、机、环境缺陷中,寻求构成事故的原因。在构成事故的各种因素中,既要重视具有因果关系的因素,也要重视相关关系的因素。

以上步骤属于事故树分析的准备阶段,是分析的基础,它决定着事故树分析能否符合实际,其分析结论是否正确。

(4) 编制事故树图

作图按照演绎分析原则,从顶上事件起,一层一层往下分析各自的直接原因事件,根据彼此间的逻辑关系,用逻辑门连接上下层事件,直至所要求的分析深度,最后就形成一棵倒置的树图形。作图是分析的关键,只有正确的事故树图,才有正确的定性、定量分析。

(5) 定性分析

定性分析是事故树分析的核心内容,其目的是分析该类事故的发生规律及特点,找出控制事故的可行方案。其主要内容包括:求解事故树的最小割集、最小径集、基本事件的结构重要度以及制定预防事故的措施。

(6) 定量分析

依据各基本事件的发生概率,求解顶上事件的发生概率,在输出顶上事件概率的基础上,求解各基本事件的概率重要度和临界重要度。

总之,事故树分析包括了定性分析和定量分析两大类。从实际应用而言,由于我国目前尚缺乏设备的故障率和人因失误率的实际资料,故给定量分析带来很大困难或不可能,所以在事故树分析中,目前一般多进行定性分析。

(三) 事故树的构成

事故树是由各种事件符号及逻辑门构成的逻辑图。事件符号表示事件的不同类型,逻辑门表示事件之间的逻辑关系。

1. 事件符号

事件符号主要有:矩形符号、圆形符号、屋形符号和菱形符号,如图 4-6 所示。

矩形符号表示故障事件,它是顶上事件或中间事件,即需要继续分析的事件。作图时应将事件扼要明确地记入矩形之内。在定量分析中是不给其发生概率的,它的概率将由下层

图 4-6　事件符号

事件决定。

圆形符号表示基本原因事件,即不能再往下分析的最基本的原因事件。如人为差错、组件故障失灵、环境的不良因素等。

屋形符号表示正常事件,即系统在正常状态下发生的正常事件。由于事故树分析是一种严密的逻辑分析,为了保证逻辑分析的严密性,有时必须用正常事件。

菱形符号表示省略事件,即没有必要继续分析的事件,或其原因尚不明确的事件,还有表示来自系统之外的事件。

双菱形符号表示简化事件,即表示关系明确并可给出概率的一组事件,或者是关系不清需进一步分析的事件。

圆形、屋形、菱形及双菱形表示的事件均称为基本事件或底事件。

2. 逻辑门

逻辑门符号起着事件之间逻辑连接的作用,这是事故树分析的特点和优点。掌握逻辑门的使用对事故树作图起着关键作用。逻辑门很多,这里只介绍与门、或门、条件与门、条件或门、限制门等五种较为常用的基本逻辑门。如图 4-7 所示。

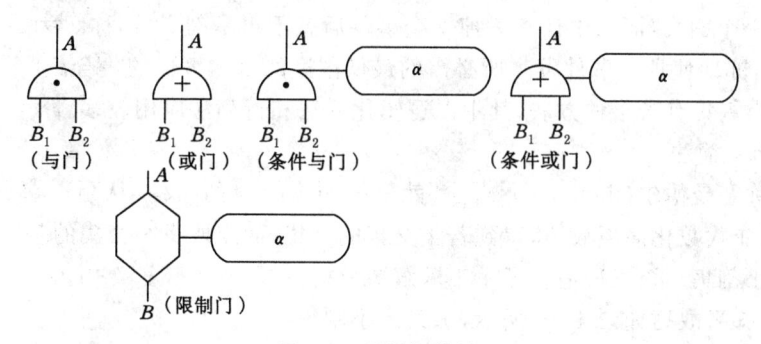

图 4-7　逻辑门符号

(1) 与门

与门表示下面的输入事件 B_1、B_2 都发生时,输出事件 A 才发生的逻辑连接关系。在有若干输入事件时也是如此。表现为逻辑积的关系,即 $A=B_1 \cap B_2$,亦可用 $A=B_1 B_2$ 表示。

(2) 或门

或门表示下面的输入事件 B_1、B_2 至少一个发生就可使上面的输出事件发生。在有若干输入事件时也是如此。表现为逻辑和的关系,即 $A=B_1 \cup B_2$,亦可用 $A=B_1+B_2$ 表示。

(3) 非门

非门表示下面的输入事件为 B 时,输出事件为 B',即输出变量为输入变量的逻辑非。即决定事件 A 的条件为 B 时,A 与 B 相反,B 存在,则 A 不会发生,反之亦然。如图 4-8 所示。

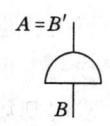

图 4-8　非门

(4) 条件与门

条件与门表示 B_1、B_2 都发生,且满足条件 a 时,A 才发生的逻辑连接关系。其逻辑关系为:$A=B_1B_2a$。

(5) 条件或门

条件或门表示 B_1、B_2 至少一个发生,且满足条件 a 时,A 发生的逻辑连接关系。其逻辑关系为:$A=(B_1+B_2)a$。

(6) 限制门

限制门也称禁门,表示 B 发生且满足条件 a 时,A 发生的逻辑连接关系。其逻辑关系为:$A=Ba$。

3. 转移符号

转移符号有转入和转出。当事故树规模很大,不能在一张图纸上完成时,需要标明在其他图纸上继续完成的部分树图的从属关系;或者整个树图中多处有同样的部分树时,用转入、转出符号标明,如图 4-9 所示。

图 4-9 转移符号

二、事故树定性分析

(一) 事故树的最小割集与最小径集

1. 事故树的最小割集

设 C 是某事故树中一些基本事件组成的集合,若 C 中每个事件都发生,顶上事件也必然发生,则称集合 C 为该事故树的一个割集(cut set)。

若 C 是一个割集,而从中任意去掉一个事件后就不再是割集,则称 C 为最小割集(minimal cut set),亦即使顶上事件发生所必需的最低限度的基本事件的集合。

求取最小割集有若干种方法,其中以逻辑化简法和行列法应用较多。

(1) 逻辑化简法

该法也称塞曼德尔(Semanderes)法,就是按照事故树的结构,从顶上事件起逐层向下展开,通过布尔代数化简事故树,得到若干交集的并集,而组成每个交集的基本事件的集合,就是一个最小割集。该方法适合于手工求解事故树。

例如,已知事故树如图 4-10 所示,求其最小割集。

$$\begin{aligned}
T &= A_1 + A_2 \\
&= x_1 A_3 x_2 + x_4 A_4 \\
&= x_1(x_1+x_3)x_2 + x_4(A_5+x_6)x_7 \\
&= x_1 x_1 x_2 + x_1 x_3 x_2 + x_4(x_4 x_5 + x_6)x_7 \\
&= x_1 x_2 + x_1 x_2 x_3 + x_4 x_4 x_5 x_7 + x_4 x_6 x_7 \\
&= x_1 x_2 + x_4 x_5 x_7 + x_4 x_6 x_7
\end{aligned}$$

所以,最小割集为:$K_1=\{x_1,x_2\}$,$K_2=\{x_4,x_5,x_7\}$,$K_3=\{x_4,x_6,x_7\}$。

(2) 行列化简法

行列法也称富塞尔(Fussell)法,该法是依据事故树的下述特点拟定的,即:与门将增大割集中基本事件的容量;或门将增大割集的数量。

求解割集时,首先从顶上事件开始,遇与门联结的事件则横向排行,遇或门联结的事件则纵向排列。由上到下逐层置换,直至基底事件。最后用逻辑法化简,则得最小割集。

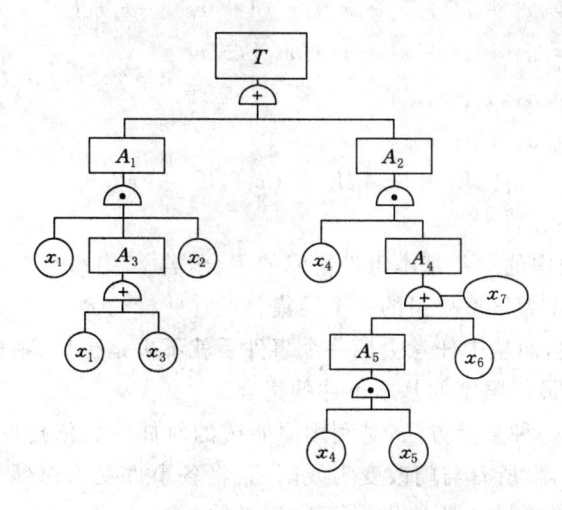

图 4-10 事故树

该方法适合于计算机求解事故树。

例如,用行列法求解图 4-11 所示的事故树的最小割集。

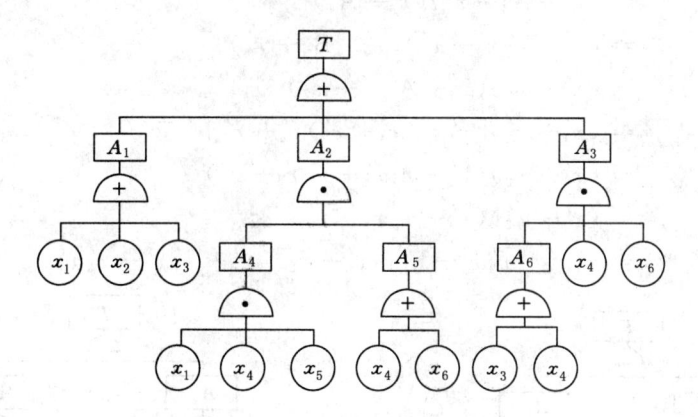

图 4-11 事故树图

$$T \xrightarrow{+} \begin{cases} A_1 \xrightarrow{+} \begin{cases} x_1 \\ x_2 \\ x_3 \end{cases} \\ A_2 \xrightarrow{\cdot} A_4 A_5 \xrightarrow{\cdot +} \begin{cases} x_1 x_4 x_5 \\ x_1 x_4 x_5 \end{cases} \begin{vmatrix} x_4 \\ x_6 \end{vmatrix} \\ A_3 \xrightarrow{\cdot} A_6 x_4 x_6 \xrightarrow{+} \begin{cases} x_3 x_4 x_6 \\ x_4 x_4 x_6 \end{cases} \end{cases}$$

$$T = x_1 + x_2 + x_3 + x_1 x_4 x_5 + x_1 x_4 x_5 x_6 + x_3 x_4 x_6 + x_4 x_6$$

用逻辑法化简上式,即

$$T = x_1 + x_2 + x_3 + x_1 x_4 x_5 + x_1 x_4 x_5 x_6 + x_3 x_4 x_6 + x_4 x_6$$

$$= x_1 + x_2 + x_3 + x_1 x_4 x_5 (1 + x_6) + x_4 x_6 (x_3 + 1)$$
$$= x_1 + x_2 + x_3 + x_1 x_4 x_5 + x_4 x_6$$
$$= x_1 (1 + x_4 x_5) + x_2 + x_3 + x_4 x_6$$
$$= x_1 + x_2 + x_3 + x_4 x_6$$

故得最小割集为：$K_1 = \{x_1\}, K_2 = \{x_2\}, K_3 = \{x_3\}, K_4 = \{x_4, x_6\}$。

2. 事故树的最小径集

设 A 是某事故树中的一些基本事件组成的集合，若 A 中每个事件都不发生，顶上事件也不发生，则称集合 A 为该事故树的一个径集。

若 A 是一个径集，而从中任意去掉一个事件后就不再是径集，则称 A 为最小径集，亦即使顶上事件不发生的最低限度的基本事件的集合。

求解最小径集的一种直接方法，是利用原始树的对偶性。依据摩根定理将事故树中的所有或门改变为与门，将所有与门改变为或门，且将各事件变为对偶事件，则得成功树。求成功树的最小割集，并解其对偶则得最小径集。

图 4-12 为将图 4-10 事故树中的条件与门、条件或门换为与门后的事故树。图 4-13 为其成功树。按照布尔代数化简法，得

$$T' = A'_1 A'_2$$
$$= (x'_1 + A'_3 + x'_2)(x'_4 + A'_4)$$
$$= (x'_1 + x'_1 x'_3 + x'_2)(x'_4 + B' + x'_7)$$
$$= (x'_1 + x'_2)(x'_4 + A'_5 x'_6 + x'_7)$$
$$= (x'_1 + x'_2)[x'_4 + (x'_4 + x'_5) x'_6 + x'_7]$$
$$= (x'_1 + x'_2)(x'_4 + x'_4 x'_6 + x'_5 x'_6 + x'_7)$$
$$= (x'_1 + x'_2)(x'_4 + x'_5 x'_6 + x'_7)$$
$$= x'_1 x'_4 + x'_2 x'_4 + x'_1 x'_5 x'_6 + x'_2 x'_5 x'_6 + x'_1 x'_7 + x'_2 x'_7$$

图 4-12 去掉条件与门后的事故树

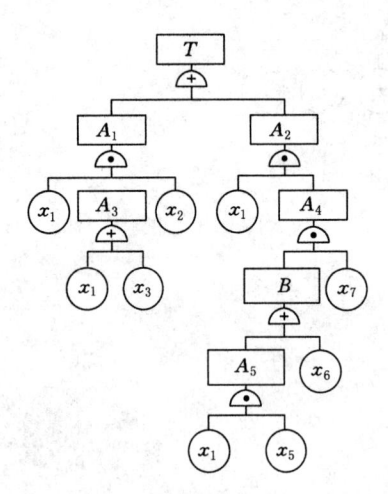

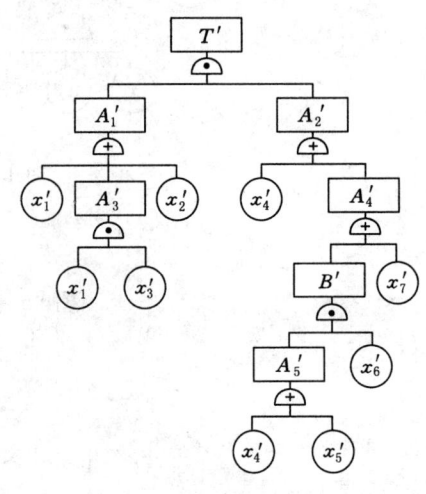

图 4-13 由图 4-10 事故树变换的成功树

所以，该事故树的最小径集为：$P_1 = \{x_1, x_4\}, P_2 = \{x_2, x_4\}, P_3 = \{x_1, x_5, x_6\}, P_4 = \{x_2, x_5, x_6\}, P_5 = \{x_1, x_7\}, P_6 = \{x_2, x_7\}$。

3. 最小割集和最小径集在事故树分析中的作用

总的来说,最小割集和最小径集在事故树分析中起着非常重要的作用。

(1) 最小割集表示系统的危险性

求出最小割集,就可以掌握该类事故发生的各种可能,了解系统危险性大小,为事故调查和事故预防提供方便。

根据最小割集的定义,每个最小割集都是顶上事件发生的一种可能。它表示哪些原因都存在时,顶上事件就发生。事故树中有几个最小割集就有几种可能。最小割集越多,系统越危险。在调查分析事故中,可以利用最小割集,排除非本次事故的原因,确定造成本次事故的割集,从而明确本次事故的原因。同类系统,也可根据最小割集的多少比较系统危险性的高低。

(2) 最小径集表示系统的安全性

求出最小径集就可以知道,要使顶上事件不发生,有哪几种可能的方案,并掌握系统的安全性如何,为控制事故提供依据。

根据最小径集的定义,某一个最小径集中的基本事件都不发生,就可以使顶上事件不发生。事故树中最小径集越多,系统越安全。

(3) 从最小割集可直观比较其危险性

一般人们称少事件最小割集为危险割集,从而根据各最小割集中包含的基本事件的多少判定哪种事故可能(或哪个最小割集)最危险,哪种次之,哪种可以忽略,以及针对哪个最小割集采取措施,可以使事故发生概率下降幅度较大。

通常,少事件最小割集比多事件的容易发生,若干事件构成的最小割集可以忽略。因此,在采取措施时,可以采用冗余设计或针对缺陷事件增加保险措施的办法,使少事件最小割集增加基本事件,就可以有效地提高系统安全性,降低事故发生概率。因为随着割集中事件的增多,他们一起发生的可能性大幅度下降,因此可以忽略。

(4) 从最小径集可以选择控制事故的最佳方案

一般从最小径集中选择控制事故的最佳方案的顺序,是从少事件最小径集向多事件的位移。因为对于少事件最小径集而言,需要治理的项目少,相对多事件最小径集来说,更经济有效。

就一个具体系统而言,如果事故树中与门多,最小割集就少,说明这个系统是较为安全的;如果或门多,最小割集就多,说明这个系统是较为危险的。对这两类系统,事故树定性分析应区别对待。与门多时,定性分析最好从求取最小割集入手,这样可以较为容易地得到最小割集,进而比较最小割集包含的基本事件的多少,采取给少事件割集增加基本事件的办法,提高系统安全性。如果事故树中或门多,定性分析从求取最小径集入手比较简便,也便于选择控制事故的最佳方案。因为我们选择的顶上事件大多为多发性事故,所以事故树中或门结构较多是必然的。

(二) 结构重要度分析

结构重要度分析是从事故树结构上分析各基本事件的重要程度,即在不考虑各基本事件的发生概率,或者说假定基本事件的发生概率都相等的情况下,分析各基本事件的发生对顶上事件发生的影响程度。基本事件的结构重要度越大,它对顶上事件的影响程度就越大,反之亦然。

结构重要度分析可采用求结构重要系数和利用最小割集求结构重要度两种方法,前者计算精确,但比较麻烦、繁琐,后者虽没有前者精确,但计算简单,在定性分析阶段能够满足需要。

1. 基本事件的相对重要度

若在事故树中有 n 个基本事件,每个基本事件有"0"及"1"两种状态,则可能出现 2^n 种状态组合,其中基本事件为"1"的状态组合仅为 2^{n-1} 种。

若令 $\sum \varphi(1_i,x)$ 表示基本事件 x_i 为"1"时,顶上事件为"1"的次数;$\sum \varphi(0_i,x)$ 表示基本事件 x_i 为"0"时,顶上事件为"1"的次数。则基本事件 x_i 的相对重要度为

$$I_i = [\varphi(1_i,x) - \varphi(0_i,x)]/2^{n-1} \tag{4-4}$$

上述相对重要度也称为结构重要度系数。

采用上述方法对事故树中的各个基本事件可作出较准确的结构重要度排序;但事故树的结构复杂时,状态组合呈指数增长,采用上述方法则显得非常繁琐,甚至不可能。

2. 利用最小割集确定结构重要度

最小割集是事故等效树的最简构成部分,所以利用最小割集求解基本事件的结构重要度就要方便得多。由于基本事件的发生概率通常小于1,所以容量(基本事件数量)越小的最小割集概率越高,其中基本事件的重要度也越大。通常,最小割集中基本事件的重要度遵循下述原则,即:

(1) 当各最小割集的容量相等时,在各最小割集中重复出现次数越多的基本事件,其结构重要度也越大。

(2) 当各最小割集的容量不等时,最小割集的容量越小,其中基本事件的重要度越大。

(3) 在各小容量最小割集中出现次数少的基本事件,与在各大容量最小割集中出现次数多的基本事件相比较,其结构重要度一般是前者大于后者。

若给各个最小割集中的基本事件都赋予1,依据上述原则即可拟定出下述近似判定式,即:

$$I_{\phi(i)} = \sum_{x_i \in K_j} \frac{1}{2^{n_i-1}} \tag{4-5}$$

式中 $I_{\phi(i)}$——基本事件 x_i 的结构重要度;

n_i——基本事件 x_i 所在最小割集包含的基本事件数。

三、事故树定量分析

事故树定量分析的主要内容是对基本事件发生概率的估算和顶上事件发生概率的理论计算,以便预测系统发生事故的可能性。

(一) 基本事件的发生概率

关于基本事件的发生概率,首先是设备元件的故障概率。

对于一般可修复系统,元件故障概率为

$$q = \frac{MTTR}{MTBF + MTTR} \tag{4-6}$$

式中 $MTTR$——元件平均修复时间,τ;

$MTBF$——元件平均故障间隔时间,亦称平均无故障运行时间,t。

式(4-6)表示,元件故障概率为元件的停运时间占元件运行与停止运行时间总和的比率,亦即元件的不可用度。

通过一系列推导,q 可以用元件故障率 λ 和元件可修度 μ 表示：

$$q = \frac{\lambda}{\lambda + \mu} \tag{4-7}$$

式中 λ——元件故障率,即单位时间元件故障概率,它是 $MTBF$ 的倒数；

μ——元件可修度,它反映元件维修的难易程度,是 $MTTR$ 的倒数。

由于 $MTBF \gg MTTR$,所以 $\mu \gg \lambda$,故

$$\frac{\lambda}{\lambda + \mu} \approx \frac{\lambda}{\mu} = \lambda\tau$$

即

$$q \approx \lambda\tau \tag{4-8}$$

对于一般不可修复系统,元件故障概率为

$$q = 1 - e^{-\lambda t} \tag{4-9}$$

式中 t——元件运行时间。

按泰勒级数展开 $e^{-\lambda t}$,并略去其高阶无穷小,式(4-9)为

$$q \approx \lambda t \tag{4-10}$$

式(4-8)的 q 为元件任一时刻的故障概率；式(4-10)则是元件运行到某一时刻的故障概率。

故障率数据库储存的故障率是在实验室条件下取得的实验数据 λ_0。在实际应用时,还必须考虑比实验室条件恶劣的严重系数 k(参见表 4-11),即

$$\lambda = k\lambda_0$$

表 4-11　　　　　　　　　　严重系数 k 举例

使用场所	k
实验室	1
普通室	1.1~10
船舶	10~18
铁路车辆,牵引式公共汽车	13~30
火箭实验台	60
飞机	80~150
火箭	400~1 000

工程上常用故障率代替故障概率计算顶上事件发生概率,取得的结果是单位时间事故发生的概率。元件故障率可以通过系统长期运行经验,或若干系统平行运行过程中对元件故障次数的统计,得到其平均故障间隔时间,其倒数就是所观测对象的故障率。例如,某元件现场使用条件下的平均故障间隔期为 4 000 h,则其故障率 $\lambda = 2.5 \times 10^{-4}$/h。故障率数据列举于表 4-12。

表 4-12　　　　　　　　　　　故障率数据举例

项目		故障率/h^{-1}	
		观测值	建议值
机械杠杆、链条、托架等		$10^{-9} \sim 10^{-6}$	10^{-6}
电阻、电容、线圈等		$10^{-9} \sim 10^{-6}$	10^{-6}
固体晶体管、半导体		$10^{-9} \sim 10^{-6}$	10^{-6}
电气连接	焊接	$10^{-9} \sim 10^{-7}$	10^{-8}
	螺接	$10^{-6} \sim 10^{-4}$	10^{-5}
电子管		$10^{-6} \sim 10^{-4}$	10^{-5}
热电偶		—	10^{-6}
三角皮带		$10^{-5} \sim 10^{-4}$	10^{-4}
摩擦制动器		$10^{-5} \sim 10^{-4}$	10^{-4}
管路	焊接连接破裂	—	10^{-9}
	法兰连接爆裂	—	10^{-7}
	螺口连接破裂	—	10^{-5}
	胀接破裂	—	10^{-5}
冷标准容器破裂		—	10^{-9}
电(气)动调节阀等		$10^{-7} \sim 10^{-4}$	10^{-5}
继电器、开关等		$10^{-6} \sim 10^{-5}$	10^{-5}
断路器(自动防止故障)		$10^{-6} \sim 10^{-5}$	10^{-5}
配电变压器		$10^{-8} \sim 10^{-5}$	10^{-5}
安全阀(自动防止故障)		—	10^{-5}
安全阀(每次过压)		—	10^{-4}
仪表传感器		$10^{-7} \sim 10^{-4}$	10^{-5}
仪表指示器、记录器、控制器等	气动	$10^{-4} \sim 10^{-3}$	10^{-4}
	电动	$10^{-6} \sim 10^{-4}$	10^{-5}
人对重复刺激响应的失误		$10^{-3} \sim 10^{-2}$	10^{-2}
离心泵、压缩机、循环机		$10^{-6} \sim 10^{-3}$	10^{-4}
蒸汽透平		$10^{-6} \sim 10^{-3}$	10^{-4}
往复泵、比例泵		$10^{-6} \sim 10^{-3}$	10^{-4}
内燃机(汽油机)		$10^{-5} \sim 10^{-3}$	10^{-5}
内燃机(柴油机)		$10^{-4} \sim 10^{-3}$	10^{-4}

另一种基本事件的发生概率是人因失误率。根据人机工程专家的大量研究结果,在正常情况下,人因失误率在 $10^{-3} \sim 10^{-2}$ 之间。特别情况下,也需要用 k 值修正。

$$k = abcde$$

其中,a、b、c、d、e 的取值范围见表 4-13。

表 4-13　　　　　　　　　　　a、b、c、d、e 的取值范围

符号	项　目	内　　容	取值范围
a	作业时间	有充足的富余时间	1.0
		没有充足的富余时间	1.0～3.0
		完全没有富余时间	3.0～10.0
b	操作频率	频率适当	1.0
		连续操作	1.0～3.0
		很少操作	3.0～10.0
c	危险状况	即使误操作也安全	1.0
		误操作时危险性大	1.0～3.0
		误操作时有产生重大灾害的危险	3.0～10.0
d	心理、生理条件	教育、训练、健康状态、疲劳、愿望等综合条件较好	1.0
		综合条件不好	1.0～3.0
		综合条件很差	3.0～10.0
e	环境条件	综合条件较好	1.0
		综合条件不好	1.0～3.0
		综合条件很差	3.0～10.0

人因失误率实际是人的操作失误次数占整个操作次数的比率。在工程计算时，有时又不得不按组件的故障处理，估计单位时间内人因失误概率，以便计算单位的统一。因此，应根据具体情况具体考虑。

(二) 顶上事件发生概率的计算

在已知事故树中各基本事件的发生概率后，即可计算出顶上事件的发生概率。一般情况下，基本事件是相互独立的，因此在计算时均按照基本事件是相互独立的进行。

1. 利用最小割集计算顶上事件的发生概率

假定事故树有 r 个最小割集 K_j，则对于各最小割集 K_j 可定义如下函数：

$$K_j(x) = \prod_{x_i \in K_j} x_i \tag{4-11}$$

式中　i——基本事件序数；

j——最小割集序数。

由于最小割集与基本事件是用与门连接，而顶上事件与最小割集是或门连接，所以结构函数为

$$\Phi(x) = \coprod_{j=1}^{r} K_j(x) = \coprod_{j=1}^{r} \prod_{x_j \in K_j} x_i \tag{4-12}$$

式中　r——最小割集个数；

$\coprod$——表示逻辑加。

由于基本事件 x_i 发生的概率 q_i 是 $x_i = 1$ 的概率，顶上事件的发生概率 Q 是 $\Phi(x) = 1$ 的概率，所以，若在各最小割集中没有重复的基本事件，而且各基本事件相互独立时，顶上事件的发生概率 Q 可以表示为

$$Q = \bigcup_{j=1}^{r} \prod_{x_i \in K_j} q_i \tag{4-13}$$

若事故树的各最小割集中有重复事件,需将上式展开,按布尔代数中等幂律消去每个概率因子中的重复因子,方可计算。此种情况下的顶上事件发生概率 Q 可表示为

$$Q = \sum_{j=1}^{r} \prod_{x_i \in K_j} q_i - \sum_{1 \leqslant j < s \leqslant r} \prod_{x_i \in K_j \cup K_s} q_i + \cdots + (-1)^{r-1} \prod_{\substack{j=1 \\ x_i \in K_j}}^{r} q_i \tag{4-14}$$

2. 利用最小径集计算顶上事件的发生概率

顶上事件与最小径集是用与门连接的,而各个最小径集与基本事件是或门连接的,故当事故最小树最小径集数为 p,各最小径集彼此无重复事件时,顶上事件发生概率 Q 可表示为

$$Q = \prod_{j=1}^{p} \bigcup_{x_i \in P_j} q_i = \prod_{j=1}^{p} \left[1 - \prod_{x_i \in P_j} (1 - q_i) \right] \tag{4-15}$$

若各个最小径集中彼此有重复事件,则需将上式展开,按布尔代数中等幂律消去每个概率因子中的重复因子,方可计算。此种情况下的顶上事件发生概率 Q 可表示为

$$Q = 1 - \sum_{j=1}^{p} \prod_{x_i \in P_j} (1 - q_i) + \sum_{1 \leqslant j < s \leqslant r} \prod_{x_i \in P_j \cup P_s} (1 - q_i) + \cdots + (-1)^p \prod_{\substack{j=1 \\ x_i \in P_j}}^{p} (1 - q_i) \tag{4-16}$$

3. 顶上事件发生概率的近似计算

精确算法的难点在于,求或门结构的各独立事件的和事件概率,特别是在事故树的不同位置出现相同的基本事件时,无论是通过最小割集还是最小径集,计算量都很大。但是,我们也发现,事故树中的基本事件都是小概率(概率值小于 10^{-2})事件,因此,或门结构的各独立事件和事件概率可以用其算术和代替其概率和。其计算结果可以保证必要的精度。

这种近似算法是基于把事故树各最小割集间共同的基本事件视为无共同的基本事件,即认为各最小割集是相互独立的,这样就可以代数积代替概率积、以代数和代替概率和。其计算公式为

$$Q \approx \bigcup_{j=1}^{r} \prod_{x_i \in K_j} q_i \tag{4-17}$$

例如,A、B、C 三个独立事件的概率均为 10^{-2},其和事件概率为

$$P(A+B+C) = 1 - (1-0.01)(1-0.01)(1-0.01) = 0.029\,701$$

其近似值为

$$P(A+B+C) \approx P(A) + P(B) + P(C) = 0.03$$

两者相差无几。也就是说,以算术加乘运算代替和事件、积事件的概率运算是完全合理的。

(三)概率重要度

结构重要度是从事故树的结构上分析各基本事件的重要程度,如果进一步考虑各基本事件发生概率的变化会给顶上事件发生的概率以多大的影响,则必须分析基本事件的概率重要度。基本事件的概率重要度是指顶上事件发生概率对基本事件发生概率的变化率。即

$$I_g(i) = \frac{\partial Q}{\partial q_i} \tag{4-18}$$

求出各基本事件的概率重要度后就可知道,在诸多基本事件中,降低哪个基本事件的发生概率,就可迅速有效地降低顶上事件的发生概率。一个基本事件的概率重要度的大小不取决于它本身概率的大小,而取决于它所在最小割集中其他基本事件概率的大小。

(四)临界重要度

结构重要度是从事故树的结构上分析基本事件的重要性,并不能全面地说明各基本事件的危险重要程度。而概率重要度是反映基本事件发生概率的增减对顶上事件发生概率影响的敏感度。两者都不能在本质上反映各基本事件在事故树中的重要程度。临界重要度是从概率和结构的双重角度来衡量各基本事件重要性的一个评价标准。临界重要度是基本事件发生概率的变化率与顶上事件发生概率的变化率的比。即

$$I_c(i) = \frac{\Delta Q}{Q} / \frac{\Delta q_i}{q_i} \tag{4-19}$$

通过偏导数的公式变换,上式可改写为

$$I_c(i) = I_g(i) \cdot \frac{q_i}{Q} \tag{4-20}$$

四、事故树分析实例

电机车运输在煤矿的辅助运输中占有很大的比例,通过对导致电机车运输事故原因的调查分析,找出了影响事故发生的 21 个基本事件。根据其发生的逻辑关系,构造如图 4-14 所示的事故树图。

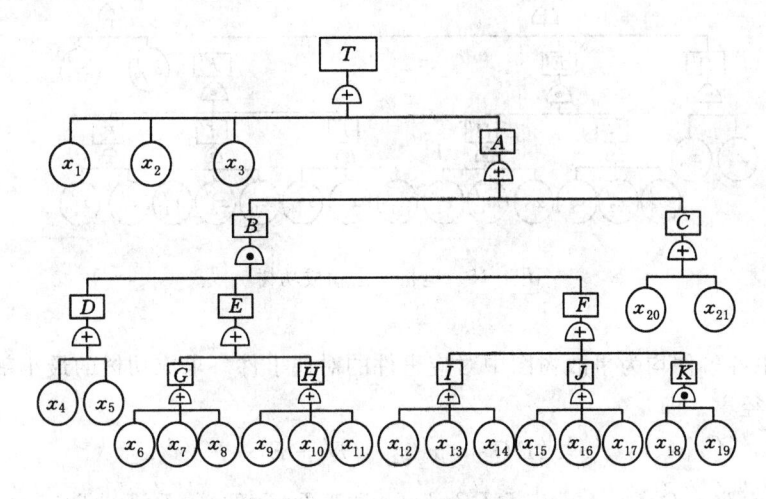

图 4-14 电机车运输事故树

T——顶上事故;A——电机车撞轧人;B——行人避让失效伤害;C——行人违章伤害;D——在危险区行走;E——避让不及;F——机车失控;G——信号不起作用;H——周围环境影响;I——操作失效;J——视线不良;K——制动失效;x_1——二水平架线故障;x_2——电机车故障;x_3——翻罐机故障;x_4——在轨道上行走;x_5——在非人行道一侧行走;x_6——行人精神不集中;x_7——司机未发信号;x_8——周围噪声太大;x_9——无躲避硐室;x_{10}——设备材料堆积;x_{11}——巷道变形;x_{12}——无证驾驶;x_{13}——制动不及时;x_{14}——超速行驶;x_{15}——顶车行使;x_{16}——机车照明损坏;x_{17}——巷道中照度不足;x_{18}——机械制动失效;x_{19}——电气制动失效;x_{20}——与机车抢道;x_{21}——扒跳车失足

(1) 求解事故树的最小割集
由图 4-14 可得
$$T = x_1 + x_2 + x_3 + A$$
$$= x_1 + x_2 + x_3 + x_{20} + x_{21} + DEF$$
$$= x_1 + x_2 + x_3 + x_{20} + x_{21} + (x_4 + x_5)(G + H)(I + J + K)$$
$$= x_1 + x_2 + x_3 + x_{20} + x_{21} + (x_4 + x_5)(x_6 + x_7 + x_8 + x_9 + x_{10} + x_{11})$$
$$(x_{12} + x_{13} + x_{14} + x_{15} + x_{16} + x_{17} + x_{18}x_{19})$$

将上式展开经逻辑化简后,共有 89 个最小割集。即
$$K_1 = \{x_1\}, K_2 = \{x_2\}, K_3 = \{x_3\}, \cdots, K_{89} = \{x_{10}, x_{14}, x_{18}, x_{19}\}$$

(2) 求解事故树的最小径集

将事故树图 4-14 中的或门用与门代替,与门用或门代替,基本事件用其对偶事件代替,可得到原事故树的对偶树,即成功树,如图 4-15 所示。

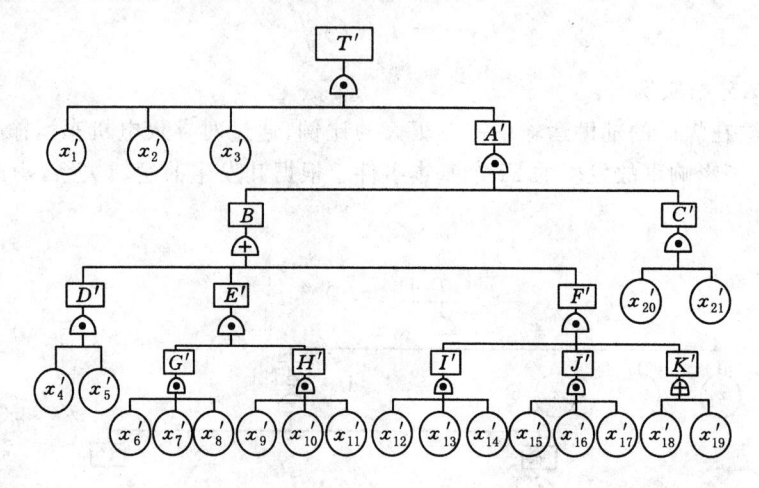

图 4-15 电机车运输成功树

图 4-15 中各事件均为事故树图中对应事件的对偶事件。求成功树的最小割集,便是原事故树的最小径集。即
$$T' = x_1'x_2'x_3'A' = x_1'x_2'x_3'B'C' = x_1'x_2'x_3'(D' + E' + F')x_{20}'x_{21}'$$
$$= x_1'x_2'x_3'x_{20}'x_{21}'[x_4'x_5' + x_6'x_7'x_8'x_9'x_{10}'x_{11}' + x_{12}'x_{13}'x_{14}'x_{15}'x_{16}'x_{17}'(x_{18}' + x_{19}')]$$

将上式展开经逻辑化简后,共有 4 个最小割集,即原事故树共有 4 个最小径集,分别是:
$$P_1 = \{x_1, x_2, x_3, x_4, x_5, x_{20}, x_{21}\}$$
$$P_2 = \{x_1, x_2, x_3, x_6, x_7, x_8, x_9, x_{10}, x_{11}, x_{20}, x_{21}\}$$
$$P_3 = \{x_1, x_2, x_3, x_{12}, x_{13}, x_{14}, x_{15}, x_{16}, x_{17}, x_{18}, x_{20}, x_{21}\}$$
$$P_4 = \{x_1, x_2, x_3, x_{12}, x_{13}, x_{14}, x_{15}, x_{16}, x_{17}, x_{19}, x_{20}, x_{21}\}$$

(3) 顶上事件发生概率的计算

根据对某矿的事故统计及相关文献,得出了电机车运输事故树中各基本事件的发生概率,如表 4-14 所列。由于该事故树有 89 个最小割集,而最小径集只有 4 个,所以按式(4-16)计算比较方便。将表 4-14 中的基本事件发生的概率代入式(4-16),得出电机车运输

事故发生的概率为：$Q=0.128\,7$。

表 4-14　　基本事件发生概率及各种重要度计算结果

基本事件	发生概率	结构重要度	概率重要度	临界重要度
x_1	0.010 4	1.00	0.880 445 5	0.071 140 9
x_2	0.001 0	1.00	0.872 161 0	0.006 776 1
x_3	0.020 4	1.00	0.889 433 3	0.140 970 2
x_4	0.105 0	9.75	0.002 116 2	0.001 726 4
x_5	0.000 1	9.75	0.001 894 2	0.000 001 5
x_6	0.010 0	3.25	0.002 945 9	0.000 228 9
x_7	0.050 0	3.25	0.003 069 9	0.001 192 6
x_8	0.001 0	3.25	0.002 919 4	0.000 022 7
x_9	0.010 0	3.25	0.002 945 9	0.000 228 9
x_{10}	0.001 0	3.25	0.002 919 4	0.000 022 7
x_{11}	0.000 1	3.25	0.002 916 7	0.000 002 3
x_{12}	0.005 0	3.00	0.006 298 8	0.000 144 7
x_{13}	0.003 0	3.00	0.006 286 2	0.000 146 5
x_{14}	0.010 0	3.00	0.006 330 6	0.000 491 8
x_{15}	0.001 0	3.00	0.006 273 6	0.000 048 7
x_{16}	0.005 0	3.00	0.006 298 8	0.000 244 7
x_{17}	0.010 0	3.00	0.006 330 6	0.000 491 8
x_{18}	0.061 3	1.50	0.000 075 9	0.000 036 1
x_{19}	0.012 1	1.50	0.000 384 4	0.000 036 1
x_{20}	0.000 1	1.00	0.871 376 0	0.000 677 0
x_{21}	0.100 0	1.00	0.968 098 8	0.752 148 4

(4) 三种重要度的计算

① 结构重要度

根据式(4-5)可计算出各基本事件的结构重要度，结果见表 4-14。

② 概率重要度

将基本事件发生的概率值代入式(4-18)进行计算，得出各基本事件的概率重要度，计算结果见表 4-14。

③ 临界重要度

将基本事件发生概率 q_i 和计算出的顶上事件发生的概率 Q 及概率重要度代入式(4-20)，得出各基本事件的临界重要度，计算结果见表 4-14。

本章小结

本章主要对系统安全性分析的基本内容及主要方法进行了介绍。首先介绍了系统安全性分析的内容及分析方法的选择；然后介绍了预先危险性分析的有关概念、方法和实例分析,故障模式和影响分析的基本概念、基本理论和使用的基本方法,并给出了应用实例分析,以及事件树分析的基本概念、理论依据和优点,事件树的定量计算和实例分析;最后介绍了事故树分析的基本概念、分析程序、事故树的构成,事故树的最小割集和最小径集、结构重要度的计算,事故树顶上事件发生概率、概率重要度和临界重要度的计算,事故树的实例分析等内容。

思考题

1. 系统安全性分析的主要内容包括哪些?
2. 系统安全性分析方法选择的依据主要有哪些?
3. 事件树分析方法的基本原理是什么?
4. 事件树分析的具体步骤有哪些?
5. 事件树分析过程中应注意哪些问题?
6. 什么是故障模式和影响分析? 故障模式和影响分析的基本步骤及内容是什么?
7. 故障模式和影响分析与事故树分析有何异同?
8. 什么是预先危险性分析? 实施预先危险性分析的核心是什么? 为什么?
9. 试简述事故树最小割集的含义,并举例说明其求解方法。
10. 试简述事故树最小径集的含义,并举例说明其求解方法。
11. 试编制建筑工地高空坠落物体伤人事故树。
12. 已知某事故树如图 4-16 所示。已知各基本事件的发生概率分别为 $q_1=0.01$,$q_2=0.02$,$q_3=0.03$,$q_4=0.04$,$q_5=0.05$,$q_6=0.06$。

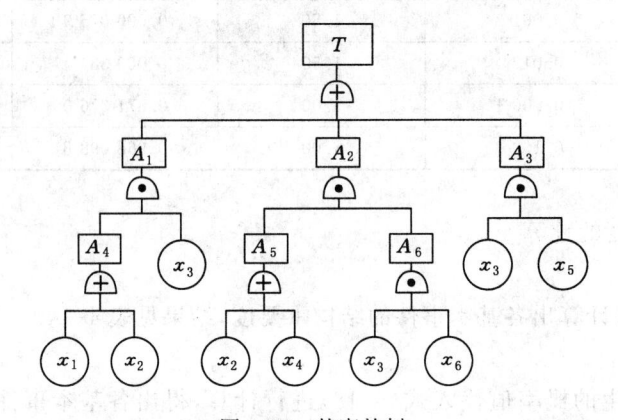

图 4-16 某事故树

（1）求解该事故树的最小割集和最小径集以及顶上事件发生概率;
（2）求解基本事件 x_3 的结构重要度、概率重要度和临界重要度。

第五章

系统安全评价概述

任何系统在其生命周期内部都有发生事故的可能,区别只在于发生频率和损失严重度不同而已。因为在系统的规划、设计、制造、试验、安装、使用等各个阶段都可能产生各种类型的危险因素。在一定条件下,如果对危险因素失去控制或防范不周,就会发展为事故,造成人员伤亡和财产损失。为了抑制危险因素,使其不发展为事故或减少事故损失,就必须对它们有充分认识,掌握危险因素发展为事故的规律。也就是要充分揭示系统存在的所有危险因素及其形成事故的可能性和发生事故造成的损失大小,进而衡量系统的事故风险大小,据此确定是否需要进行系统的技术改造和采取防范措施。变更后的系统危险因素能否得到有效控制,技术上是否可行,经济上是否合理以及系统是否最终达到了社会认可的安全指标。这些就是安全评价的基本内容和过程。

第一节 系统安全评价的目的和意义

一、系统安全评价的目的

系统安全评价的目的是查找、分析和预测工程、系统存在的危险、有害因素及可能导致的危险、危害后果和程度,提出合理可行的安全对策措施,指导危险源监控和事故预防,以达到最低事故率、最少损失和最优的安全投资效益。安全评价要达到的目的包括以下四个方面。

(1) 促进实现本质安全化生产

通过安全评价,系统地从工程、系统设计、建设、运行等过程对事故和事故隐患进行科学分析,针对事故和事故隐患发生的各种可能原因事件和条件,提出消除危险的最佳技术措施方案,特别是从设计上采取相应措施,实现生产过程的本质安全化,做到即使发生误操作或设备故障,系统存在的危险因素也不会因此导致重大事故发生。

(2) 实现全过程安全控制

在设计之前进行安全评价,可避免选用不安全的工艺流程和危险的原材料以及不合适的设备、设施,或当必须采用时,提出降低或消除危险的有效方法。设计之后进行的评价,可查出设计中的缺陷和不足,及早采取改进和预防措施。系统建成以后运行阶段进行的系统安全评价,可了解系统的现实危险性,为进一步采取降低危险性的措施提供依据。

(3) 建立系统安全的最优方案,为决策者提供依据

通过安全评价,分析系统存在的危险源及其分布部位、数目,预测事故的概率和事故严

重度,提出应采取的安全对策措施等,决策者可以根据评价结果选择系统安全最优方案和管理决策。

(4) 为实现安全技术、安全管理的标准化和科学化创造条件

通过对设备、设施或系统在生产过程中的安全性是否符合有关技术标准、规范、相关规定的评价,对照技术标准、规范找出存在的问题和不足,以实现安全技术和安全管理的标准化、科学化。

二、系统安全评价的意义

系统安全评价的意义在于可有效地预防事故发生,减少财产损失以及人员伤亡和伤害。安全评价与日常安全管理和安全监督监察工作不同,安全评价是从技术带来的负效应出发,分析、论证和评估由此产生的损失和伤害的可能性、影响范围、严重程度及应采取的对策措施等。

(1) 安全评价是安全生产管理的一个必要组成部分。

"安全第一、预防为主、综合治理"是我国安全生产的基本方针,作为预测、预防事故重要手段的安全评价,在贯彻安全生产方针中有着十分重要的作用,通过安全评价可确认生产经营单位是否具备了安全生产条件。

(2) 有助于政府安全监督管理部门对生产经营单位的安全生产实行宏观控制。

安全评价工作,特别是安全预评价,将有效地提高工程安全设计的质量和投产后的安全可靠程度;投产时的安全验收评价,是根据国家有关技术标准、规范对设备、设施和系统进行符合性评价,提高安全达标水平;系统运转阶段的安全技术、安全管理、安全教育等方面的安全现状评价,可客观地对生产经营单位安全水平作出结论,使生产经营单位不仅了解可能存在的危险性,而且明确如何改进安全状况,同时也为安全监督管理部门了解生产经营单位安全生产现状、实施宏观控制提供基础资料。

(3) 有助于安全投资的合理选择。

安全评价不仅能确认系统的危险性,而且还能进一步考虑危险性发展为事故的可能性及事故造成损失的严重程度,进而计算事故造成的危害,即风险率,并以此说明系统危险可能造成负效益的大小,以便合理地选择控制、消除事故发生的措施,确定安全措施投资的多少,从而使安全投入和可能减少的负效益达到合理的平衡。

(4) 有助于提高生产经营单位的安全管理水平。

安全评价可以使生产经营单位的安全管理变事后处理为事先预测、预防。传统安全管理方法的特点是凭经验进行管理,多为事故发生后再进行处理的"事后过程"。通过安全评价,可以预先识别系统的危险性,分析生产经营单位的安全状况,全面地评价系统及各部分的危险程度和安全管理状况,促使生产经营单位达到规定的安全要求。

安全评价可以使生产经营单位的安全管理变纵向单一管理为全面系统管理。安全评价使生产经营单位所有部门都能按照要求认真评价本系统的安全状况,将安全管理范围扩大到生产经营单位各个部门、各个环节,使生产经营单位的安全管理实现全员、全面、全过程、全时空的系统化管理。

系统安全评价可以使生产经营单位的安全管理变经验管理为目标管理。仅凭经验、主观意志和思想意识进行安全管理,没有统一的标准、目标;而安全评价可以使各部门、全体职工明确各自的安全指标要求,在明确的目标下,统一步调,分头进行,从而使安全管理工作做

到科学化、统一化、标准化。

(5) 有助于生产经营单位提高经济效益。

安全预评价可减少项目建成后由于达不到安全的要求而引起的调整和返工建设；安全验收评价，可将一些潜在事故隐患在设施开工运行阶段消除；安全综合评价，可使生产经营单位较好地了解可能存在的危险并为安全管理提供依据。生产经营单位的安全生产水平的提高无疑可带来经济效益的提高。

第二节 系统安全评价的依据

安全评价是政策性很强的一项工作，必须依据我国现行的法律、法规和技术标准，以保障被评价项目的安全运行，保障劳动者在劳动过程中的安全与健康。安全评价涉及的现行主要法规、标准等可随法规、标准条文的修改或新法规、标准的出台而变动。

一、法律、法规

1. 安全法规的规范性文件

安全法规的规范性文件主要有以下六种。

(1) 宪法。宪法的许多条文直接涉及安全生产和劳动保护问题，这些规定既是安全法规制定的最高法律依据，又是安全法律、法规的一种表现形式。

(2) 法律。法律是由国家立法机构以法律形式颁布实施的，例如《中华人民共和国劳动法》、《中华人民共和国安全生产法》、《中华人民共和国矿山安全法》等。

(3) 行政法规。它是由国务院制定的安全生产行政法规。例如国务院发布的《危险化学品安全管理条例》、《女职工劳动保护规定》等。

(4) 部门规章。它是由国务院有关部门制定的专项安全规章，是安全法规各种形式中数量最多的。例如国家安全生产监督管理总局发布的《安全评价通则》及各类安全评价导则，原劳动部发布的《建设项目(工程)劳动安全卫生监察规定》、《建设项目(工程)职业安全卫生设施和技术措施验收办法》等。

(5) 地方法规和地方规章。地方法规是由各省、自治区、直辖市人民代表大会及其常务委员会制定的有关安全生产的规范性文件；地方规章是由各省、自治区、直辖市人民政府，及其首府所在地的市人民政府和经国务院批准的较大的市人民政府制定的有关安全生产的专项文件。

(6) 国际法律文件。国际法律文件主要是我国政府批准加入的国际劳工公约(目前共22个)。

2. 安全评价目前所依据的主要法规

这些主要法律、法规包括：

(1)《中华人民共和国劳动法》。该法设立了劳动安全专章，对以下方面提出了明确要求：劳动安全卫生设施必须符合国家规定的标准；劳动安全卫生设施必须与主体工程同时设计、同时施工、同时投入生产和使用；从事特种作业的劳动者必须经过专门培训并取得特种作业资格。

(2)《中华人民共和国安全生产法》。该法涉及安全评价的规定有：依法设立的为安全生产提供服务的中介机构，依照法律、行政法规和执业准则，接受生产经营单位的委托为其安全生产工作提供技术服务;矿山建设项目和用于生产、储存危险物品的建设项目,应当分别按照国家有关规定进行安全条件论证和安全评价;生产经营单位对重大危险源应当登记建档,进行定期检测、评估、监控,并制订应急预案,告知从业人员和相关人员在紧急情况下应采取的应急措施;承担安全评价、认证、检测、检验工作机构违规的处罚原则。

(3)《中华人民共和国矿山安全法》。该法对矿山建设的安全保障、矿山开采的安全保障、矿山生产经营单位的安全管理、矿山事故处理、矿山安全的行政管理及法律责任等做了明确规定。

(4)国家安全生产监督管理局、国家煤矿安全监察局《关于加强安全评价机构管理的意见》(安监管技装字〔2002〕45号)。该文件首次明确规定安全评价的主要内容为:安全评价是指运用定量或定性的方法,对建设项目或生产经营单位存在的职业危险因素和有害因素进行识别、分析和评估;安全评价包括安全预评价、安全验收评价、安全现状评价和专项安全评价。

(5)国家安全生产监督管理总局《安全评价通则》(AQ 8001—2007)。该通则规定了系统、工程的安全评价的基本原则和要求、评价工作程序、评价报告书的内容及要求、评价方法的选择原则、评价报告书的格式等,是具体进行评价工作的操作依据。

二、标准

1. 标准分类

安全评价相关标准可按来源、法律效力、对象特征等分类。

(1)按标准来源可分为四类:① 由国家主管标准化工作的部门颁布的国家标准,例如《生产设备安全卫生设计总则》(GB 5083—1999)、《生产过程安全卫生要求总则》(GB/T 12801—2008)等;② 国务院各部委发布的行业标准,例如原冶金部的《冶金生产经营单位安全设计卫生设计规定》等;③ 地方政府制定发布的地方标准,例如《不同行业同类工种职工个人劳动防护用品发放标准》(鲁劳安字第582号);④ 国际标准和国外标准。

(2)按标准法律效力可分为两类:① 强制性标准,例如《建筑设计防火规范》(GB 50016—2014)、《爆炸和火灾危险环境电力装置设计规范》(GB 50058—1992)等;② 推荐性标准,例如《煤自燃倾向性色谱吸氧鉴定法》(GB/T 20104—2006)等。

(3)按标准对象特征可分为管理标准和技术标准。其中技术标准又可分为基础标准、产品标准和方法标准三类。

2. 安全评价所依据的标准

安全评价依据的标准众多,不同行业会涉及不同的标准,难以一一列出。

应该注意的是,标准有可能更新,应注意使用最新版本的标准。

三、风险判别指标

风险判别指标(以下简称指标)或判别准则的目标值,是用来衡量系统风险大小以及危险、危害性是否可以接受的尺度。无论是定性评价还是定量评价,若没有指标,评价者将无法判定系统的危险和危害性是高还是低,是否达到了可以接受的程度,以及改善到什么程度系统的安全水平才可以接受,定性、定量评价也就失去了意义。

常用的指标有安全系数、安全指标或失效概率等。例如,人们熟悉的安全指标有事故频率、财产损失率和死亡概率等。

在判别指标中,特别值得说明的是风险的可接受指标。世界上没有绝对的安全,所谓安全就是事故风险达到了合理可行并尽可能低的程度。减少风险是要付出代价的,无论减少危险发生的概率还是采取防范措施使可能造成的损失降到最小,都要投入资金、技术和劳务。通常的做法是将风险限定在一个合理的、可接受的水平上。因此,在安全评价中不是以危险性、危害性为零作为可接受标准,而是以合理的、可接受的指标作为可接受标准。指标不是随意规定的,而是根据具体的经济、技术情况和对危险、危害后果,危险、危害发生的可能性(概率、频率)和安全投资水平进行综合分析、归纳和优化,通常依据统计数据,有时也依据相关标准,制定出一系列有针对性的危险危害等级、指数,以此作为要实现的目标值,即可接受风险。

可接受风险是指在规定的性能、时间和成本范围内达到的最佳可接受风险程度。显然,可接受风险指标不是一成不变的,它将随着人们对危险根源的深入了解以及技术的进步和经济综合实力的提高而变化。另外需要指出,风险可接受并非说我们就放弃对这类风险的管理,因为低风险随时间和环境条件的变化有可能升级为重大风险,所以应不断对其进行控制,使风险始终处于可接受范围内。

随着与国际并轨的需要,在安全评价中经常采用一些国外的定量评价方法,其指标反映了评价方法制定国(或公司)的经济、技术和安全水平,一般是比较先进的。采用这类指标时必须考虑我国国情,对国外评价指标进行必要的修正,否则会得出不符合实际情况的评价结果。

第三节　系统安全评价的原理和原则

一、系统安全评价的原理

系统安全评价的首要任务是探索和掌握系统安全的变化规律,并赋予其量的概念,然后才能据此评价系统安全状况、危险程度和采取必要的安全措施,以达到预期的安全目标。如何掌握这种变化规律和预测可能的结果,很重要的一点就是建立评价模型,并根据所取得的评价数据确定评价结果,给系统安全程度以量的表示。按照评价结果,决定应采取的措施。这些都需要在正确的评价原理指导下才能进行。安全评价基本原理主要包括以下内容。

1. 相关原理

系统安全评价的对象是系统。系统有大有小,种类繁多,但其基本特征是一致的。所谓系统,是指由多元素组成的,元素间保持一定关系的,在一定条件下为某种目的而发挥作用的集合体。系统具有的显著特征之一是相关性。系统的总体功能是组成系统的各子系统、单元综合发挥作用的结果。因此,不仅系统与子系统、子系统与单元有着密切的关系,而且各子系统之间、各单元之间也存在着各种各样的相关关系。因此,要保证评价结果能够正确反映系统安全状况,必须明确系统各因素间的相关关系,建立科学的相关模型,并以此进行评价。

每个系统都有其自身的目标或目标体系,而构成系统的所有子系统、单元都是为这一目标或目标体系而共同发挥作用的,如何使系统达到最佳目标就是系统工程要解决的问题。根据这种理解,系统包括:① 系统要素集 X,即组成系统的所有元素;② 相关关系集 R,即构成系统的各元素间的所有相关关系;③ 系统要素和相关关系的分布形式 C,即哪些元素彼此相关,哪些相关密切,相关形式属哪种类型等。要使系统达到最佳目标,就要使三者达到

最优结合,产生最大输出 E,即
$$E = \max f(X, R, C) \tag{5-1}$$
而系统的最佳安全状态是在系统最大输出的情况下保证系统安全,即
$$S_{opt} = \max\{S/E\} \tag{5-2}$$

因为安全系统终究是系统中的一个子系统,是为系统达到其最佳目标起保障作用的。而且,没有系统总体的发展也不会有安全系统的发展。

对系统安全评价来说,就是要寻求 X、R、C 的最安全的结合形式,即具有最优结合效果 E 的结构形式及在 E 条件下保证安全的最佳系统。评价的目的就是寻求最佳运行状态下的最佳安全系统。

因此,在评价前要研究与系统安全有关的系统组成要素、要素间的相互关系以及它们在系统各层次中及层次间的分布情况。

要对系统作出准确的安全评价,必须对要素间以及要素与系统间的相关形式和相关程度建立量的关系。即说明哪个要素对系统安全有影响,是直接影响,还是间接影响;哪个对系统安全影响大,大到什么程度;彼此是线性相关,还是非线性相关;是正相关,还是负相关;等等,这些都要搞清楚。这就要在大量历史资料、事故情报的统计分析基础上得出相关模型,进而建立合理的安全评价模型,制定科学的安全评价标准。例如,对企业的安全性评价包括综合安全管理、设备设施的安全状况和环境安全状况等三个方面的评价。在考虑安全评价模式和评价标准时,就要考虑三者对企业总体安全性的影响,也要考虑三者之间的相互影响;在考虑设备设施的安全评价时,就应当考虑各种设备设施的危险状况,确定其对企业总体安全性的影响程度;在对某一设备评价时,既要考虑该设备可能发生事故的概率,又要考虑事故损失严重度,而两者之间又表现为什么关系,等等。这些问题都是确定评价标准及评价方法时必须事先考虑的问题。通过确定其相关关系建立评价模型,确定评价内容和方法。

2. 类推原理

一般对于具有相同特征的类似系统的安全评价以及评价数据的取得,往往采用类推原理。类推原理主要有以下几种:

(1) 平衡推算。它是根据因素间相互依存的平衡关系来推算所缺指标的方法。例如,利用海因利希法则:重伤(死亡):轻伤:无伤害事故=1:29:300,在已知重伤死亡总数的情况下,推算轻伤和无伤害事故的数据;利用事故的直接经济损失与间接经济损失的比例为 1:4 的关系,从直接损失推算间接损失和事故总经济损失;利用事故经济损失约占国民生产总值的 2.5%,由国民生产总值推算国家事故损失等。

(2) 代替推算。它是利用具有密切联系的或相似的有关资料、数据,代替或近似代替所缺资料、数据的方法。例如,对新建装置的安全评价,可用与其类似或相同的现有装置的有关资料、数据对其进行评价。

(3) 因素推算。它是根据指标间的联系,从已知因素的数据推算未知指标数据的方法。例如,已知系统发生事故的概率 P 和事故损失严重度 S,就可以利用风险率 R 与 P、S 的关系,求得该系统的风险率 R。

(4) 抽样推算。它是指根据抽样调查所取得的结果,推算总体特征的方法。这种方法是数理统计分析中常用的方法。它是以部分样本代表整个样本空间来对总体进行统计分

析的。

（5）比例推算。根据社会经济现象的内在联系，从某一时期、地区、部门或单位的实际比例，推算另一类似时期、地区、部门或单位有关指标的方法。例如，已知全国冶金系统伤亡人数，可以按人数比例推算非冶金系统的冶金企业伤亡人数。某些发达的工业国家公布的各行业安全指标，也是由前几年统计的事故平均数，确定本年度标准值。

（6）概率推算。概率就是某一随机事件发生的可能性。任何随机事件，在一定条件下发生与否是有规律的，其发生概率是一客观存在的定值。因此，可以用概率来预测现在和未来系统发生事故的可能性大小。在损失严重度一定的情况下，以概率数值的大小来衡量系统的事故风险大小是很科学的。英国的安全评价就称为概率风险评价。美国的商用核电站风险评价报告也是采用概率推算的办法。

3. 惯性原理

任何事物的发展都带有一定的延续性，这一特点称为惯性。惯性表现为趋势外推，如从一个单位或部门过去的事故统计资料，寻找出事故变化趋势，推测其未来状况。事故发展的惯性运动也受"外力"影响，使其"加速"或"减速"。例如，增加安全投资，采取安全措施，强化安全管理和安全教育，都可以看做是使事故发展减速的"外力"；相反，减少投资，不进行隐患整改，撤并安全机构，裁减安全技术人员，企业数量和职工人员的增加，削弱安全管理，等等，这些又都可以视为加速事故发展的"外力"。对于企业的安全评价则必须考虑这些"外力"因素的影响，其评价指标必须纳入评价模式。

4. 概率推断原理

在一个系统中，由于危险、危害因素以及其他各种变量是呈随机形式变化的，而随机变化的不确定性就给评价工作带来了困难。为此，需要应用概率论和数理统计的方法求出随机事件出现各种状态的概率，然后再根据概率判断准则去推测评价对象的未来状态。在安全评价时，一般要对可能发生的几种结果分别给出概率。

二、系统安全评价的原则

系统安全评价是落实"安全第一、预防为主、综合治理"方针的重要技术保障，是安全生产监督管理的重要手段。安全评价工作以国家有关安全的方针、政策和法律、法规、标准为依据，运用定量和定性的方法对建设项目或生产经营单位存在的职业危险、有害因素进行识别、分析和评价，提出预防、控制、治理对策措施，为建设单位或生产经营单位减少事故发生的风险以及政府主管部门进行安全生产监督管理提供科学依据。

安全评价是关系到被评价项目能否符合国家规定的安全标准，能否保障劳动者安全与健康的关键性工作。由于这项工作不但具有较复杂的技术性，而且还有很强的政策性，因此，要做好这项工作，必须以被评价项目的具体情况为基础，以国家安全法规及有关技术标准为依据，用严肃的科学态度、认真负责的精神、强烈的责任感和事业心，全面、仔细、深入地开展和完成评价任务。系统安全评价时，应注意以下几点：

（1）不可能完全根除一切危害和危险。

（2）可能减少来自现有的危害和危险。

（3）宁可减少全面的危险而不是彻底根除几种选定的危险。

在安全评价工作中必须自始至终遵循合法性、科学性、公正性和针对性原则。

1. 合法性

安全评价是国家以法规形式确定下来的一种安全管理制度。安全评价机构和评价人员必须由国家安全生产监督管理部门予以资质核准和资格注册,只有取得了认可的单位才能依法进行安全评价工作。政策、法规、标准是安全评价的依据,政策性是安全评价工作的灵魂。所以,承担安全评价工作的单位必须在国家安全生产监督管理部门的指导、监督下严格执行国家及地方颁布的有关安全的方针、政策、法规和标准等;在具体评价过程中,全面、仔细、深入地剖析评价项目或生产经营单位在执行产业政策、安全生产和劳动保护政策等方面存在的问题,并且在评价过程中主动接受国家安全生产监督管理部门的指导、监督和检查,力争为项目决策、设计和安全运行提出符合政策、法规、标准要求的评价结论和建议,为安全生产监督管理提供科学依据。

2. 科学性

安全评价涉及学科范围广,影响因素复杂多变。安全预评价,在实现项目的本质安全上有预测、预防性;安全现状评价,在整个项目上具有全面的现实性;验收安全评价,在项目的可行性上具有较强的客观性;专项安全评价,在技术上具有较高的针对性。为保证安全评价能准确地反映被评价项目的客观实际和结论的正确性,在开展安全评价的全过程中,必须依据科学的方法、程序,以严谨的科学态度全面、准确、客观地进行工作,提出科学的对策措施,作出科学的结论。

危险、有害因素产生危险、危害后果需要一定条件和触发因素,要根据内在的客观规律分析危险、有害因素的种类、程度、产生的原因以及出现危险、危害的条件及其后果,才能为安全评价提供可靠的依据。

现有的评价方法均有其局限性。评价人员应全面、仔细、科学地分析各种评价方法的原理、特点、适用范围和使用条件,必要时,还应用几种评价方法进行评价,进行分析综合、互为补充、互相验证,提高评价的准确性,避免局限和失真;评价时,切忌生搬硬套、主观臆断、以偏概全。

从收集资料、调查分析、筛选评价因子、测试取样、数据处理、模式计算和权重值的给定,直至提出对策措施、作出评价结论与建议等,每个环节都必须用科学的方法和可靠的数据,按科学的工作程序一丝不苟地完成各项工作,努力在最大程度上保证评价结论的正确性和对策措施的合理性、可行性和可靠性。

受一系列不确定因素的影响,安全评价在一定程度上存在误差。评价结果是否准确直接影响到决策是否正确,安全设计是否完善,运行是否安全、可靠。因此,对评价结果进行验证十分重要。为不断提高安全评价的准确性,评价单位应有计划、有步骤地对同类装置、国内外的安全生产经验、相关事故案例和预防措施以及评价后的实际运行情况进行考察、分析、验证,利用建设项目建成后的事后评价进行验证,并运用统计方法对评价误差进行统计和分析,以便改进原有的评价方法和修正评价的参数,不断提高评价的准确性、科学性。

3. 公正性

评价结论是评价项目的决策依据、设计依据、能否安全运行的依据,也是国家安全生产监督管理部门在进行安全监督管理时的执法依据。因此,对于安全评价的每一项工作都要做到客观和公正,既要防止受评价人员主观因素的影响,又要排除外界因素的干扰,避免出现不合理、不公正。

评价的正确与否直接涉及被评价项目能否安全运行;涉及国家财产和声誉是否会受到破坏和影响;涉及被评价单位的财产会否受到损失,生产能否正常进行;涉及周围单位及居民会否受到影响;涉及被评价单位职工乃至周围居民的安全和健康。因此,评价单位和评价人员必须严肃、认真、实事求是地进行公正的评价。

安全评价有时会涉及一些部门、集团、个人的某些利益。因此,在评价时,必须以国家和劳动者的总体利益为重,要充分考虑劳动者在劳动过程中的安全与健康,要依据有关标准法规和经济技术的可行性提出明确的要求和建议。评价结论和建议不能模棱两可、含糊其辞。

4. 针对性

进行安全评价时,首先应针对被评价项目的实际情况和特征,收集有关资料,对系统进行全面的分析;其次要对众多的危险、有害因素及单元进行筛选,对主要的危险、有害因素及重要单元应进行有针对性的重点评价,并辅以重大事故后果和典型案例进行分析、评价;由于各类评价方法都有特定适用范围和使用条件,要有针对性地选用评价方法;最后要从实际的经济、技术条件出发,提出有针对性的、操作性强的对策措施,对被评价项目作出客观、公正的评价结论。

三、安全评价的限制因素

根据经验和预测技术、方法进行的安全评价,在理论和实践上都还存在很多限制,应该认识到在安全评价结果的基础上作出的安全管理决策的质量,与对被评价对象的了解程度、对危险可能导致事故的认识程度和采用安全评价方法的准确性等有关。安全评价存在的限制因素主要来自以下两个方面。

1. 评价方法

安全评价方法多种多样,各有其适用对象,各有其优缺点,各有其局限性。例如,许多评价方法是利用过去发生过的事件的概率和危害程度作出推断,而这些事件往往是高风险事件,高风险事件通常发生概率很小,概率值误差很大,如果利用高风险事件概率和危险度预测低风险事件概率和危险度很可能会得出不符合实际的判断。又如,在利用定量评价方法计算绝对风险度时,选取的事件的发生频率和事故严重度的基准标准不准,得出的结果可能会有高达数倍的不准确性,另外,方法的误用也会导致错误的评价结果。

2. 评价人员的素质和经验

许多安全评价结论具有高度主观的性质,评价结果与假设条件密切相关。不同的评价人员使用相同的资料评价同一个对象,可能会由于评价人员的业务素质不同,而得出不同的结果。只有训练有素且经验丰富的安全评价从业人员,才能得心应手地使用各种安全评价方法辅以丰富的经验,得出正确的评价结论。

由于许多事故在评价前并未发生过,安全评价采用定性方法来确定潜在事故的危险性,依靠评价人员个人或集体的智慧来判断可能导致事故的原因及其产生的后果,评价结果的可靠性往往与评价人员的技术素质和经验相关。

第四节 安全评价的程序

安全评价程序主要包括:准备阶段,危险、有害因素识别与分析,定性定量评价,提出安全对策措施,形成安全评价结论及建议,编制安全评价报告,如图 5-1 所示。

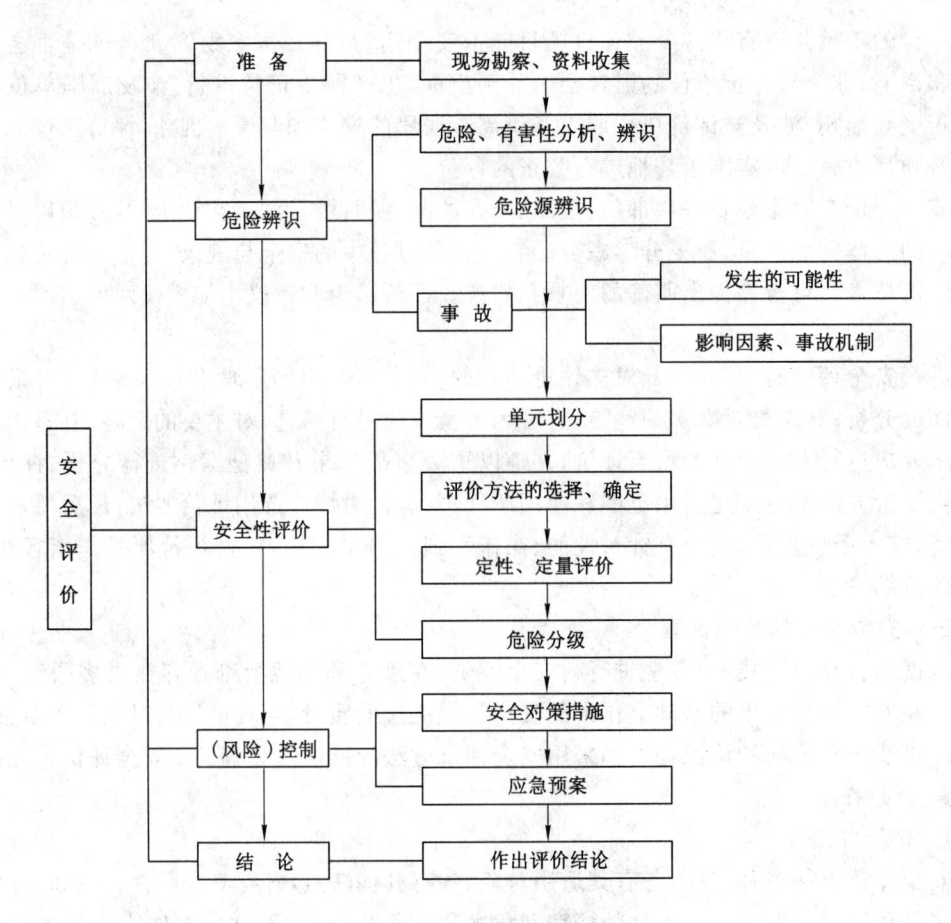

```
安全评价 ┬ 准备 ── 现场勘察、资料收集
        │
        ├ 危险辨识 ┬ 危险、有害性分析、辨识
        │         ├ 危险源辨识
        │         └ 事故 ┬ 发生的可能性
        │              └ 影响因素、事故机制
        │
        ├ 安全性评价 ┬ 单元划分
        │           ├ 评价方法的选择、确定
        │           ├ 定性、定量评价
        │           └ 危险分级
        │
        ├ （风险）控制 ┬ 安全对策措施
        │             └ 应急预案
        │
        └ 结论 ── 作出评价结论
```

图 5-1 安全评价的基本程序

(1) 准备阶段

明确被评价对象和范围,收集国内外相关法律法规、技术标准及工程、系统的技术资料。

(2) 危险、有害因素识别与分析

根据被评价的工程、系统的情况,识别和分析危险、有害因素存在的部位、存在的方式、事故发生的途径及其变化的规律。

(3) 定性、定量评价

在危险、有害因素识别和分析的基础上,划分评价单元,选择合理的评价方法,对工程、系统发生事故的可能性和严重程度进行定性、定量评价。

(4) 安全对策措施

根据定性、定量评价结果,提出消除或减弱危险、有害因素的技术和管理措施及建议。

(5) 评价结论及建议

简要地列出主要危险、有害因素的评价结果,指出工程、系统应重点防范的重大危险因素,明确生产经营者应重视的重要安全措施。

(6) 安全评价报告的编制

依据安全评价的结果编制相应的安全评价报告。

第五节　系统安全评价方法的选择

选择系统安全评价方法的准则可用图 5-2 表示，评价方法的选用流程如图 5-3～图 5-8 所示。

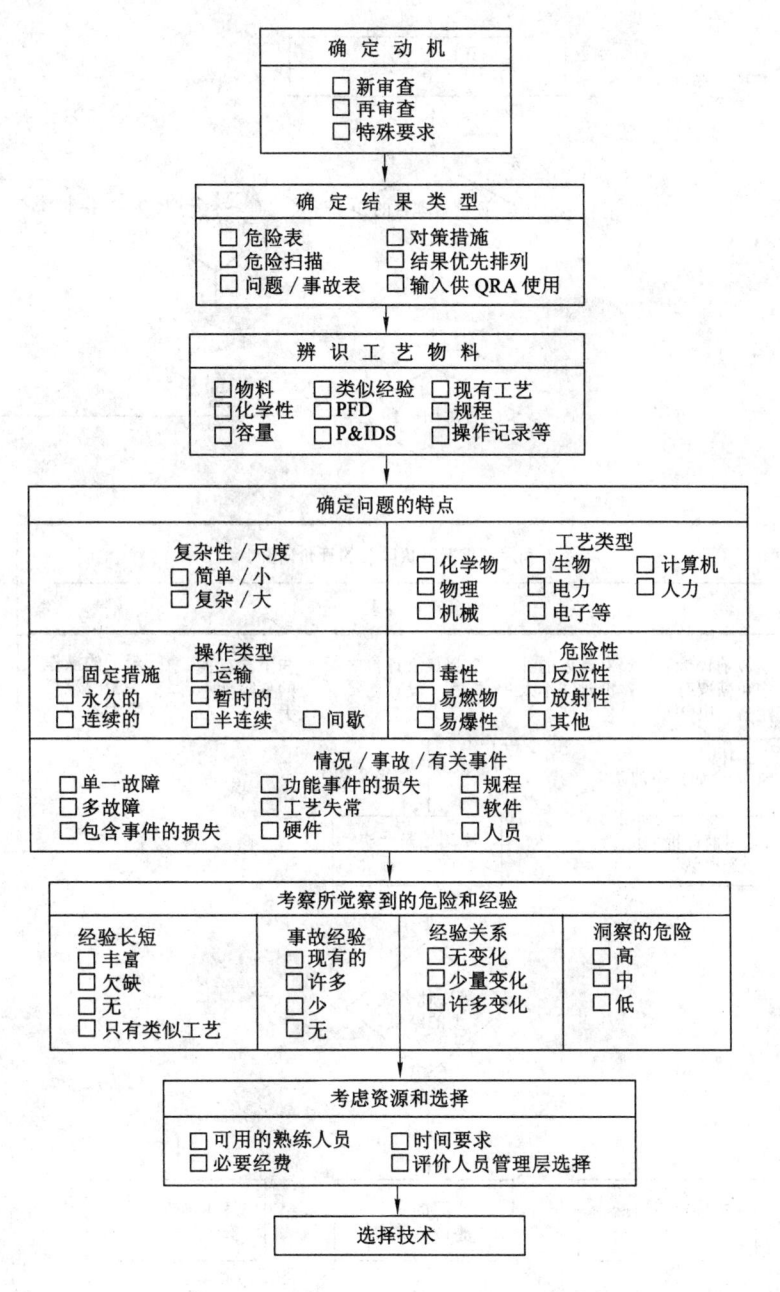

图 5-2　选择安全评价方法准则示意图

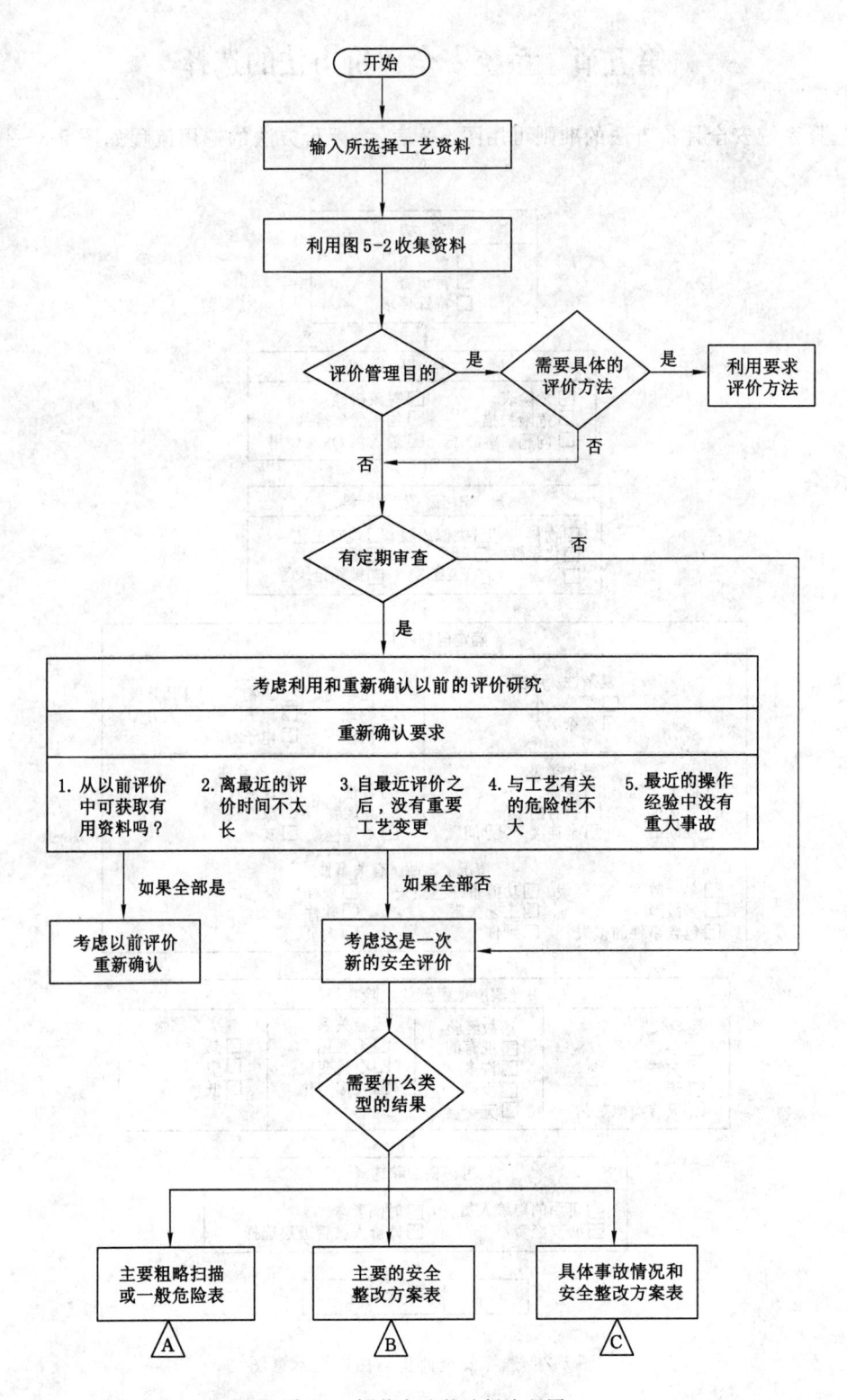

图 5-3　评价方法的选择流程图

第五章　系统安全评价概述

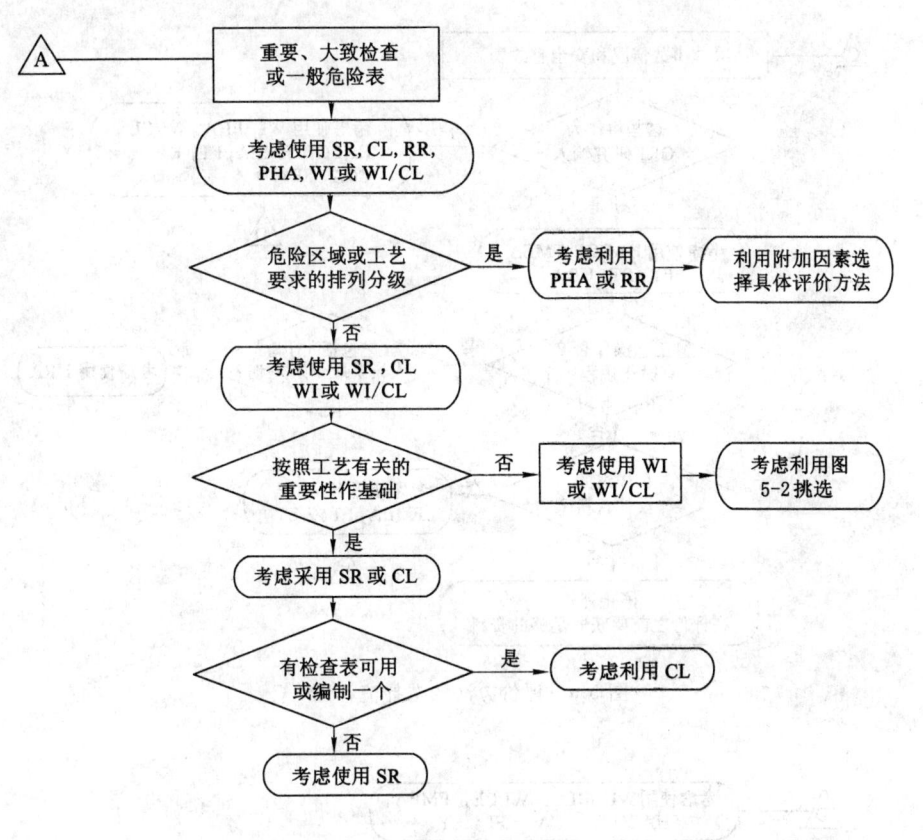

图 5-4　评价方法的选择流程图—A

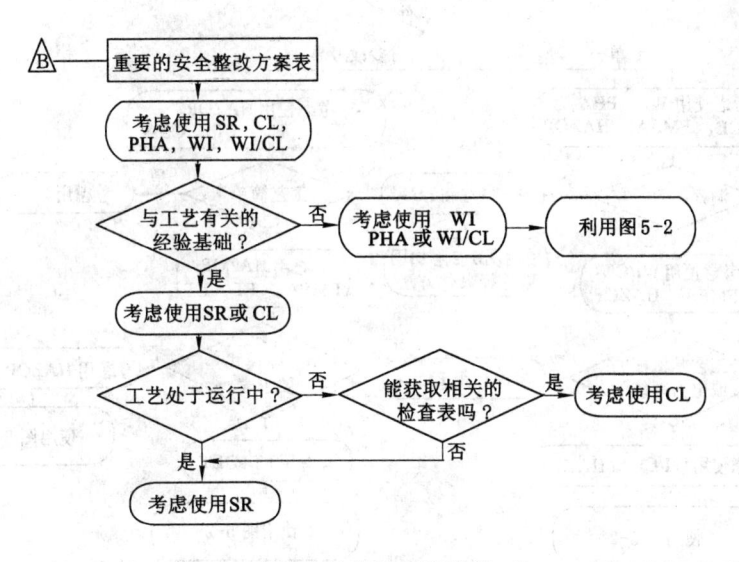

图 5-5　评价方法的选择流程图—B

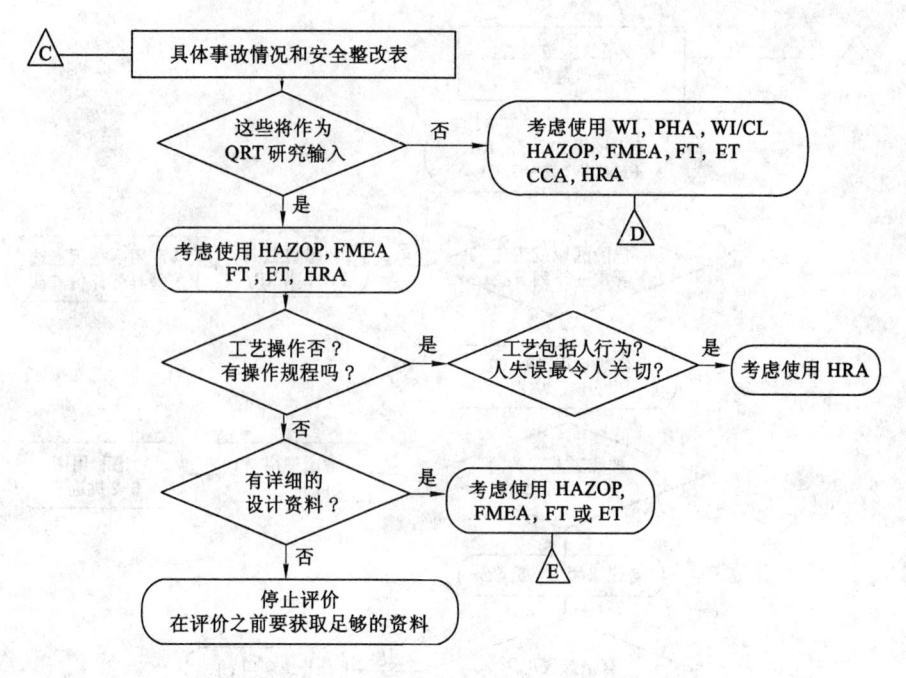

图 5-6　评价方法的选择流程图—C

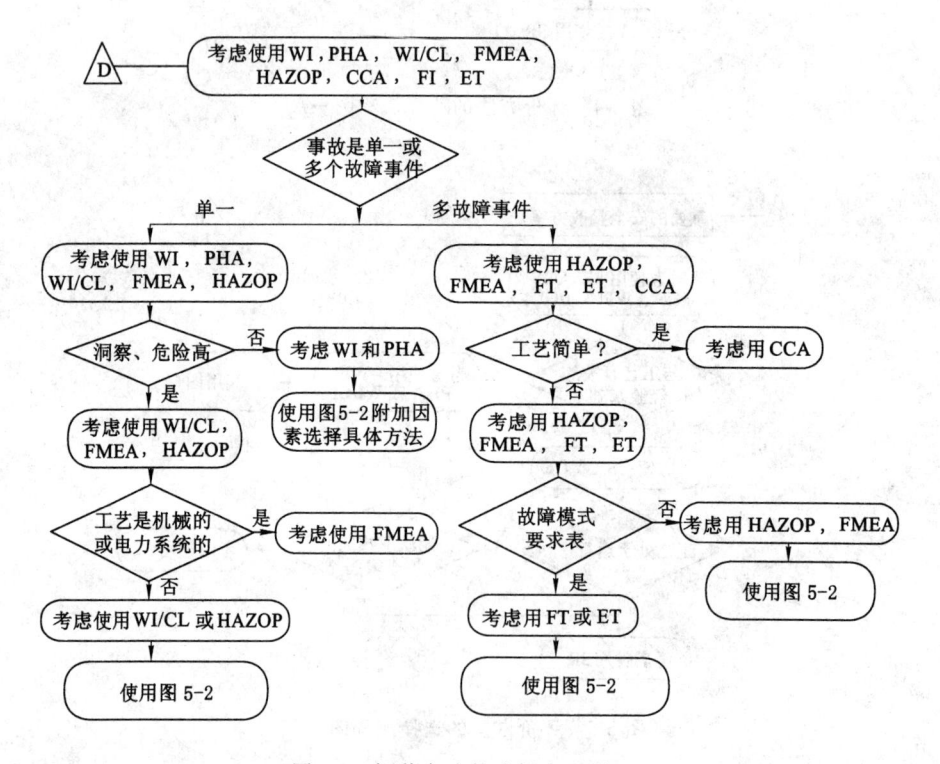

图 5-7　评价方法的选择流程图—D

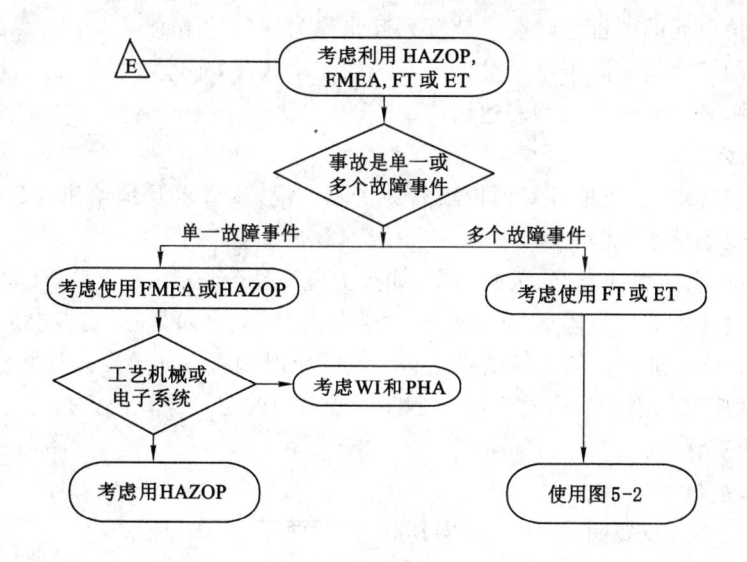

图 5-8 评价方法的选择流程图—E

第六节 系统安全评价的结论

一、安全评价结论的基本原则和一般步骤

安全评价结论应体现系统安全的概念,要阐述整个被评价系统的安全能否得到保障,系统客观存在的固有危险、有害因素在采取安全对策措施后能否得到控制及其受控的程度如何。

取得评价结论的一般的工作步骤:
(1) 收集与评价相关的技术与管理资料;
(2) 按评价方法从现场获得与各评价单元相关的基础数据;
(3) 数据处理得到单元评价结果;
(4) 根据单元评价结果整合成单元评价小结;
(5) 各单元评价小结整合成评价结论。

二、评价结论中的逻辑思维方法的应用

安全评价报告是基于对评价对象的危险、有害因素的分析,运用评价方法进行的评价、推理和判断。评价方法的选择、单元的确定,需要有充足的理由和依据。根据因果联系提出对策措施,将评价结果再综合起来作出评价结论。而安全评价报告要遵守内容、结论的同一性、不矛盾性,不能模棱两可,结论的提出要进行充分的论证。

在编写评价结论时应考虑逻辑思维方法中"逻辑规律"的运用,主要有同一律、矛盾律、排中律、充足理由律等。

三、评价结论的编制原则

由于工程、系统进行安全评价时,通过分析和评价将单元各评价要素的评价结果汇总成各单元安全评价的小结,因此,整个项目的评价结论应是各评价单元评价小结的高度概括,而不是将各评价单元的评价小结简单地罗列起来作为评价的结论。

评价结论的编制应着眼于整个被评价系统的安全状况,应遵循客观公正、观点明确的原则,做到概括性、条理性强且文字表达精练。

（一）客观公正性

评价报告应客观、公正地针对评价项目的实际情况,实事求是地给出评价结论,应注意既不夸大危险也不缩小危险。

(1) 对危险、危害性分类、分级的确定,如火灾危险性分类、防雷分类、重大危险源辨识、火灾危险及环境电力装置危险区域的划分、毒性分级等,应恰如其分,实事求是。

(2) 认真分析定量评价的计算结果是否与实际情况相符。如果发现计算结果与实际情况出入较大,就应该认真分析所建立的数学模型或采用的定量计算模式是否合理,数据是否合格,计算是否有误。

（二）观点明确

在评价结论中观点要明确,不能含糊其辞、模棱两可、自相矛盾。

（三）清晰准确

评价结论应是评价报告进行充分论证的高度概括,层次要清楚,语言要精练,结论要准确,要符合客观实际,要有充足的理由。

四、评价结论的主要内容

（一）评价结果分析

评价结果应较全面地考虑评价项目各方面的安全状况,要从"人、机、料、法、环"理出评价结论的主线并进行分析。交代建设项目在安全卫生技术措施、安全设施上是否能满足系统安全的要求,安全验收评价还需考虑安全设施和技术措施的运行效果及可靠性。

1. 人力资源和管理制度方面

(1) 人力资源。安全管理人员和生产人员是否经过安全培训,是否满足安全生产需要,是否持证上岗等。

(2) 安全管理。是否建立安全管理体系,是否建立支持文件（管理制度）和程序文件（作业规程）,设备装置运行是否建立台账,安全检查是否有记录,是否建立事故应急救援预案等。

2. 设备装置和附件设施方面

(1) 设备装置。生产系统、设备和装置的本质安全程度,控制系统是否做到了故障安全型,即一旦超越设计或操作控制的参数限度时,是否具备能使系统或设备恢复到安全状态的能力及其可靠性。

(2) 附件设施。安全附件和安全设施配置是否合理,是否能起到安全保障作用,其有效性是否得到证实。一旦超越正常的工艺条件或发生误操作时,安全设施是否能保证系统安全。

3. 物质物料和材质材料方面

(1) 物质物料。危险化学品的安全技术说明书（MSDS）是否建立,生产、储存是否构成重大危险源,在燃爆和急性中毒上是否得到有效控制。

(2) 材质材料。设备、装置及危险化学品的包装物的材质是否符合要求,材料是否采取防腐蚀措施(如牺牲阳极法),测定数据是否完整(测厚、探伤等)。

4. 方法工艺和作业操作

(1)方法工艺。生产过程工艺的本质安全程度、生产工艺条件正常和工艺条件发生变化时的适应能力。

(2)作业操作。生产作业及操作控制是否按安全操作规程进行。

5. 生产环境和安全条件

(1)生产环境。生产作业环境能否符合防火、防爆、防急性中毒的安全要求。

(2)安全条件。自然条件对评价对象的影响,周围环境对评价对象的影响,评价对象总图布置是否合理,物流路线是否安全和便捷,作业人员安全生产条件是否符合相关要求。

(二)评价结果归类及重要性判断

由于系统内各单元评价结果之间存在关联,且各评价结果在重要性上不平衡,对安全评价结论的贡献有大有小,因此在编写评价结论之前最好对评价结果进行整理、分类并按严重度和发生频率分别将结果排序列出。

例如,将影响特别重大的危险(群死群伤)或故障(或事故)发生的结果、影响重大危险(个别伤亡)或故障(或事故)发生的结果、影响一般危险(偶有伤亡)或故障(或事故)偶然发生的结果等进行排序列出。

(三)评价结论

安全评价结论的内容,因评价种类(安全预评价、安全验收评价、安全现状评价和专项评价)的不同而各有差异。通常情况下,安全评价结论应包括以下主要内容。

1. 对评价结果的分析

(1)评价结果概述、归类、危险程度排序;

(2)对于评价结果可接受的项目还应进一步提出要重点防范的危险、危害性;

(3)对于评价结果不可按受的项目,要指出存在的问题,列出不可接受的充足理由;

(4)对受条件限制而遗留的问题提出改进方向和措施建议。

2. 评价结论

(1)评价对象是否符合国家安全生产法规、标准要求;

(2)评价对象在采取所要求的安全对策措施后达到的安全程度。

3. 需要持续改进方向

(1)提出保持现已达到安全水平的要求(加强安全检查、保持日常维护等);

(2)进一步提高安全水平的建议(冗余配置安全设施,采用先进工艺、方法、设备);

(3)其他建设性的建议和希望。

第七节　安全评价技术文件

一、安全评价资料、数据采集分析处理原则及方法

(一)评价数据采集的分析处理原则

安全评价资料、数据采集是进行安全评价必要的关键性基础工作。预评价与验收评价资料以可行性研究报告及设计文件为主,同时要求下列资料:可类比的安全卫生技术资料、监测数据,适用的法规、标准、规范、安全卫生设施及其运行效果,安全卫生的管理及其运行情况,安全、卫生、消防组织机构情况等。

安全现状评价所需资料要比预评价与验收评价复杂得多,它重点要求厂方提供反映现实运行状况的各种资料与数据,而这类资料、数据往往由生产一线的车间人员,设备管理部门,安全、卫生、消防管理部门以及技术检测部门等分别掌握,有些甚至还需要财务部门提供。表5-1是针对化工行业安全评价列出的"安全评价所需资料一览表",可作为评价所需资料的参考。

表 5-1　　　　　　　安全评价所需资料一览表

1. 化学反应方程式和主次的二次反应的最佳配比	20. 机械设备明细表
2. 所用催化剂类型和特性	21. 设备一览表
3. 所有的包括工艺化学物质的流量和化学反应数据	22. 设备厂家提供的图纸
4. 主要过程反应,包括顺序、反应速率、平衡途径、反应动力学数据等	23. 仪表明细表
	24. 管道说明书
5. 不希望的反应,如分解、自聚合反应的动力学数据	25. 公用设施说明书
6. 压力、浓度、催化速率比值等参数的极限值,以及在超出极限值的情况下进行操作可能产生的后果	26. 检验和检测报告
	27. 电力分布图
7. 工艺流程图、工艺操作步骤或单元操作过程,包括从原料的储存、加料的准备至产品产出及储存的整个过程操作说明	28. 仪表布置及逻辑图
	29. 控制及报警系统说明书
	30. 计算机控制系统软硬件设计
8. 设计动力及平衡点	31. 操作规程(包括关键参数)
9. 主要物料量	32. 维修操作规程
10. 基本控制原料说明(例如,辨识主要控制变化及选择变化的原因)	33. 应急救援计划和规程
	34. 系统可靠性设计依据
11. 对某些化学物质包含的特殊危险或特性、要求而进行的专门设计说明	35. 通风可靠性设计依据
	36. 安全系统设计依据
12. 原材料、中间体、产品、副产品和废物的安全、卫生及环保数据	37. 消费系统设计依据
	38. 事故报告
13. 规定的极限值和/或容许的极限值	39. 气象数据
14. 规章制度及标准	40. 人口分布数据
15. 工艺变更说明书	41. 场地水文资料
16. 厂区平面布置图	42. 已有的安全研究
17. 单元的电力分级图	43. 内部标准和检查表
18. 建筑和设备布置图	44. 有关行业生产经验
19. 管道和仪表图	

对安全评价资料、数据采集处理方面,应遵循以下原则:首先应保证满足评价的全面、客观、具体、准确的要求;其次应尽量避免不必要的资料索取,以免给企业带来不必要的负担。根据这一原则,参考国外评价资料要求,结合我国对各类安全评价的各项要求,各阶段安全评价资料、数据应满足的一般要求见表5-2。

(二) 评价数据的分析处理

1. 数据收集

数据收集是进行安全评价最关键的基础工作。所收集的数据要以满足安全评价需要为前提。由于相关数据可能分别掌握在管理部门(设备、安全、卫生、消防、人事、劳动工资、财务等)、检测部门(质量科、技术科)以及生产车间,因此,数据收集时要做好协调工作,尽量使收集到的数据全面、客观、具体、准确。

表 5-2 安全评价所需资料、数据的一般要求

资料类别 \ 评价类别	安全预评价	安全验收评价	安全现状评价	专项安全评价
有关法规、标准、规范	√	√	√	√
评价所依据的工程设计文件	√	√	√	—
厂区或装置平面布置图	√	√	√	—
工艺流程图与工艺概况	√	√	√	—
设备清单	√	√	√	√
厂区位置图及厂区周围人口分布数据	√	√	√	—
开车试验资料	—	√	√	√(有关的)
气体防护设备分布情况	√	√	√	—
强制检定仪器仪表标定检定资料	—	√	√	√(有关的)
特种设备检测和检验报告	—	√	√	√(有关的)
近年来的职业卫生监测数据	—	√	√	√(有关的)
近年来的事故统计及事故记录	—	—	√	√(有关的)
气象条件	√	√	√	—
重大事故应急预案	√	√	√	√(有关的)
安全卫生组织机构网络	√	√	√	—
厂消防组织、机构、装备	√	√	√	—
预评价报告	—	√	—	—
验收评价报告	—	—	√	—
安全现状评价报告	—	—	—	√
不同行业的其他资料需求	—	—	—	√

注：表中"√"表示该类评价需要该项资料。

2. 数据范围

收集数据的范围以已确定的评价边界为限，兼顾与评价项目相联系的接口。如：对改造项目进行评价时，动力系统不属于改造范围，但动力系统的变化会导致所评价系统的变化，因此，数据收集应该将动力系统的数据包括在内。

3. 数据内容

安全评价要求提供的数据内容一般分为：人力与管理数据、设备与设施数据、物料与材料数据、方法与工艺数据、环境与场所数据。

4. 数据来源

被评价单位提供的设计文件（可行性研究报告或初步设计）、生产系统实际运行状况和

管理文件等；其他法定单位测量、检测、检验、鉴定、检定、判定或评价的结果或结论等；评价机构或其委托检测单位，通过对被评价项目或可类比项目实地检查、检测、检验得到的相关数据，以及通过调查、取证得到的安全技术和管理数据；相关的法律法规、相关的标准规范、相关的事故案例、相关的材料或物性数据、相关的救援知识。

5. 数据的真实性和有效性控制

对收集到的安全评价资料数据，应关注以下几个方面：收集的资料数据，要对其真实性和可信度进行评估，必要时可要求资料提供方书面说明资料来源；对用做类比推理的资料要注意类比双方的相关程度和资料获得的条件；代表性不强的资料（未按随机原则获取的资料）不能用于评价；安全评价引用反映现状的资料必须在数据有效期限内。

6. 数据汇总及数理统计

通过现场检查、检测、检验及访问，得到大量数据资料，首先应将数据资料分类汇总，再对数据进行处理，保证其真实性、有效性和代表性，必要时可进行复测，经数理统计将数据整理成可以与相关标准比对的格式，采用能说明实际问题的评价方法，得出评价结果。

7. 数据分类

定性检查结果，如：符合、不符合、无此项或文字说明等；定量检测结果，如：20 mg/m^3、30 mA、88 dB(A)、0.8 MPa 等带量纲的数据；汇总数据，如：起重机械 30 台/套，职工安全培训率 89% 等计数或比例数据；检查记录，如：易燃易爆物品储量 12 t、防爆电器合格证编号等；照片、录像，如：法兰间采用四氟乙烯垫片、反应釜设有防爆片和安全阀、将器具放入冲压机光电感应器失效连锁切断电源等用录像记录安全装置试验结果，特别是制作评价报告电子版本时，图像数据更为直观，效果更好；其他数据类型，如：连续波形对比数据、数据分布、线性回归、控制图等图表数据。

8. 数据结构（格式）

汇总类，如：厂内车辆取证情况汇总、特种作业人员取证汇总；检查表类，如：安全色与安全标志检查表；定量数据消除量纲加权变成指数进行分级评价，如：有毒作业分级；定性数据通过因子加权赋值变成指数进行分级评价，如：机械工厂安全评价；引用类，如：引用其他法定检测机构"专项检测、检验"的数据；其他数据格式，如：集合、关系、函数、矩阵、树（林、二叉树）、图（有向图、串）、形式语言（群、环）、偏集和格、逻辑表达式、卡诺图等。

9. 数据处理

在安全检测检验中，通常用随机抽取的样本来推断总体。为了使样本的性质充分反映总体的性质，在样本的选取上应遵循随机化原则：样本各个体选取要具有代表性，不得任意删留；样本各个体选取必须是独立的，各次选取的结果互不影响。

若采用了无效或无代表性的数据，会造成检查、检测结果错误，得出不符合实际情况的评价结论。在使用获得的数据之前，要进行数据处理，消除或减弱不正常数据对检测结果的影响。在处理数据时常注意以下几种数据特性：

（1）概率。随机事件在若干次观测中出现的次数叫频数，频数与总观测次数之比叫频率。当检测次数逐渐增多时，某一检测数据出现的频率总是趋近某一常数，此常数能表示现场出现此检测数据的可能性，这就是概率。在概率论中，把事件发生可能性的数称为概率。在实际工作中，我们常以频率近似地代替概率。

（2）显著性差异。概率在 0~1 的范围内波动。当概率为 1 时，此事件必然发生；当概率为 0 时,此事件必然不发生。数理统计中习惯上认为概率 $P \leqslant 0.05$ 为小概率,并以此作为事物间差别有无显著性的界限。

原设定的系统,若系统之间无显著性差异(通过显著性检验确定),就可将其合并,采用相同的安全技术措施;若系统之间存在显著性差异,就应分别对待。

数据整理和加工有三种基本形式:按一定要求将原始数据进行分组,作出各种统计表及统计图;将原始数据按由小到大的顺序排列,从而由原始数列得到递增数列;按照统计推断的要求将原始数据归纳为一个或几个数字特征。

10. "异常值"和"未检出"的处理

(1) "异常值"的处理。异常值是指现场检测或实验室分析结果中偏离其他数据很远的个别极端值,极端值的存在导致数据分布范围拉宽。当发现极端值与实际情况明显不符时,首先要在检测条件中直接查找可能造成干扰的因素,以便使极端值的存在得到解释,并加以修正。若发现极端值属外来影响造成则应舍去;若查不出产生极端值的原因时,应对极端值进行判定再决定取舍。

对极端值有许多处理方法,在这里介绍一种"Q 值检验法"。

"Q 值检验法"是迪克森(W. J. Dixon)在 1951 年专为分析化学中少量观测次数($n<10$)提出的一种简易判据式。检验时将数据从小到大依次排列:$X_1, X_2, X_3, \cdots, X_{n-1}, X_n$,然后将极端值代入以下公式求出 Q 值,将 Q 值对照表 5-3,若 Q 值 $\geqslant Q_{0.90}$ 则有 90% 的置信,此极端值应被舍去。

$$Q = \frac{X_n - X_{n-1}}{X_n - X_1} \quad (检验最大值 X_n 时)$$

$$Q = \frac{X_2 - X_1}{X_n - X_1} \quad (检验最小值 X_1 时)$$

式中 $X_n - X_{n-1}$ 及 $X_2 - X_1$ ——极端值与邻近值间的偏差;

$X_n - X_1$ ——全距。

表 5-3 2~10 观测次数的置信因素

观测次数	2	3	4	5	6	7	8	9	10
$Q_{0.90}$	不能舍去	0.94	0.76	0.64	0.56	0.51	0.47	0.44	0.41

(2) "未检出"的处理。在检测上,有时因采样设备和分析方法不够精密,会出现一些小于分析方法"检出限"的数据,在报告中称为"未检出"。这些"未检出"并不是真正的零值,而是处于"零值"与"检出限"之间的值,用"0"来代替不合理(可造成统计结果偏低)。"未检出"的处理在实际工作中可用两种方法进行处理:将"未检出"按标准的 1/10 加入统计整理;将"未检出"按分析方法"最低检出限"的 1/2 加入统计。总之,在统计分组时不要轻易将"未检出"舍掉。

(3) 检测数据质量控制。检测数据质量控制经常采用两种控制方式来保证获得数据的正确性:一是用线性回归方法对原制作的"标准曲线"进行复核;二是核对精密度和准确度。

记录精密度和准确度最简便的方法是制作"休哈特控制图",通过控制图可以看出检测、检验是否在控制之中,有利于观察正、负偏差的发展趋势,及时发现异常,找出原因,采取措施。

(4) 安全评价的数据处理。收集到的数据要经过筛选和整理,才能用于安全评价。数据要来源可靠,收集到的数据要经过甄别,舍去不可靠的数据;数据完整,凡安全评价中要使用的数据都应设法收集到;取值合理,评价过程取值带有一定主观性,取值正确与否往往影响评价结果。

为提高取值准确性可从以下三方面着手:严格按技术守则规定取值;有一定范围的取值,可采用内插法提高精度;较难把握的取值,可采用向专家咨询的方法来解决。

二、安全现状评价报告

(一) 安全现状评价原理

安全现状评价原理采用控制风险水平,力求安全的原则:

$$风险 = 后果 \times 可能性$$

依据这一原理,制定出风险评估表,见表5-4。

(二) 安全现状评价程序

安全现状评价程序如图5-9所示。

(三) 评价模式的建立和评价方法的选择

根据国际劳工局在"重大工业事故预防实用规程"中提出的安全评价,首先应做"预先危险性分析";最后阶段应按"事故后果分析"的原则,结合我国行业、企业特点及要求,确定评价模式,选用适当的评价方法进行评价。

为了达到安全评价的目的,针对各行业的生产特点,结合国内外评价方法,选择定性和定量相结合的模式。

首先,应针对生产单元的运行情况及工艺、设备的特点,采用预先危险性分析的方法对整个生产单元的安全性进行危险性预分析,辨识装置的主要危险部位、危险点、物料的主要危险特性,有无重大危险源及监控的化学品,以及可以导致重大事故的缺陷和隐患。

其次,采用定量计算的方法进行固有危险性计算,结合火灾、爆炸及毒性危险性,石油化工行业可选用美国道化学公司的火灾、爆炸危险指数评价法(第七版)或英国ICI公司的蒙德法,给装置危险性以量的概念,同时采用补偿降低危险等级,使之达到安全生产运行的要求;也可采用安全检查表以及事故树方法对生产单元进行安全检查,并综合考虑进行打分,以确认生产单元处于何种安全状态。考虑到石油化工类生产的火灾、爆炸、毒性及高风险性,采用火灾、爆炸数学模型及动态扩散模型进行事故模拟,确定发生意外事故造成的危险与毒性气体泄漏、火灾爆炸所涉及的范围和危害等级,计算出危险区域和事故等级,并提出可接受程度。

通过对整个系统的安全评价,提出主要隐患与整改措施,并将措施按照轻重缓急和整改紧迫程度进行分级,对安全评价作出结论。

(四) 安全现状评价报告的格式

安全现状评价报告,建议采用表5-5所列的格式。不同行业在评价内容上有不同的侧重点,可进行部分调整或补充。

表5-4 风险评价表

等级	可能危险后果 人/个	财产/万元 或 t	停工	影响	1 未听说过 / 32~100(不太可能)装置寿命内预计发生1次	2 在行业内曾发生过 / 10~32(也许可能)装置寿命内预计发生1次以上	3 在集团公司内曾发生过 / 3~10(偶然)装置寿命内预计发生几次	4 在公司(总厂)内曾发生过 / 1~3(可能)预计1年发生1次	5 在现场每年都有发生 / 1(频繁)预计1年发生1次以上
0	无伤亡	无损失	无影响	无影响	0	0	0	0	0
1	>1轻伤	<1 或 <10	本装置停工1d	公司(总厂)影响	1	2	3	4	5
2	1~2重伤	<15 或 >10	本装置停工>2d	集团公司影响	2	4	6	8	10
3	>3重伤	>100 或 >30	其他装置	行业影响	3	6	9	12	15
4	1~2死亡 / 3~9重伤	>200 或 >50	>2套装置	重大国内影响	4	8	12	16	20
5	3~9死亡 / >10重伤	>500 或 >100	>3套装置	重大国际影响	5	10	15	20	25

（等级栏表头：可能性 / 事故间平均时间 /a）

表示低风险，有条件、有经费时治理

表示中风险，要求在2~3年内治理

表示高风险，要求近期治理

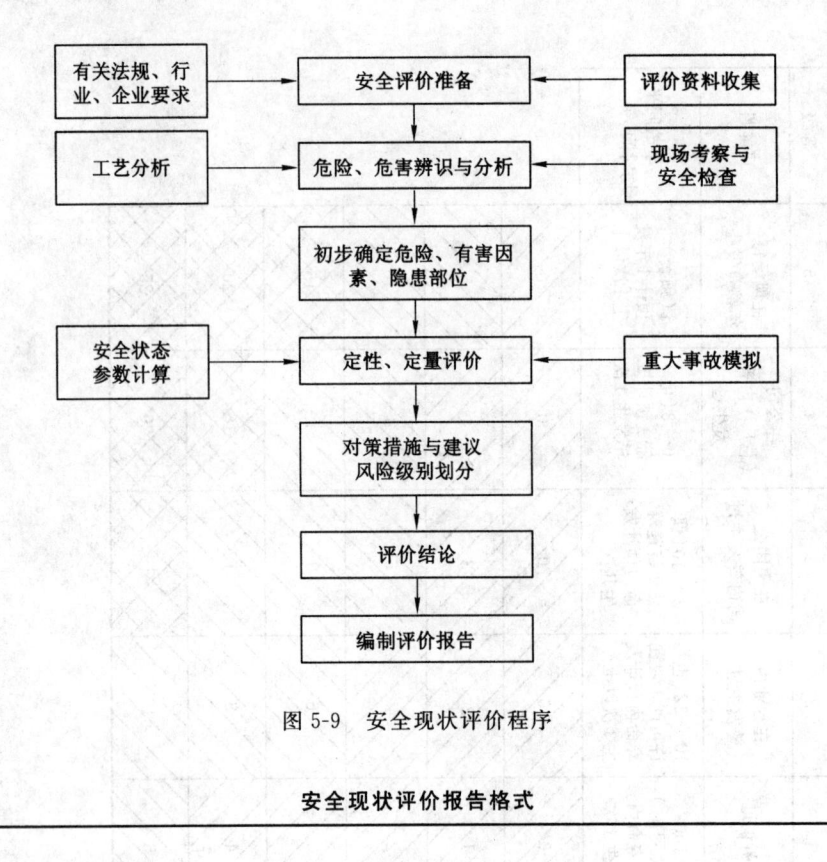

```
         ┌──────────────┐      ┌──────────────┐      ┌──────────────┐
         │有关法规、行   │─────▶│安全评价准备   │◀─────│评价资料收集   │
         │业、企业要求   │      └──────┬───────┘      └──────────────┘
         └──────────────┘             │
         ┌──────────────┐      ┌──────▼───────┐      ┌──────────────┐
         │ 工艺分析      │─────▶│危险、危害辨识 │◀─────│现场考察与     │
         │              │      │与分析         │      │安全检查       │
         └──────────────┘      └──────┬───────┘      └──────────────┘
                                      │
                               ┌──────▼───────┐
                               │初步确定危险、 │
                               │有害因素、隐患 │
                               │部位           │
                               └──────┬───────┘
         ┌──────────────┐      ┌──────▼───────┐      ┌──────────────┐
         │安全状态       │─────▶│定性、定量评价 │◀─────│重大事故模拟   │
         │参数计算       │      └──────┬───────┘      └──────────────┘
         └──────────────┘             │
                               ┌──────▼───────┐
                               │对策措施与建议 │
                               │风险级别划分   │
                               └──────┬───────┘
                               ┌──────▼───────┐
                               │ 评价结论      │
                               └──────┬───────┘
                               ┌──────▼───────┐
                               │编制评价报告   │
                               └──────────────┘
```

图 5-9　安全现状评价程序

表 5-5　　　　　　　　　　安全现状评价报告格式

前言
目录
第一章　评价项目概述
　　第一节　评价项目概况
　　第二节　评价范围
　　第三节　评价依据
第二章　评价程序和评价方法
　　第一节　评价程序
　　第二节　评价方法
第三章　危险性预先分析
第四章　危险度与危险指数分析
第五章　事故分析与重大事故的模拟
　　第一节　重大事故原因分析
　　第二节　重大事故概率分析
　　第三节　重大事故预测、模拟
第六章　职业卫生现状评价
第七章　对策措施与建议
第八章　评价结论

（五）安全现状评价报告的一般要求

安全现状评价报告一般包括以下内容：

（1）前言。包括项目单位简介、评价项目的委托方及评价要求和评价目的。

（2）评价项目概述。应包括评价项目概况、地理位置及自然条件、工艺过程、生产运行现状、项目委托约定的评价范围、评价依据（包括法规、标准、规范及项目的有关文件）。

(3) 评价程序和评价方法。说明针对主要危险、有害因素和生产特点选用的评价程序和评价方法。

(4) 危险性预先分析。应包括工艺流程、工艺参数、控制方式、操作条件、物料种类与理化特性、工艺布置、总图位置、公用工程的内容，运用选定的分析方法对生产中存在的危险、危害隐患逐一分析。

(5) 危险度与危险指数分析。根据危险、有害因素分析的结果和确定的评价单元、评价要素，参照有关资料和数据，用选定的评价方法进行定量分析。

(6) 事故分析与重大事故的模拟。结合现场调查结果以及同行或同类生产的事故案例分析，统计其发生的原因和概率，运用相应的数学模型进行重大事故模拟。

(7) 职业卫生现状评价。根据项目单位职业卫生的实际情况，使用选定的评价方法进行评价。

(8) 对策措施与建议。综合评价结果，提出相应的对策措施与建议，并按照风险程度的高低进行解决方案的排序。

(9) 评价结论。明确指出项目安全状态水平，并简要说明。

(六) 安全现状评价报告的特殊要求

安全现状评价报告的内容要求比预评价报告要更详尽、更具体，特别是对危险分析要求较高，因为安全检查表的编制要由懂工艺和操作的专家参与完成，评价组成员的专业能力应涵盖评价范围所涉及的专业内容。表 5-6 是某石化生产企业安全现状评价所列出的安全检查表的主要内容。

表 5-6　　某石化企业安全检查表主要内容

检查项目 1	检查项目 2	检查项目 3
安全机构	石蜡成型机	总图，储运（以炼油行业为例）
安全生产责任制及规章制度	汽轮机	油罐区
安全教育及培训、考核、取证情况	真空回转过滤机	液化气球罐区
事故（包括未遂事故）及职业危害情况	套管结晶器	工艺管道
装置内危险物质	板框过滤机	铁路装卸栈台
危害物质的管理	安全设备	装卸油品码头
危险物质的使用	可燃性气体检测报警器	液化气站
危险物质的储存	压力表	仓库储存
危险废弃物的处理	安全阀	气柜
生产装置运行安全管理	液位计	火炬
工艺与操作	与装置有关的公用系统	装置与作业环境
工艺流程图	供电系统	装置的选址
工艺参数与极限值	变配电所	装置的平面布置
操作记录与交接班	汽轮发电机组	生产装置内设备建筑物
生产操作运行管理	防雷	火炬系统
非正常操作与事故处理	电力线路	作业环境

续表 5-6

检查项目1	检查项目2	检查项目3
生产装置主要操作设备运行管理	临时用电	安全设施与安全标志
塔类设备	水系统	厂区道路
加热炉	供水系统	梯子平台
换热器(列管式)	排水系统	工业卫生
压力容器	供气系统	有毒、有害因素监测与控制
催化裂化反应器、再生器	锅炉	医疗急救
氢压机	工艺及热力管道	防护设施与器具管理
离心泵	水质处理	消防系统
往复泵	供风系统	消防管理
大型压缩机组	供氮系统	消防设施
空冷器	通讯系统	消防应急能力的检查
除焦系统		消防系统的安全应急处理预案

三、安全验收评价

安全验收评价是在建设项目竣工、试生产运行正常后,通过对建设项目的设施、设备、装置实际运行状况及管理状况的安全评价,查找该建设项目投产后存在的危险、有害因素的种类和程度,提出合理可行的安全对策措施及建议。

安全验收评价是运用安全系统工程的原理和方法,在项目建成试生产正常运行后,在正式投产前进行的一种检查性安全评价。它是对系统存在的危险、有害因素进行定性和定量检查,判断系统在安全上的符合性和配套安全设施的有效性,从而作出评价结论并提出补救或补偿的安全对策措施,以促进项目实现系统安全。其目的是验证系统安全,为安全验收提供依据。

《中华人民共和国安全生产法》第二十八条规定:生产经营单位新建、改建、扩建工程项目(以下统称建设项目)的安全设施,必须与主体工程同时设计、同时施工、同时投入生产和使用。安全设施投资应当纳入建设项目概算。安全验收评价与"三同时"的关系,如图5-10所示。

安全验收评价是检验和评判"三同时"落实效果的工具,是为安全验收进行的技术准备,"建设项目安全验收评价报告"将作为建设单位申请"建设项目安全验收"的依据。

(一) 安全验收评价概述

1. 安全验收评价的目的

安全验收评价的目的是:贯彻"安全第一、预防为主、综合治理"方针,为建设项目安全验收提供科学依据,对未达到安全目标的系统或单元提出安全补偿及补救措施,以利于提高建设项目本质安全程度,满足安全生产要求。也就是通过检查建设项目在系统上配套安全设施的状况(完备性和运行有效性)来验证系统安全,为安全验收提供依据。

2. 安全验收评价的意义

安全验收评价的意义是为安全验收把关,确保建设项目正式投产之后,系统能够安全运行,保障作业人员在生产过程中的安全和健康。此外,安全验收评价还可以作为今后企业持

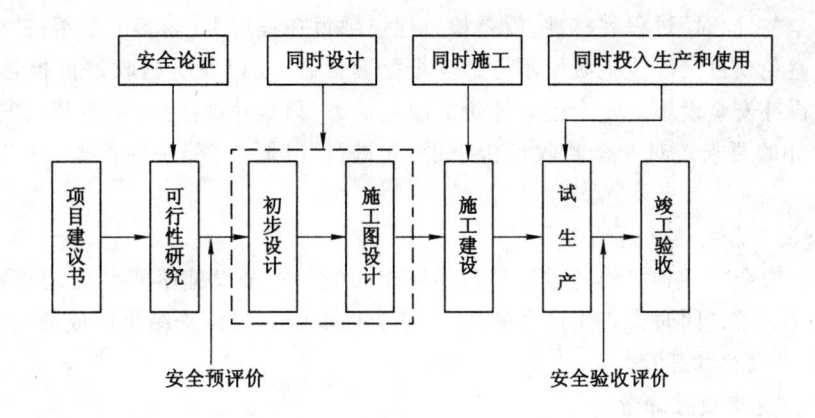

图 5-10 建设项目安全验收评价与"三同时"的关系

续改进、提高安全生产水平的基准。

3. 安全验收评价的内容

安全验收评价的内容是检查建设项目中安全设施是否已与主体工程同时设计、同时施工、同时投入生产和使用；评价建设项目及与之配套的安全设施是否符合国家有关安全生产的法律法规和技术标准。

安全验收评价工作主要内容有三个方面：

（1）从安全管理角度检查和评价生产经营单位在建设项目中对《中华人民共和国安全生产法》的执行情况。

（2）从安全技术角度检查建设项目中安全设施是否已与主体工程同时设计、同时施工、同时投入生产和使用；检查与评价建设项目（系统）及与之配套的安全设施是否符合国家有关安全生产的法律、法规和标准。

（3）从整体上评价建设项目的运行状况和安全管理是否正常、安全、可靠。

4. 安全验收评价工作的特点

（1）评价符合性。依据法律、法规、标准，评价系统整体在安全上的符合性。

（2）评价有效性。通过检测、检验数据和统计分析，评价系统中安全设施的有效性。

例如：要评价空压站的安全状况，就应该先检查系统符合性，我们可以把空压站作为项目（系统）的一个被检查单元，它是系统的一部分，要符合标准的要求，如空压机的布置、台数、隔音双窗、安全阀、压力表、排污阀等；进一步再检查配套的安全设施有效性，如安全阀是否有效，双窗是否隔音，消声器是否降噪，压力表选择是否正确，排污阀是否堵塞等。

（二）安全验收评价的工作要求

安全验收是安全"三同时"的最后一关。因此，安全验收评价工作要突出四个方面：安全"三同时"过程完整性的检查；安全设施落实情况的调查；安全设施有效性评价；生产经营单位安全生产保障状况的取证和评价。

1. 安全"三同时"过程完整性的检查

这种检查的实质是安全验收评价的"前置性检查"。由于建设项目未配套安全设施或配套安全设施不能投入生产和使用，将成为安全验收的否决条件。为此，"前置性检查"是判断安全验收评价可否正常进行的前提。

检查安全"三同时"过程完整性,就是检查建设项目在程序上、内容上是否按"三同时"的要求进行。避免项目设计施工阶段不考虑安全配套设施,仅以安全验收评价报告提出的整改意见事后再补安全设施。安全验收评价的改进对策,只是补救措施,不能替代安全设施与项目同时设计的要求。对安全验收评价来说,先进行"三同时"程序性检查,可以明确安全责任。

2. 安全设施落实情况的调查

建设项目安全"三同时"的各过程都是环环相扣的。安全设施落实情况调查要从"同时设计"、"同时施工"、"同时投入生产和使用"三个方面展开。将调查结果形成证据文件,即解决安全设施"有没有"的问题。

3. 安全设施有效性评价

建设项目中的设施、设备、装置必须符合国家有关安全生产的法律、法规和相关标准。因此,还需对安全设施有效性进行评价。这是安全验收评价的核心。

安全设施有效性评价主要包括两个方面:

(1) 依据国家有关安全生产的法律、法规和相关标准,用相应的评价方法,定性评价安全、卫生设施与系统是否匹配,即解决安全设施"对不对"的问题。

(2) 依据国家有关安全生产的法律、法规和相关标准,用检测、检验及资料统计等手段,定量评价安全设施是否能达到保障系统(单元)安全的效果,即解决安全设施"好不好"的问题。

4. 生产经营单位的安全生产保障情况取证和评价

《中华人民共和国安全生产法》第十七条规定:生产经营单位应当具备本法和有关法律、行政法规和国家标准或者行业标准规定的安全生产条件;不具备安全生产条件的,不得从事生产经营活动。

建设项目安全验收评价应对安全生产条件进行检查和评价。检查和评价应包括以下内容:

(1) 安全生产管理机构设置及安全生产管理人员配备状况。
(2) 安全生产规章制度(安全管理制度、安全生产责任制和安全操作规程)的制定。
(3) 事故上报制度及事故应急救援预案的建立。
(4) 重大危险源登记建档,进行定期检测、评估、监控。
(5) 对从业人员进行安全生产教育和培训的检查。
(6) 危险性较大的设备和特种设备安全检验及取证状况检查。

(三) 安全验收评价原则流程

安全验收评价原则流程是规范评价工作,保证评价质量,保障评价工作顺利进行的基础。安全验收评价原则流程可包括五个子过程:前期准备过程、危险识别过程、安全评价过程、安全控制过程、综合论证过程,如图 5-11 所示。根据原则流程可以制定安全验收评价的工作程序。

安全验收评价各过程主要工作内容如下:

(1) 前期准备过程,包括:前置条件检查、现场条件勘察、资料收集、评价边界或范围确定等。

(2) 危险识别过程,包括:工程初步分析(周边、位置、工艺、物料),危险、有害因素分析

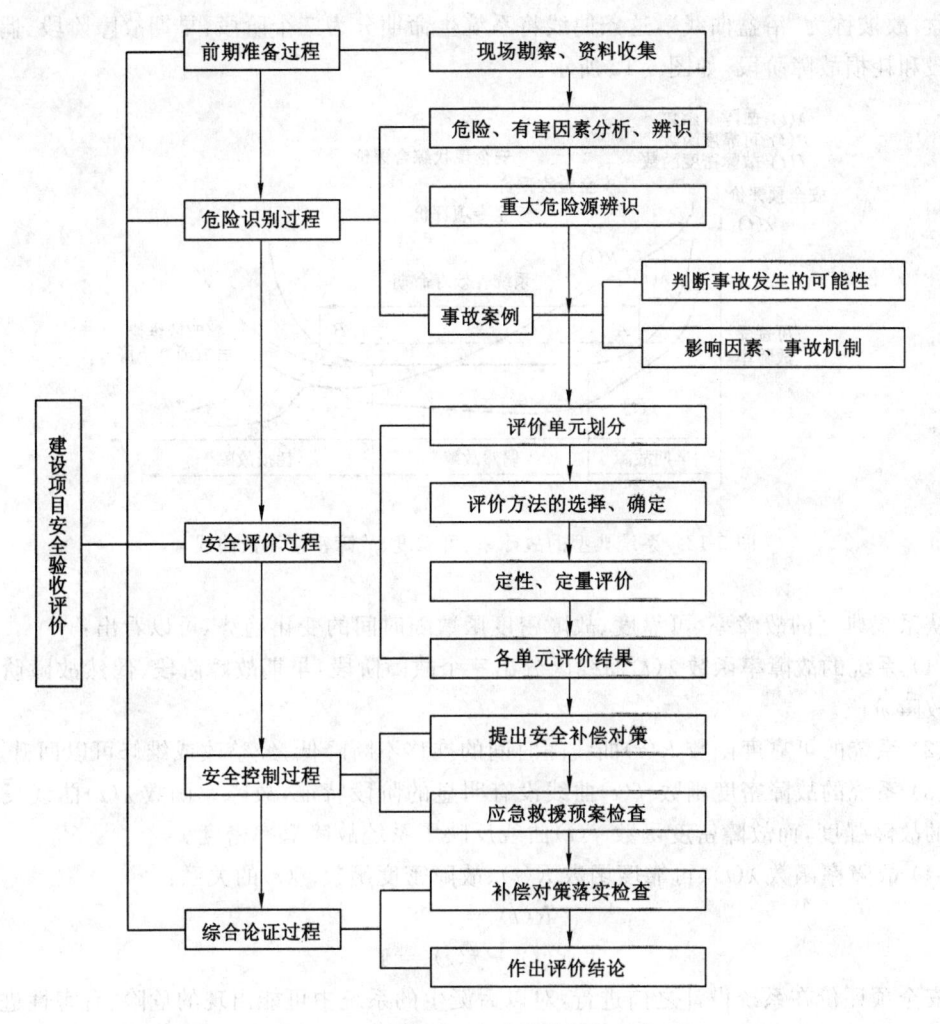

图 5-11 建设项目安全验收评价程序

及识别,重大危险源辨识,判别事故发生的可能性等。

(3) 安全评价过程,包括:评价单元划分、评价方法选择和确定、定性或定量评价、各单元评价结果等。

(4) 安全控制过程,包括:提出安全补偿对策、应急救援预案检查及对策、持续改进对策等。

(5) 综合论证过程,包括:补偿对策落实(计划)检查、作出评价结论等。

(四) 安全验收评价与其他安全评价的联系与区别

建设项目可行性研究、初步设计、施工图设计和建设施工阶段是一个孕育"生产系统"的过程。建设项目竣工、投入试生产,"生产系统"诞生,正式进入"生产系统"的寿命期。试生产正常,正式投产且有一个相当长的稳定生产阶段。之后,设备老化,安全装置失效,"生产系统"出现问题,需要检修或部件更换。最后,"生产系统"不能再修或失去修理价值,"生产系统"报废。

其实,"生产系统"在其寿命期内存在客观规律,按故障率随时间变化的函数图形来看形似浴盆,故被称为"浴盆曲线",这条曲线将系统生命期分为三个阶段:早期故障阶段、偶然故障阶段和耗损故障阶段,如图 5-12 所示。

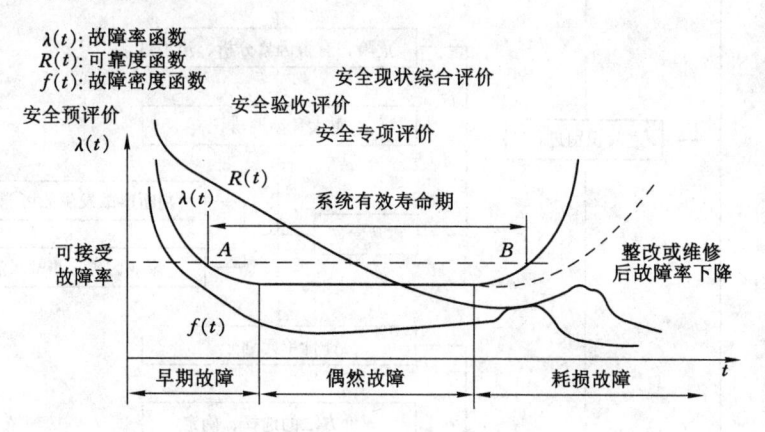

图 5-12 系统典型的故障率、可靠度、故障密度函数曲线

从系统典型的故障率、可靠度、故障密度函数随时间的变化趋势,可以看出:
(1) 系统的故障率函数 $\lambda(t)$ 曲线区分出三个故障阶段:早期故障阶段、偶然故障阶段和耗损故障阶段。
(2) 系统的可靠度函数 $R(t)$ 曲线随时间的推移不断降低,经整改或维修可以回升。
(3) 系统的故障密度函数 $f(t)$ 曲线没有明显的阶段特征,故障率函数 $\lambda(t)$ 曲线反映了系统的故障强度,而故障密度函数 $f(t)$ 曲线反映了系统故障概率密度。
(4) 故障率函数 $\lambda(t)$、可靠度函数 $R(t)$、故障密度函数 $f(t)$ 的关系:
$$R(t) = e^{-\lambda(t)t}$$
$$R(t) + f(t) = 1$$

安全预评价在系统设计之前进行,对以后诞生的系统中可能出现的危险、有害性进行预测和评价并提出安全对策措施,指导系统设计,使诞生的系统达到安全要求。

安全验收评价与安全现状评价同在系统诞生后有效生命期内进行。前者是在系统诞生并经过早期故障阶段(试生产),刚进入"系统有效生命期"时进行,经常以达标为目的;后者是在"系统有效生命期"的中、后期进行,经常以安全持续改进为目的。从本质上看,安全验收评价是特殊的安全现状评价。

专项安全评价在系统寿命期内(不一定是系统有效生命期)进行的安全评价,其目的是多样性的,属于特定时期的特定任务评价。可以是针对某一项活动或场所,也可以是针对一个特定的行业、产品、生产方式、生产工艺或生产装置等。如"煤矿专项安全评价"和"非煤矿山专项安全评价"就是针对一个特定的行业的,"危险化学品专项评价"就是针对特定物质的。

安全验收评价与其他安全评价之间有着密切的关系,如安全验收评价要检查安全预评价提出安全对策措施的落实情况;实际建成的系统未达到安全预评价要求或系统与安全预评价的系统不对应时,需补充专项安全评价,以确定系统安全是否在可接受范围,作为判断是否通过安全验收的依据。

(五)安全验收评价技术文件

安全验收评价技术文件是安全验收评价工作过程形成的产品,其形式就是依据《安全验收评价导则》(AQ 8003—2007)编制的《建设项目安全验收评价报告》。

《建设项目安全验收评价报告》的内容应能反映安全验收评价两方面的义务:一是为企业服务,帮助企业查出事故隐患,落实整改措施以达到安全要求;二是为政府安全生产监督管理部门服务,提供建设项目安全验收的依据。

1. 安全验收评价工作程序

安全验收评价工作程序一般包括:前期准备、编制安全验收评价计划、安全验收评价现场检查、编制安全验收评价报告、安全验收评价报告评审。

1) 前期准备

前期准备的工作包括:明确被评价对象和范围,进行现场调查,收集国内外相关法律、法规、技术标准及建设项目的资料等。

(1) 评价对象和范围。确定安全验收评价范围,可界定评价责任范围,特别是增建、扩建及技术改造项目,与原建项目相连难以区别,这时可依据初步设计、投资或与企业协商划分,并写入工作合同。

(2) 现场调查。安全验收评价现场调查包括:"前置条件检查"和"工况调查"两个部分。

① 前置条件检查。前置条件检查主要是考察建设项目是否具备申请安全验收评价的条件,其中最重要的是进行安全"三同时"程序完整性的检查,可以通过核查安全"三同时"过程的证据来完成。这些证据一般包括:建设项目批准(批复)文件;安全预评价报告及评审意见;初步设计及审批表;安全生产监督管理部门对建设项目安全"三同时"审查的文件;试生产;试生产调试记录和安全自查报告(或记录);安全"三同时"过程其他证据文件。

② 工况调查。工况调查主要了解建设项目的基本情况、项目规模、建立联系和记录企业自述等。

a. 基本情况,包括:企业全称、注册地址、项目地址、建设项目名称、设计单位、安全预评价机构、施工及安装单位、项目性质、项目总投资额、产品方案、主要供需方、技术保密要求等。

b. 项目规模,包括:自然条件、项目占地面积、建(构)筑面积、生产规模、单体布局、生产组织结构、工艺流程、主要原(材)料耗量、产品规模、物料的储运等。

c. 建立联系,包括:向企业出示安全评价机构资质证书,介绍安全验收评价原则流程和评价工作程序;送达并解释资料清单的内容,说明需要企业配合的工作,确定通讯方式等。

d. 企业自述问题包括:项目中未进行初步设计的单体、项目建成后与初步设计不一致的单体、施工中变更设计、企业对试生产中已发现的安全及工艺问题是否提出了整改方案。

(3) 资料收集及核查。在熟悉企业情况的基础上,对企业提供的文件资料进行详细核查,对项目资料缺项提出增补资料的要求,对未完成专项检测、检验或取证的单位提出补测或补证的要求,将各种资料汇总成图表形式。文件核查的资料根据项目实际情况决定,一般包括以下内容:

① 法规标准收集。建设项目涉及的法律、法规、规章及规范性文件,项目所涉及国内外标准(国标、行标、地标、企标)、规范(建设及设计规范)。

② 安全管理及工程技术资料收集。

a. 项目的基本资料:项目平面、工艺流程、初步设计(变更设计)、安全预评价报告、各级批准(批复)文件,若实际施工与初步设计不一致时应提供"设计变更文件"或批准文件、项目平面布置简图、工艺流程简图、防爆区域划分图、项目配套安全设施投资表等。

b. 企业编写的资料：项目危险源布控图、应急救援预案及人员疏散图、安全管理机构及安全管理网络图、安全管理制度、安全责任制、岗位（设备）安全操作规程等。

c. 专项检测、检验或取证资料：特种设备取证资料汇总、避雷设施检测报告、防爆电气设备检验报告、可燃（或有毒）气体浓度检测报警仪检定报告、生产环境及劳动条件检测报告、专职安全员证、特种作业人员取证汇总资料等。

2）编制安全验收评价计划

编制安全验收评价计划的工作是在前期准备工作基础上，分析项目建成后存在的危险、有害因素分布与控制情况；依据有关安全生产的法律法规和技术标准，确定安全验收评价的重点和要求；依据项目实际情况选择验收评价方法；测算安全验收评价进度。评价机构根据建设项目安全验收评价实际运作情况，自主决定编制安全验收评价计划书。

(1) 主要危险因素、有害因素分析

① 项目所在地周边环境和自然条件的危险、有害性分析。

② 项目边界内平面布局及物流路线等危险、有害性分析。

③ 工艺条件、工艺过程、工艺布置、主要设备设施等工艺方面的危险、有害性分析。

④ 原辅材料、中间产品、产品、副产品、溶剂、催化剂等物质的危险、有害性分析。

⑤ 辨识是否有重大危险源、是否有须监控的化学危险品。

(2) 确定安全验收评价单元和评价重点

① 按安全系统工程的原理，考虑各方面的综合或联合作用，将安全验收评价总目标，从"人、机、料、法、环"的角度分解为人力与管理单元、设备与设施单元、物料与材料单元、方法与工艺单元、环境与场所单元，见表 5-7。

表 5-7　　　　　　　　　评价单元划分及评价内容表

序号	评价单元	主要内容
1	人力与管理单元	安全管理体系、管理组织、管理制度、责任制、操作规程、持证上岗、应急救援等
2	设备与设施单元	生产设备、安全装置、辅助设施、特种设备、电器仪表、避雷设施、消防器材等
3	物料与材料单元	危险化学品、包装材料、储存容器材质
4	方法与工艺单元	生产工艺、作业方法、物流路线、储存养护等
5	环境与场所单元	周边环境、建（构）筑物、生产场所、防爆区域、作业条件、安全防护等

② 根据危险、有害因素分布与控制情况，按递阶层次结构分解，确定安全验收评价的重点。安全验收评价的重点一般有：易燃易爆、急性中毒、特种设备、安全附件、电气安全、机械伤害、安全连锁等。

(3) 选择安全验收评价方法。安全验收评价方法的选择原则主要考虑评价结果是否能达到安全验收评价所要求的目的，还要考虑进行评价所需的信息资料是否能收集齐全。可用于安全验收评价的方法很多，但就其实用性来说，目前安全验收评价经常选用以下方法：

① 一般采用"安全检查表"法，以法规、标准为依据，检查系统整体的符合性和配套安全设施的有效性。

② 对比较复杂的系统经常采用以下方法：

a. 采用顺向追踪方法检查分析，运用"事件树分析"方法评价。

b. 采用逆向追溯方法检查分析,运用"事故树分析"方法评价。

c. 采用已公布的行业安全评价方法评价。

d. 对于未达到安全预评价要求或建成系统与安全预评价的系统不相对应时,可补充其他评价方法评价。

安全验收评价典型评价方法对照"试生产"查找,如表5-8所列。

表5-8　　　　　　　　　　典型评价方法适应的生产过程

评价方法	各生产阶段					
	设计	试生产	工程实施	正常运转	事故调查	拆除报废
安全检查表	×	√	√	√	×	√
危险指数法	√	×	×	√	×	×
预先危险性分析	√	√	√	√	√	×
危险可操作性研究	×	√	√	√	√	×
故障模式和影响分析	√	√	√	√	√	×
事件树分析	×	√	√	√	√	×
事故树分析	×	√	√	√	√	×
人的可靠性分析	×	√	√	√	√	×
概率危险评价	√	√	√	√	√	×

注:"√"表示通常采用,"×"表示很少采用或不适用。

(4) 测算安全验收评价进度。安全验收评价工作的进度安排应能有效地实施科学的进度管理方法(如网络计划技术),能反映工作量和工作效率,必要时可画出"甘特图(Gantt chart)",见表5-9。

表5-9　　　　　　　　　　安全验收评价工作进度甘特图

阶段	工作过程	安全验收评价工作进度										
		1	2	3	4	5	6	7	8	9	10	11	12
Ⅰ	前置性检查												
	工况调查												
	编写计划书												
Ⅱ	资料收集												
	文件审核												
	现场检查												
	数据汇总												
	编制报告初稿												
Ⅲ	初稿确认												
	整改复查												
	编制正式报告												
	报告评审												

注:工作进度表中的数字可填入具体日期范围。

3) 安全验收评价现场检查及评价

安全验收评价现场检查是按照安全验收评价计划对安全生产条件与状况独立进行验收评价现场检查和评价。评价机构对现场检查及评价中发现的隐患或尚存在的问题,提出改进措施及建议。

(1) 制订安全检查表。安全检查表是"前期准备"策划性成果,是安全验收评价人员进行工作的工具。

编制安全检查表的作用:在检查前列表可使检查内容较周密和完整,既可保持现场检查时的连续性和节奏性,又可减少评价人员的随意性;可提高现场检查的工作效率,并留下检查的原始证据。

① 安全检查表的基本格式。编制安全检查表时要解决两个问题,即"查什么"和"怎么查",见表 5-10。

表 5-10　　　　　　　　安全检查表的基本格式

序号	检查部位	检查内容	安全要求	依据标准	检查结果	改进意见	整改负责人

检查日期:　年　月　日　　　　　　　　　　　　　　　　检查者:

② 安全验收评价需要编制的安全检查表:

a. 安全生产监督管理机构有关批复中提出的整改意见落实情况检查表。

b. 安全预评价报告中提出的安全技术和管理对策措施落实情况检查表。

c. 初步设计(包括变更设计)中提出的安全对策措施落实情况检查表。

d. 人力与管理方面的检查表。

e. 人机工效方面的安全检查表。

f. 设备与设施方面的安全检查表。

g. 物质与材料方面的安全检查表。

h. 方法与工艺方面的安全检查表。

i. 环境与场所方面的安全检查表。

j. 事故预防及应急救援预案方面的检查表。

k. 其他综合性措施的安全检查表。

(2) 现场检查及测定。对项目生产、辅助、生活等 2 个区域进行检查测定。

① 检查方式有按部门检查、按过程检查、顺向追踪、逆向追溯等,各有利弊,工作中可以根据实际情况灵活应用。

a. 按部门检查也称按"块"检查,是以企业部门(车间)为中心进行检查的方式。

b. 按过程检查也称按"条"检查,是以受检项目为中心进行检查的方式。

c. 顺向追踪也称"归纳"式检查,是从"可能发生的危险"顺序检查其安全和管理措施的方式。

d. 逆向追溯也称"演绎"式检查,是从"可能发生的危险"逆向检查针对可能造成危险的安全和管理措施的方式。

② 证据收集。一般有"问、听、看、测、记",它们不是独立的而是连贯的、有序的,每项检

查内容都可以用一遍或多遍。

　　a. 问：按检查计划和检查表为主线，逐项询问，可作适当延伸。
　　b. 听：认真听取企业人员对检查项目的介绍，当介绍偏离主题时可作适当引导。
　　c. 看：定性检查，在"问"、"听"的基础上，进行现场观察、核实。
　　d. 测：定量检查，可用测量、现场检测、采样分析等手段获取数据。
　　e. 记：对检查获得的信息或证据，可用文字、复印、照片、录音、录像等方法记录。
　　检查的内容，根据"前期准备"中制订的安全检查表并按实际工况调整。

　　(3) 安全评价。通过现场检查、检测、检验及访问，得到大量数据资料，首先将数据资料分类汇总，再对数据进行处理，保证其真实性、有效性和代表性。经数理统计将数据整理成可以与相关标准比对的格式，考察各相关系统的符合性和安全设施的有效性，列出不符合项，按不符合项的性质和数量得出评价结论并采取相应措施。评价结论判别举例，见表5-11。

表 5-11　　　　　　　　　　　　　评价结论判别表

结论和措施	不符合项率			
	否决项/单元高于40%	20%～40%	5%～20%	低于5%
评价结论	不具备安全条件	不合格	合格	优秀
相应措施	终止评价	整改后全面复查	对整改项复查	整改后备案

注：对所有不合格项（否决项或非否决项），均应整改；整改结果由评价机构复查或认定，评价机构依据检查及整改的结果重新出具评价结论。

　　(4) 安全对策措施。对检查、检测、检验得到的不符合项进行分析，对照相关法规和标准，提出安全技术及管理方面的安全对策措施。
　　安全对策措施分类如下：
　　① "否决项"不符合，提出必须整改的意见。
　　② "非否决项"不符合，提出要求改进的意见。
　　③ 对相关标准"宜"的要求，提出持续改进建议。
　　4) 编制安全验收评价报告
　　编制安全验收评价报告是根据"前期准备"、"评价计划"和"现场检查及评价"的工作成果，对照相关法律法规、技术标准，编制安全验收评价报告。
　　5) 安全验收评价报告评审
　　安全验收评价报告评审是建设单位按规定将安全验收评价报告送专家评审组进行技术评审，并由专家评审组提出书面评审意见。评价机构根据专家评审组的评审意见，修改、完善安全验收评价报告。

　　2. 安全验收评价计划书
　　《安全验收评价计划书》是正式开展安全验收评价前，向被评价企业交代安全验收评价依据、评价内容、评价方法、评价程序、检查方式、需要企业配合事项及评价日程安排的技术文件，使企业预先了解安全验收评价的全过程，以便有计划地开展评价工作。
　　(1) 编制《安全验收评价计划书》的要求
　　《安全验收评价计划书》应在安全验收评价工作程序"前期准备"进行了"工况调查"的基

础上编制;安全验收评价计划要求:目的明确,危险、有害因素分析确切,评价重点单元划分恰当,安全验收评价方法选择科学、合理、有针对性。

(2)《安全验收评价计划书》的基本内容

① 安全验收评价的主要依据。安全验收评价的主要依据有适用于安全验收评价的法律法规、相关安全标准及设计规范、建设项目初步设计和变更设计、安全预评价报告及批复文件等。

② 建设项目概况。建设项目概况包括建设项目地址、总图及平面布置、生产规模、主要工艺流程、主要设备、主要原材料及其消耗量、经济技术指标、公用工程及辅助设施、建设项目开工日期及竣工日期、试运行情况等。

③ 主要危险、有害因素及相关作业场所分析。这些分析主要是参考安全预评价报告,根据项目建成后周边环境、生产工艺流程或场所特点,指出危险及有害因素存在的部位,分析并列出危险及有害因素。

④ 安全验收评价重点的确定。围绕建设项目危险、有害因素,按科学性、针对性和可操作性的原则,确定安全验收评价的重点。

⑤ 安全验收评价方法的选择。依据建设项目实际情况选择安全验收评价方法,通常选择安全检查表方法。

有重大设计变更、前期未进行安全预评价的建设项目或评价机构认为有必要的情况下,可选择其他评价方法或选择多种评价方法。

⑥ 安全验收评价安全检查表的编制。安全验收评价需要编制的安全检查表(定性型、定量型、否决型、权值评分型等),一般包括:建设项目周边环境安全检查表;建(构)筑及场地布置安全检查表;工艺及设备安全检查表;安全工程设计安全检查表;安全生产管理安全检查表;其他综合性措施安全检查表;安全验收评价工作安排。

安全验收评价计划应对安全验收评价工作作出初步安排,包括安全验收评价工作进度、现场检查抽查比例、进入现场安全防护措施等。

3. 安全验收评价报告

安全验收评价报告是安全验收评价工作过程形成的成果。安全验收评价报告的内容应能反映安全验收两方面的义务:一是为企业服务,帮助企业查出安全隐患,落实整改措施以达到安全要求;二是为政府安全生产监督管理机构服务,提供建设项目安全验收的依据。

1)安全验收评价报告的要求

(1)安全验收评价报告内容有以下要求:

① 初步设计中安全设(措)施,是否已按设计要求与主体工程同时建成并投入使用。

② 建设项目中特种设备,是否经具有法定资格的单位检验合格,并取得安全使用证(或检验合格证书)。

③ 工作环境、劳动条件等,经测试是否符合国家有关规定。

④ 建设项目中安全设(措)施,经现场检查是否符合国家有关安全规定或标准。

⑤ 是否建立了安全生产管理机构,是否建立、健全了安全生产规章制度和安全操作规程,是否配备了必要的检测仪器、设备,是否组织进行劳动安全卫生培训教育及特种作业人员培训、考核及取证情况。

⑥ 是否制定了事故预防和应急救援预案。

(2) 安全验收评价报告编制要求。安全验收评价报告编制的要求：内容全面，重点突出，条理清楚，数据完整，取值合理，整改意见具有可操作性，评价结论客观、公正。
2) 安全验收评价报告主要内容
(1) 概述。
① 安全验收评价依据。
② 建设单位简介。
③ 建设项目概况。
④ 生产工艺。
⑤ 主要安全卫生设施和技术措施。
⑥ 建设单位安全生产管理机构及管理制度。
(2) 主要危险、有害因素识别。
① 主要危险、有害因素及相关作业场所分析。
② 列出建设项目所涉及的危险、有害因素并指出存在的部位。
(3) 总体布局及常规防护设施措施评价。
① 总平面布局。
② 厂区道路安全。
③ 常规防护设施和措施。
④ 评价结果。
(4) 易燃易爆场所评价。
① 爆炸危险区域划分符合性检查。
② 可燃气体泄漏检测报警仪的布防安装检查。
③ 防爆电气设备安装认可。
④ 消防检查（主要检查是否取得消防安全认可）。
⑤ 评价结果。
(5) 有害因素安全控制措施评价。
① 防急性中毒、窒息措施。
② 防止粉尘爆炸措施。
③ 高、低温作业安全防护措施。
④ 其他有害因素控制安全措施。
⑤ 评价结果。
(6) 特种设备监督检验记录评价。
① 压力容器与锅炉（包括压力管道）。
② 起重机械与电梯。
③ 厂内机动车辆。
④ 其他危险性较大设备。
⑤ 评价结果。
(7) 强制检测设备设施情况检查。
① 安全阀。
② 压力表。

③ 可燃、有毒气体泄漏检测报警仪及变送器。
④ 其他强制检测设备设施情况。
⑤ 检查结果。

(8) 电气安全评价。
① 变电所。
② 配电室。
③ 防雷、防静电系统。
④ 其他电气安全检查。
⑤ 评价结果。

(9) 机械伤害防护设施评价。
① 夹击伤害。
② 碰撞伤害。
③ 剪切伤害。
④ 卷入与绞碾伤害。
⑤ 割刺伤害。
⑥ 其他机械伤害。
⑦ 评价结果。

(10) 工艺设施安全连锁有效性评价。
① 工艺设施安全连锁设计。
② 工艺设施安全连锁相关硬件设施。
③ 开车前工艺设施安全连锁有效性验证记录。
④ 评价结果。

(11) 安全生产管理评价。
① 安全生产管理组织机构。
② 安全生产管理制度。
③ 事故应急救援预案。
④ 特种作业人员培训。
⑤ 日常安全管理。
⑥ 评价结果。

(12) 安全验收评价结论。在对现场评价结果分析归纳和整合的基础上,作出安全验收评价结论。
① 建设项目安全状况综合评述。
② 归纳、整合各部分评价结果提出存在问题及改进建议。
③ 建设项目安全验收总体评价结论。

(13) 安全验收评价报告附件。
① 数据表格、平面图、流程图、控制图等安全评价过程中制作的图表文件。
② 建设项目存在问题与改进建议汇总表及反馈结果。
③ 评价过程中专家意见及建设单位证明材料。

(14) 安全验收评价报告附录。

① 与建设项目有关的批复文件(影印件)。
② 建设单位提供的原始资料目录。
③ 与建设项目相关数据资料目录。

4. 安全验收评价报告的格式

(1) 封面。
(2) 评价机构安全验收评价资格证书影印件。
(3) 著录项目录。
(4) 编制说明。
(5) 前言。
(6) 正文。
(7) 附件。
(8) 附录。

5. 安全验收评价报告的载体

安全验收评价报告的载体一般采用文本形式。为适应信息处理、交流和资料存档的需要，报告可采用多媒体电子载体。电子版本中能容纳大量评价现场的照片、录音、录像及文件扫描，可增强安全验收评价工作的可追溯性。

本章小结

本章主要介绍了系统安全评价的基本内容。首先介绍了系统安全评价的目的和意义，然后介绍了系统安全评价的依据，主要包括法律、法规、标准和风险判别指标；之后介绍了系统安全评价的原理、原则和安全评价的限制因素；随后介绍了系统安全评价的程序、评价方法的选择，以及系统安全评价结论的编制；最后介绍了安全评价资料、数据采集分析处理原则及方法，安全现状评价和安全验收评价技术文件的编制。

思考题

1. 系统安全评价的目的是什么？
2. 系统安全评价有何意义？
3. 系统安全评价的依据主要有哪些？
4. 简述系统安全评价的基本原理。
5. 系统安全评价时应注意哪些问题？
6. 简述系统安全评价的程序。
7. 评价结论主要应包含哪些内容？
8. 安全验收评价与"三同时"有何关系？
9. 对安全验收评价工作有哪些要求？
10. 简述安全验收评价与其他评价之间的联系与区别。

第六章

定性安全评价方法

第一节 概 述

安全评价方法现在在国内外已经提出并应用的不少于几十种,几乎每种方法都有较强的针对性。也就是说由于评价对象的多样性,因而也就提出许多种评价方法,综合分析这些方法,可以分成两类:一种是按评价指标的量化程度分为定性方法、定量方法以及定性与定量相结合的方法;另一种是按评价对象进行整合,如物质产品、设备安全评价法(如指数法等),安全管理评价法,系统安全综合评价法。本章按前一种分类方法进行介绍。

一、定性安全评价

定性安全评价是借助于对事物的经验、知识、观察及对发展变化规律的了解,科学地进行分析、判断的一类方法。运用这类方法可以找出系统中存在的危险、有害因素,进一步根据这些因素从技术上、管理上、教育上提出对策措施,加以控制,达到系统安全的目的。

目前应用较多的方法有安全检查表、事故树分析、事件树分析、危险度评价法、预先危险性分析、故障模式和影响分析、危险性可操作研究、如果……怎么办模式、人因失误(HE)分析等分析评价方法。

二、定量安全评价

定量安全评价是根据统计数据、检测数据、同类和类似系统的数据资料,按有关标准,应用科学的方法构造数学模型进行定量化评价的一类方法。主要有以下两种类型:

(1)以可靠性、安全性为基础,先查明系统中的隐患并求出其损失率、有害因素的种类及其危险程度,然后再与国家规定的有关标准进行比较、量化。

常用的方法有:事故树分析、事件树分析、模糊数学综合评价法、层次分析法、格雷厄姆-金尼法、机械工厂固有危险性评价方法、原因-结果(CC)分析法。

(2)以物质系数为基础,采取综合评价的危险度分级方法。

常用的方法有:美国道化学公司的火灾、爆炸危险指数评价法、英国帝国化学公司蒙德部的 ICI/Mond 火灾、爆炸、毒性指标法、日本劳动省的六阶段法、单元危险指数快速排序法等。

定性评价方法要求评价者具备相关知识和经验,定量评价方法则要求大量的安全数据。单纯的定性分析容易造成研究的粗浅;而有关数据的不完善,也使得定量安全评价方法难以得到有效应用和检验。因此,应当结合定性和定量的方法进行系统分析和评价,弥补单纯定性分析和单纯定量分析所产生的不足。本章主要介绍一些国内比较常用的定性评价方法，另外预先危险性分析、事件树分析、故障模式和影响分析等方法已在第四章中介绍过，本章不再重复介绍。

第二节 安全检查表法

一、安全检查表法

（一）概述

系统安全是人们所追求的目标，为实现这一目标，对可能引起系统事故的所有原因应事先清楚地了解和掌握，以便对不安全因素实施控制和预防。显然，了解与掌握真正不安全因素是实现系统安全的首要任务。为能够真正发现问题，则需要对系统进行全面的分析检查。安全检查表就是为此目的而产生的。它是安全评价最基础、最初步的一种方法。它不仅是实施安全检查和诊断的一种工具，也是发现潜在危险因素的一个有效手段和分析事故并对系统进行定性安全评价的一种方法。

安全检查表法是依据有关标准、规范、法律条款和专家的经验，在对系统进行充分分析的基础上，将系统分成若干个单元或层次，列出所有的危险因素，确定检查项目，然后编制成表，按此表对已知的危险类别、设计缺陷以及与一般工艺设备、操作、管理有关的潜在危险性和有害性进行判别检查。

安全检查表实际上就是一份实施安全检查和诊断的项目明细表，是安全检查结果的备忘录。这种用提问的方式编成的检查表，很早就用于安全工作中。它是安全系统工程中最基础、最初步的一种形式。现代安全系统工程中很多分析方法，如预先危险性分析、故障模式和影响分析、事故树分析、事件树分析等，都是在安全检查表的基础上发展起来的。

安全检查表在安全检查中之所以能够发挥作用，是因为安全检查表是用系统工程的观点，组织有经验的人员，首先将复杂的系统分解成为子系统或更小的单元，然后集中讨论这些单元中可能存在什么样的危险性、会造成什么样的后果、如何避免或消除等。由于可以事先组织有关人员编制，容易做到全面周到，避免漏项。经过长时期的实践与修订，可使安全检查表更加完善。

（二）安全检查表的作用

归纳起来，安全检查表主要有以下作用：

（1）安全检查人员能根据检查表预定的目的、要求和检查要点进行检查，做到突出重点，避免疏忽、遗漏和盲目性，及时发现和查明各种危险和隐患。

（2）针对不同的对象和要求编制相应的安全检查表，可实现安全检查的标准化、规范化。同时也可为设计新系统、新工艺、新装备提供安全设计的有用资料。

（3）依据安全检查表进行检查，是监督各项安全规章制度的实施和纠正违章指挥、违章作业的有效方式。它能克服因人而异的检查结果，提高检查水平，同时也是进行安全教育的一种有效手段。

（4）可作为安全检查人员或现场作业人员履行职责的凭据，有利于落实安全生产责任制，同时也可为新老安全员顺利交接安全检查工作打下良好的基础。

(三)安全检查表的种类

安全检查表的应用范围十分广泛,如对工程项目的设计、机械设备的制造、生产作业环境、日常操作、人员的行为、各种机械设备及设施的运行与使用、组织管理等各个方面。加上安全检查的目的和对象不同,检查的着眼点也就不同,因而需要编制不同类型的检查表。

安全检查表按其用途可分为以下几种。

1. 设计审查用安全检查表

分析事故情报资料表明,由于设计不良而存在不安全因素所造成的事故约占事故总数的1/4。如果在设计时能够设法将不安全因素除掉,则可取得事半功倍的效果。否则,设计付诸实施后再进行安全方向的修改,不仅浪费资金,而且往往收不到满意的效果。因此,在设计之前,应为设计者提供相应的安全检查表。检查表中应附上有关规程、规范、标准,这样既可扩大设计人员知识面,又可使他们乐于采取这些标准中的数据与要求,避免与安全人员发生争议。安全人员也可在"三同时"审查时使用此类安全检查表。

设计用的安全检查表,其内容主要包括:厂址选择、平面布置、工艺流程的安全性、装备的配置、建筑物与构筑物、安全装置与设施、操作的安全性、危险物品的储存与运输、消防设施等方面。

2. 厂级安全检查表

这类检查表供全厂性安全检查用,可也供安全技术、防火部门进行日常检查时使用。其主要内容包括:厂区内各个产品的工艺和装置的安全可靠性、要害部位、主要安全装置与设施、危险品的储存与使用、消防通道与设施、操作管理及遵章守纪情况等。检查要突出要害部位,注意力集中在大面积的检查上。

3. 车间用安全检查表

供车间进行定期安全检查或预防性检查时使用。该检查表主要集中在防止人身、设备、机械加工等事故方面。其内容主要包括:工艺安全、设备布置、安全通道、在制品及物件存放、通风照明、噪声与振动、安全标志、人机工程、尘毒及有害气体浓度、消防设施及操作管理等。

4. 工段及岗位用安全检查表

用于日常安全检查,工人自查、互查或安全教育,检查重点集中在防止人身事故及误操作引起的事故方面。其内容应根据工序或岗位的主体设备、工艺过程、危险部位、防灾控制点及整个系统的安全性来制定。要求内容具体,简明易行。

5. 专业性安全检查表

由专业机构或职能部门编制和使用。主要用于专业检查或定期检查,如对电气设备、锅炉与压力容器、防火防爆、特殊装置与设施等的专业检查。检查表的内容要符合有关专业安全技术要求。

(四)安全检查表的优缺点

1. 优点

(1)能根据预定的目标要求进行检查和查明各种危险及隐患;

(2)可针对不同对象编制各种安全检查表,使安全检查和事故分析标准化、规范化;

(3)可作为安全检查人员履行职责的凭据,有利于落实安全生产责任制,并有利于安全人员提高现场安全检查水平；

（4）安全检查表关系到每位工人的切身利益，它能将安全工作推向群众，做到人人关心安全生产，个个参加安全管理，达到"群查群治"的目的。

2. 缺点

主要缺点是不能进行定量评价。

二、安全检查表的编制

（一）编制的原则

（1）编制工作要具有科学性

传统管理往往凭经验、拍脑袋办事，不能真正体现"预防为主"的管理思想。现代化工厂是一个人、机、料、法、环、仪"六方共系"的复杂系统，要识别、控制、预防系统中的危险性，首先必须对系统进行充分的认识，强调运用的安全检查表应具有科学性，其次要在编制之前充分揭示特定系统中的危险性及危险发生的可能性。既要重视"人的不安全行为"，也要重视"物的不安全状态"对企业安全生产的影响，着重在物的本质安全化方面下工夫。

安全检查表具有科学性，还包括表中的内容和条目顺序必须与技术规范、安全技术规程、工艺要求等相匹配。例如，在编制企业"气密性试验作业安全检查表"时，必须先把强度试验（水压试验）这一条目放在前面，把有关气密试验作业安全检查的条目放在后面，如果不优先编制水压试验条目（即构成漏项），即使其他所有子条目经检查都符合安全要求，也会因没有做水压试验，在气压试验时或在用户手中可能发生重大意外事故，这充分说明安全检查表的科学性丝毫都不能忽视。在编制"气密性试验安全检查表"时，如把"运用观察镜去观察气压试验装置的压力表读数"列入"气密性试验安全检查表"子条目，这种检查表就更加具有特定内涵，加大了检查表从技术角度、科学预防事故方面的技术含量。

（2）简单明了，便于使用

安全检查表是发现问题和危险的统一"标尺"，它的"刻度"既要"精密"，又要适度；既要便于"测量"，又要便于使用。所谓"精密"，指表中的项目应包括所有检查点。但检查点一多，往往又会掩盖重点。因此，检查表应高度概括众多的检查点，做到简单明了，便于使用，既全面又突出重点，具有适度性。

（3）共同编制，不断完善

安全检查表编制宜采取"三结合"的方法，由工程技术人员、管理人员和操作工人共同编制，并在实践中不断修改补充，逐步完善。编制要与本单位实际情况相结合，不要生搬硬套。

（二）基本内容和格式

1. 安全检查表的基本内容

（1）序号。序号要统一编号。

（2）项目名称。例如分系统、子系统，车间、工段、设备，项目、条款等。

（3）检查内容。在修辞上可以用直接陈述句，也可以用疑问句。

（4）检查结果。即回答栏，有的采用"是"或"否"符号，即"√"或"×"表示，有的打分。

（5）备注。可以注明建议改进的措施或情况反馈等事项。

（6）检查人及检查时间。如实及时填写，以便分清责任。

为了使安全检查表进一步细化，还可以根据实际情况和需要增添栏目，如将各项检查内容的规章制度、规范、标准列出,在每个提问后面也可以设有改进措施栏,或对各个项目的重要程度作出标记,或对各检查项目量化给分等。

2. 安全检查表的格式

(1) 定性化安全检查表

安全检查表应列举需查明的所有导致事故的不安全因素,通常采用提问方式,并以"是"或"否"来回答,"是"表示符合要求,"否"表示还存在问题,有待于进一步改进,"部分符合"表示有一部分符合条件而另一部分不符合条件。表示"是"的符号为"√",表示"否"的符号为"×","≈"表示"部分符合"。定性化安全检查表见表 6-1。

表 6-1　　　　　　　　　　定性化安全检查表

序　号	检查项目和内容	检查结果	标准依据	备　注

(2) 半定量化安全检查表

飞利浦石油公司安全检查表采用了检查表判分-分级系统,在这里作为安全检查表的判分系统采用的是三级判分系列 0-1-2-3、0-1-3-5、0-1-5-7。其中评判的"0"表示不能接受的条款,低于标准较多的判给"1";稍低于标准的条件判给次大值的分数;符合标准条件的判给最大的分数。

判分的分数是一种以检查人员的知识和经验为基础的判断意见,检查表中分成不同的检查单元进行检查,为了便于得到更为有效的检查结果,用所得总分数除以各种类别的最大总分数。在汇总表上,分数的总和除以所检查种类的数目,该数值表示所检查的有效的平均百分数。半定量化的安全检查表见表 6-2。

表 6-2　　　　　　　　　　半定量化的安全检查表

序　号	检查项目和内容	检查结果		备　注
		可判分数	判给分数	
	1. 检查条款	0-1-2-3(低度危险) 0-1-3-5(中度危险) 0-1-5-7(高度危险)		
		总的满分	总的判分	
百分比=总的分数÷总的可能的分数=判分/满分				

注:选取 0-1-2-3 时条款属于低危险程度,对条款的要求为"允许稍有选择,在条件许可的条件下首先应该这样做";0-1-3-5 时条款属于中等危险程度,对条款的要求为"严格,在正常的情况下均应这样";0-1-5-7 时条款属于高危险程度,对于条款的要求为"很严格,非这样做不可"。

(3) 定量化的安全检查表

定量化的安全检查表包括各分系统或子系统的权重系数及各检查项目的得分情况,按照一定的计算方法,首先计算出各子系统或分系统的评价分数值,再计算出各评价系统的评价得分,最后确定系统(装置)的安全评价等级。定量化的安全检查表见表 6-3。

表 6-3　　　　　　　　　　　　　定量化的安全检查表

序号	检查项目(权重)	检查内容(权重)	检查得分	检查内容评价分数	检查项目评价分数

① 定量化的安全检查表评分方法

采用安全检查表赋值法,按检查内容和要求逐项赋值,每张检查表以 100 分计。

不同检查项目和检查内容按重要程度给予权重系数,同一层次各系统权重系数之和等于 1。

评价时从安全检查内容开始,按实际得分逐层向前推算,根据检查内容的分数值和权重系数计算检查项目分数值,最后得到系统的评价得分。系统满分应为 100 分。

② 安全评价结果计算方法

检查项目分数值计算:

$$M_i = \sum_{j=1}^{n} K_{ij} M_{ij} \tag{6-1}$$

式中　M_i——检查项目的分数值;

　　　K_{ij}——检查内容的权重系数;

　　　M_{ij}——检查内容的分数值;

　　　n——检查项目内检查内容的条数目。

最终评价结果的计算:

$$M = \sum_{i=1}^{m} K_i M_i \tag{6-2}$$

式中　M——定量化的检查结果;

　　　K_i——检查项目的权重;

　　　m——检查项目的数量。

③ 系统(装置)安全等级划分

根据评价系统最终的评价分数值,按表 6-4 确定系统(装置)的安全等级。

表 6-4　　　　　　　　　　　　系统(装置)安全评价等级划分

安全等级	特级安全级	安全级	临界安全级	危险级
系统安全评价分值范围	$M \geqslant 95$	$95 > M \geqslant 80$	$80 > M \geqslant 50$	$M \leqslant 50$

(三) 编制程序与方法

安全检查表看似简单,但要使其在使用中能切合实际,真正起到全面系统地辨识危险性的作用,则需要有一个高质量的安全检查表。要编制这样的检查表,需要做好如下几项工作:

(1) 组织编写组,其成员应是熟悉该系统的专业人员、管理人员和实际操作人员。

(2) 对系统进行全面细致的了解,包括系统的结构、功能、工艺条件等基本情况和有关安全的详细情况。例如,系统发生过的事故,事故原因、影响和后果等。还要收集系统的说明书、布置图、结构图等。

（3）收集与系统有关的国家法规、制度、标准及得到公认的安全要求、国内外的事故情报、本单位的经验等，作为安全检查表的编制依据。

（4）一般工程系统（装置）都比较复杂，难以直接编制出科学的安全检查查表，应按照系统的结构或功能进行分割、剖析，逐一审查每个单元或元素，找出一切影响系统安全的危险因素，包括人、机、物、管理和环境因素，并列出清单。对于难以认识其潜在危险因素和不安全状态的生产系统，可采用类似"黑箱法"的原理来探求。即首先设想系统可能存在哪些危险及其潜在部分，并推论事故发生过程和概率，然后逐步将危险因素具体化，最后寻求处理危险的方法。通过分析不仅可以发现其潜在的危险因素，而且可以掌握事故发生的机理和规律。

（5）针对危险因素清单，从有关法规、制度、标准及技术说明书等文件资料中，逐个找出对应的安全要求及避免或减少危险因素发展为事故应采取的安全措施，形成对应危险因素的安全要求与安全措施清单。

（6）综合上述两个清单，按系统列出应检查问题的清单。每个检查问题应包括是否存在危险因素，应达到的安全指标，应采取的安全措施。这种检查问题的清单就是最初编制的安全检查表。

（7）检查表编制后，要经过多次实践的检验，经不断修改完善，才能成为标准的安全检查表。

编制程序如图 6-1 所示。

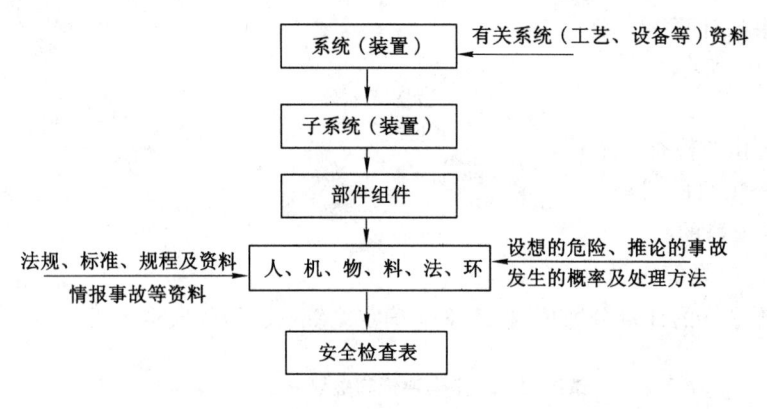

图 6-1　安全检查表的编制程序

（四）编制安全检查表应注意的问题

（1）编制安全检查表的过程，实质是理论知识、实践经验系统化的过程，一个高水平的安全检查表需要专业技术的全面性、多学科的综合性及相对实际经验的统一性。为此，应组织技术人员、管理人员、操作人员和安全人员深入现场共同编制。

（2）列出的检查项目应齐全、具体、明确，突出重点，抓住要害。为了避免重复，尽可能将同类性质的问题列在一起，系统地列出问题或状态。另外，应规定检查方法，并有合格标准，防止检查表笼统化、行政化。

（3）各类检查表都有其适用对象，各有侧重，是不宜通用的。如专业检查表与日常检查表要加以区分，专业检查表应详细，而日常检查表则应简明扼要，突出重点。

(4) 危险部位应详细检查,确保一切隐患在可能发生事故之前就被发现。

(5) 编制安全检查表应将安全系统工程中的事故树分析、事件树分析、预先危险性分析等方法结合进行,把一些基本事件列入检查项目中。

三、安全评价

对现有系统装置的安全检查,应包括巡视和自检检查主要工艺单元区域。在巡视过程中,检查人员按检查表的项目条款对工艺设备和操作情况逐项比较检查。检查人员依据系统的资料,通过对现场巡视检查、与操作人员的交谈以及凭个人主观感觉来回答检查条款。当检查的系统特性或操作有不符合检查表条款上的具体要求时,分析人员应记录下来。

检查完成后,将检查的结果汇总和计算,最后列出具体的安全建议和措施。

安全检查表的编制和实施可以概括为:确定分析对象,找出其危险点;确定检查项目,定出具体内容;顺序编制成表,逐项进行检查。

四、安全检查表示例

(一) 安全检查表的定性化评价示例

某企业安全管理制度单元定性化安全检查表见表6-5。

表 6-5　　　　　　安全管理制度单元安全检查表

项目	检 查 内 容	检 查 结 果	备注
一、证照文书	1. 企业营业执照或企业名称预先核定通知书	有,复印件见附件	符合
	2. 有关人员安全上岗资格证书	有,复印件见附件	符合
	3. 地方法定部门出具的防雷、防静电检测报告或检测合格记录	有,复印件见附件	符合
	4. 公安消防部门对工艺设施的验收合格文件或消防安全检查意见书	无	不符合
	5. 办公场所产权证明或租赁合同	有,复印件见附件	符合
	6. 安全附件的定期检定证书	无	不符合
	7. 锅炉、压力容器的定期检测报告	有,复印件见附件	符合
	8. 施工竣工验收合格文件或竣工图	有	符合
二、安全管理制度	1. 有各级各类人员的安全管理责任制和岗位职责	有	符合
	2. 有健全的安全管理(包括教育、培训、防火、动火、用火、检修等)制度	有	符合
	3. 有完善的经营、销售(包括采购、出入库登记、验收、发放、出售等)管理制度	无相应制度	不符合
	4. 建立安全检查(包括巡回检查、夜间和节假日值班)制度	有	符合
	5. 有符合国家标准《易燃易爆性商品储藏养护技术条件》(GB 17914—2013)、《毒害性商品储藏养护技术条件》(GB 17916—2013)的仓储物品储藏养护制度	管理制度中有"物资储存"篇章	符合
	6. 有各岗位安全操作规程	有全公司各岗位安全操作规程	符合

续表 6-5

项目	检查内容	检查结果	备注
二、安全管理制度	7. 建立了完善的安全生产奖惩制度	有"安全生产管理奖惩实施细则"	符合
	8. 建立了设备维修保养制度	有	符合
	9. 有特种设备、危险设备的管理制度	无	不符合
	10. 建立了有毒有害作业管理制度	管理制度中有"防尘防毒"篇章	符合
	11. 建立了消防器材管理制度	有"关于加强消防设施、器材的管理规定"	符合
	12. 建立了事故台账	有	符合
	13. 建立了事故调查处理、隐患整改制度	有	符合
	14. 建立了安全装置和防护用品(器具)管理制度	有	符合
	15. 建立了作业场所的防火、防爆、防毒制度	有	符合
	16. 建立了安全作业证制度	有	符合
	17. 建立了电气安全管理制度	有	符合
三、安全管理组织	1. 建立安全管理机构,明确企业、部门安全责任人并签定安全责任书	成立了安全管理机构,但未签定安全责任书	不符合
	2. 配备专职安全管理人员;从业人员在 10 人以下的,有专职或兼职安全管理人员。每班作业现场应不少于 1 名专(兼)职安全管理人员	有公司级专职安全员 1 人,明确了车间安全及班组安全负责人	符合
	3. 成立全员参与的群众性义务消防安全组织,员工职责明确、操作熟练,熟悉站内灭火器材、设施的分布、种类和操作	成立了全员参与的群众性义务消防安全组织,并明确了职责,进行了消防器材及消防知识学习	符合
四、从业人员要求	1. 单位主要负责人和安全管理人员经县级以上地方人民政府安全生产监督管理部门考核合格,取得上岗资格	安全科长张某参加了有市安监部门组织的培训,证书见附件;但全公司参加学习的人员人数不够	不符合
	2. 其他从业人员经本单位专业培训或委托专业培训,并经考核合格,取得上岗资格	有培训记录	符合
	3. 特种作业人员按规定考核合格,取得上岗资格	特种作业人员有相应的资格证书	符合
	4. 工作人员应穿工作服上岗	检查时工作人员未做到统一着装	不符合
五、事故应急救援预案	1. 有事故应急救援措施;构成重大危险源的,建立事故应急救援预案,内容一般包括:应急处理组织与职责、事故类型和原因、事故防范措施、事故应急处理原则和程序、事故报警和报告、工程抢险和医疗救护、演练等。不构成重大危险源的,应建立事故应急救援措施	有预案,但内容尚需完善	基本符合
	2. 事故应急救援预案应报上级有关部门批准和备案	该公司无重大危险源,无需上报和批准	—
	3. 有定期演练记录	无	不符合
六、安全色	在易发生事故的设备、危险岗位按标准涂安全色,设置安全标志	此类安全标志偏少且不够醒目	不符合

(二)安全检查表的定量化评价示例

危险化学品生产、储存企业定量化安全检查表见表 6-6。

表 6-6　　　　　　　　危险化学品生产、储存企业安全评估表

序号	检查项目 (权重)	检查内容 (权重)	检查得分	检查内容评价分数	检查项目评价分数
1	组织机构及安全管理制度 (0.2)	安全生产管理机构(0.05)			
		专职安全管理人员(0.05)			
		兼职安全管理人员(0.05)			
		安全生产工作领导机构(0.05)			
		事故应急救援抢救组织(委托、兼管也可)(0.05)			
		安全生产议事制度(0.05)			
		安全生产岗位责任制(0.1)			
		安全技术与操作规程(0.1)			
		安全生产教育制度(0.1)			
		安全生产检查制度(0.1)			
		安全生产值班制度(0.05)			
		危险物品仓储安全管理制度(0.1)			
		危险作业安全管理制度(0.1)			
		设备安全管理制度(0.05)			
2	从业人员 (0.12)	劳动合同中安全条款是否符合国家有关规定(0.08)			
		从业人员是否经过安全教育、培训及持证上岗情况(0.24)			
		特种作业人员是否经过培训和持证上岗情况(0.16)			
		事故应急救援抢救人员是否经过培训(0.09)			
		作业人员是否熟悉并遵守作业规程(0.18)			
		从业人员是否掌握紧急情况下的应急措施(0.09)			
		是否全部缴纳职工工伤保险(0.08)			
		安全生产合理化建议情况(0.08)			
3	生产、储存工艺技术与装备 (0.1)	生产、储存装备布置、建筑结构、电气设备的选用及安装是否符合国家有关规定和国家标准(0.3)			
		采用的生产、储存工艺技术是否为国家淘汰的生产工艺(0.2)			
		使用的生产、储存装备是否为国家淘汰的生产装备(0.2)			
		特种设备是否按照国家有关规定取得检验、检测合格证(0.2)			
		特种设备档案是否齐全(0.1)			
4	公用工程与安全设施 (0.14)	公用工程是否满足生产工艺技术的需要(0.05)			
		职工安全防护装置的配置是否符合国家有关规定(0.15)			
		生产、储存装备安全防护装置的配置是否符合国家有关规定(0.15)			
		职工劳动防护用品的配备是否符合国家有关规定(0.15)			
		职工安全防护装置,生产、储存装备安全防护装置,职工劳动防护用品等安全设施是否定期检验、检测,并建立档案(0.15)			
		消防设施的配置是否符合国家有关规定(0.15)			
		是否配备事故应急救援器材、设备(0.05)			
		危险作业场所是否按照国家有关规定和国家标准设置明显的安全警示标志(0.15)			

续表 6-6

序号	检查项目（权重）	检查内容（权重）	检查得分	检查内容评价分数	检查项目评价分数
5	安全操作、检查与检修施工作业（0.14）	是否按照安全检查制度进行检查,并保存记录(0.08)			
		生产、储存操作记录是否齐全(0.08)			
		有无跑、冒、滴、漏及腐蚀现象(0.2)			
		是否按国家有关规定定期对现有生产、储存装备进行安全评价(0.15)			
		对安全检查和安全评价发现的隐患是否提出整改措施,并完成整改工作(0.2)			
		生产、储存装备是否按规定定期进行维护保养与检修(0.15)			
		检修施工作业是否遵守国家有关规定和国家标准(0.08)			
		重复使用的危险化学品包装物、容器在使用前是否进行了检查,并有相应的记录(0.06)			
6	事故预防与处理（0.09）	是否对危险源实施监控,并建立档案(0.15)	1		
		是否制定了相应的化学事故应急预案(0.2)	2		
		化学事故应急预案是否按规定向政府部门备案(0.1)	1		
		是否按照化学事故应急预案定期组织演练,并及时修订预案(0.15)	1		
		发生的事故是否建立了档案(0.1)	1		
		事故调查处理是否符合国家有关规定(0.1)	1		
		事故"四不放过"的落实情况(0.2)	2		
7	安全生产投入（0.08）	安全技术措施项目投入是否编入年度投入计划(0.25)			
		安全技术措施项目完成情况(0.25)			
		年度投入是否满足改善安全生产条件的需要(0.25)			
		事故隐患整改投入完成情况(0.25)			
8	危险物品安全管理（0.13）	对新的或危险性不明的化学品,是否按规定委托国家认可的专业技术机构对其危险性进行鉴别和评估(0.08)			
		编制危险化学品安全技术说明书和安全标签是否符合国家标准(0.15)			
		是否生产、使用国家明令禁止的危险化学品(0.2)			
		销售、购买危险化学品是否符合国家有关规定,并保存记录(0.08)			
		危险物品是否建立了档案(0.08)			
		危险物品的运输是否符合国家有关规定和国家标准(0.08)			
		使用的危险化学品包装物、容器是否是定点生产单位生产的产品(0.15)			
		使用的危险化学品包装物、容器是否取得具有专业资质的检测、检验机构检测、检验合格(0.09)			
		废弃危险化学品的处置是否符合国家有关规定(0.09)			
	注：检查内容每条按百分制打分,无需检查的条目按满分计算。				
	评估分数合计				

第三节　作业条件危险性评价法

一、方法介绍

对于一个具有潜在危险性的作业条件,K.J.格雷厄姆和G.F.金尼认为,影响危险性的主要因素有三个:

① 发生事故或危险事件的可能性;
② 暴露于这种危险环境的情况;
③ 事故一旦发生可能产生的后果。

用公式来表示,则为

$$D = L \cdot E \cdot C \tag{6-3}$$

式中　D——作业条件的危险性;
　　　L——事故或危险事件发生的可能性;
　　　E——暴露于危险环境的频率;
　　　C——发生事故或危险事件的可能结果。

1. 发生事故或危险事件的可能性

事故或危险事件发生的可能性与其实际发生的概率相关。若用概率来表示时,绝对不可能发生的概率为0;而必然发生的事件,其概率为1。但在考察一个系统的危险性时,绝对不可能发生事故是不确切的,即概率为0的情况不确切。所以,将实际上不可能发生的情况作为"打分"的参考点,定其分数值为0.1。

此外,在实际生产条件中,事故或危险事件发生的可能性范围非常广泛,因而人为地将完全出乎意料、极少可能发生的情况规定为1;能预料将来某个时候会发生事故的分值规定为10;在这两者之间再根据可能性的大小相应地确定几个中间值,如将"不常见,但仍然可能"的分值定为3,"相当可能发生"的分值规定为6。同样,在0.1与1之间也插入了与某种可能性对应的分值。于是,将事故或危险事件发生可能性的分值从实际上不可能的事件为0.1,经过完全意外有极少可能的分值1,确定到完全会被预料到的分值10为止(表6-7)。

表 6-7　　事故或危险事件发生可能性分值

分值	事故或危险情况发生可能性	分值	事故或危险情况发生可能性
10*	完全会被预料到	0.5	可以设想,但高度不可能
6	相当可能	0.2	极不可能
3	不经常,但可能	0.1*	实际上不可能
1*	完全意外,极少可能		

注:* 为"打分"的参考点。

2. 暴露于危险环境的频率

众所周知,作业人员暴露于危险作业条件的次数越多、时间越长,则受到伤害的可能性也就越大。为此,K.J.格雷厄姆和G.F.金尼规定了连续出现在潜在危险环境的暴露频率分值为10,一年仅出现几次非常稀少的暴露频率分值为1。以10和1为参考点,再在其区间根据在潜在危险作业条件中暴露情况进行划分,并对应地确定其分值。例如,每月暴露一次的分值定为2,每周一次或偶然暴露的分值为3。当然,根本不暴露的分值应为0,但这种情况实际上是不存在的,是没有意义的,因此无需列出。关于暴露于潜在危险环境的分值见表6-8。

表6-8　　暴露于潜在危险环境的分值

分值	出现于危险环境的情况	分值	出现于危险环境的情况
10*	连续暴露于潜在危险环境	2	每月暴露一次
6	逐日在工作时间内暴露	1*	每年几次出现在潜在危险环境
3	每周一次或偶然地暴露	0.5	非常罕见地暴露

注:* 为"打分"的参考点。

3. 发生事故或危险事件的可能结果

造成事故或危险事故的人身伤害或物质损失可在很大范围内变化,以工伤事故而言,可以从轻微伤害到许多人死亡,其范围非常宽广。因此,K.J.格雷厄姆和G.F.金尼将需要救护的轻微伤害的可能结果分值规定为1,以此为一个基准点;而将造成许多人死亡的可能结果规定为分值100,作为另一个参考点。在两个参考点1～100之间,插入相应的中间值,列出如表6-9所列的可能结果的分值。

表6-9　　发生事故或危险事件可能结果的分值

分值	可能结果	分值	可能结果
100*	大灾难,许多人死亡	7	严重,严重伤害
40	灾难,数人死亡	3	重大,致残
15	非常严重,一人死亡	1*	引人注目,需要救护

注:* 为"打分"的参考点。

4. 作业条件的危险性

确定了上述三个具有潜在危险性的作业条件的分值,并按公式进行计算,即可得危险性分值。据此,要确定其危险程度时,则按下述标准进行评定。

由经验可知,危险性分值在20以下的环境属低危险性,一般可以被人们接受,这样的危险性比骑自行车通过拥挤的马路去上班之类的日常生活活动的危险性还要低。当危险性分值在20～70时,则需要加以注意;危险性分值70～160的情况时,则有明显的危险,需要采取措施进行整改;同样,根据经验,当危险性分值在160～320的作业条件属高度危险的作业条件,必须立即采取措施进行整改。危险性分值在320分以上时,则表示该作业条件极其危险,应该立即停止作业直到作业条件得到改善为止。危险性分值详见表6-10。

表6-10　　危险性分值

分值	危险程度	分值	危险程度
>320	极其危险,不能继续作业	20～70	可能危险,需要注意
160～320	高度危险,需要立即整改	>20	稍有危险,或许可以接受
70～160	显著危险,需要整改		

二、优缺点及适用范围

作业条件危险性评价法评价人们在某种具有潜在危险的作业环境中进行作业的危险程度,该法简单易行,危险程度的级别划分比较清楚、醒目。但是,由于它主要是根据经验来确定三个因素的分数值及划定危险程度等级,因此具有一定的局限性。而且它是一种作业条件的局部评价,故不能普遍适用。此外,在具体应用时,还可根据自己的经验、具体情况适当加以修正。

第四节　MES评价法

该方法将风险程度(R)表示为 $R=LS$,其中 L 表示事故发生的可能性,S 表示事故后果。人身伤害事故发生的可能性主要取决于人体暴露于危险环境的概率 E 和控制措施的状态 M。对于单纯的财产损失事故,不必考虑暴露问题,只考虑控制措施的状态 M。方法程序如图6-2所示。

MES评价法的适用范围很广,不受专业的限制,可以看做是它对LEC评价方法的改进。

分数值	控制措施的状态(M)	分数值	人体暴露于危险环境的频繁程度(E)
5	无控制措施	10	连续暴露
		6	每天工作时间暴露
3	有减轻后果的应急措施,包括警报系统	3	每周一次,或偶然暴露
		2	每月一次暴露
1	有预防措施,如机器防护装置等	1	每年几次暴露

事故后果(S)

分数	伤害	职业相关病症	设备财产损失	环境影响
10	有多人死亡	职业病(多人)	>1亿元	有重大环境影响的不可控排放
8	有一人死亡		1 000万~1亿	有中等环境影响的不可控排放
4	永久失能	职业病(一人)	100万~1 000万	有较轻环境影响的不可控排放
2	需医院治疗,缺工	职业性多发病	10万~100万	有局部环境影响的可控排放

$R = MES$

分级依据:$R=MES$

分级	有人身伤害的事故(R)	单纯财产损失事故(R)
一级	>180	30~50
二级	90~150	20~24
三级	50~80	8~12
四级	20~48	4~6
五级	<18	<3

图6-2　MES分级法

第五节 MLS评价法

该法由中国地质大学马孝春博士设计,是对 MES 和 LEC 评价方法的进一步改进。经过与 LEC、MES 法的对比,该方法的评价结果更贴近于真实情况。该方法的评价方程式为

$$R = \sum_{i=1}^{n} M_i L_i (S_{i1} + S_{i2} + S_{i3} + S_{i4}) \tag{6-4}$$

方程式中各项的含义:R 为危险源的评价结果,即风险,无量纲;n 为危险因素的个数;M_i 是指对第 i 种危险因素的控制与监测措施;L_i 指作业区域的第 i 种危险因素发生事故的频率;S_{i1} 代表由第 i 种危险因素发生事故所造成的可能的一次性人员伤亡损失;S_{i2} 代表由于第 i 种危险因素的存在,所带来的职业病损失(S_{i2} 即使在不发生事故时也存在,按一年内用于该职业病的治疗费用来计算);S_{i3} 代表由第 i 种危险因素诱发的事故造成的财产损失;S_{i4} 代表由第 i 种危险因素诱发的环境累积污染及一次性事故的环境破坏所造成的损失。

MLS 评价方法充分考虑了待评价区域内的各种危险因素及由其所造成的事故严重度;在考虑了危险源固有危险性外,还有反映对事故是否有监测与控制措施的指标;对事故的严重度的计算考虑了由于事故所造成的人员伤亡、财产损失、职业病、环境破坏的总影响。客观再现了风险产生的真实后果:一次性的直接事故后果及长期累积的事故后果。MLS 法比 LEC 法和 MES 法更加贴近实际,更加易于操作,在实际评价中也取得了较好效果,值得在实践中推广。

本章小结

本章主要介绍了定性安全评价的定义、常用的定性安全评价方法,重点阐述了安全检查表法、生产作业条件危险性评价法、MES 评价法、MLS 评价法的原理、评价步骤、方法特点、适用条件及应用举例,另外比较常用的定性安全评价方法如系统预先危险性分析法、事件树分析、故障模式和影响分析等已在本书第四章里有所涉及,这里不再重复介绍。

思考题

1. 安全检查表的作用及优点有哪些?试结合运输实例编制安全检查表。
2. 试述五种安全检查表评价方法的特点及适用范围。
3. 编制安全检查表应该注意哪些问题?
4. 怎样运用作业条件危险性评价法进行系统安全评价?
5. 试述 MES、MLS 评价法的评价原理、特点及适用范围。

第七章

定量安全评价方法

第一节 道化学火灾、爆炸危险指数评价法

一、目的

美国道（DOW）化学公司自1964年开发"火灾、爆炸危险指数评价法"（第一版）以来，不断修改完善，在1993年推出了第七版，以已往的事故统计资料及物质的潜在能量和现行安全措施为依据，定量地对工艺装置及所含物料的实际潜在火灾、爆炸和反应危险性进行分析评价，可以说更臻完善、更趋成熟。其目的是：

(1) 量化潜在火灾、爆炸和反应性事故的预期损失；
(2) 确定可能引起事故发生或使事故扩大的装置；
(3) 向有关部门通报潜在的火灾、爆炸危险性；
(4) 使有关人员及工程技术人员了解到各工艺部门可能造成的损失，以此确定减轻事故严重性和总损失的有效、经济的途径。

二、评价计算程序及表

"火灾、爆炸危险指数评价法"风险分析计算程序如图7-1所示。

几种基本系数的取值如表7-1～表7-4所列。

表7-1　　　　　　　　　　火灾、爆炸指数（$F\&EI$）表

地区/国家：		部门：		场所：		日期：
位置：		生产单元：			工艺单元：	
评价人：		审定人（负责人）：			建筑物：	
检查人：（管理部）		检查人：（技术中心）			检查人：（安全和损失预防）	
工艺设备中的物料：							
操作状态：设计—开车—正常操作—停车					确定 MF 的物质：		
操作温度：					物质系数：		
			危险系数范围		采用危险系数	
1. 一般工艺危险						
基本系数			1.00		1.00	

续表 7-1

	危险系数范围	采用危险系数
A. 放热化学反应	0.30～1.25	
B. 吸热反应	0.20～0.40	
C. 物料处理与输送	0.25～1.05	
D. 密闭式或室内工艺单元	0.25～0.90	
E. 通道	0.20～0.35	
F. 排放和泄漏控制	0.20～0.50	
一般工艺危险系数(F_1)		
2. 特殊工艺危险		
基本系数	1.00	1.00
A. 毒性物质	0.20～0.80	
B. 负压(<500 mmHg)(1 mmHg=133.322 4 Pa)	0.50	
C. 接近易燃范围的操作：惰性化、未惰性化		
(1) 罐装易燃液体	0.50	
(2) 过程失常或吹扫故障	0.30	
(3) 一直在燃烧范围内	0.80	
D. 粉尘爆炸	0.25～2.00	
E. 压力：操作压力(绝对)/kPa 释放压力(绝对)/kPa		
F. 低温	0.20～0.30	
G. 易燃及不稳定物质量/kg 物质燃烧热 H_c/(J/kg)		
(1) 工艺中的液体及气体		
(2) 储存中的液体及气体		
(3) 储存中的可燃固体及工艺中的粉尘		
H. 腐蚀与磨损	0.10～0.75	
I. 泄漏——接头和填料	0.10～1.50	
J. 使用明火设备		
K. 热油、热交换系统	0.15～1.15	
L. 传动设备	0.50	
特殊工艺危险系数(F_2)		
工艺单元危险系数($F_3=F_1\times F_2$)		
火灾、爆炸指数($F\&EI=F_3\times MF$)		

注：* 无危险时系数用 0.00。

```
                    ┌─────────────┐
                    │  选取工艺单元  │
                    └──────┬──────┘
                           ↓
                    ┌─────────────┐
                    │ 确定物质系数(MF) │───────────────┐
                    └──┬───────┬──┘                  │
                       ↓       ↓                     │
              ┌──────────┐  ┌──────────┐            │
              │计算特殊工  │  │计算一般工  │            │
              │艺危险系数($F_2$)│  │艺危险系数($F_1$)│            │
              └────┬─────┘  └────┬─────┘            │
                   └──────┬──────┘                   │
                          ↓                          │
              ┌──────────────────────┐              │
              │ 确定工艺单元危险系数($F_3=F_1 \times F_2$) │              │
              └──────────┬───────────┘              │
                         ↓                          │
  ┌────────────────┐  ┌──────────────┐              │
  │计算安全措施补偿系 │←─│ 确定火灾、爆炸指数 │              │
  │数($C=C_1 \times C_2 \times C_3$)│  │($F\&EI=F_3 \times MF$)│              │
  └────────┬───────┘  └──────┬───────┘              │
           │                 ↓                       │
           │          ┌─────────────┐               │
           │          │ 确定暴露面积  │               │
           │          └──────┬──────┘               │
           │                 ↓                       │
           │     ┌──────────────────────┐           │
           │     │ 确定暴露区域内财产的更换价值 │           │
           │     └──────────┬───────────┘           │
           │                ↓                        │
           │   ┌──────────────────────────┐   ┌──────────┐
           └──→│ 确定基本最大可能财产损失(基本MPPD)│←──│确定危害系数│
               └──────────┬───────────────┘   └──────────┘
                          ↓
               ┌──────────────────────────┐
               │ 确定实际最大可能财产损失(实际MPPD)│
               └──────────┬───────────────┘
                          ↓
               ┌──────────────────────┐   ┌──────────────┐
               │ 确定最大可能停工天数(MPDO) │──→│ 确定停产损失(BI)│
               └──────────────────────┘   └──────────────┘
```

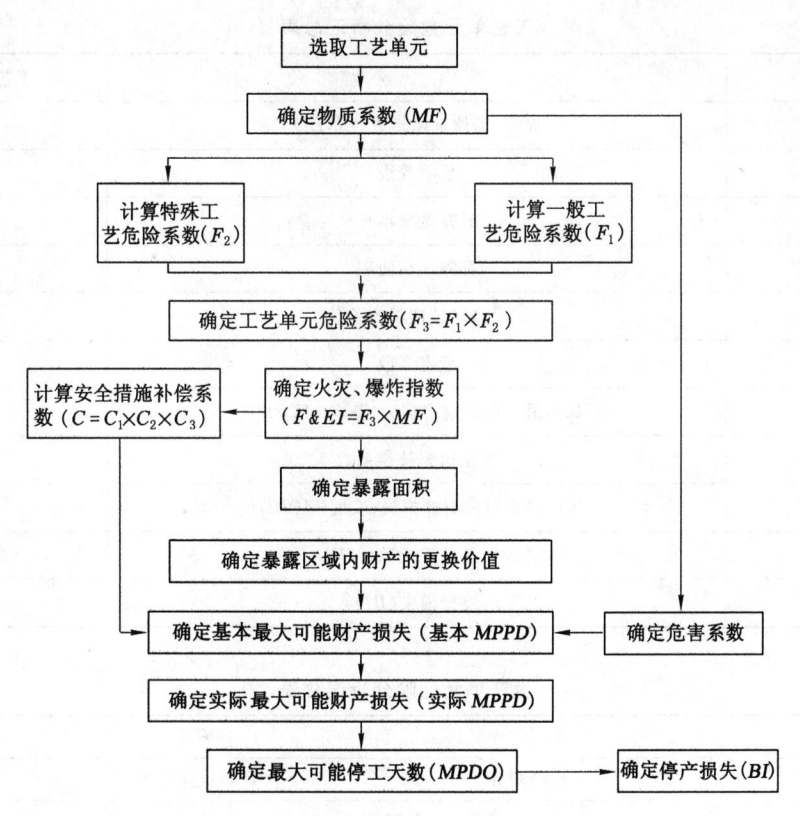

图 7-1　风险分析计算程序

表 7-2　　　　　　　　　　安全措施补偿系数表

项目	补偿系数范围	采用补偿系数*	项目	补偿系数范围	采用补偿系数*
1. 工艺控制			c. 排放系统	0.91～0.97	
a. 应急电源	0.98		d. 连锁装置	0.98	
b. 冷却装置	0.97～0.99		物质隔离安全补偿系数 C_2^{**}		
c. 抑爆装置	0.84～0.98		3. 防火设施		
d. 紧急切断装置	0.96～0.99		a. 泄漏检验装置	0.94～0.98	
e. 计算机控制	0.93～0.99		b. 钢结构	0.95～0.98	
f. 惰性气体保护	0.94～0.96		c. 消防水供应系统	0.94～0.97	
g. 操作规程/程序	0.91～0.99		d. 特殊灭火系统	0.91	
h. 化学活泼性物质检查	0.91～0.98		e. 洒水灭火系统	0.74～0.97	
i. 其他工艺危险分析	0.91～0.98		f. 水幕	0.97～0.98	
工艺控制安全补偿系数 C_1^{**}			g. 泡沫灭火装置	0.92～0.97	
2. 物质隔离			h. 手提式灭火器和喷水枪	0.93～0.98	
a. 遥控阀	0.96～0.98		i. 电缆防护	0.94～0.98	
b. 卸料/排空装置	0.96～0.98		防火设施安全补偿系数 C_3^{**}		

注：安全措施补偿系数＝$C_1 \times C_2 \times C_3$。

*无安全补偿系数时，填入1.00；**是所采用的各项补偿系数之积。

表 7-3 工艺单元危险分析汇总表

序号	内容	工艺单元
1	火灾、爆炸危险指数（F&EI）	
2	危险等级	
3	暴露区域半径	m
4	暴露区域面积	m^2
5	暴露区域内财产价值	
6	危害系数	
7	基本最大可能财产损失（基本 MPPD）	
8	安全措施补偿系数	
9	实际最大可能财产损失（实际 MPPD）	
10	最大可能停工天数（MPDO）	d
11	停产损失（BI）	

表 7-4 生产单元危险分析汇总表

地区/国家		部门		场所	
位置		生产单元		操作类型	
评价人		生产单元总替换价值		日期	

工艺单元	主要物质	物质系数	火灾爆炸指数 F&EI	影响区内财产价值	基本 MPPD	实际 MPPD	停工天数 MPDO	停产损失 BI

三、道化学火灾、爆炸危险指数评价法计算说明

（一）选择工艺单元

1. 确定评价单元

生产单元——包括化学工艺、机械加工、仓库、包装线等在内的整个生产设施。

工艺单元——工艺装置的任一主要单元。一套生产装置包括许多工艺单元，但计算火灾、爆炸指数时，只评价那些从损失预防角度来看影响比较大的工艺单元，这些单元称为评价单元。工艺单元要根据设备间的逻辑关系划分。

恰当工艺单元——在计算火灾、爆炸危险指数时，只评价从预防损失角度考虑对工艺有影响的工艺单元，简称工艺单元。

2. 选择恰当工艺单元的重要参数

选择恰当工艺单元的重要参数有以下六个：

（1）潜在化学能（物质系数）；

（2）工艺单元中危险物质的数量；

（3）资金密度（每平方米美元数）；

(4) 操作压力和操作温度；

(5) 导致火灾、爆炸事故的历史资料；

(6) 对装置起关键作用的单元。

一般参数值越大，则该工艺单元就越需要评价。

3. 选择恰当工艺单元时应注意的要点

(1) 由于火灾、爆炸危险指数体系是假定工艺单元中所处理的易燃、可燃或化学活性物质的最低量为 2 268 kg 或 2.27 m³，因此，若单元内物料量较少，则评价结果就有可能被夸大。一般所处理的易燃、可燃或化学活性物质的量至少为 454 kg 或 0.454 m³，评价结果才有意义。

(2) 当设备串联布置且相互间未有效隔离时，要仔细考虑如何划分单元。

(3) 要仔细考虑操作状态(如开车、正常生产、停车、装料、卸料、添加触媒等)及操作时间，对 $F\&EI$ 有影响的异常状况，判别选择一个操作阶段还是几个阶段来确定重大危险。

(4) 在决定哪些设备具有最大潜在火灾、爆炸危险时，可以请教设备、工艺、安全等方面有经验的工程技术人员或专家。

(二) 物质系数的确定

物质系数(MF)是表述物质在燃烧或其他化学反应引起的火灾、爆炸时释放能量大小的内在特性，是一个最基础的数值。

物质系数是由美国消防协会规定的 N_F、N_R(分别代表物质的燃烧性和化学活性)决定的。通常，N_F 和 N_R 是针对正常温度环境而言的，物质发生燃烧和反应的危险性随着温度的升高而急剧加大，如在闪点之上的可燃液体引起火灾的危险性就比正常环境温度下的易燃液体大得多，反应的速度也随着温度的升高而急剧加大，所以当温度超过 60 ℃时，物质系数要修正，其内容见物质系数修正表。

附录中提供了大量的化学物质系数，它能用于大多数场合，附录中未列出的物质，其 N_F、N_R 可以根据 NFPA325M 或 NFPA49(National Fire Protection Association，简称 NFPA)加以确定，并依照温度修正后，由表 7-5 确定其物质系数。对于可燃性粉尘而言，确定其物质系数时用粉尘危险分级值(S_t)而不是 N_F。

1. 表外的物质系数

在求取附录、NFPA49 和 NFPA325M 中未列出的物质、混合物或化合物的物质系数时，必须确定其可燃性等级(N_F)或可燃性粉尘等级(S_t)，必须首先确定表 7-5 左栏中的参数，液体和气体的 N_F 由闪点求得，粉尘或尘雾的 S_t 值由粉尘爆炸试验确定。可燃固体的 N_F 值则依其性质不同在表 7-5 左栏中分类标示。

物质、混合物或化合物的反应性等级 N_R 根据其在环境温度条件下的不稳定性(或与水反应的剧烈程度)，按 NFPA704 确定：

(1) $N_R=0$：在燃烧条件下仍保持稳定的物质。

该等级通常包括以下物质：

① 不与水反应的物质；

② 在 300 ℃＜温度≤500 ℃时用差热扫描量热计(DSC)测量显示温升的物质。

③ 用 DSC 试验时，在温度≤500 ℃时不显示温升的物质。

表 7-5　　　　　　　　　　　　　　　物质系数取值表

挥发性固体、液体、气体的易燃性或可燃性	NFPA 325M 或 NFPA49	$N_R=0$	$N_R=1$	$N_R=2$	$N_R=3$	$N_R=4$	备 注
不燃物	$N_F=0$	1	14	24	29	40	暴露在816 ℃的热空气中 5 min 不燃烧
$F.P.>93.3$ ℃	$N_F=1$	4	14	24	29	40	$F.P.$ 为闭杯闪点
37.8 ℃$<F.P.\leqslant$93.3 ℃	$N_F=2$	10	14	24	29	40	
22.8 ℃$\leqslant F.P.<$37.8 ℃ 或 $F.P.<$22.8 ℃ 且 $B.P.\geqslant$37.8 ℃	$N_F=3$	16	16	24	29	40	$B.P.$ 为标准温度和压力下的沸点
$F.P.<$22.8 ℃ 且 $B.P.<$37.8 ℃	$N_F=4$	21	21	24	29	40	
可燃性粉尘或烟雾							
$S_t-1(K_{st}\leqslant 2\times 10^4$ kPa·m/s$)$		16	16	24	29	40	K_{st} 值是用带强点火源的 16 L 或更大的密闭试验容器测定的，见 NFPA68
$S_t-2(K_{st}=2.01\times 10^4\sim 3\times 10^4$ kPa·m/s$)$		21	21	24	29	40	
$S_t-3(K_{st}>3\times 10^4$ kPa·m/s$)$		24	24	24	29	40	
可燃性固体							
厚度>40 mm，紧密的	$N_F=1$	4	14	24	29	40	包括50.8 mm厚的木板、镁粉、紧密的固体堆积物、紧密的纸张或废料薄膜卷
厚度<40 mm，疏松的	$N_F=2$	10	14	24	29	40	包括塑料颗粒、支架、木材平板架之类粗粒状材料，以及聚苯乙烯类不起尘的粉尘物料等
泡沫材料、纤维、粉状物等	$N_F=3$	16	16	24	29	40	包括轮胎、胶靴类橡胶制品等

（2）$N_R=1$：稳定，但在加温加压条件下成为不稳定的物质。

该等级通常包括如下物质：

① 接触空气、受光照射或受潮时发生变化或分解的物质；

② 在 150 ℃<温度≤300 ℃时显示温升的物质。

（3）$N_R=2$：在加温加压条件下发生剧烈化学变化的物质。

该等级包括以下物质：

① 用 DSC 做试验，在温度≤150 ℃时显示温升的物质；

② 与水剧烈反应或与水形成潜在爆炸性混合物的物质。

（4）$N_R=3$：本身能发生爆炸分解或爆炸反应，但需要强引发源或引发前必须在密闭状态下加热的物质。

该等级包括以下物质：

① 加温加热时对热机械冲击敏感的物质；

② 加温加热时或密闭，即与水发生爆炸反应的物质。

（5）$N_R=4$：在常温常压下易于引爆分解或发生爆炸反应的物质。

注意：反应性包括自身反应性（不稳定性）和与水反应性。物质的 N_R 指标由差热分析仪(DTA)或差热扫描量热计(DSC)分析其温升的最低峰值温度来判断,按表 7-6 分类。

表 7-6　　　　　　　　　　　物质的 N_R 指标

温升/℃	300~500 ℃	150~300 ℃	≤150 ℃
N_R	0	1	2,3,4

几个附加限制条件是:
(1) 若该物质为氧化剂,则 N_R 再加 1(但不超过 4);
(2) 对冲击敏感性物质 N_R 为 3 或 4;
(3) 如得出的 N_R 值与物质的特性不相符,则应补做化学品反应性试验。
一旦求出并确定 N_F、N_R,就可以用表 7-5 确定物质系数。

2. 混合物

工艺单元内混合物质应按"在实际操作过程中所存在的最危险物质"原则来确定。发生剧烈反应的物质,如氢气和氯气在人工条件下混合反应,反应持续而快速,生成物为非燃烧性、稳定的产物,则其物质系数应根据初始混合状态来确定。

混合溶剂或含有反应性物质溶剂的物质系数,可通过反应性化学试验数据求得;若无法取得时,则应取组分中最大的 MF 作为混合物 MF 的近似值(最大组分浓度≥5%)。

对由可燃粉尘和易燃气体在空气中能形成爆炸性的混合物,其物质系数必须用反应性化学品试验数据来确定。

3. 烟雾

易燃或可燃液体的微粒悬浮于空气中能形成易燃的混合物,它具有易燃气体-空气混合物的一些特性。易燃或可燃液体的雾滴在远远低于其闪点的温度下,能像易燃蒸气-空气混合物那样具有爆炸性。因此,防止烟雾爆炸的最佳有效防护措施是避免烟雾的形成,特别是不要在封闭的工艺单元内使可燃液体形成烟雾。如果会形成烟雾,则需将物质系数提高 1 级,并请教有关专家。

4. 物质系数的温度修正

如果物质闪点小于 60 ℃或反应活性温度低于 60 ℃,则该物质系数不需要修正,若工艺单元温度超过 60 ℃,则应对 MF 作出修正,见表 7-7。

表 7-7　　　　　　　　　　物质温度系数修正表

MF 温度修正	N_F	S_t	N_R	备　　注
a. 填入 N_F(粉尘为 S_t)、N_R				1. 储藏物由于层叠放置和阳光照射,温度可达到 60 ℃; 2. 若工艺单元是反应器,则不必考虑温度修正
b. 若温度<60 ℃,则转至"e"项				
c. 若温度高于闪点,或>60 ℃,则在 N_F 栏内填"1"				
d. 若温度大于放热起始温度或自燃点,则在 N_R 栏内填"1"				
e. 各竖行数字相加,当总数≥5 时,填"4"				
f. 用"e"栏数和表 7-5 确定 MF				

(三) 工艺单元危险系数(F_3)

工艺单元危险系数(F_3)包括一般工艺危险系数(F_1)和特殊工艺危险系数(F_2),对每项系数都要恰当地进行评价。

计算工艺单元危险系数(F_3)中各项系数时,应选择物质在工艺单元中所处的最危险的状态,可以考虑的操作状态有:开车、连续操作和停车。

计算 $F\&EI$ 时,一次只评价一种危险,如果 MF 是按照工艺单元中的易燃液体来确定的,就不要选择与可燃性粉尘有关的系数,即使粉尘可能存在于过程中的另一段时间内。合理的计算方法为:先用易燃液体的物质系数进行评价,然后再用可燃性粉尘的物质系数评价,只有导致最高的 $F\&EI$ 和实际的可能的最大财产损失的计算结果才需要报告。

一个重要的例外是混合物,如果某种混杂在一起的混合物被视做最高危险物质的代表,则计算工艺单元危险系数时,可燃性粉尘和易燃蒸气的系数都要考虑。

1. 一般工艺危险性

一般工艺危险是确定事故损害大小的主要因素,共有六项,根据实际情况,并不是每项系数都采用,各项系数的具体取值如下。

(1) 放热化学反应

若所分析的工艺单元有化学反应过程,则选取此项危险系数,所评价物质的反应性危险已经为物质系数所包括:

① 轻微放热反应的危险系数为 0.3,包括加氢、水合、异构化、磺化、中和等反应。

② 中等放热反应系数为 0.5,包括:

a. 烷基化——引入烷基形成各种有机化合物的反应;

b. 酯化——有机酸和醇生成酯的反应;

c. 加成——不饱和碳氢化合物和无机酸的反应,无机酸为强酸时系数增加到 0.75;

d. 氧化——物质在氧中燃烧生成 CO_2,H_2O 的反应,或者在控制条件下物质与氧反应不生成 CO_2,H_2O,对于燃烧过程及使用氯酸盐、硝酸、次氯酸、次氯酸盐类强氧化剂时,系数增加到 1.00;

e. 聚合——将分子连接成链状物或其他大分子的反应;

f. 缩合——两个或多个有机化合物分子连接在一起形成较大分子的化合物,并放出 H_2O 和 HCl 的反应。

③ 剧烈反应指一旦反应失控有严重火灾、爆炸危险的反应,如卤化反应,取 1.00。

④ 特别剧烈的反应指相当危险的放热反应,系数取 1.25。

(2) 吸热反应

反应器中所发生的任何吸热反应,系数均取 0.25。

① 煅烧——加热物质除去结合水或易挥发性物质的过程,系数取 0.40;

② 电解——用电流离解离子的过程,系数取 0.20;

③ 热解或裂化——在高温、高压和触媒作用下,将大分子裂解成小分子的过程,当用电加热或高温气体间接加热时,系数取 0.20,直接火加热时,系数取 0.4。

(3) 物料处理与输送

本项目用于评价工艺单元在处理、输送和储存物料时潜在的火灾危险性。

① 所有 Ⅰ 类易燃或液化石油气类的物料在连接或未连接的管线上装卸时的系数取 0.5。

② 采用人工加料且空气可随时加料进入离心机、间歇式反应器、间歇式混料器设备内,

并且能引起燃烧或发生反应的危险,不论是否采用惰性气体置换,系数均取 0.5。

③ 可燃性物质存放于库房或露天时的系数为：

a. 对 $N_F=3$ 或 $N_F=4$ 的易燃液体或气体,系数取 0.85,包括桶装、罐装、可移动挠性容器和气溶胶罐装；

b. 对表 7-5 中所列 $N_F=3$ 的可燃性固体,系数取 0.5；

c. 对表 7-5 中所列 $N_F=2$ 的可燃性固体,系数取 0.4；

d. 对闭杯闪点大于 37.8 ℃并低于 60 ℃的可燃性液体,系数取 0.25。

若上述物质存放于货架上且未安设洒水装置时,系数要加 0.20。

此处考虑的范围不适合于一般储存容器。

(4) 封闭单元或室内单元

处理易燃液体和气体的场所为敞开式,有良好的通风,以便能迅速排除泄漏的气体和蒸气,减少了潜在的爆炸危险,粉尘捕集器和过滤器也应放置在敞开区域并远离其他设备。

封闭区域定义为有顶且三面或多面有墙壁的区域,或无顶但四周有墙封闭的区域。

封闭单元内即使专门设计有机械通风,其效果也不如敞开式结构,但如果机械通风系统能收集所有的气体并排出去的话,则系数可以降低。

系数选取原则如下：

① 粉尘过滤器或捕集器安置在封闭区域内时,系数取 0.50。

② 在封闭区域内,在沸点以上处理易燃液体时,系数取 0.30;如果处理易燃液体量大于 4 540 kg,系数取 0.45。

③ 在封闭区域内,在沸点以上处理液化石油气或任何易燃液体量时,系数取 0.60;若易燃液体的量大于 4 540 kg,则系数取 0.90。

④ 若已安装了合理的通风装置时,①、③两项系数减 50%。

(5) 通道

生产装置周围必须有紧急救援车辆的通道,"最低要求"是至少在两个方向上设有通道,选取封闭区域内主要工艺单元的危险系数时要格外注意。

至少有一条通道必须是通向公路的,火灾时消防道路可以看作是第二条通道,设有监控水枪处于待用状态。

① 整个操作区面积大于 925 m² 且通道不符合要求时,系数取 0.35。

② 整个库区面积大于 2 315 m² 且通道不符合要求时,系数取 0.35。

③ 面积小于上述数值时,要分析它对通道的要求,如果通道不符合要求,影响消防活动时,系数取 0.20。

(6) 排放和泄漏控制

此项内容是针对大量易燃、可燃性液体溢出会危及周围设备的情况,不合理的排放设计已成为造成重大损失的原因。

该项系数仅适用于工艺单元内物料闪点 60 ℃或操作温度大于其闪点的场合。为了评价排放和泄漏控制是否合理,必须估算易燃、可燃物总量以及消防水能否在事故时得到及时排放。

① $F\&EI$ 计算表中排放量按以下原则确定：

a. 对工艺和储存设备,取单元中最大储罐的储量加上第二大储罐 10% 的储量。

b. 采用 30 min 的消防水量（如：30 min×每分钟水升数＝消防水升数）。

将上述 a、b 两项之和填入 F&EI 计算表中得一般工艺危险的 F&EI。

② 系数选取的原则：

a. 设有堤坝防止泄漏液流入其他区域，但堤坝内所有设备露天放置时，系数取 0.5。

b. 单元周围为一可排放泄漏液的平坦地，一旦失火会引起火灾，系数取 0.5。

c. 单元的三面有堤坝，能将泄漏液引至蓄液池的地沟，并满足以下条件，不取系数：

Ⅰ. 蓄液池或地沟的地面斜度不得小于下列数值：土质地面为 2%，硬质地面为 1%；

Ⅱ. 蓄液池或地沟的最外缘与设备之间的距离至少小于 15 m，如果没有防火墙，可以减少其距离；

Ⅲ. 蓄液池的储液能力至少等于上述之和。

d. 如蓄液池或地沟处设有公用工程管线，或管线的距离不符合要求，系数取 0.5。

简言之，有良好的排放设施才可以不取危险系数。

2. 特殊工艺危险性

特殊工艺危险是影响事故发生概率的主要因素，特定的工艺条件是导致火灾、爆炸事故的主要原因。特殊工艺危险有如下所列 12 项。

(1) 毒性物质

毒性物质能够扰乱人们机体的正常反应，因而降低了人们在事故中制定对策和减轻伤害的能力。毒性物质的危险系数为 $0.2\times N_H$，对于混合物，取其中最高的 N_H 值。

N_H 是美国消防协会在 NFPA704 中定义的物质毒性系数，其值在 NFPA325M 或 NFPA49 中已列出。附录中给出了许多物质的 N_H 值，对于新物质，可请工业卫生专家帮助确定。

NFPA704 对物质的 N_H 分类为：

① $N_H=0$：火灾时除一般可燃物的危险外，短期接触没有其他危险的物质。

② $N_H=1$：与火短期接触可引起刺激，致人轻微伤害的物质，包括要求使用适当的空气净化呼吸器的物质。

③ $N_H=2$：高浓度或短期接触可致人暂时失去能力或残留伤害的物质，包括要求使用单独供给空气的呼吸器的物质。

④ $N_H=3$：短期接触可致人严重的暂时或残留伤害的物质，包括要求全身防护的物质。

⑤ $N_H=4$：短暂接触也能致人死亡或严重伤害的物质。

注：上述毒性系数 N_H 值只是用来表示人体受害的程度，它可导致额外损失。该值不能用于职业卫生和环境的评价。

(2) 负压操作

本项内容适用于空气泄入系统会引起危险的场合。当空气与湿度敏感性物质或氧敏感性物质接触时可能引起危险，在易燃混合物中引入空气也会导致危险。该系数只用于绝对压力小于 500 mmHg 的情况，系数取 0.50。

如果采用了本项系数，就不要再采用以下(3)和(5)中的条款，以免重复。

大多数汽提操作，一些压缩过程和少许蒸馏操作都属于本项内容（表压＝绝对压力－大气压）。

(3) 燃烧范围或其附近的操作

某些操作导致空气引入并夹带进入系统,空气的进入会形成易燃混合物,进而导致危险。本条款将讨论以下有关情况:

① $N_F=3$ 或 $N_F=4$ 的易燃液体储罐,在储罐泵出物料或者突然冷却时可能吸入空气,系统取 0.50。打开放气阀或在吸—压操作中未采用惰性气体保护时,系数取 0.50。储有可燃液体,其温度在闭杯闪点以上且无惰性气体保护时,系数也取 0.50。如果使用了惰性化的密闭蒸气回收系统,且能保证其气密性则不用选取系数。

② 只有当仪表或装置失灵时,工艺设备或储罐才处于燃烧范围内或其附近,系数取 0.30。任何靠惰性气体吹扫,使其处于燃烧范围之外的操作,系数取 0.30,该系数也适用于装载可燃物的船舶和槽车。若已按"负压操作"选取系数,此处不再选取。

③ 由于惰性气体吹扫系统不实用或者未采取惰性气体吹扫,使操作总是处于燃烧范围内或其附近时,系数取 0.80。

(4) 粉尘爆炸

粉尘最大压力上升速度和最大压力值主要受其粒径大小的影响。通常,粉尘越细,危险性越大。这是由于细尘具有很高的压力上升速度和极大的压力伴生。本项系数将用于含有粉尘处理的单元,如粉体输送、混合粉碎和包装等。

所有粉尘都有一定的粒径分布范围。为了确定系数采用 10% 粒径的概念,也就是在这个粒径处有 90% 粗粒子,其余 10% 为细粒子。根据表 7-8 确定合理的系数。除非粉尘爆炸试验已经证明没有粉尘爆炸危险,否则都要考虑粉尘系数。

表 7-8　　　　　　　　　　粉尘爆炸危险系数确定表

粉尘粒径/μm	泰勒筛/目	系数
>175	60～80	0.25
150～175	80～100	0.50
100～150	100～150	0.75
75～100	150～200	1.25
<75	>200	2.00

注:在惰性气体气氛中操作的,上述系数减半。

(5) 释放压力

操作压力高于大气压时,由于高压可能会引起高速率的泄漏,因此要采用危险系数。是否采用系数,取决于单元中的某些导致易燃物料泄漏的构件是否会发生故障。

例如:已烷液体通过 6.5 cm^2 的小孔泄漏,当压力为 517 kPa(表压)时,泄漏量为 272 kg/min;当压力为 2 069 kPa(表压)时,泄漏量为上述的 2.5 倍,即 680 kg/min。根据释放压力系数确定不同压力下的特殊泄漏危险潜能,释放压力还影响扩散特性。

由于高压使泄漏可能性大大增加,所以随着操作压力提高,设备的设计和保养就变得更为重要。

系统操作压力在 20 685 kPa(表压)以上时,超出标准规范的范围,对于这样的系统,在法兰设计中必须采用透镜垫圈、圆锥密封或类似的密封结构。

参见图 7-2,根据操作压力确定初始危险系数值。下列方程适用于压力为 0～6 895 kPa

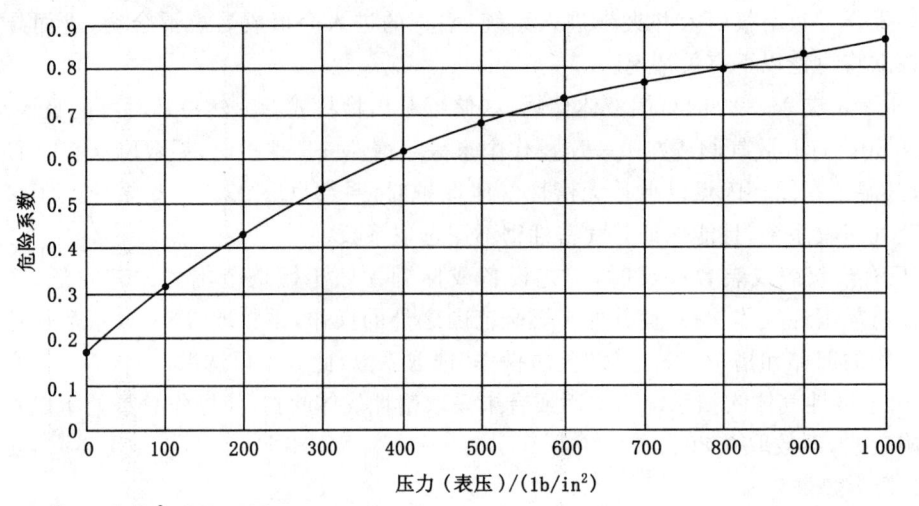

图 7-2　易燃、可燃液体的压力危险系数图

注：1 lb/in² = 6 894.76 Pa。

（表压）时压力系数的确定（注：直接引用原文公式，故公式中的压力即 X 数值的单位应为"磅/平方英寸"）。

$$Y = 0.161\,09 + 1.615\,03 \times (X/1\,000) - 1.428\,79(X/1\,000)^2 + 0.517\,2(X/1\,000)^3$$

从图 7-2 中可确定压力为 0～6 895 kPa（表压）的易燃、可燃液体的压力系数（也包括表 7-9 在内）。

表 7-9　　　　　　　　　易燃、可燃液体的压力系数

压力（表压）/kPa	6 895	10 343	13 790	17 238	20 685～68 950	>68 590
系数	0.86	0.92	0.96	0.98	1.00	1.50

用图 7-2 中的曲线能直接确定闪点低于 60 ℃ 的易燃可燃液体的系数。对其他物质可先由曲线查出初始系数值，再用下列方法加以修正：

① 焦油、沥青、重润滑油和柏油等高黏性物质，用初始系数乘以 0.7，作为危险系数。

② 单独使用压缩气体或利用气体使易燃液体压力增至 10^3 kPa（表压）以上时，用初始系数值乘以 1.2 作为危险系数。

③ 液化的易燃气体（包括所有在其沸点以上储存的易燃物料）用初始系数值乘以 1.3 作为危险系数。

确定实际压力系数时，首先由图 7-2 查出操作压力系数，然后求出释放装置设定压力系数，用操作压力系数除以设定压力系数得出实际压力系数调整系数，再用该调整系数乘以操作压力系数求得实际压力系数。这样，就对那些具有较高设定压力和设计压力的情况给予了补偿。

注意调节释放压力使之接近于容器设计压力常是有利的。例如，对于使用易挥发溶剂，特别是气态的反应，可以通过调节释放的高温反应，一般是根据反应物质及有关动力学数据，用计算机模拟来确定是否需要低释放压力。但是在一些反应系统中并不总需要低释放

压力。

在一些特定场合,增加压力容器的设计压力以降低泄放的可能性是有利的,在有些场合也许能达到容器的最大允许压力。

对盛放黏性物质容器的计算,举例如下：

容器设计压力是 1 034 kPa(表压),正常操作压力是 690 kPa(表压),安全膜设定压力是 862 kPa(表压)。

参见以下乳液聚合反应器的例子,比例显示低设计压力和高设计压力的差别。

反应器设计压力为 1 034 kPa(表压),正常操作压力为 827 kPa(表压),释放装置设定压力为 1 034 kPa(表压)。

由图 7-2 查得：操作压力系数为 0.34,设定压力系数为 0.37,压力调整系数为 0.34/0.37,则实际系数为 0.34×(0.34/0.37)=0.312。

(6) 低温

本项主要考虑碳钢或其他金属在其展延或脆化转变温度以下时可能存在的脆性问题。如经过认真评价,确认在正常操作和异常情况下均不会低于转变温度,则不用系数。

测定转变温度的一般方法是对加工单元中设备所用的金属小样进行标准摆锤式冲击试验,然后进行设计使操作温度高于转变温度。正确设计应避免采用低温工艺条件。

系数给定原则为：

① 采用碳钢结构的工艺装置,操作温度等于或低于转变温度时,系数取 0.30。如果没有转变温度数据,则可假定转变温度为 10 ℃。

② 装置为碳钢以外的其他材质,操作温度等于或低于转变温度时,系数取 0.20。切记,如果材质适于最低可能的操作温度,则不用给系数。

(7) 易燃和不稳定物质的数量

本项主要讨论单元中易燃物和不稳定物质的数量与危险性的关系。分为三种类型,用各自的系数曲线分别评价。对每个单元而言,只能选取一个系数,依据是已确定为单元物质系数代表的物质。

① 工艺过程中的液体或气体

该系数主要考虑可能泄漏并引起火灾危险的物质数量或因暴露在火中可能导致化学反应事故的物质数量。它应用于任何工艺操作,包括用泵向储罐送料的操作。该系数适用于下列已确定作为单元物质系数代表的物质：

a. 易燃液体和闪点低于 60 ℃ 的可燃液体；

b. 易燃气体；

c. 液化易燃气；

d. 闭杯闪点大于 60 ℃ 的可燃液体,且操作温度高于其闪点时；

e. 化学活性物质,不论其可燃性大小(N_R=2、3 或 4)。

确定该项系数时,首先要估算工艺中的物质数量(kg)。这里所说的物质数量是在 10 min 内从单元中或相连的管道中可能泄漏出来的可燃物的量。在判断可能有多少物质泄漏时要借助于一般常识。经验表明取工艺单元中的物料量与相连单元中的最大物料量中的较大值作为可能泄漏量是合理的。

紧急情况时,通过遥控关闭阀门使得相连单元与之隔离的情况不在考虑之列。

在正确估计工艺中物质数量之前,要回答的问题是:"什么是最大可能的泄漏量?"当你熟悉了工艺后作出良好判断的结果与上述估算有较大差异时,只要确信你的结果可靠,就应当采用它。记住:凭借你对工艺的熟悉和良好的判断总能使你得到更为符合实际的估算值。但要注意:如果泄漏物具有不稳定性(化学反应性)时,泄漏量一般以工艺单元内的物料量为准。

例:加料槽、缓冲罐和回流罐是与单元相连的一类设备,它们可能装有比评价单元更多的物料。可是,如果这些容器都配备遥控切断阀,则不能把它们看做是"与工艺单元相连的设备"。

在火灾、爆炸指数($F\&EI$)表的特殊工艺危险的"G"栏中的有关空格中填写易燃或不稳定物质的合适数量。

使用图7-3时,将求出的工艺过程中的可燃或不稳定物料总量乘以燃烧热 H_c(J/kg),得到总热量(J)。燃烧热 H_c 可从附录或化学反应试验数据中查得。

注:1英热单位 = 1.055×10^3 J。

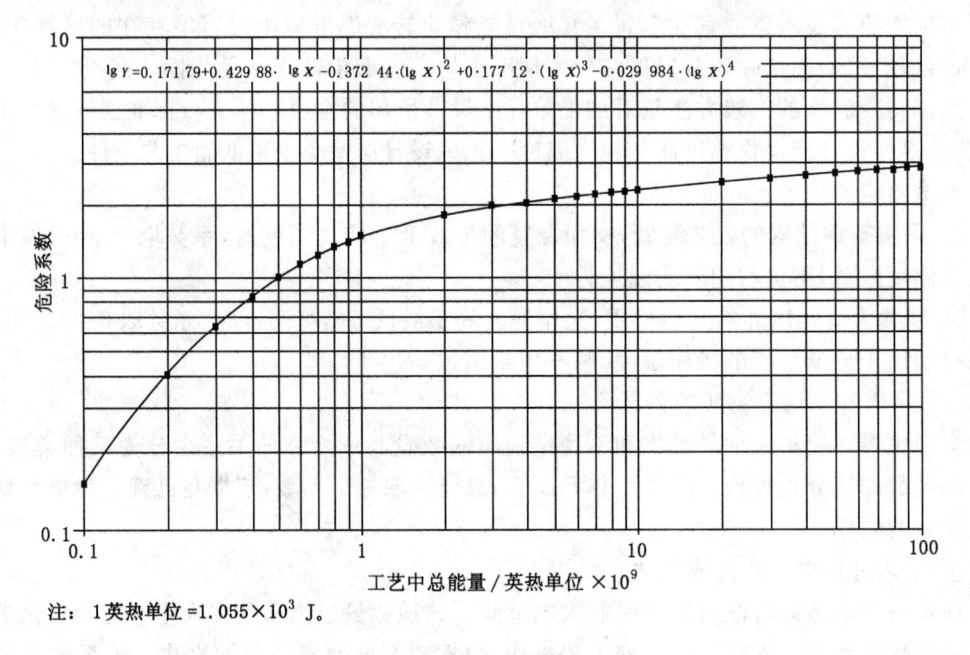

图7-3 工艺中的液体和气体

对于 $N_R=2$ 或 N_R 值更大的不稳定物质,其 H_c 值可取6倍于分解热或燃烧热中的较大值。分解热也可从化学反应试验数据中查得。

在火灾、爆炸指数($F\&EI$)表的特殊工艺危险"G"栏有关空格处填入燃烧热 H_c 值。

由图7-3工艺单元能量值(J)查得所对应的危险系数。总能量值与曲线的相交点代表系数值。该曲线中总能量值 $J(X)$ 与系数(Y)的曲线方程为(注:从原文直接引用公式,故计算时式中的能量即 X 数值的单位应为英热单位 $\times 10^9$。本节以下各公式与此注相同):

$$\lg Y = 0.171\,79 + 0.429\,88 \cdot \lg X - 0.372\,44 \cdot (\lg X)^2 + 0.177\,12 \cdot (\lg X)^3 - 0.029\,984 \cdot (\lg X)^4$$

② 储存中的液体或气体(工艺操作场所之外)

操作场所之外储存的易燃和可燃液体、气体或液化气的危险系数比"工艺中的"要小,这是因为它不包含工艺过程,工艺过程有产生事故的可能。本项包括桶或储罐中的原料、罐区中的物料以及可移动式容器和桶中的物料。

对单个储存容器可用总能量值 J(储存物料量乘以燃烧热而得)查图 7-4 确定其危险系数。对于若干个可移动容器,用所有容器中的物料总量。

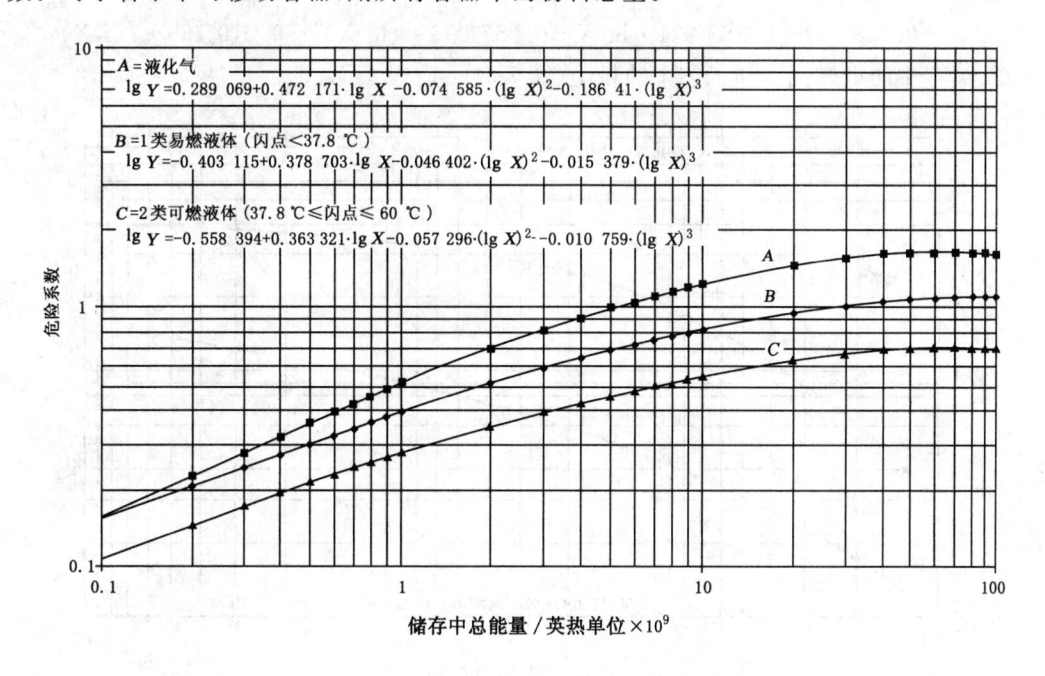

图 7-4 储存中的液体和气体

对于不稳定的物质,采取和表 7-1 相同的方法进行计算,即取最大分解热或燃烧热的 6 倍作为 H_c,取燃烧热值,其总能量计算如下:

$$340\ 100\ \text{kg 苯乙烯} \times 40.5 \times 10^6\ \text{J/kg} = 13.8 \times 10^{12}\ \text{J}$$
$$340\ 100\ \text{kg 二乙基苯} \times 41.9 \times 10^6\ \text{J/kg} = 14.3 \times 10^{12}\ \text{J}$$
$$272\ 100\ \text{kg 丙烯腈} \times 31.9 \times 10^6\ \text{J/kg} = 8.7 \times 10^{12}\ \text{J}$$
$$总能量 = 36.8 \times 10^{12}\ \text{J}$$

根据物质种类确定曲线:

苯乙烯为Ⅰ类易燃液体(图 7-4 曲线 B);丙烯腈为Ⅰ类易燃液体(图 7-4 曲线 B);二乙基苯为Ⅱ类可燃液体(图 7-4 曲线 C)。

如果单元中的物质有几种,则查图 7-4 时,要找出总能量与每种物质对应的曲线中最高的一条曲线的交点,然后再查出与交点对应的系数值,即为所求系数。

在本例中总能量与各物质对应的最高曲线是曲线 B,其对应的系数是 1.00(注:引用原文算式查图 7-4 时,需先将"J"换算成"英热单位 $\times 10^9$")。

注:美国消防协会 NFPA30 要求用堤坝将这些易燃物质分开存放。

图 7-4 曲线 A、B 和 C 的总能量值(X)与系数(Y)的对应方程分别为(注:公式中 X 的单位为"英热单位 $\times 10^9$"):

曲线 A:

$$\lg Y = -0.289\,069 + 0.472\,171 \cdot \lg X - 0.074\,585 \cdot (\lg X)^2 - 0.018\,641 \cdot (\lg X)^3$$

曲线 B：
$$\lg Y = -0.403\,115 + 0.378\,703 \cdot \lg X - 0.464\,02 \cdot (\lg X)^2 - 0.015\,379 \cdot (\lg X)^3$$

曲线 C：
$$\lg Y = -0.558\,394 + 0.363\,321 \cdot \lg X - 0.057\,296 \cdot (\lg X)^2 - 0.010\,759 \cdot (\lg X)^3$$

③ 储存中的可燃固体和工艺中的粉尘（图 7-5）

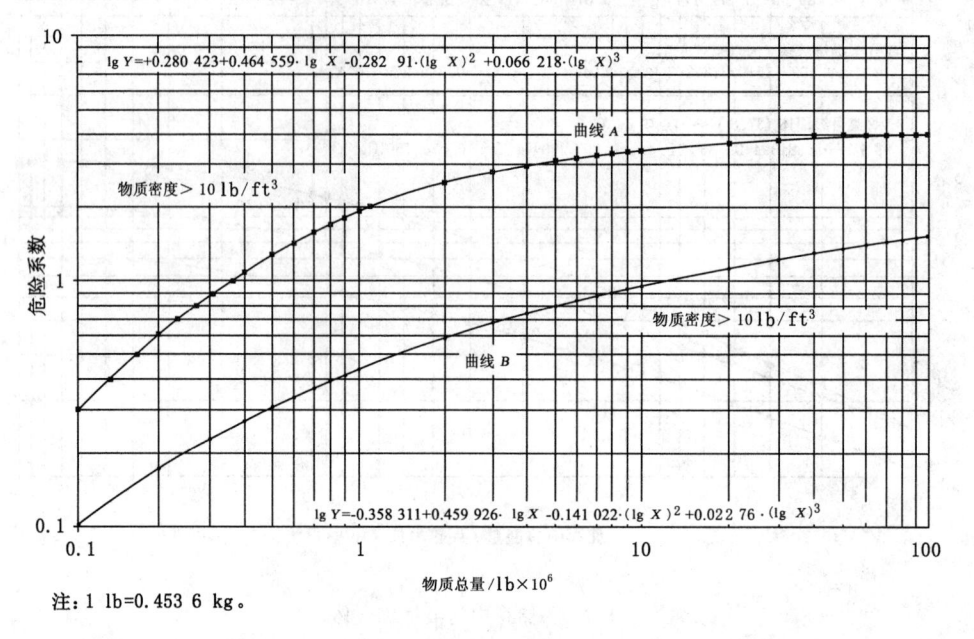

注：1 lb=0.453 6 kg。

图 7-5　储存中的可燃固体/工艺中的粉尘

本项包括了储存中的固体和工艺单元中的粉尘的量系数，涉及的固体或粉尘即是确定物质系数的那些基本物质。根据物质密度、点火难易程度以及维持燃烧的能力来确定系数。

用储存固体总量（kg）或工艺单元中粉尘总量（kg），由图 7-5 查取系数。如果物质的松密度小于 160.2 kg/m³，用曲线 A；松密度大于 160.2 kg/m³，用曲线 B。

对于 $N_R=2$ 或更高的不稳定物质，用单元中的物质实际重量的 6 倍，查曲线 A 来确定系数。

例：一座仓库，不计通道时面积为 1 860 m²，货物堆放高度为 4.6 m，即容积为 8 500 m³。

若储存物品（苯乙烯桶装的多孔泡沫材料和纸板箱）的平均密度为 35.2 kg/m³，则总重量为

$$35.2 \text{ kg/m}^3 \times 8\,500 \text{ m}^3 = 299\,200 \text{ kg}$$

由于平均密度小于 160.2 kg/m³，故查曲线 A，得量系数为 1.54。

假如在此场所存放的货物是袋装的聚乙烯颗粒或甲基纤维素粉末（其平均密度为 449 kg/m³），则总质量为

$$449 \text{ kg/m}^3 \times 8\,500 \text{ m}^3 = 3\,816\,500 \text{ kg}$$

由于平均密度大于 160.2 kg/m³，故用曲线 B 查得量系数为 0.92。

泡沫或纸箱的火灾负荷（依据总热量和密度）比袋装聚乙烯颗粒和甲基纤维素粉末要小得多，但与较重的物质相比，它们更容易被点燃并维持燃烧。总之，较轻物质比较重物质具有更大的火灾危险，即使是存储量较小，也应有较大的量系数。

图 7-5 系数曲线 A、B 的方程式分别为（译者注：直接引用原文公式，式中 X 的单位为磅）：

曲线 A：

$\lg Y = 0.280\,423 + 0.464\,559 \cdot \lg X - 0.282\,91 \cdot (\lg X)^2 + 0.066\,218 \cdot (\lg X)^3$

曲线 B：

$\lg Y = -0.358\,311 + 0.459\,926 \cdot \lg X - 0.141\,022 \cdot (\lg X)^2 + 0.022\,76 \cdot (\lg X)^3$

（8）腐蚀

虽然正规的设计留有腐蚀和侵蚀余量，但腐蚀或侵蚀问题仍可能在某些工艺中发生。此处的腐蚀速率被认为是外部腐蚀速率和内部腐蚀速率之和。切不可忽视工艺物流中少量腐蚀可能产生的影响，它可能比正常的内部腐蚀和由于油漆破坏造成的外部腐蚀强得多，砖的多孔性和塑料衬里的缺陷都可能加速腐蚀。

腐蚀系数按以下规定选取：

① 腐蚀速率（包括点腐蚀和局部腐蚀）小于 0.127 mm/a 时，系数取 0.10；

② 腐蚀速率大于 0.127 mm/a 并小于 0.254 mm/a 时，系数取 0.20；

③ 腐蚀速率大于 0.254 mm/a 时，系数取 0.50；

④ 如果应力腐蚀裂纹有扩大的危险，系数取 0.75，这一般是氯气长期作用的结果；

⑤ 要求用防腐衬里时，系数取 0.20，但如果衬里仅仅是为了防止产品污染，则不取系数。

（9）泄漏——连接头和填料处

垫片、接头或铀的密封处及填料处可能是易燃、可燃物质的泄漏源，尤其是在热和压力周期性变化的场所，应该按工艺设计情况和采用的物质选取系数。

按下列原则选取系数：

① 泵和压盖密封处可能产生轻微泄漏时，系数取 0.10；

② 泵、压缩机和法兰连接处产生正常的一般泄漏时，系数取 0.30；

③ 承受热和压力周期性变化的场合，系数取 0.30；

④ 如果工艺单元的物料是有渗透性或磨蚀性的浆液，则可能引起密封失效，或者工艺单元使用转动轴封或填料函时，系数取 0.40；

⑤ 单元中有玻璃视镜、波纹管或膨胀节时，系数取 1.50。

（10）明火设备的使用

当易燃液体、蒸气或可燃性粉尘泄漏时，工艺中明火设备的存在额外增加了引燃的可能性。

分为以下两种情况取系数：一是明火设备设置在评价单元中；二是明火设备附近有各种工艺单元。从评价单元可能发生泄漏点到明火设备的空气进口的距离就是图 7-6 中要采取的距离，单位用英尺表示。

① 图 7-6 中曲线 A-1 用于：

a. 确定物质系数的物质可能在其闪点以上泄漏的任何工艺单元；

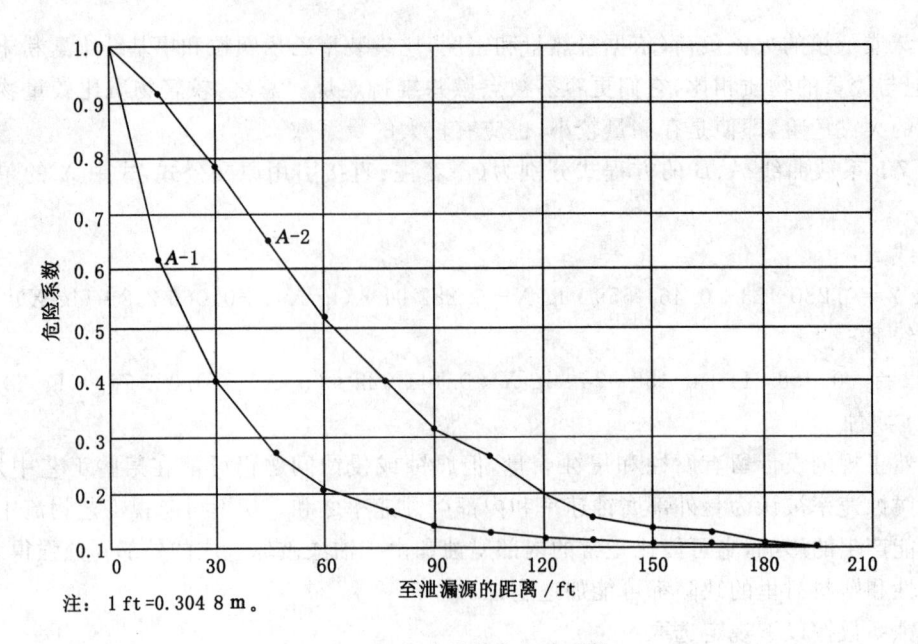

图 7-6 明火设备的危险系数

b. 确定物质系数的物质是可燃性粉尘的任何工艺单元。

② 图 7-6 中曲线 A-2 用于确定物质系数的物质可能在其沸点以上泄漏的任何工艺单元。

系数确定的方法:按照图 7-6 用潜在泄漏到明火设备空气进口的距离与相对应曲线（A-1 或 A-2）的交点即可得到系数值。

曲线 A-1、A-2 中,可能的泄漏源距离（X）与系数（Y）对应的方程为(式中 X 的单位为英尺）:

曲线 A-1:

$$\lg Y = -3.3243\left(\frac{X}{210}\right) + 3.75127\left(\frac{X}{210}\right)^2 - 1.43523\left(\frac{X}{210}\right)^3$$

曲线 A-2:

$$\lg Y = -0.3745\left(\frac{X}{210}\right) - 2.70212\left(\frac{X}{210}\right)^2 + 2.09171\left(\frac{X}{210}\right)^3$$

如果明火设备本身就是评价工艺单元,则到潜在泄漏源的距离为 0;如果明火设备加热易燃或可燃物质,即使物质的温度不高于其闪点,系数也取 1.00。

该项系数不适用于明火炉。

本项所涉及的任何其他情况,包括所处理的物质低于其闪点都不用取系数。

如果明火设备在工艺单元内,并且单元中选作物质系数的物质的泄漏温度可能高于闪点,则不管距离多少,系数至少取 0.10。

对于带有"压力燃烧器"的明火设备,若空气进气孔为 3 m 或更大且不靠近排放口之类的潜在的泄漏源时,系数进去标准燃烧器所确定系数的 50%。但是,当明火加热器本身就是评价单元时,则系数不能乘 50%。

（11）热油交换系统

大多数交换介质可燃且操作温度经常在闪点或沸点之上,因此增加了危险性。此项危险系数是根据热交换介质的使用温度和数量来确定的。热交换介质为不可燃物或虽为可燃物但使用温度总是低于闪点时不用考虑这个系数,但应对生成油雾的可能性加以考虑(详见物质系数的相关介绍)。

按照表 7-10 确定危险系数时,其油量可取下列二者中较小者:
① 油管破裂后 15 min 的泄漏量;
② 热油循环系统中的总油量。

表 7-10　　　　　　　　　　　　热油交换系统危险系数

油量/m³	系　　数	
	大于闪点	等于或大于沸点
<18.9	0.15	0.25
18.9~37.9	0.30	0.45
37.9~94.6	0.50	0.75
>94.6	0.75	1.15

热交换系统中储备的油量不计入,除非它在大部分时间里与单元保持着联系。

建议计算热油循环系统的火灾、爆炸指数时,应包含运行状态下的油罐(不是油储罐)、泵、输油管及回流油管。根据经验,这样做的结果会使火灾、爆炸指数较大。热油循环系统作为评价热油系统时,则按"明火设备的使用"的规定选取系数。

(12) 转动设备

单元内大容量的转动设备会带来危险,虽然还没有确定一个公式来表征各种类型和尺寸转动设备的危险性,但统计资料表明超过一定规格的泵和压缩机很可能引起事故。

评价单元中使用或评价单元本身是如下转动设备的,可选取系数 0.5:
① 大于 600 马力的压缩机;
② 大于 75 马力的泵;
③ 发生故障后因混合不均、冷却不足或终止等原因引起反应温度升高的搅拌器和循环泵;
④ 其他曾发生过事故的大型高速转动设备,如离心机等。

评价了所有的特殊工艺危险之后,计算基本系数与所涉及的特殊工艺危险系数的总和,并将它填入火灾、爆炸指数($F\&EI$)表中的"特殊工艺危险系数(F_2)"的栏中。

3. 工艺单元危险系数的确定

计算工艺单元危险系数:

特殊工艺危险系数(F_2)=基本系数+所有选取的特殊工艺危险系数之和

工艺单元危险系数(F_3)=一般工艺危险系数(F_1)×特殊工艺危险系数(F_2)

F_3 值范围为 1~8,若 F_3>8 则按 8 计。

4. 计算火灾、爆炸危险指数($F\&EI$)

火灾、爆炸危险指数被用来估计生产过程中后果可能造成的破坏。各种危险因素如反应类型、操作温度、压力和可燃物的数量等表征了事故发生概率、可燃物的潜能以及由工艺控制故障、设备故障、振动或应力疲劳等导致的潜能释放的大小。

根据直接原因,易燃物泄漏并点燃后引起的火灾或燃料混合物爆炸的破坏情况分为如下几类:

(1) 冲击波或燃爆;

(2) 初始泄漏引起的火灾暴露;

(3) 容器爆炸引起的对管道与设备的撞击;

(4) 引起二次事故——其他可燃物的释放。

随着单元危险系数和物质系数的增大,二次事故变得愈加严重。

火灾、爆炸危险指数($F\&EI$)是单元危险系数(F_3)和物质系数(MF)的乘积。

表7-11是$F\&EI$值与危险程度之间的关系,它使人们对火灾、爆炸的严重程度有了一个相对的认识。

表7-11　　　　　　　　　$F\&EI$值及危险等级

$F\&EI$值	1~60	61~96	97~127	128~158	>159
危险等级	最轻	较轻	中等	很大	非常大

$F\&EI$被汇总记入火灾、爆炸指数($F\&EI$)表中。建议保存有关$F\&EI$的计算和文件,以备日后检查和校对。

(四) 安全措施补偿系数

建造任何一个化工装置(或化工厂)时,应该考虑一些基本设计要点,要符合各种规范,如建筑规范、美国机械工程师学会(ASME)、美国消防协会(NFPA)、美国材料试验学会(ASTM)、美国国家标准所(ANST)的规范以及地方政府的要求。

除了这些基本的设计要求之外,根据经验提出的安全措施也已证明是有效的,它不仅能预防严重事故的发生,也能降低事故的发生概率和危害。安全措施可以分为以下三类:C_1(工艺控制);C_2(物质隔离);C_3(防火措施)。

安全措施补偿系数按下列程序进行计算并汇总于安全措施补偿系数表中:

(1) 直接把合适的系数填入该安全措施的右边;

(2) 没有采取的安全措施,系数记为1;

(3) 每一类安全措施的补偿系数是该类别中所有选取系数的乘积;

(4) 计算$C_1 \times C_2 \times C_3$便得到总补偿系数;

(5) 将补偿系数填入工艺单元危险分析汇总表中的第8行。

所选择的安全措施应能切实地减少或控制评价单元的危险。选择安全措施以提高安全可靠性不是本危险分析方法的最终结果,其最终结果是确定损失减少的美元数或使最大可能财产损失降至一个更为实际的数值。当地的损失预防专家能帮助我们选择各种合适的安全措施。下面列出安全措施及相应的补偿系数并加以说明。

1. 工艺控制补偿系数(C_1)

(1) 应急电源——0.98

本补偿系数适用于基本设施(仪表电源、控制仪表、搅拌器和泵等)具有应急电源且能从正常状态自动切换到应急状态。只有应急电源与评价单元事故的控制有关时,才考虑这个系数。例如,在某一反应过程中维持正常搅拌是避免失控反应的重要手段,若为搅拌器配备应急电源就有明显的保护功能,因此,应予以补偿。

在另一种情况下,如聚苯乙烯生产中胶浆罐的搅拌,就不必设置应急电源来防止或控制可能出现的火灾、爆炸事故。虽然它能在正常电源中断时保证连续作业,也不给予补偿。

(2) 冷却——0.79～0.99

如果冷却系统难保证在出现故障时维持正常的冷却 10 min 以上,补偿系数取 0.99;如果有备用冷却系统,冷却能力为正常需要量的 1.5 倍且至少维持 10 min 时,系数取 0.97。

(3) 抑爆——0.84～0.98

粉体设备或蒸气处理设备上安有抑爆装置或设备本身有抑爆作用时,系数取 0.84;采用防爆膜或泄爆口防止设备发生意外时,系数取 0.98。只有那些在突然超压(如燃爆)时能防止设备或建筑物遭受破坏的释放装置才能给予补偿系数。对于那些在所有压力窗口器上都配备的安全阀、储罐的紧急排放口之类常规超压释放装置则不考虑补偿系数。

(4) 紧急停车装置——0.96～0.99

情况出现异常时能紧急停车并转换到备用系统,补偿系数取 0.98;重要的转动设备如压缩机、透平和鼓风机等装有振动测定仪时,若振动仪只能报警,系数取 0.99;若振动仪能使设备自动停车,系数取 0.96。

(5) 计算机控制

设置了在线计算机以帮助操作者,但它不直接控制关键设备或经常不用计算机操作时,系数取 0.99。具有失效保护功能的计算机直接控制工艺操作时,系数取 0.97。采用下列三项措施之一者,系数取 0.93:① 关键现场数据输入的冗余技术;② 关键输入的异常中止功能;③ 备用的控制系统。

(6) 惰性气体保护——0.94～0.96

盛装易燃气体的设备有连续的惰性气体保护时,系数为 0.96;如果惰性气体系统有足够的容量并自动吹扫整个单元时,系数为 0.94。但是,惰性吹扫系统必须人工启动或控制时,不取系数。

(7) 操作指南或操作规程——0.91～0.99

正常的操作指南、完整的操作规程是保证正常作业的重要因素。下面列出最重要的条款并规定分值:

① 开车——0.5;

② 正常停车——0.5;

③ 正常操作条件——0.5;

④ 低负荷操作条件——0.5;

⑤ 备用装置启动条件(单元循环或全回流)——0.5;

⑥ 超负荷操作条件——1.0;

⑦ 短时间停车后再开车——1.0;

⑧ 检修后的重新开车——1.0;

⑨ 检修程序(批准手续、清除污物、隔离、系统清扫)——1.5;

⑩ 紧急停车——1.5;

⑪ 设备、管线的更换和增加——2.0;

⑫ 发生故障时的应急方案——3.0。

可以根据操作规程的完善程度,在 0.91~0.99 的范围内确定补偿系数。

(8) 活性化学物质检查——0.91~0.98

用活性化学物质大纲检查现行工艺和新工艺(包括工艺条件的改变、化学物质的储存和处理等),是一项重要的安全措施。

如果按大纲进行检查是整个操作的一部分,系数取 0.91;如果只是在需要时才进行检查,系数取 0.98。

采用此项补偿系数的最低要求是:至少每年操作人员应获得一份应用于本职工作的活性化学物质指南,如不能定期地提供则不能选取补偿系数。

(9) 其他工艺过程危险分析——0.91~0.98

几种其他的工艺过程危险分析工具也可用来评价火灾、爆炸危险。这些方法是:定量风险评价(QRA),详尽的后果分析,事故树分析,危险和可操作性研究,故障模式和影响分析,环境、健康、安全和损失预防审查,"如果……怎么样"分析,检查表评价以及工艺、物质等变更的审查管理。

相应的补偿系数如下:

定量风险评价	0.91
详尽的后果分析	0.93
故障树分析	0.93
危险和可操作性研究	0.94
故障模式和影响分析	0.94
环境、健康、安全和损失预防审查	0.96
如果……怎么样	0.96
检查表评价	0.98
工艺、物质等变更的审查管理	0.98

定期地开展上面所列的任一危险分析时,均可按规定取相应的补偿系数。如果只是在必要时才进行一些危险分析,可仔细斟酌后取较高一些的补偿系数。若总补偿系数确切,皆可利用。

2. 物质隔离补偿系数(C_2)

(1) 远距离控制阀——0.96~0.98

如果单元备有遥控的切断阀,以便在紧急情况下迅速地将储罐、容器及主要输送管线隔离时,系数取 0.98;如果阀门至少每年更换一次,则系数取 0.96。

(2) 备用泄料装置——0.96~0.98

如果备用储槽能安全地(有适当的冷却和通风)直接接受单元内的物料时,补偿系数取 0.98;如果备用储槽安置在单元外,则系数取 0.96;对于应急通风系统,如果应急通风管能将气体、蒸气排放至火炬系统或密闭的受槽,系数取 0.96。正常的排气系统减少了周围设备暴露于泄漏出的气体、液体中的可能性,因而也给予补偿。与火炬系统或受槽连接的正常排气系统的补偿系数取 0.98。连接聚苯乙烯反应器和储槽的排风系统即为一例。

(3) 排放系统——0.91~0.97

为了从生产和储存单元中移走大量的泄漏物,地面斜度至少要保持2%(硬质地面1%),

以便使泄漏物流至尺寸合适的排放沟。排放沟应能容纳最大储罐内所有的物料再加上第二大储罐10%的物料以及消防水1h的喷洒量。满足上述条件时,补偿系数取0.91。

只要排放设施完善,能把储罐和设备下以及附近的泄漏物排净,就可采用补偿系数0.91。

如果排放装置能汇集大量泄漏物料,但只能处理少量物料(约为最大储罐容量的一半)时,系数取0.97;许多排放装置能处理中等数量的物料时,则系数取0.95。

储罐四周有堤以容纳泄漏物时不予补偿。倘若能将泄漏物引至一蓄液池,蓄液池的距离至少要大于15 m,蓄液池的蓄液能力要能容纳区域内的最大储罐的所有物料再加上第二大储罐盛装物料的10%以及消防水,此时补偿系数取0.95。倘若地面斜度不理想或蓄液池距离小于15 m时不予补偿。

(4) 联锁装置——0.98

装有联锁系统以避免出现错误的物料流向以及由此而引起的不需要的反应时,系数为0.98。此系数也能适用于符合标准的燃烧器。

3. 防火措施补偿系数(C_3)

(1) 泄漏检测装置——0.94~0.98

安装了可燃气体检测器,但只能报警和确定危险范围时,系数取0.98;若它既能报警又能在达到燃烧下限之前使保护系统动作,此时系数取0.94。

(2) 钢质结构——0.95~0.98

防火涂层应达到的耐火时间取决于可燃物的数量及排放装置的设计情况。

如果采用防火涂层,则所有的承重钢结构都要涂覆,且涂覆高度至少为5 m,这时补偿系数取0.98;涂覆高度大于5 m而小于10 m时,系数取0.97;如果有必要,涂覆高度大于10 m时,系数取0.95。防火涂层必须及时维护,否则不能取补偿系数。

钢筋混凝土结构采用和防火涂层一样的系数。从防火角度出发,应优先考虑钢筋混凝土结构。另外的防火措施是单独安装大容量水喷洒系统来冷却钢结构,这时补偿系数取0.98,而不是按照"喷洒系统"一项的规定取0.97。

(3) 消防水供应——0.94~0.97

消防水压力为690 kPa(表压)或更高时,补偿系数取0.94;消防水压力低于690 kPa(表压)时,系数取0.97。

工厂消防水的供应要保证按计算的最大需水量连续供应4 h。对危险不大的装置,供水时间少于4 h可能是合适的。满足上述条件的话,补偿系数取0.97。

在保证消防水的供应上,除非有独立正常电源之外的其他能源且能提供最大水量(按计算结果),否则不取补偿系数。柴油机驱动的消防水泵即为一例。

(4) 特殊系统——0.91

特殊系统包括二氧化碳、卤代烷灭火及烟火探测器、防爆墙或防爆小层等。由于对环境存在潜在的危害,不推荐安装新的卤代烷灭火设施。对现有的卤代烷灭火设施,如认为它适合于某些特定的场所或有助于保障生命安全,可以取补偿系数。

重要的是要确保为评价单元选择的安全措施适合于该单元的具体情况。特殊系统的补偿系数取0.91。

地上储罐如果设计成夹层壁结构,当内壁发生泄漏时外壁能承受所有的负荷,此时采用

0.91的补偿系数。可是,双层壁结构常常不是最为有效的,减小风险的最好办法是设法加固内壁。

以往,地下埋藏储罐和夹层储罐都给予补偿系数,从防火的观点看,地下储罐更安全一些是毫无疑问的。可是,更为重要的一点是:地下储罐可能泄漏,而且对泄漏的检测和控制都有困难。出于这种保护环境的考虑,不推荐设置新的地下储罐。

(5) 喷洒系统——0.74～0.97

洒水灭火系统的补偿系数取0.97。对洒水灭火系统给予最小的补偿是由于它由许多部件组成,其中任一部件的故障都可能完全或部分地影响整个系统的功能。喷洒水灭火系统常与其他损失预防措施结合起来应用于较危险的场合,这就意味着单独的喷洒水灭火系统的效果欠佳。

室内生产区和仓库使用的湿管、干管喷洒灭火系统的补偿系数按表7-12选取。

表7-12 室内生产区和仓库使用的湿管、干管喷洒灭火系统的补偿系数

	设计参数	补偿系数	
	L/(min·m²)	湿管	干管
低危险	6.11～8.15	0.87	0.87
中等危险	8.56～13.6	0.81	0.84
非常危险	>14.3	0.74	0.81

湿管、干管自动喷水灭火系统(闭式喷头)的可靠性高达99.9%以上,易发生故障的调节阀很少采用。

可用适当的面积修正系数(按防火墙内的面积计)乘以上述的补偿系数。可能着火的面积增大时(如仓库),这使补偿系数增加,从而增大了最大可能财产损失。这是因为面积增大时会有更多的机会暴露在燃烧环境中。

(6) 水幕——0.97～0.98

在点火源和可能泄漏的气体之间设置自动喷水幕,可以有效地减少点燃可燃气体的危险。为保证良好的效果,水幕到泄漏源之间的距离至少要为23 m,以便有充裕的时间检测并自动启动水幕。最大高度为5 m的单排喷嘴,补偿系数取0.98;在第一层喷嘴之上2 m内设置第二层喷嘴的双排喷嘴,补偿系数取0.97。

(7) 泡沫装置——0.92～0.97

如果设置了远距离手动控制的将泡沫注入标准喷洒系统的装置,补偿系数取0.94,这个系数是对喷洒灭火系统补偿系数的补充;全自动泡沫喷射系统的补偿系数取0.92,所谓全自动意味着当检测到着火后泡沫阀自动地开启。

为保护浮顶罐的密封圈设置的手动泡沫灭火系统的补偿系数取0.97;当采用火焰探测器控制泡沫系统时,补偿系数取0.94。

锥形顶罐配备有地下泡沫系统和泡沫室时,补偿系数取0.95;可燃液体储罐的外壁配有泡沫灭火系统时,如为手动控制则补偿系数取0.97,如为自动控制则系数取0.94。

(8) 手提式灭火器/水枪——0.93～0.98

如果配备了与火灾危险相适应的手提式或移动式灭火器,补偿系数取0.98。如果单元

内有大量泄漏可燃物的可能,而手提式灭火器又不可能有效地控制,这时不取补偿系数。

如果安装了水枪,补偿系数取 0.97;如果能在安全地点远距离控制它,系数取 0.95;带有泡沫喷射能力的水枪,补偿系数取 0.93。

(9) 电缆保护——0.94～0.98

仪表和电缆支架均为火灾时非常容易遭受损坏的部位。如采用带有喷水装置,其下有 14 号至 16 号钢板金属罩加以保护时,系数取 0.98;如金属罩上涂以耐火涂料以取代喷水装置时,其系数也是 0.98。若电缆管理在地下的电缆沟内(不管沟内是否干燥),补偿系数取 0.94。

C_1、C_2、C_3 的乘积 $C_1 \times C_2 \times C_3$ 即为单元的安全补偿系数,记入工艺单元分析汇总表的第 8 行。

(五) 工艺单元危险分析汇总

工艺单元危险分析汇总表汇集了所有的重要的单元危险分析的资料。它首先列出了 $F\&EI$ 及由 $F\&EI$ 确定的数据、单元的安全补偿系数、暴露区域、危害系数及累计生产总值等。

工艺单元危险分析汇总表以及 $F\&EI$ 是用来制定生产单元风险管理程序的有效的工具。

本评价法另外的作用是提供了一种识别单元中其他危险因素的方法。这可使所有单元的危险因素都能被发现。

1. 火灾、爆炸指数($F\&EI$)

火灾、爆炸指数被用来估计生产事故可能造成的破坏。有关火灾、爆炸指数的内容已在前面给出,表 7-11 还给出了按不同的火灾、爆炸指数值计划分危险等级的规定。确定 $F\&EI$ 的所有关键的数据和计算均列在图 7-1 中。$F\&EI$ 值填入工艺单元危险分析汇总表 7-3 中的第 1 行和生产单元危险分析汇总表 7-4 相应的栏目中。

2. 暴露半径

对已经计算出来的 $F\&EI$,可以用它乘以 0.84 或按图 7-7 转换成暴露半径。它的单位可以是英尺或米。这个暴露半径表明了生产单元危险区域的平面分布,它是一个以工艺设备的关键部位为中心,以暴露半径为半径的圆。每一个被评价的生产单元都可画出这样一个圆。暴露半径的值填入工艺单元危险分析汇总表的第 2 行。

如果被评价工艺单元是一个小设备,就可以该设备的中心为圆心,以暴露半径为半径画圆。如果设备较大,则应从设备表面向外量取暴露半径,暴露区域加上评价单元的面积才是实际暴露区域的面积。在实际情况下,暴露区域的中心常常是泄漏点,经常发生泄漏的点是排气口、膨胀节和装卸料连接处等部位,它们均可作为暴露区域的圆心。

3. 暴露区域

暴露半径决定了暴露区域的大小。按下式计算暴露区域:

$$暴露区域面积 = \pi R^2 \quad (m^2)$$

暴露区域的数值填入工艺单元危险分析汇总表的第 3 行。

暴露区域意味着其内的设备将会暴露在本单元发生的火灾或爆炸环境中。为了评价这些设备在火灾、爆炸中遭受的损坏,要考虑实际影响的体积。该体积是一个围绕着工艺单元的圆柱体的体积,其面积是暴露区域,高度相当于暴露半径。有时用球体的体积来表示也是合理的。该体积表征了发生火灾、爆炸事故时生产单元所承受风险的大小。

图 7-7 为一示例:单元是立式储罐,图 7-7 中显示了暴露半径、暴露区域及影响体积。

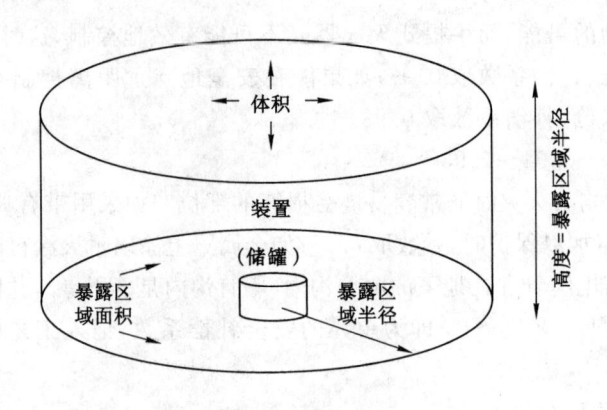

图 7-7　立式储罐示例

众所周知，火灾、爆炸的蔓延并不是一个理想的圆，故不会在各个方向造成同等的破坏。实际破坏情况受设备位置、风向及排放装置情况的影响，这些都是影响损失预防设计的重要因素。不管怎样，"圆"提供了赖以计算的基本依据。

$$火灾、爆炸指数=100$$
$$暴露区域半径=25.6 \text{ m}$$
$$暴露区域面积=2\,060 \text{ m}^2$$
$$圆柱体高度=25.6 \text{ m}$$

有趣的是在早期的 $F\&EI$ 研究中，计算暴露半径时要考虑各种易燃物泄漏量达 8 cm 深时可能造成的后果以及爆炸性气体混合物和火灾的影响，同时还要考虑几种不同的环境状况。

如果暴露区域内有建筑物，但该建筑物的墙耐火或防爆或二者兼而有之，此时该建筑物没有危险因而不应计入暴露区域内。如果暴露区域内设有防火墙或防爆墙，则墙后的面积也不算作暴露面积。

如果物料储存在仓库或其他建筑物内，基于上述理由可以得到如下结论：处于危险状态的仅是建筑物本身的容积，可能的危险是燃烧而不是爆炸，建筑物的墙和顶棚应不能传播火焰。假若这个建筑物不耐火或至少由可燃物建造的，则影响区域就延伸到墙壁之外。

另外还要考虑的是：

（1）包含评价单元的单层建筑物的全部面积可以看做是暴露区域，除非它用耐火墙分隔成几个独立的部分。如果有爆炸危险，即使各部分用防火墙隔开，整个建筑面积都要看成是暴露区域。

（2）多层建筑具有耐火楼板时，其暴露区域按楼层划分。

（3）如果火源在建筑物的外部，则防火墙具有良好的防止建筑物暴露于火灾危害中的作用。但若有爆炸危险，它就丧失了隔离功能。

（4）防爆墙可以看做是暴露区域的界限。

$F\&EI$ 对最终评价结果的影响可以从下例看出：

例：单元 A　　　　　单元 B
　　单元危险系数=4.0　　单元危险系数=4.0
　　物质系数=16　　　　物质系数=16

危害系数＝0.45　　　　危害系数＝0.74
$F\&EI$＝64　　　　　　$F\&EI$＝96
暴露半径＝16.4 m　　　暴露半径＝24.6 m
暴露区域面积＝845 m²　暴露区域面积＝1 901 m²

虽然上述两个单元的单元危险系数均为 4.0,但其最终的可能损失还必须考虑所处理物料的危险性。

单元 A 的情况表明周围 845 m² 的区域将有 45％遭到破坏;而单元 B 的情况则表明周围 1 901 m² 的区域将有 75％遭到破坏。

如果单元 B 的危险系数是 2.7 而不是 4.0,则它和单元 A 将有相同的 $F\&EI$ 值(64),可是单元 B 的危害系数将变为 0.64(根据物质系数 24 来确定),而单元 A 的危害系数为 0.45(根据物质系数 16 而确定)。

4. 暴露区域内财产价值

暴露区域内财产价值可由区域内含有的财产(包括在存的物料)的更换价值来确定:

$$更换价值＝原来成本×0.82×增长系数$$

上式中的系数 0.82 是考虑到事故发生时有些成本不会遭受损失或无需更换,如场地平整、道路、地下管线和地基、工程费等,如能作更精确的计算,这个系数可以改变。

增长系数由工程预算专家确定,他们掌握着最新的公认的数据。

暴露区域内财产价值填入工艺单元危险分析汇总表中第 5 行及生产单元危险分析汇总表中。

更换价值可按以下几种方法计算:

(1) 采用暴露区域内设备的更换价值。现行价值可按上述原则确定。在理想情况下,会计的统计资料可提供这些信息。

注意:会计统计中可能有保险金额或实际的现金值,它们是从现行的更换价值算出的。若赔偿金额是按保险值来确定的,估计风险的最好办法是依据现行的更换价值。

(2) 用现行的工程成本来估算暴露区域内所有财产的更换价值(地基和其他一些不会遭受损失的项目除外),这几乎像估算一个新装置那样费时。为简化起见,可只用主要设备的成本来估算,然后用工程预算安装系数核定安装费用。工艺技术中心可以提供已有装置和新建装置的最新成本数据。

(3) 从整个装置的更换价值推算每平方米的设备费,再用暴露区域的面积与之相乘就得到更换价值。这种方法的精确度可能最差,但对老厂最适用。

计算暴露区域内财产的更换价值时,必须采用在存物料的价值及设备价值。对于储罐的物料量可按其容量的 80％计算;对于塔器、泵、反应器等采用在存量或与之相连的物料储罐的物料量。不论其量是否偏小,亦可用 15 min 物流量或其有效容积。

物料的价值要根据制造成本、可销售产品的销售价及废料的损失等来确定。暴露区域内所有的物料都要包括在内。

注意:当一个暴露区域包含另一暴露区域的一部分时,不能重复计算。

5. 危害系数的确定

危害系数是由单元危险系数(F_3)和物质系数(MF)按图 7-8 来确定的,它代表了单元中物料泄漏或反应能量释放所引起的火灾、爆炸事故的综合效应。确定危害系数时,如果 F_3

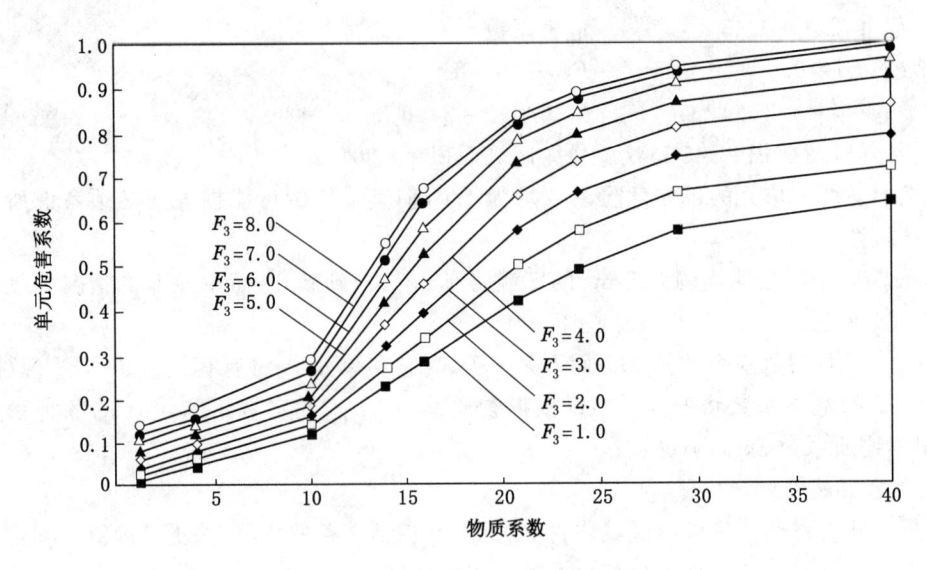

图 7-8 单元危害系数计算图

数值超过 8.0,也不能按图 7-8 外推,应按 $F_3=8.0$ 来确定危害系数。

随着物质系数(MF)和单元危险系数(F_3)的增加,单元危害系数从 0.01 增至 1.00。危害系数填在工艺单元危险分析汇总表的第 6 行。

例如:有两个单元 A 和 B,它们的单元危险系数(F_3)均为 4.00,单元 A 的物质系数为 16,而单元 B 的物质系数为 24,根据图 7-8 可以得到单元 A 的危害系数为 0.45,单元 B 的危害系数为 0.74。

6. 基本最大可能财产损失(Base MPPD)

确定了暴露区域、暴露区域内财产和危害系数之后,有必要计算按理论推断的暴露面积(实质上是暴露体积)内有关设备价值的数据。暴露面积代表了基本最大可能财产损失。基本最大可能财产损失是根据许多年来开展损失预防积累的数据来确定的,由工艺单元危险分析汇总表中的第 5 行和第 6 行的数据相乘得到。基本最大可能财产损失填入工艺单元危险分析汇总表中第 7 行和生产单元危险分析汇总表中。基本最大可能财产损失是假定没有任何一种安全措施来降低损失。

7. 安全措施补偿系数

安全措施补偿系数是若干项目的乘积,有关的具体内容在前面已经说明。安全措施补偿系数也填入单元危险分析汇总表 7-4 相应的栏目中。

8. 实际最大可能财产损失(Actual MPPD)

基本最大可能财产损失与安全措施补偿系数的乘积就是实际最大可能财产损失。它表示在采取适当的(但不完全理想)防护措施后事故造成的财产损失。如果这些防护装置出现故障,其损失值应接近于基本最大可能财产损失。

实际最大可能财产损失填入工艺单元危险分析总表的第 9 行和生产单元危险分析汇总表相应的栏目中。

9. 最大可能工作日损失(MPDO)

正如在引言中所说,估算最大可能工作日损失是评价停产损失(BI)必须经过的一个步骤。停产损失常常等于或超过财产损失,这取决于物料储量和产品的需求状况。一些不同的情况可以导致最大可能工作日损失与财产损失的关系发生变化。例如:

(1) 修理电缆支架上损坏的电缆所花费的时间与修理或更换小电动机、泵及仪表的时间差不多,但其财产损失要小得多。

(2) 关键原料供应管的故障(如盐水管、碳氢化合物输送管等)的财产损失小,但最大可能工作日损失大。

(3) 需更换部件或是单机系统难以买到,对停工天数有影响,会拖延修复日期。

(4) 需要从遥远的生产厂家购置损失的产品。

(5) 工厂之间的依赖关系:由于原材料生产厂的问题而致原材料供应困难,使得收益和连续成本受到损失。

为了求得 $MPDO$,必须首先确定 $MPPD$,然后按图 7-9 查取 $MPDO$。

图中标注:
1: 高于 70% 可能范围
　$\lg Y = 1.550\,233 + 0.598\,416 \cdot \lg X$
2: 正常值
　$\lg Y = 1.325\,132 + 0.592\,471 \cdot \lg X$
3: 低于 70% 可能范围
　$\lg Y = 1.045\,515 + 0.610\,426 \cdot \lg X$

纵轴：最大可能停工天数/d
横轴：实际最大可能财产损失

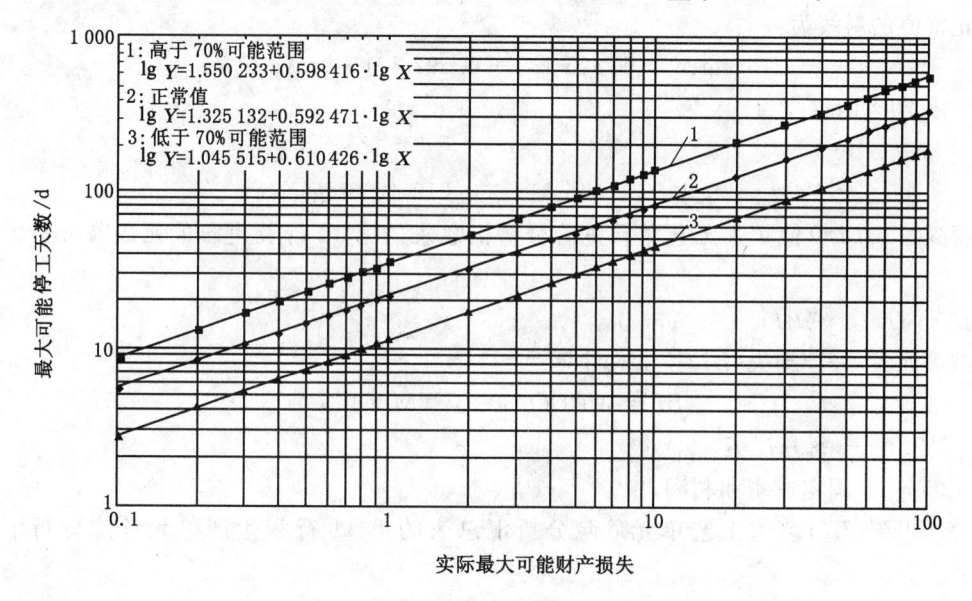

图 7-9　最大可能停工天数($MPDO$)计算图

图 7-9 表明了 $MPDO$ 与实际 $MPPD$ 之间的关系。根据以往的火灾、爆炸事故得到的数据,也为确定危害系数提供了基础。由于对数据作了大量的推演,$MPDO$ 与 $MPPD$ 之间的关系是不够精确的。在许多情况下,人们可直接从第 2 条线读出 $MPDO$ 的值。值得注意的是在确定 $MPDO$ 时要作恰当的判断,如果不能作出精确的判断,$MPDO$ 的值可能在 70% 上下范围内波动。可是,如有确凿的证据,$MPDO$ 的值也可远远偏离 70%,如果根据供应时间和工程进度较精确地确定停产日期,就可采用它而不用按图 7-9 来加以确定。

有些情况下,$MPDO$ 值可能与通常的情况不尽符合。如压缩机的关键部件可能有备品,备用泵和整流器也有储备。在这种情况下利用图 7-9 中第 3 条线来查取 $MPDO$ 是合理的。反之,部件采购困难或单机系统时,一般就要利用图 7-9 中第 1 条线来确定 $MPDO$,换言之,专门的火灾、爆炸后果分析可用来代替图 7-9 以确定 $MPDO$。

图 7-9 中列出的实际 $MPPD$ 是按 1986 年的美元给出的。因涨价因素应将其转换为现今的价格。化学工程装置价格指数的相对值如表 7-13 所列。

表 7-13　　　　　　　　　化学工程装置价格指数的相对值

1986年	1987年	1988年	1989年	1990年	1991年	1992年	1993年	1994年	1995年
318.4	323.8	342.5	355.4	357.6	361.3	358.2	359.9*	368.4**	378.3**

注：* 为1993年8月的指数；** 为最好的估计。

这样一来，由于价格上涨，1986年至1994年的增长系数为
$$368.4/318.4 = 1.157$$
上述数值需要进一步调整，以便尽可能精确地估计实际的最大可能财产损失。

图 7-9 中 $MPPD(X)$ 与 $MPDO(Y)$ 之间的方程式为

上限70%的斜线为
$$\lg Y = 1.550\,233 + 0.598\,416 \cdot \lg X$$

正常值的斜线为
$$\lg Y = 1.325\,132 + 0.592\,471 \cdot \lg X$$

下限70%的斜线为
$$\lg Y = 1.045\,515 + 0.610\,426 \cdot \lg X$$

得到的 $MPDO$ 值填入工艺单元危险分析汇总表的第10行及生产单元危险分析汇总表中。

10. 停产损失(BI)

按美元计，停产损失(BI)按下式计算：
$$BI = MPDO/30 \times VPM \times 0.7$$

式中　VPM——每月产值；

0.7——固定成本和利润。

停产损失(BI)填入工艺单元危险分析汇总表的第11行和生产单元危险分析汇总表中。

（六）关于最大可能财产损失、停产损失和工厂平面布置的讨论

可以接受的最大可能财产损失和停产损失的风险值为多大？这是一个不容易回答的问题，它取决于不同的工厂类型。例如，烃类加工厂的潜在损失总是要超过泡沫聚苯乙烯工厂。最好的办法是与技术领域类似的工厂进行比较。一个新装置的损失风险预测值不应超过具有同样技术的类似工厂。另一种确定可以接受的最大可能财产损失的办法是采用生产单元（工厂）更换价值的10%。

另外一个问题是市场情况及一旦一个生产厂停产，其产品的供应情况如何。如若许多厂生产同一种产品，则其停产损失可能最小。如果损坏的工厂是某种产品的唯一生产厂家，因而市场供应很脆弱，这时遭受的潜在损失就很大。

如果发生重大的财产损失事故，关键的单元操作如废水处理、热氧化等也对停产损失有较大影响。

如果最大可能损失是不可接受的，重要的是应该或可能采取哪些措施来降低它。

(1) 风险分析应在重大新建项目的设计阶段进行，这就提供了一个采取措施减少 $MPPD$ 的好机会。达到上述目的的最有效的方法是改变平面布置、增大间距以及减少暴露

区域内的总投资。在一些情况下,物料在存量是影响 $F\&EI$ 的主要因素,这时减少物料在存量可能是最容易而又有效的。针对具体情况,还可以找到其他一些行之有效的措施。显而易见,采取消除或减少危险的预防措施比增加更多的安全措施对最大可能财产损失有更大的影响。

(2) 对现有生产装置进行检查时,改变平面布置或物料在存量在经济上是很难接受的,明显减少 $MPPD$ 有一定的限度,这时重点就应该放在增加安全措施上。

火灾、爆炸危险指数($F\&EI$)的评价在规划新厂的平面布置或在现有生产装置增加设备和构筑物时是非常有用的。$F\&EI$ 分析与损失预防原则结合,能确保工艺单元和重要的建筑物、设备之间有合适的间距。$F\&EI$ 数值越大,装置之间的间距就越大。

另外,能将 $F\&EI$ 分析反复应用于初步方案设计阶段,以评价相邻建筑物和设备之间火灾、爆炸的潜在影响。假若分析结果表明风险不能接受,则应增大间距或采取更为先进的工程措施并估算其后果。评价 $F\&EI$ 并在平面布置上采取措施,将使设备与建筑物比较安全、易于维修、方便操作,且能使成本与效益兼顾。

(七) 生产单元危险分析汇总

生产单元危险分析汇总记录了评价单元的基本的和实际的最大可能财产损失以及停产损失。

汇总表的第一栏填单元名称,名称之下填主要物质名称。由此可确定物质系数。例如胶乳生产装置,该栏填"反应单元/丁二烯"。表中其他数据根据"火灾、爆炸指数($F\&EI$)表"和"工艺单元危险分析汇总表"填写。这些数据包括:$F\&EI$、暴露面积、基本 $MPPD$、实际 $MPPD$、$MPDO$ 以及 BI。

所有有关的工艺单元都要单独列出"火灾、爆炸指数($F\&EI$)表"、"安全措施补偿系数表"及"工艺单元危险分析汇总表"。"生产单元危险分析汇总表"则集中了这些表格中的关键信息并被收入"风险分析数据包"中。

有必要为火灾保险提供生产单元的事故损失情况及采取安全措施的汇总表,它被称为风险分析数据包。它应包括如下内容:

(1) 生产单元危险分析汇总。
(2) 为确定下列各项而完成的 $F\&EI$ 表格:
① 最大的实际 $MPPD$;
② 最大的 $MPDO$ 和 BI;
③ 最大的 $F\&EI$。
(3) 简化的方框式工艺流程图。
(4) 标有暴露面积、气体检测、消防设备、紧急切断阀等的地图。
(5) 有关停产损失的数据:
① 原料或代用物的来源;
② 产品的包装和运输;
③ 基本的公用设施及可靠性;
④ 关键设备及损坏时的对策;
⑤ 安全措施如消防、供水、水喷洒设备、抑爆装置及消防部门应急响应的能力;
⑥ 道化学公司设施与非道化学公司设施之间的依赖关系。

(6) 化学物质暴露指数汇总。
(7) 现场损失预防安全措施报告书。
(8) 单元损失预防安全措施报告书。

每套装置都要有关于各生产单元的最新的风险分析数据包。风险分析数据包被许多部门作为综合审查的一部分。

第二节　ICI蒙德火灾、爆炸、毒性指标评价法

一、概述

道化学指数法是以物质系数为基础,并对特殊物质、一般工艺及特殊工艺的危险性进行修正求出火灾、爆炸的危险系数,再根据指数大小分成5个等级,按等级要求采取相应对策的一种评价方法。其计算方法、评价程序等已在上节做了介绍。1974年英国帝国化学工业公司(ICI)蒙德(Mond)部在道化学指数评价方法的基础上引进了"毒性"的概念,并发展了某些补偿系数,提出了"蒙德火灾、爆炸、毒性指标评价法",以下称"蒙德法"。

ICI蒙德法在现有装置及计划建设装置的危险性研究中,作为总体研究的一部分,认为道化学公司在工程设计的初级阶段,对装置潜在的危险性评价是相当有意义的。实验证明了用该方法评价新设计项目的潜在危险时,有必要在几个方面作重要的改进和补充。主要扩充如下:

(1) 可对较广范围的工程及设备进行研究;
(2) 包括了具有爆炸的化学物质的实用管理;
(3) 根据对事故案例的研究,考虑了对危险度有相当影响的几种特殊工艺类型的危险性。
(4) 采用了毒性的观点。
(5) 为装置的良好设计管理,安全仪表控制系统发展了某些补偿系数项目水平之下的装置,可进行单元设备现实的危险度评价。

其中最重要的是两个方面:

第一,引进了"毒性"的概念,将道化学公司的"火灾、爆炸指数"扩展到包括物质毒性在内的"火灾、爆炸、毒性指标"的初期评价,使表示装置潜在的危险性的初期评价更切合实际。

第二,发展某些补偿系数(补偿系数小于1),进行装置现实危险性水平再评价。即采取安全对策施加以补偿后进行最终评价,从而使评价较为恰当,也使预测定量化更具有实用意义。

二、ICI蒙德法的特点和适用范围

ICI蒙德法突出了毒性对评价单元的影响,在考虑火灾、爆炸、毒性危险方面的影响范围及安全补偿措施等方面都较道化学公司火灾、爆炸危险指数评价法更为全面,在安全措施补偿方面强调了工程管理和安全态度,突出了企业管理的重要性。可以较广范围地进行全面、有效、更为接近实际的评价。

ICI蒙德法与道化学火灾、爆炸指数评价法一样在各种评价中都可以使用,评价人员可以根据经验和实际的需要选择相关的评价方法。特别是针对有毒性指标的装置,应用ICI蒙德法对装置潜在的危险性初期评价比道化学火灾、爆炸指数评价法更切合实际。

三、ICI 蒙德法的评价程序

ICI 蒙德法的评价程序如图 7-10 所示。

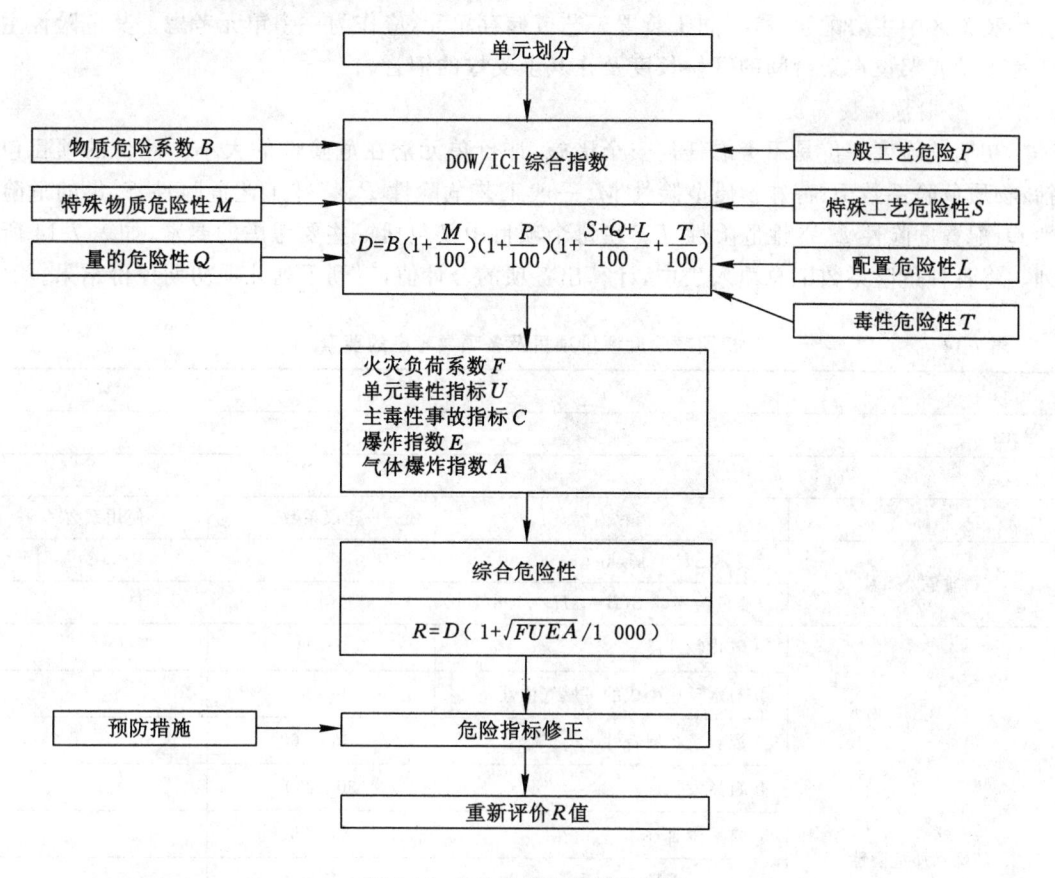

```
                           单元划分
                              ↓
  物质危险系数 B  →  ┌──────────────────────┐  ←  一般工艺危险 P
                    │   DOW/ICI 综合指数    │
  特殊物质危险性 M →  │                      │  ←  特殊工艺危险性 S
                    │ D=B(1+M/100)(1+P/100)│
  量的危险性 Q    →  │   (1+(S+Q+L)/100+T/100)│  ←  配置危险性 L
                    └──────────────────────┘
                                            ←  毒性危险性 T
                              ↓
                    ┌──────────────────────┐
                    │   火灾负荷系数 F     │
                    │   单元毒性指标 U     │
                    │   主毒性事故指标 C   │
                    │   爆炸指数 E         │
                    │   气体爆炸指数 A     │
                    └──────────────────────┘
                              ↓
                    ┌──────────────────────┐
                    │   综合危险性         │
                    │ R=D(1+√(FUEA/1 000)) │
                    └──────────────────────┘
                              ↓
  预防措施       →   ┌──────────────────────┐
                    │   危险指标修正        │
                    └──────────────────────┘
                              ↓
                    ┌──────────────────────┐
                    │   重新评价 R 值       │
                    └──────────────────────┘
```

图 7-10 ICI 蒙德法的评价程序

四、ICI 蒙德法的评价步骤

ICI 蒙德法首先将评价系统划分成单元,选择有代表性的单元进行评价。评价过程分两个阶段,第一阶段是初期危险度评价,第二阶段是最终危险度评价。

1. 评价单元的确定

"单元"是装置的一个独立部分。布置上的独立性(相互间有一定的安全距离或由防火墙或防火堤隔开)和工艺上的不同性,是将装置分割成评价单元的两个基本原则。装置中具有代表性的单元类型有:原料储区、反应区、产品蒸馏区、吸收或洗涤区、中间产品储区、运输装卸区、催化剂处理区、副产品处理区、废液处理区、通入装置区的主要配管桥区。此外,还有过滤、干燥、固体处理、气体压缩等,合适时也常常作为单元处理。

将装置划分为不同类型的单元,就能对装置的不同单元的不同危险性特点分别进行评价。根据评价结果,可以有针对性地采取不同的安全对策措施,否则,整个装置或装置的大部分会带有装置中最危险单元的特征。为了降低它们的危险性,就必须增加安全设施,其结果是投资增大。当然,在不增加单元危险性潜能的情况下,也可将具有类似危险潜能的单元合并为一个较大的单元。

评价存储区时,单元通常由一个堤坝内的全部储罐组成。其他堤坝分开的区域,如液化气、高着火性液体和有自聚危险性、可能产生过氧化物、有凝聚相爆炸危险等的特殊危险物质,可作为不同单元处理,以便能正确识别其相对危险性。

装置区中主要配管桥,不同于装置工艺或储存单元,应作为一个单元考虑。其危险性主要是支设或架设在架台间的管桥长度及在其上支撑的钢管。

2. 初期危险度评价

初期危险度评价是不考虑任何安全措施,评价单元潜在危险性的大小。评价的项目包括:物质危险系数 B、特殊物质危险性 M、一般工艺危险性 P、特殊工艺危险性 S、量的危险性 Q、配置危险性 L、毒性危险性 T。在每个项目中又包括一些要考虑的要素,如表 7-14 所列。将各种危险系数汇总填入表中,计算出各项的合计值,得到下列几项初期评价结果。

表 7-14　　　　　　　　初期危险度评价项目及各项要考虑的要素

场所:	装置:
单元:	物质:
反应:	

指标项	指标内容	建议系数	使用系数
物质危险系数	燃烧热 $\Delta H_c/(\mathrm{kJ/kg})$		
	物质危险系数 $B(B=\Delta H_c \times 1.8/100)$		
特殊物质危险性	① 氧化物性质	0~20	
	② 与水反应生成的可燃气体性质	0~30	
	③ 混合及扩展特性	−60~60	
	④ 自然发热性	30~250	
	⑤ 自然聚合性	25~75	
	⑥ 着火敏感性	−75~75	
	⑦ 爆炸的分解性	125	
	⑧ 气体的爆炸性	150	
	⑨ 凝缩层爆炸性	200~1 500	
	⑩ 其他性质	0~150	
特殊物质危险性合计 $M=$			
一般工艺危险性	① 适用于仅物理变化时	10~50	
	② 单一连续反应	0~50	
	③ 单一间断反应	10~60	
	④ 同一装置内的重复反应	0~75	
	⑤ 物质移动	0~75	
	⑥ 可能输送的容器	10~100	
一般工艺危险性合计 $P=$			

续表 7-14

指标项	指标内容		建议系数	使用系数
特殊工艺危险性	① 低压(<103 kPa绝对压力)		0～100	
	② 高压		0～150	
	③ 低温	a. 碳钢-10～10 ℃	15	
		b. 碳钢-10℃	30～100	
		c. 其他物质	0～100	
	④ 高温	a. 引火性	0～40	
		b. 构造物质	0～25	
	⑤ 腐蚀与侵蚀		0～150	
	⑥ 接头与垫圈泄漏		0～60	
	⑦ 振动负荷、循环等		0～50	
	⑧ 难控制的工程或反应		20～300	
	⑨ 在燃烧范围或其附近条件下操作		0～150	
特殊工艺危险性合计 $S=$				
量的危险性	物质合计/m³			
	密度/(kg/m³)			
	量系数		1～1 000	
量的危险性合计 $Q=$				
配置危险性	单元详细配置			
	高度 H/m			
	通常作业区域/m²			
	① 构造设计		0～200	
	② 多米诺效应		0～250	
	③ 地下		0～150	
	④ 地面排水沟		0～100	
	⑤ 其他		0～250	
配置危险性合计 $L=$				
毒性危险性	① TLV 值		0～300	
	② 物质类型		25～200	
	③ 短期暴露危险性		100～150	
	④ 皮肤吸收		0～300	
	⑤ 物理性因素		0～50	
毒性危险性合计 $T=$				

(1) 道氏综合指数 D。D 值用来表示火灾、爆炸潜在危险性的大小,按下式计算:

$$D = B\left(1+\frac{M}{100}\right)\left(1+\frac{P}{100}\right)\left(1+\frac{S+Q+L}{100}+\frac{T}{100}\right)$$

根据计算结果,将道氏综合指数 D 划分为 9 个等级,如表 7-15 所列。

表 7-15　　　　　　　　　　道氏综合指数 D 等级划分

D 的范围	等级	D 的范围	等级	D 的范围	等级
0~20	缓和的	60~75	稍重的	115~150	非常极端的
20~40	轻度的	75~90	重的	150~200	潜在灾难性的
40~60	中等的	90~115	极端的	>200	高度灾难性的

(2) 火灾负荷系数 F。F 表示火灾潜在危险性,是单位面积内的燃烧热值。根据其值的大小可以预测火灾发生时火灾的持续时间。发生火灾时,单位内全部可燃物料燃烧是罕见的,考虑有 10% 的物料是比较接近实际的。火灾负荷系数 F 用下式计算:

$$F = B \times \frac{K}{N} \times 20\,500$$

式中　K——单元内可燃物料的总量,t;
　　　N——单元的通常作业区域,m^2。

根据计算结果,将火灾负荷系数 F 分为 8 个等级,如表 7-16 所列。

表 7-16　　　　　　　　　　火灾负荷等级

火灾负荷系数 $F/(Btu/ft^2)$	等级	预计火灾持续时间/h	备注
0~5×10⁴	轻	1/4~1/2	
5×10⁴~1×10⁵	低	1/2~1	
1×10⁵~2×10⁵	中等	1~2	住宅
2×10⁵~4×10⁵	高	2~4	工厂
4×10⁵~1×10⁶	非常高	4~10	工厂
1×10⁶~2×10⁶	强的	10~20	对使用建筑物最大
2×10⁶~5×10⁶	极端的	20~50	橡胶仓库
5×10⁶~1×10⁷	非常极端的	50~100	

注:1 $Btu/ft^2 = 11.356\,kJ/m^2$。

(3) 装置内部爆炸指标 E。装置内部爆炸的危险性与装置内物料的危险性和工艺条件有关,故指标 E 的计算式为:

$$E = 1 + \frac{M + P + S}{100}$$

根据计算结果,将装置内部爆炸危险性分成 5 个等级,如表 7-17 所列。

表 7-17　　　　　　　　　　装置内部爆炸危险性等级

装置内部爆炸指标 E	等 级	装置内部爆炸指标 E	等 级
0~1	轻微	4~6	高
1~2.5	低	>6	非常高
2.5~4	中等		

(4) 环境气体爆炸指标 A。环境气体爆炸指标 A 的计算式为：

$$A = B\left(1 + \frac{m}{100}\right) \times QHE \frac{T}{100} \times \left(1 + \frac{P}{100}\right)$$

式中 m——物质的混合与扩散特性系数；

H——单元高度；

T——工程温度（绝对温度），K。

将计算结果按表 7-18 分成 5 个等级。

表 7-18　　　　　　　　　环境气体爆炸指标等级

环境气体爆炸指标 A	等 级	环境气体爆炸指标 A	等 级
0～10	轻微	100～500	高
10～30	低	>500	非常高
30～100	中等		

(5) 单元毒性指标 U。单元毒性指标 U 按下式计算：

$$U = \frac{TE}{100}$$

将计算结果按表 7-19 分成 5 个等级。

表 7-19　　　　　　　　　单元毒性指标等级

单元毒性指标 U	等 级	单元毒性指标 U	等 级
0～1	轻微	6～10	高
1～3	低	>10	非常高
3～5	中等		

(6) 主毒性事故指标 C。主毒性事故指标 C 按下式计算：

$$C = Q \times U$$

将计算结果按表 7-20 分为 5 个等级。

表 7-20　　　　　　　　　主毒性事故指标等级

主毒性事故指标 C	等 级	主毒性事故指标 C	等 级
0～20	轻微	200～500	高
20～50	低	>500	非常高
50～200	中等		

(7) 综合危险评分 R。综合危险性评分是以道氏综合指数 D 为主，并考虑火灾负荷系数 F、单元毒性指标 U、装置内部爆炸指标 E 和环境气体爆炸指标 A 的强烈影响而提出来的，其计算式如下：

$$R = D\left(1 + \frac{\sqrt{FUEA}}{100}\right)$$

式中，F,U,E,A 的最小值为 1。

将计算结果按表 7-21 分成 8 个等级。

表 7-21　　　　　　　　　　综合危险性评价等级

综合危险性评价等级 R	等　　级	综合危险性评价等级 R	等　　级
0～20	轻微	1 100～2 500	高(2类)
20～100	低	2 500～12 500	非常高
100～500	中等	12 500～65 000	极端
500～1 100	高(1类)	>65 000	非常极端

可以接受的危险度很难有一个统一的标准，往往与所使用的物质类型（如毒性、腐蚀性等）和工厂周围环境（如距居民区、学校、医院的距离等）有关。通常情况下，综合危险评分 R 值在 100 以下是能够接受的，而 R 值在 100～1 100 之间视为可以有条件接受的，对于 R 值在 1 100 以上的单元，必须考虑采取安全措施，并进一步做安全对策措施的补偿计算。

3. 最终危险度评价

初期危险评价主要是了解单元潜在的危险程度。评价单元潜在危险性一般都比较高，因此需要采取安全措施，降低危险性，使之达到人们可以接受的水平。ICI 蒙德法将实际生产过程中采取的安全措施分为两个方面：一方面是降低事故发生的概率，即预防事故的发生；另一方面是减小事故的规模，即发生事故以后，将其影响控制在最小限度。降低事故频率的安全措施包括容器（K_1）、管理（K_2）、安全态度（K_3）3 类，减少事故规模的安全措施包括防火（K_4）、物质隔离（K_5）、消防活动（K_6）3 类。这 6 类安全措施每类又包括数项安全措施，每项安全措施根据其在降低危险的过程中所起的作用给予一个小于 1 的补偿系数。各类安全措施总的补偿系数等于该类安全措施各项系数取值之积。各类安全措施的具体内容如表 7-22 所列。

表 7-22　　　　　　　　　　安全措施补偿系数

措施项	措施内容		补偿系数
容器系统	① 压力容器		
	② 非压力立式储罐		
	③ 输送配管	a. 设计应变	
		b. 接头与垫圈	
	④ 附加的容器及防护堤		
	⑤ 泄漏检测与响应		
	⑥ 排放的废气物质		

容器系统补偿系数之积 $K_1 =$

续表 7-22

措施项	措施内容	补偿系数
工艺管理	① 压力容器	
	② 非压力立式储罐	
	③ 工程冷却系统	
	④ 惰性气体系统	
	⑤ 危险性研究活动	
	⑥ 安全停止系统	
	⑦ 计算机管理	
	⑧ 爆炸及不正常反应的预防	
	⑨ 操作指南	
	⑩ 装置监督	
工艺管理补偿系数之积 $K_2=$		
安全态度	① 管理者参加	
	② 安全训练	
	③ 维修及安全程序	
安全态度补偿系数之积 $K_3=$		
防火	① 检查结构的防火	
	② 防火墙、障壁等	
	③ 装置火灾的预防	
防火补偿系数之积 $K_4=$		
物质隔离	① 阀门系统	
	② 通风	
物质隔离补偿系数之积 $K_5=$		
消防活动	① 压力容器	
	② 非压力立式储罐	
	③ 工程冷却系统	
	④ 惰性气体系统	
	⑤ 危险性研究活动	
	⑥ 安全停止系统	
	⑦ 计算机管理	
	⑧ 爆炸及不正常反应的预防	
消防活动补偿系数之积 $K_6=$		

将各项补偿系数汇总填入表中,并计算出各项补偿系数之积,得到各类安全措施的补偿系数。根据补偿系数,可以求出补偿后的评价结果,它表示实际生产过程中的危险程度。

补偿后评价结果的计算式如下:

(1) 补偿火灾负荷系数 F_2:

$$F_2 = F \times K_1 \times K_4 \times K_5$$

（2）补偿装置内部爆炸指标 E_2：
$$E_2 = E \times K_2 \times K_3$$

（3）补偿环境气体爆炸指标 A_2：
$$A_2 = A \times K_1 \times K_5 \times K_6$$

（4）补偿综合危险性评分 R_2：
$$R_2 = R \times R_1 \times R_2 \times K_3 \times K_4 \times K_5 \times K_6$$

补偿后的评价结果：如果评价单元的危险性降低到可以接受的程度，则评价工作可以继续下去；否则，就要更改设计或增加安全措施，然后重新进行评价计算，直至负荷安全要求为止。

五、ICI 蒙德法应用示例

应用 ICI 蒙德法对某煤气发生系统进行安全评价。

（1）单元主要已知参数：

评价单元：造气车间的煤气发生系统（包括煤气炉、集气罐等）；

单元内主要物质：一氧化碳（CO）；

煤气炉发生气量：492 kg；

煤气炉内压力、温度：700～800 Pa，800 ℃；

评价单元高度：15 m；

单位作业区域：1 200 m²。

（2）评价计算结果。煤气发生系统评价计算结果如表 7-23 所列。

表 7-23　　　　煤气发生系统蒙德法评价结果一览表

单元：煤气发生系统			装置：煤气发生炉、集气罐
主要物质：CO			反应：$C+H_2O=CO+H_2$
指标项	指标内容	使用系数	危险性合计
物质危险系数		2.12	$B=2.12$
特殊物质危险性	①混合及扩散特性	−5	$M=220$
	②着火敏感性	75	
	③气体的爆轰性	150	
一般工艺过程危险性	①单一连续反应		$P=100$
	②物质移动		
特殊工艺过程危险性	①高温	75	$S=210$
	②高温、引火性	35	
	③接头与垫圈泄露	20	
	④烟雾危险性	60	
	⑤工艺着火敏感度	20	
量的危险性			$Q=3$

续表 7-23

指标项	指标内容	使用系数	危险性合计
配置危险性	① 高度 $H=15$ m		$L=85$
	② 通常作业区域 $N=1\,200$ m²		
	③ 构造设计	10	
	④ 多米诺效应	25	
	⑤ 其他	50	
毒性危险性	① TLV 值	100	$T=225$
	② 物质类型	75	
	③ 短期暴露危险	50	

评价结果：
DOW/ICI 总指数 D：61.63
火灾负荷系数 F：17.8
单元毒性指标 U：14.18
主毒性事故指标 C：42.54
装置内爆炸指标 E：6.30
环境气体爆炸指标 A：206.25
综合危险评分 R：96.72

（3）结论。采取补偿措施后，该评价单元的火灾负荷系数 F、装置内部爆炸指标 E、环境气体爆炸指标 A 及综合危险性评分 R 等项安全指标值都有所下降，说明该单元的危险性降到了较安全的级别。

第三节　概率危险评价技术

一、概述

概率危险评价方法通过综合分析单个元件（如管路、泵、阀门、压力容器、控制装置、操作人员等）的设计和操作性能来估计整个系统发生事故的概率。

二、应用范围

作为危险分析的一部分，定量危险评价包括辨识与公众健康、安全和环境有关的危险并估计危险发生的概率和严重度。自 20 世纪 60 年代末概率危险评价方法问世以来，主要应用于下述三个方面：

（1）提供某种技术的危险分析情况，用于制定政策、答复公众咨询、评价环境影响等。

（2）提供危险定量分析值及减小危险的措施，帮助建立有关法律和操作程序。

（3）在工厂设计、运行、质量管理、改造及维修时提出安全改进措施。

概率危险评价是评价和改善技术安全性的一种方法。用这种方法可建造导致不希望后果的事件树或事故树，以分析事故原因。通过估算事件发生概率或事故率以及损失值，可定量表示危险性大小。损失值通常用死亡人数、受伤人数、设备和财产损失表示，有时也用生态危害来表示。

三、评价步骤

在核工业中,概率法用来替代传统决定论方法评价工厂的安全性。使用概率危险评价方法便于设计冗余安全系统和高度防护装置。概率危险评价通常由三个步骤组成:

(1) 辨识引发事件;

(2) 对已辨识事件发生的后果及概率建模;

(3) 对危险性进行量化分析。

概率危险评价可进行不同层次的分析。核工业中有三种概率危险评价方法:一级评价仅考虑反应堆芯熔化的概率;二级评价分析释放到环境中的放射性物质的浓度;三级评价分析事故产生的个体和群体危险。三级评价常称作综合性或大规模危险评价。

四、应用分析

概率危险评价为安全评价起了很大的促进作用。但是,该方法的一些不足之处影响了它的应用范围。

1. 完整性和失效数据

概率危险评价要求分析完整和数据充足。这意味着概率危险评价必须考虑可能发生异常的每一事件。此外,完整性还包括人的作用和一般失效事件的建模。然而,完整的分析是不可能的,因为疏忽总是不可避免的,所以完整性为该方法最关键的问题。

实际工作中必须忽略小危险事件,这意味着评价人员必须确定哪些事件发生的概率低到可忽略不计的程度。如果这类低概率事件确实不可能发生,则结果误差不大。然而,意外的一般性事故会使估计的概率值相差几个数量级,因此这样的简化未必是合理的。随着新信息的出现,早期的估计可能会太乐观,如水冷式反应堆导致管受晶间应力腐蚀而开裂等。

地震、洪涝、恶劣气候条件、飞机坠毁等外因也能导致事故发生。由于外部环境因素比工厂内部因素更复杂,结构不清楚,因此,这类危险评价常常是不准确的。在许多危险评价中都有一个心照不宣的假设,即工厂都是按设计建造和维修的。评价过程中很少考虑违反安全技术规定等方面的因素。

限制概率危险评价方法广泛应用的另一个因素是人与技术系统的相互作用,三哩岛核电站事故、印度博帕尔毒气泄漏事故等都证明人的因素影响非常大。尽管在人的因素领域已进行了20余年的研究,但除专家判断法外,还没有任何实用方法来辨识人因失误及确定其概率值。

数据的准确性也是限制因素之一。元件失效的经验可用来进行统计外推,计算失效率,但这样计算的失效率是否能够从一种情形借鉴到另一种情形还值得考虑。

2. 假设和专家判断法

分析结果与假设条件、系统建模以及将历史数据代入模型所作的判断等一系列因素有关。整个分析过程中都要使用相当多的专家判断方法。如果专家判断法已被认可,那么分析结果是有效的。但实际上,在进行概率危险评价过程中,技术上和分析方法上使用的判断方法是多种多样的:描述危险特性、选择如何来填补不足的数据、什么样的事件可忽略不计、模拟复杂的物理现象、描述分析结果的可信度、选择表述方式等。整个分析过程中都要进行假设,所有的假设都要求判断是否合适。此外,专家陷入自己的分析思路中,难以按科学的标准鉴别社会技术系统内存在的分歧。

由于专家判断法固有的主观性,因此,不同分析人员对同一工厂进行评价时,评价结果相差很大。可靠性计算的经验表明,概率评价能产生 2 个数量级的误差。早期用概率危险评价方法评价液化天然气储罐的危险性也出现了类似的误差。当用个体危险性表示工厂附近居民的危险性时,不同概率危险评价的结果也有几个数量级的误差。这类误差并非由于分析方法上的缺陷引起的,而且在评价对象的描述、假设和使用模式方面存在的差异引起的。

核工业部门累积了概率危险评价结果的差异性。目前,美国核反应堆芯熔化损失的概率估计为 $10^{-5}/a \sim 10^{-3}/a$。这一差别并非仅仅是设计和场所不同,正如评价权威专家指出的那样,研究的范围、使用的概率危险评价方法、分析时所作的假设等因素都会影响分析结果。瑞典的研究表明,建模不同也会产生较大的误差。在一份概率危险评价现状的研究材料中,美国政府统计办公室认为概率危险评价结果的差异性限制了它们之间的比较,且也是该方法最致命的问题。

3. 表达不确定性

在很大程度上,概率危险评价方法的不确定性取决于分析的完整性、建模的准确性以及参数估计的充分性。后者的不确定性可通过分析扩展数据的概率分布进行计算而得出(假设分析数据充足)。由分析方法本身和模型不完整性引起的不确定性的解决是很困难的。这些因素常用敏感度分析方法来解决。

类似的问题在早期的液化石油气储存装置的概率危险评价中已有报道。由于不了解持不同意见的专家的看法和不同的评价模型,分析人员总是过高地估计分析结果的可信度。虽然通过分析人员的判断也减少了一些事故,但掩盖了这种判断本身可能存在的不足,有时选择参数与定性讨论的结果相差几个数量级。在有害化学物质的危险评价中,不能直接说明不确定性也是一个很大的障碍。

4. 复杂性

技术系统日趋复杂和相互渗透产生了一系列有待解决的问题。例如,大规模的核安全评价包含了无数个不同的系数,要求不同领域的专家参与。计算的数据令人吃惊,一座核电站进行一次概率危险评价要求估计成千上万个参数,报告长达几千页。这阻碍了研究结果的应用交流。然而,核电站危险评价还是一个相对简单且已为人们了解的技术,许多化工厂比核电站要复杂得多,人们了解得也较少。尽管概率危险评价采用"各个击破"的方法较适用于评价复杂系统的危险性,但它只适合结构和定义都明确的系统。

五、应用实例

1. 概述

1976 年,英国卫生与安全管理局(HSE)对 Canvey 岛 Thurrock 地区工业设施的危险性进行了评价。该项研究源于公众质询是否允许在这一地区建 1 座炼油厂。研究的目的是了解现有工业设施及建成炼油厂后对居民造成的危险性。

Canvey 岛位于泰晤士河伦敦以北,居民 3 万人,现有 7 座工厂,雇工 3 200 人。这些工厂主要储存、运输、生产汽油和石油产品,约储存 10 万 t 液化天然气、1 800 万 t 石油产品。

2. 引发事件及其发生概率

该项研究系统分析了各工厂火灾、爆炸、毒物泄漏事故发生的条件,重点研究了储存和运输过程能引发事故的下列事件:

(1) 管道和储罐破裂(自发或疲劳);

(2) 泵壳破裂；

(3) 控制过程失控（压力、温度、流量等）。

此外，爆炸冲击波、爆炸碎片以及储罐过热等火灾、爆炸事故也会对附近的设施造成损失。

引发事故发生的概率以及后续事件发生的条件概率，主要通过分析统计资料和技术判断获得。为获得定量的数值和结果，主要采用了下述方法：

(1) 分析统计资料；

(2) 在统计分析基础上，对个别缺项进行判断补充；

(3) 通过已做事故树分析的类似案例，分析估计得出定量数值和结果；

(4) 对一些无法获得的数据进行主观判断；

(5) 通过分析文献资料获取数据。

3. 事故影响

研究对象中可能发生爆炸事故的工业设施距离居民区 1 km 以上。如果这些设施就地爆炸，则后果较小，但若是爆炸性蒸气飘向居民区而发生爆炸，则可能发生下列事故：

(1) 直接的爆炸压力伤害；

(2) 冲击波伤害；

(3) 爆炸热伤害（在爆炸火球范围内）；

(4) 由爆炸引起的火灾伤害；

(5) 窒息伤害；

(6) 爆炸火球的热辐射伤害。

Canvey 岛地区的平均人口密度为 4 000 人/km²，通过估算得出了厂区蒸气云爆炸的条件概率和伤亡人数（死亡人数按总伤亡人数的一半计），结果如表 7-24 所列。

表 7-24　　　　蒸气云爆炸的条件概率和伤亡人数

伤亡人数	>0	1 500	3 000	4 500
死亡人数	>0	750	1 500	2 250
条件概率	1	0.64	0.35	0.14

应该注意的是，为计算蒸气云在居民区爆炸的概率，必须了解爆炸性蒸气云的形成概率、爆炸概率以及向居民区的运行概率和在该地区被引爆的概率。

假设压力储罐爆炸后形成了 1 000 t 的无水氨蒸气云（20% 蒸气，80% 液体），在当地气象条件下，风速为 6 m/s，危险的氨气沿风向分布，形成一个半轴为 2.5 km 和 3 km 的椭球形区域。考虑人口分布及气象条件，得到 1 000 t 氨泄漏后的伤亡人数及条件概率，结果如表 7-25 所列。

表 7-25　　　　1 000 t 氨泄漏后的伤亡人数及条件概率

伤亡人数	<100	100～1 000	1 000～2 000	2 000～5 000	5 000～10 000	10 000～20 000	20 000～30 000
条件概率	0.59	0.11	0.02	0.03	0.07	0.12	0.14

该研究分析了可能出现的 38 种情况,得出了 Canvey 岛现有工业设施以及扩建后和经安全改善措施前后四种条件下的风险。

社会风险概率如表 7-26 所列。

表 7-26　　　　　　　　　社会风险概率和伤亡人数

伤亡人数/人	现有设施社会风险概率 /(10^{-4}次/a)		在现有设施基础上再扩建的社会风险概率/(10^{-4}次/a)	
	改善前	改善后	改善前	改善后
10	31.4	8.6	47.5	10.8
1 500	17	4.2	29.1	5.7
3 000	10.8	2.9	17.7	3.8
4 500	6.1	2	9.3	2.6
6 000	3	1	4.4	1.3
12 000	1.7	0.6	2.7	0.8
18 000	1	0.3	1.8	0.5

最大个人风险率如表 7-27 所列。

表 7-27　　　　　　　　　最大个人风险率

	现有设施社会风险概率/(10^{-4}次/a)	在现有设施基础上再扩建的社会风险概率/(10^{-4}次/a)
改善前	13	26.3
改善后	6.1	7.7

第四节　危险度评价法

危险度评价法是借鉴日本劳动省"六阶段"的定量评价表,结合我国国家标准《石油化工企业防火设计规范》(GB 50160—2008)、《压力容器中化学介质毒性危害和爆炸危险程度分类》(HG 20660—2000)等有关标准、规程,编制了"危险度评价取值表"如表 7-28 所列,规定了危险度由物质、容量、温度、压力和操作等五个项目共同确定,其危险度分别按 A=10 分,B=5 分,C=2 分,D=0 分赋值评分,由累计分值确定单元危险度,危险度分级表如表 7-29 所列。

$$\begin{Bmatrix}物质\\0\sim10\end{Bmatrix}+\begin{Bmatrix}容量\\0\sim10\end{Bmatrix}+\begin{Bmatrix}温度\\0\sim10\end{Bmatrix}+\begin{Bmatrix}压力\\0\sim10\end{Bmatrix}+\begin{Bmatrix}操作\\0\sim10\end{Bmatrix}=\begin{Bmatrix}16\text{ 点以下}\\11\sim15\text{ 点}\\0\sim10\text{ 点}\end{Bmatrix}$$

16 点以上为 1 级,属高度危险;
11~15 点为 2 级,需同周围情况及其他设备联系起来进行评价;
1~10 点为 3 级,属低度危险。
物质:物质本身固有的点火性、可燃性和爆炸性的程度;
容量:单元中处理的物料量;
温度:运行温度和点火温度的关系;
压力:运行压力(超高压、高压、中压、低压);
操作:运行条件引起爆炸或异常反应的可能性。

表 7-28　　　　　　　　　危险度评价取值表

项目	分 值			
	A(10 分)	B(5 分)	C(2 分)	D(0 分)
物质(系指单元中危险、有害程度最大之物质)	(1) 甲类可燃气体①; (2) 甲 A 类物质及液态烃类; (3) 甲类固体; (4) 极度危害介质②	(1) 乙类可燃气体; (2) 甲 B、乙 A 类可燃液体; (3) 乙类固体; (4) 高度危害介质	(1) 乙 B、丙 A、丙 B 类可燃液体; (2) 丙类固体; (3) 中、轻度危害介质	不属左述之 A、B、C 项的物质
容量③	(1) 气体 1 000 m³ 以上; (2) 液体 100 m³ 以上	(1) 气体 500~1 000 m³; (2) 液体 50~100 m³	(1) 气体 100~500 m³; (2) 液体 10~50 m³	(1) 气体<100 m³; (2) 液体<10 m³
温度	1 000 ℃以上使用,其操作温度在燃点以上	(1) 1 000 ℃以上使用,但操作温度在燃点以下; (2) 在 250~1 000 ℃使用,其操作温度在燃点以上	(1) 在 250~1 000 ℃使用,但操作温度在燃点以下; (2) 在低于 250 ℃使用,操作温度在燃点以上	在低于 250 ℃时使用,操作温度在燃点以下
压力	100 MPa	20~100 MPa	1~20 MPa	1 MPa 以下
操作	(1) 临界放热和特别剧烈的放热反应操作; (2) 在爆炸极限范围内或其附近的操作	(1) 中等放热反应(如烷基化、酯化、加成、氧化、聚合、缩合等反应)操作; (2) 系统进入空气或不纯物质,可能发生的危险的操作; (3) 使用粉状或雾状物质,有可能发生粉尘爆炸的操作; (4) 单批式操作	(1) 轻微放热反应(如加氢、水合、异构化、烷基化、磺化、中和等反应)操作; (2) 在精制过程中伴有化学反应; (3) 单批式操作,但开始使用机械等手段进行程序操作; (4) 有一定危险的操作	无危险的操作

注:① 见《石油化工企业防火设计规范》(GB 50160—2008)中可燃物质的火灾危险性分类;
② 见《压力容器中化学介质毒性危害和爆炸危险程度分类》(HG 20660—2000)中表 1、表 2、表 3;
③ 有触媒的反应,应去掉触媒层所占空间;气液混合反应,应按其反应的形态选择上述规定。

表 7-29　　　　　　　　　危险度分级表

总分值	≥16 分	11～15 分	≤10 分
等级	Ⅰ	Ⅱ	Ⅲ
危险程度	高度危险	中度危险	低度危险

第五节　日本劳动省六阶段安全评价方法

一、概述

安全评价的方法有多种，前面已详细介绍，从不同角度和评价的目的不同，选取的安全评价方法可以有所不同。有些在评价时可能从传统的管理角度经验出发，总结提出的安全检查表方法；从系统安全的角度提出了系统安全工程方法；根据生产特点和场所的情况，提出的评价方法，往往可以反映其特点。但是，每种安全评价方法往往只适合用于一定的场合和一定的对象，具有一定的局限性，因此每一种评价方法往往有其局限性，在评价中将几种方法结合起来，根据不同的安全评价，可以取得相对满意的效果。

目前国内外均有一些综合性的安全评价方法，比较具有代表性的有日本劳动省的"六阶段安全评价"方法，美国杜邦公司采用的三阶段安全评价方法（安全检查表—故障模式和影响分析—事故树、事件树）以及我国光气三阶段安全评价方法（安全检查表—危险指数评价—系统安全评价方法）等方法。以下将详细介绍日本劳动省的"六阶段安全评价"法。

日本劳动省的"六阶段安全评价"是一种最早的综合型的安全评价模式，在此模式中既有定性的评价方法，又有定量的安全评价方法，考虑较为周到。

在这一综合的评价模式中应用了定性评价（安全检查表）、定量危险性评价、按事故信息评价和系统安全评价（事故树分析、事件树分析）等评价方法，分为六个阶段采取逐步深入，定性和定量结合，层层筛选的方式对危险进行识别、分析和评价，并采用措施修改设计消除危险。

二、评价程序

六阶段安全评价法的评价程序如图 7-11 所示。图中用虚线隔开的部分，分别为评价的六个步骤。

（一）第一阶段——资料准备

首先要准备下述资料：

(1) 建厂条件。如地理环境、气象及周边关系图。
(2) 装置平面图。
(3) 构筑物平面、断面、立面图。
(4) 仪表室和配电室平面、断面、立面图。
(5) 原材料、中间体、产品等物理化学性质及对人的影响。
(6) 反应过程。
(7) 制造工程概要。
(8) 流程图。

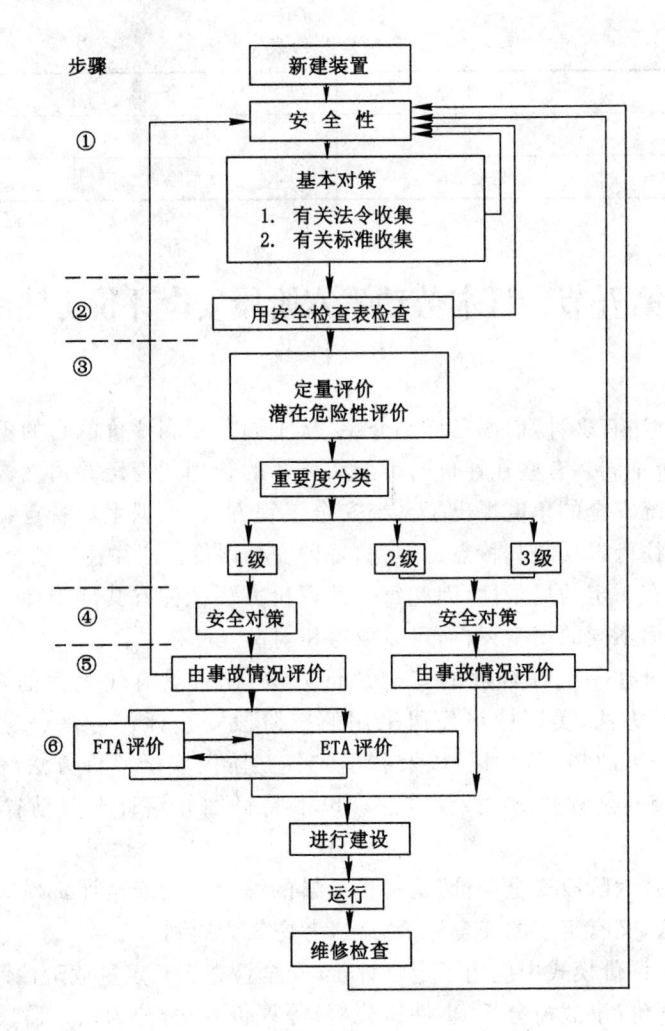

图 7-11 六阶段安全评价法的评价程序

(9) 设备表。
(10) 配管、仪表系统图。
(11) 安全设备的种类及设置地点。
(12) 安全教育训练计划。
(13) 人员配置。
(14) 操作要点。
(15) 其他有关资料。

(二) 第二阶段——定性评价(安全检查表检查)

主要针对厂址选择、工艺流程布置、设备选择、建筑物、原材料、中间体、产品、输送储存系统、消防设施等方面用安全检查表进行检查。

1. 厂址选择检查

(1) 地形适当否？地基软否？排水情况如何？
(2) 对地震、台风、海啸等准备充分否？
(3) 水、电、煤气等公用设施有保证否？

(4) 铁路、航空港、市街、公共设施等方面的安全考虑了没有？
(5) 紧急情况时，消防、医院等防灾支援体系考虑到没有？
(6) 附近工厂发生事故时能否波及？

2. 工厂内部布置检查
(1) 工厂内部布置是否设立了适当的封闭管理系统？
(2) 从厂界到最近的装置安全距离是否得到保证？
(3) 生产区和居民区、仓库、办公室、研究室等是否有足够的间距？离火源有无足够的距离？
(4) 仪表室的安全有无保证？
(5) 车间的空间是否按照物质的性质、数量、操作条件、紧急措施和消防活动加以考虑？
(6) 装卸区域厂界是否加以有效的隔离？是否与火源隔开？
(7) 储罐是否和厂界有充分的距离？储罐周围是否设计了防液堤？液体泄出后能否掩埋？
(8) 三废处理设备和居民区是否充分分开？风向是否考虑？
(9) 紧急时，车辆是否有充足的出入口通道？

3. 建筑物的检查
(1) 是否有耐震设计？
(2) 基础和地基能否承受全部载荷？
(3) 建筑物的材料和支柱强度够不够？
(4) 地板和墙壁是否用不燃性的材料制成？
(5) 电梯、空调设备和换气通道的开口部分对火灾蔓延的影响是否降至最低限度？
(6) 危险的工艺过程是否用防火墙或隔爆墙隔开？
(7) 室内有可能发生危险物质泄漏的情况时，通风换气是否良好？
(8) 避难口和疏通道的标志是否明显？
(9) 建筑物中的排水设备是否足够？

4. 选择工艺设备检查
(1) 选择工艺设备时，在安全方面是否进行了充分的讨论？
(2) 工艺设备是否容易进行操作和监视？
(3) 对工艺设备，是否从人机工程的角度考虑防止误操作的问题？
(4) 是否对工艺制定了各种详细的诊断项目？
(5) 工艺设备是否设计了充分的安全控制项目？
(6) 当设计或布置工艺设备时，是否考虑了检查和维修的方便？
(7) 工艺设备发生异常时能否加以控制？
(8) 检查和维修计划是否充分、适当？
(9) 备品备件和修理人员是否充分？
(10) 安全装置能否充分防止危险？
(11) 重要设备的照明是否充分？停电时是否有备用设备？
(12) 是否充分考虑到管道中流体速度？

5. 原材料、中间体、产品的检查
(1) 原材料是否从工厂最安全的处所进入厂内?
(2) 原材料进厂是否有操作规程?
(3) 原材料、中间体、产品等物理化学性质是否正确掌握?
(4) 原材料、中间体、产品等的爆炸性、着火性及其对人体的影响如何?
(5) 原材料、中间体、产品是否有杂质? 是否影响安全?
(6) 原材料、中间体、产品是否有腐蚀性?
(7) 高度危险品的储存地点和数量是否确切掌握?

6. 工艺过程及管理检查
(1) 是否充分了解所处理物质的潜在危害?
(2) 危险性高的物质是否控制在最少?
(3) 是否明确可能发生的不稳定反应?
(4) 从研究阶段到投产出现问题是否进行调查并加以改进?
(5) 是否用正确的化学反应方程式和流程图反映工艺流程?
(6) 是否有操作规程?
(7) 对温度、压力、反应、振动冲击、原材料供应、原材料输送、水或杂质的混入、从装置泄漏或溢出、静电等发生问题或异常时,是否有预防措施?
(8) 使用不稳定物质时,对热源、压力、摩擦等刺激因素是否控制在最小的限度?
(9) 对废渣和废液是否进行了妥善处理?
(10) 对随时可能排出的危险物质,是否有预防措施?
(11) 发生泄漏时被污染的范围是否清楚?

7. 输送储存系统检查
(1) 输送的安全注意事项是否有具体规定?
(2) 能否确保运输操作的安全?
(3) 在装卸设备场所附近,是否设置了淋浴器、洗眼设备?

8. 消防设施检查
(1) 消防用水能否得到保证?
(2) 喷水设备等功能及配置是否适当?
(3) 是否考虑了喷水设备的检查和维修?
(4) 消防活动组织机构、规章制度是否健全?
(5) 消防人员编制是否足够?

(三) 第三阶段——定量评价

危险度的定量评价,是将装置分为几个单元,对各单元的物料、容量、温度、压力和操作等五项进行评定,每一项分为 A、B、C、D 四种类别,分别表示 10 分、5 分、2 分和 0 分,最后按照这些点数之和来评定该单元的危险度等级。

16 点以上为 1 级,属高度危险;11～15 点为 2 级,需同周围情况及其他设备联系起来进行评价;1～10 点为 3 级,属低度危险。

(四) 第四阶段——安全措施

评出危险性等级之后,就要在设备、组织管理等方面采取相应的措施:

(1) 按评级等级采取的安全措施。
(2) 管理措施主要包括以下方面：
① 人员配备。化工装置的人员配备不能采用随劳动量增加而增加人员的方式，而是要以技术、经验和知识等为基础，编成小组，按表的内容配备。
② 教育培训。为确保化工装置安全，须提高知识和判断力，为此要确定指挥联络的体制，必须分工明确，要规定一定的教育训练内容，在一定的期间反复操作，在工作中应进行实际技能的训练，以提高应变能力。
主要的教育科目有：危险物品及化学反应的有关知识，化工设备的构造及使用方法的有关知识，化工设备操作及维修方法的有关知识、操作规程、事故案例、有关法令。
③ 维修。须按照规定定期维修，并做相应的记录和保存，对以前的维修记录或操作时的事故记录也要充分利用。
维修时需要注明的问题有：维修体制是否健全？试运转时有无操作规程？停止运转时是否进行检查？有无紧急停车工程表？是否作了补修记录？有无定期修理计划表？
（五）第五阶段——根据过去的事故情况进行再评价
第四阶段以后，再根据设计内容参照过去同类设备和装置的事故情报进行再评价，如果有应改进之处再参照前四阶段重复进行讨论。
对于危险度为Ⅱ和Ⅲ的装置，在以上的评价完成后，即可进行装置和工厂的建设。
（六）第六阶段——事故树分析、事件树分析进行再评价
对危险度为Ⅰ的装置，用事故树分析、事件树分析再进行评价。评价后如果发现需要改进的地方，要对设计内容进行修改，然后才能建厂。

第六节 模糊综合评价法

模糊论首先是由美国控制论专家扎德(L. A. Zadeh)于 1965 年提出的，现已广泛应用于科学技术和实际生活中。它的指导思想是，尽可能全面地考虑影响因素，同时也考虑这些因素所起作用的大小（即权重），通过模糊合成关系得出明确的结论。

一、模糊数学的基础知识

1. 模糊集合的定义及表示

定义 7.1 设论域为 X，x 为 X 中的元素。对于任意的 $x \in X$，给定了如下的映射：

$$X \to [0, 1]$$
$$x \mapsto \underset{\sim}{A}(x) \in [0,1]$$

则称如下的"序偶"组成的集合 $\underset{\sim}{A} = \{(x | \underset{\sim}{A}(x))\}, \forall x \in X$ 为 X 上的模糊子集合，简称模糊集合。称 $\underset{\sim}{A}(x)$ 为 x 对 $\underset{\sim}{A}$ 的隶属函数，对某个具体的 x 而言，$\underset{\sim}{A}$ 称为 x 对 $\underset{\sim}{A}$ 的隶属度。

定义 7.2 设 X 是论域，映射

$$\mu\underset{\sim}{A}(\cdot) : X \to [0, 1]$$
$$x \mapsto \mu_A(x)$$

称为 X 的模糊子集（合）$\underset{\sim}{A}$(Fuzzy Set)，简称 F 集（合）。对 $x \in X$，μ_A 称为 x 对 $\underset{\sim}{A}$ 的隶属度，$\mu_{\underset{\sim}{A}}$ 称为 F 集的隶属函数。

模糊集可以用以下几种方法表示：

(1) $\underset{\sim}{A} = \{(x, \underset{\sim}{A}(x)) | x \in X\}$

(2) $\underset{\sim}{A} = \left\{ \dfrac{\underset{\sim}{A}(x)}{x} \Big| x \in X \right\}$

(3) $\underset{\sim}{A} = \int_X \dfrac{\underset{\sim}{A}(x)}{x}$ ($\int$ 这里不表示积分)

当 $X = \{x_1, x_2, \cdots, x_n\}$ 为有限集时，也可以表示为

(4) $\underset{\sim}{A} = \dfrac{\underset{\sim}{A}(x_1)}{x_1} + \dfrac{\underset{\sim}{A}(x_2)}{x_2} + \cdots + \dfrac{\underset{\sim}{A}(x_n)}{x_n}$ (这里 + 不是求和)

(5) $\underset{\sim}{A} = (\underset{\sim}{A}(x_1), \underset{\sim}{A}(x_2), \cdots, \underset{\sim}{A}(x_n))$ (向量表示式，$\underset{\sim}{A}(x) = 0$ 的项不可略去)

2. 模糊集合的运算

定义 7.3 设 $\underset{\sim}{A}, \underset{\sim}{B} \in F(X)$：

(1) 若 $\forall x \in X$，有 $\underset{\sim}{A}(x) \leqslant \underset{\sim}{B}(x)$，称 $\underset{\sim}{A}$ 包含于 $\underset{\sim}{B}$ 或 $\underset{\sim}{B}$ 包含 $\underset{\sim}{A}$，记为 $\underset{\sim}{A} \subset \underset{\sim}{B}$。

(2) 若 $\forall x \in X$，有 $\underset{\sim}{A}(x) = \underset{\sim}{B}(x)$，称 $\underset{\sim}{A}$ 与 $\underset{\sim}{B}$ 相等，记为 $\underset{\sim}{A} = \underset{\sim}{B}$。

命题 $F(X)$ 上的包含关系 "$\subset$" 有以下性质：

(1) $\forall \underset{\sim}{A} \in F(X), \emptyset \subset \underset{\sim}{A} \subset X$。

(2) 自反性：$\forall \underset{\sim}{A} \in F(X), \underset{\sim}{A} \subset \underset{\sim}{A}$。

(3) 反对称性：$\forall \underset{\sim}{A}, \underset{\sim}{B} \in F(X)$，若 $\underset{\sim}{A} \subset \underset{\sim}{B}$ 且 $\underset{\sim}{B} \subset \underset{\sim}{A}$，则 $\underset{\sim}{A} = \underset{\sim}{B}$。

(4) 传递性：$\forall \underset{\sim}{A}, \underset{\sim}{B}, \underset{\sim}{C} \in F(X)$，若 $\underset{\sim}{A} \subset \underset{\sim}{B}$ 且 $\underset{\sim}{B} \subset \underset{\sim}{C}$，则 $\underset{\sim}{A} \subset \underset{\sim}{C}$。

定义 7.4 设 $\underset{\sim}{A}, \underset{\sim}{B} \in F(X)$，则它们的交、并、补运算可定义如下：

(1) $\underset{\sim}{A}$ 与 $\underset{\sim}{B}$ 的并集，记为 $\underset{\sim}{A} \cup \underset{\sim}{B}$，其隶属函数为

$$(\underset{\sim}{A} \cup \underset{\sim}{B})(x) = \underset{\sim}{A}(x) \vee \underset{\sim}{B}(x), \forall x \in X$$

其中 "$\vee$" 表示取上确界。

(2) $\underset{\sim}{A}$ 与 $\underset{\sim}{B}$ 的交集，记为

$$\underset{\sim}{A} \cap \underset{\sim}{B}$$

其隶属函数为

$$(\underset{\sim}{A} \cap \underset{\sim}{B})(x) = \underset{\sim}{A}(x) \wedge \underset{\sim}{B}(x), \forall x \in X$$

其中 "$\wedge$" 表示取下确界。

(3) $\underset{\sim}{A}$ 的余模糊集，记为 $\underset{\sim}{A}^c$，其隶属函数为

$$\underset{\sim}{A}^c(x) = 1 - \underset{\sim}{A}(x), \forall x \in X$$

设 T 为任意指标集，$\{\underset{\sim}{A}_t | t \in T\} \subset F(X)$，其并和交运算分别定义为

$$\underset{\sim}{A} = \bigcup_{t \in T} \underset{\sim}{A}_t \Leftrightarrow \forall x \in X, \underset{\sim}{A}(x) = \bigvee_{t \in T} \underset{\sim}{A}_t(x)$$

$$\underset{\sim}{B} = \bigcap_{t \in T} \underset{\sim}{A}_t \Leftrightarrow \forall x \in X, \underset{\sim}{B}(x) = \bigwedge_{t \in T} \underset{\sim}{A}_t(x)$$

二、模糊综合评价模型

模糊综合评价的数学模型可分为一级综合评价模型和多级综合评价模型两类。

1. 一级综合评价模型

(1) 建立因素集

因素就是评价对象的各种属性或性能,在不同场合,也称为参数指标或质量指标,它们综合地反映出对象的质量。人们就是根据这些因素进行评价的。所谓因素集,就是影响评价对象的各种因素组成的一个普通集合,即 $U=\{u_1,u_2,\cdots,u_n\}$。这些因素通常都具有不同程度的模糊性,但也可以是非模糊的。各因素与因素集的关系,或者 u_i 属于 U,或者 u_i 不属于 U,二者必居其一。因此,因素集本身是一个普通集合。

(2) 建立备择集

备择集,又称为评价集,是评价者对评价对象可能作出的各种总的评价结果所组成的集合,即 $V=\{v_1,v_2,\cdots,v_m\}$。各元素 v_i 代表各种可能的总评价结果。模糊综合评价的目的,就是在综合考虑所有影响因素的基础上,从备择集中得出一最佳的评价结果。

显然,v_i 与 V 的关系也是普通集合关系,因此,备择集也是一个普通集合。

(3) 建立权重集

在因素集中,各因素的重要程度是不一样的。为了反映各因素的重要程度,对各个因素 u_i 应赋予一相应的权数 $a_i(i=1,2,\cdots,n)$。由各权数所组成的集合 $\underset{\sim}{A}=(a_1,a_2,\cdots,a_n)$ 称为因素权重集,简称权重集。

通常各权数 a_i 应满足归一性和非负性条件,即:

$$\sum_{i=1}^{n}a_i = 1 \quad (a_i \geqslant 0)$$

各种权数一般由人们根据实际问题的需要主观地确定,没有统一的格式可以遵循。常用的方法有:统计实验法、分析推理法、专家评分法、层次分析法和熵权法等。

(4) 单因素模糊评价

单独从一个因素出发进行评价,以确定评价对象对备择集元素的隶属度便称为单因素模糊评价。

单因素模糊评价,即建立一个从 U 到 $F(V)$ 的模糊映射:

$$\underset{\sim}{f}:U \to F(V),\forall u_i \in U, u_i \mapsto \underset{\sim}{f}(u_i) = \frac{r_{i1}}{v_1}+\frac{r_{i2}}{v_2}+\cdots+\frac{r_{im}}{v_m}$$

式中 r_{ij}——u_i 属于 v_j 的隶属度。

由 $\underset{\sim}{f}(u_i)$ 可得到单因素评价集 $\underset{\sim}{R_i}=(r_{i1},r_{i2},\cdots,r_{im})$。

以单因素评价集为行组成的矩阵称为单因素评价矩阵。该矩阵为一模糊矩阵。

$$\underset{\sim}{R} = \begin{bmatrix} r_{11} & r_{12} & \cdots & r_{1m} \\ r_{21} & r_{22} & \cdots & r_{2m} \\ \vdots & \vdots & & \vdots \\ r_{n1} & r_{n2} & \cdots & r_{nm} \end{bmatrix}$$

(5) 模糊综合评价

单因素模糊评价仅反映了一个因素对评价对象的影响,这显然是不够的。要综合考虑所有因素的影响,便是模糊综合评价。

由单因素评价矩阵可以看出：$\underset{\sim}{R}$ 的第 i 行反映了第 i 个因素影响评价对象取备择集中各个元素的程度；$\underset{\sim}{R}$ 的第 j 列则反映了所有因素影响评价对象取第 j 个备择元素的程度。如果对各因素作用以相应的权数 a_i，便能合理地反映所有因素的综合影响。因此，模糊综合评价可以表示为

$$\underset{\sim}{B} = \underset{\sim}{A} \circ \underset{\sim}{R} = (a_1, a_2, \cdots, a_n) \begin{bmatrix} r_{11} & r_{12} & \cdots & r_{1m} \\ r_{21} & r_{22} & \cdots & r_{2m} \\ \vdots & \vdots & & \vdots \\ r_{n1} & r_{n2} & \cdots & r_{nm} \end{bmatrix} = (b_1, b_2, \cdots, b_m) \quad (7\text{-}1)$$

式中，b_j 称为模糊综合评价指标，简称评价指标。其含义为：综合考虑所有因素的影响时，评价对象对备择集中第 j 个元素的隶属度。权重矩阵与单因素评价在合成时，可以选用下述几种评价模型之一。

模型 I：$M(\wedge, \vee)$，即

$$b_j = \bigvee_{i=1}^{n} (a_i \wedge r_{ij}) \quad (7\text{-}2)$$

由于取小运算使得 $r_{ij} > a_i$ 的 r_{ij} 均不考虑，a_i 成了 r_{ij} 的上限，当因素较多时，权数 a_i 很小，因此将丢失大量的单因素评价信息。相反，因素较少时，a_i 可能较大，取小运算使得 $a_i > r_{ij}$ 的 a_i 均不考虑，r_{ij} 成了 a_i 的上限，因此，将丢失主要因素的影响。取大运算均是在 a_i 和 r_{ij} 的小中取其最大者，这又要丢失大量信息。所以，该模型不宜用于因素太多或太少的情形。

模型 II：$M(\cdot, \vee)$，即

$$b_j = \bigvee_{i=1}^{n} (a_i \wedge r_{ij}) \quad (7\text{-}3)$$

a_i 和 r_{ij} 为普通乘法运算，不会丢失任何信息，但取大运算仍将丢失大量有用信息。

模型 III：$M(\wedge, \oplus)$，即

$$b_j = \sum_{i=1}^{n} (a_i \wedge r_{ij}) \quad (7\text{-}4)$$

该模型在进行取小运算时，仍会丢失大量有价值的信息，以致得不出有意义的评价结果。

模型 IV：$M(\cdot, \oplus)$，即

$$b_j = \sum_{i=1}^{n} (a_i \cdot r_{ij}) \quad (7\text{-}5)$$

该模型不仅考虑了所有因素的影响，而且保留了单因素评价的全部信息，适用于需要全面考虑各个因素的影响和全面考虑单因素评价结果的情况。

(6) 评价指标的处理

得到评价指标之后，可以按最大隶属原则确定评价对象的具体结果，即取与最大的评价指标 $\max b_j$ 相对应的备择元素 v_j 为评价结果。

2. 多级综合评价模型

将因素集 U 按属性的类型划分成 s 个子集，记作 $U_1, U_2, \cdots, U_s$，根据问题的需要，每一个子集还可以进一步划分。对每一个子集 U_i，按一级评价模型进行评价。将每一个 U_i 作

为一个因素,用 $\underset{\sim}{B_i}$ 作为它的单因素评价集,又可构成评价矩阵:

$$\underset{\sim}{R} = \begin{bmatrix} \underset{\sim}{B_1} \\ \underset{\sim}{B_2} \\ \vdots \\ \underset{\sim}{B_s} \end{bmatrix}$$

于是有第二级综合评价:

$$\underset{\sim}{B} = \underset{\sim}{A} \circ \underset{\sim}{R} \tag{7-6}$$

二级综合评价的模型如图 7-10 所示。

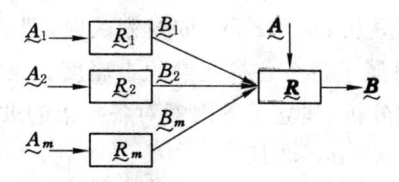

图 7-10 二级模糊综合评价模型图

三、模糊综合评价模型的应用

以某矿胶带运输系统为例,对其安全性进行模糊综合评价。该矿胶带运输系统的人、机、环境各因素的原始数据如表 7-30~表 7-32 所列。

表 7-30　　　　　　　　　　人的因素的原始数据

平均年龄/a	平均工龄/a	平均受教育年限/a	平均专业培训时间/d
29.4	9.06	9.75	89

表 7-31　　　　　　　　　　机的因素的原始数据

完好率/%	待修率/%	故障率/%
92.01	2.30	0.162

表 7-32　　　　　　　　　　环境因素的原始数据

温度/℃	湿度/%	照度/lx	噪声/dB(A)
22.4	92.4	119	78

1. 建立因素集

影响胶带运输系统安全性的因素很多,从人-机-环境系统工程的角度可以分为人、机、环境三大因素,即因素集 $U = \{U_1, U_2, U_3\}$,此为第一层次的因素。影响人、机、环境的因素为第二层次的因素。影响人的因素很多,主要考虑人的生理、基本素质、技术熟练程度等,因此选取平均年龄 u_{11}、平均工龄 u_{12}、平均受教育年限 u_{13} 和平均专业培训时间 u_{14},即 $U_1 = \{u_{11}, u_{12}, u_{13}, u_{14}\}$;影响机的因素选取完好率 u_{21}、待修率 u_{22} 和故障率 u_{23},即 $U_2 = \{u_{21}, u_{22}, u_{23}\}$;影响环境的因素选取温度 u_{31}、湿度 u_{32}、照度 u_{33} 和噪声 u_{34},即 $U_3 = \{u_{31}, u_{32}, u_{33}, u_{34}\}$。

2. 建立备择集

对运输系统的安全性进行综合评价,就是要指出该系统的安全状况如何,即好、一般、差。故备择集为:$V=\{好,一般,差\}=\{v_1,v_2,v_3\}$。

3. 建立权重集

权重的确定没有统一的方法。此处权重的确定采用层次分析法。第一层次因素的权重集为 $\underset{\sim}{A}=\{0.65,0.25,0.10\}$;第二层次中人的因素的权重集为 $\underset{\sim}{A_1}=\{0.10,0.25,0.37,0.28\}$,机的因素的权重集为 $\underset{\sim}{A_2}=\{0.25,0.20,0.45\}$,环境因素的权重集为 $\underset{\sim}{A_3}=\{0.24,0.20,0.26,0.30\}$。

4. 单因素模糊评价

单因素模糊评价,就是建立从 U_i 到 $F(V)$ 的模糊映射,即建立 U_i 中的每个因素对备择集 V 的隶属函数,以确定其隶属于每个备择元素的隶属度。隶属函数的建立没有统一的方法,根据对人、机、环境方面的分析,建立了各因素对备择集的隶属函数:

$$\underset{\sim}{f}_{111}=\begin{cases}0 & u_{11}<18\\ e^{-(\frac{u_{11}-25}{10})^2} & u_{11}\geqslant 18\end{cases} \quad \underset{\sim}{f}_{112}=\begin{cases}0 & u_{11}<18\\ e^{-(\frac{u_{11}-35}{10})^2} & u_{11}\geqslant 18\end{cases}$$

$$\underset{\sim}{f}_{113}=\begin{cases}0 & u_{11}<18\\ e^{-(\frac{u_{11}-50}{10})^2} & u_{11}\geqslant 18\end{cases}$$

$$\underset{\sim}{f}_{121}=\begin{cases}1 & u_{12}>10\\ \frac{u_{12}}{10} & u_{12}\leqslant 10\end{cases} \quad \underset{\sim}{f}_{122}=\begin{cases}\frac{u_{12}}{5} & u_{12}\leqslant 5\\ \frac{40-u_{12}}{35} & u_{12}>5\end{cases}$$

$$\underset{\sim}{f}_{123}=\begin{cases}0 & u_{12}>10\\ \frac{10-u_{12}}{10} & u_{12}\leqslant 10\end{cases}$$

$$\underset{\sim}{f}_{131}=\begin{cases}\frac{u_{13}}{15} & u_{13}<15\\ 1 & u_{13}\geqslant 15\end{cases} \quad \underset{\sim}{f}_{132}=\begin{cases}\frac{u_{13}}{8} & 0<u_{13}\leqslant 8\\ \frac{21-u_{13}}{13} & 8<u_{13}\leqslant 21\\ 0 & u_{13}>21\end{cases}$$

$$\underset{\sim}{f}_{133}=\begin{cases}\frac{10-u_{13}}{10} & 0<u_{13}\leqslant 8\\ \frac{4.2-0.2u_{13}}{13} & 8<u_{13}\leqslant 21\\ 0 & u_{13}>21\end{cases}$$

$$\underset{\sim}{f}_{141}=\begin{cases}\frac{u_{14}}{100} & u_{14}<100\\ 1 & u_{14}\geqslant 100\end{cases} \quad \underset{\sim}{f}_{142}=\begin{cases}\frac{u_{14}}{60} & 0<u_{14}\leqslant 60\\ \frac{180-u_{14}}{120} & 60<u_{14}\leqslant 180\\ 0 & u_{14}>180\end{cases}$$

$$f_{143} = \begin{cases} \dfrac{45 - u_{14}}{45} & 0 < u_{14} \leqslant 30 \\ \dfrac{60 - 0.33 u_{14}}{150} & 30 < u_{14} \leqslant 180 \\ 0 & u_{14} > 180 \end{cases}$$

$$f_{211} = \begin{cases} 0.3 & u_{21} < 0.9 \\ 2.5 u_{21} - 1.5 & 0.9 \leqslant u_{21} \leqslant 1 \end{cases} \qquad f_{212} = \begin{cases} 0.3 & u_{21} < 0.75 \\ e^{-\left(\dfrac{u_{21} - 75\%}{0.25}\right)^2} & 0.75 \leqslant u_{21} \leqslant 1 \end{cases}$$

$$f_{213} = \begin{cases} 1 & u_{21} \leqslant 60\% \\ \dfrac{10 - 10 u_{21}}{4} & 60\% < u_{21} \leqslant 100\% \end{cases}$$

$$f_{221} = \begin{cases} 1 - 5 u_{22} & u_{22} \leqslant 5\% \\ 0.3 & 5\% < u_{22} \leqslant 100\% \end{cases} \qquad f_{222} = \begin{cases} 12.5 u_{22} & u_{22} \leqslant 8\% \\ 0.3 & 8\% < u_{22} \leqslant 100\% \end{cases}$$

$$f_{223} = \begin{cases} 10 u_{22} & 0 < u_{22} \leqslant 10\% \\ 0.3 & 10\% < u_{22} \leqslant 100\% \end{cases}$$

$$f_{231} = \begin{cases} 1 - 25 u_{23} & u_{23} \leqslant 1\% \\ 0.3 & 1\% < u_{23} \leqslant 100\% \end{cases} \qquad f_{232} = \begin{cases} 50 u_{23} & u_{23} \leqslant 2\% \\ 0.3 & 2\% < u_{23} \leqslant 100\% \end{cases}$$

$$f_{233} = \begin{cases} 25 u_{23} & u_{23} \leqslant 4\% \\ 0.3 & 4\% < u_{23} \leqslant 100\% \end{cases}$$

$$f_{311} = \begin{cases} \dfrac{u_{31}}{20} & u_{31} \leqslant 20 \\ \dfrac{40 - u_{31}}{20} & 20 < u_{31} \leqslant 40 \end{cases} \qquad f_{312} = \begin{cases} \dfrac{u_{31}}{16} & u_{31} \leqslant 16 \\ \dfrac{24 - u_{31}}{8} & 16 < u_{31} \leqslant 20 \\ \dfrac{u_{31} - 16}{8} & 20 < u_{31} \leqslant 24 \\ \dfrac{40 - u_{31}}{16} & 24 < u_{31} \leqslant 40 \end{cases}$$

$$f_{313} = \begin{cases} 1 & u_{31} < 5 \\ \dfrac{u_{31}}{12} & 5 \leqslant u_{31} \leqslant 12 \\ \dfrac{22 - u_{31}}{10} & 12 < u_{31} \leqslant 20 \\ \dfrac{2 u_{31} - 37}{15} & 20 < u_{31} \leqslant 26 \\ 1 & u_{31} > 26 \end{cases}$$

$$f_{321} = \begin{cases} 2.5u_{32} & u_{32} < 40\% \\ 1 & 40\% \leqslant u_{32} \leqslant 60\% \\ \dfrac{5-5u_{32}}{2} & 60\% < u_{32} \leqslant 100\% \end{cases} \qquad f_{322} = \begin{cases} 3.33u_{32} & u_{32} \leqslant 30\% \\ 1.75-2.5u_{32} & 30\% < u_{32} \leqslant 40\% \\ 0.75 & 40\% < u_{32} \leqslant 60\% \\ 1.25u_{32} & 60\% < u_{32} \leqslant 80\% \\ 5-5u_{32} & 80\% < u_{32} \leqslant 100\% \end{cases}$$

$$f_{323} = \begin{cases} 5u_{32} & u_{32} \leqslant 20\% \\ 1.8-4u_{32} & 20\% < u_{32} \leqslant 40\% \\ 0.2 & 40\% < u_{32} \leqslant 60\% \\ 2.67u_{32}-1.4 & 60\% < u_{32} \leqslant 90\% \\ 1 & 90\% < u_{32} \leqslant 100\% \end{cases}$$

$$f_{331} = \begin{cases} \dfrac{u_{33}}{140} & u_{33} \leqslant 140 \\ 1 & u_{33} > 140 \end{cases} \qquad f_{332} = \begin{cases} \dfrac{u_{23}}{100} & u_{33} \leqslant 100 \\ \dfrac{1\,100-7u_{33}}{400} & 100 < u_{33} \leqslant 140 \\ 0.2 & u_{33} > 140 \end{cases}$$

$$f_{333} = \begin{cases} \dfrac{u_{33}}{80} & u_{33} \leqslant 80 \\ \dfrac{155-u_{33}}{75} & 80 < u_{33} \leqslant 140 \\ 0.2 & u_{33} > 140 \end{cases}$$

$$f_{341} = \begin{cases} 1 & u_{34} \leqslant 60 \\ \dfrac{100-u_{34}}{40} & 60 < u_{34} \leqslant 100 \\ 0 & u_{34} > 100 \end{cases} \qquad f_{342} = \begin{cases} 0.3 & u_{34} \leqslant 60 \\ \dfrac{7u_{34}-375}{150} & 60 < u_{34} \leqslant 75 \\ \dfrac{100-u_{34}}{25} & 75 < u_{34} \leqslant 100 \end{cases}$$

$$f_{343} = \begin{cases} 0.2 & u_{34} \leqslant 60 \\ \dfrac{2u_{34}-105}{75} & 60 < u_{34} \leqslant 90 \\ 1 & u_{34} > 90 \end{cases}$$

将胶带运输的各影响因素的数据代入对应的隶属函数,计算出其对备择元素的隶属度,组成该因素的单因素评价集。各因素的单因素评价集构成单因素评价矩阵,分别为

$$\mathbf{R}_1 = \begin{bmatrix} 0.83 & 0.73 & 0.02 \\ 0.91 & 0.88 & 0.10 \\ 0.98 & 0.87 & 0.18 \\ 0.89 & 0.76 & 0.20 \end{bmatrix} \quad \mathbf{R}_2 = \begin{bmatrix} 0.81 & 0.63 & 0.20 \\ 0.89 & 0.29 & 0.23 \\ 0.96 & 0.08 & 0.04 \end{bmatrix} \quad \mathbf{R}_3 = \begin{bmatrix} 0.88 & 0.80 & 0.52 \\ 0.19 & 0.38 & 1.00 \\ 0.85 & 0.67 & 0.48 \\ 0.55 & 0.88 & 0.68 \end{bmatrix}$$

5. 一级模糊综合评价

(1) 人的模糊综合评价

由前面确定出的单因素评价矩阵 $\mathbf{R}_1$ 和权重集 $\mathbf{A}_1$,根据式(7-1),可得出人的模糊综合评价为

$$\underset{\sim}{B_1} = \underset{\sim}{A_1} \circ \underset{\sim}{R_1} = (0.1 \quad 0.25 \quad 0.37 \quad 0.28) \begin{bmatrix} 0.83 & 0.73 & 0.02 \\ 0.91 & 0.88 & 0.10 \\ 0.98 & 0.87 & 0.18 \\ 0.89 & 0.76 & 0.20 \end{bmatrix} = (0.92 \quad 0.83 \quad 0.15)$$

(2) 机的模糊综合评价

由前面确定出的单因素评价矩阵 $\underset{\sim}{R_2}$ 和权重集 $\underset{\sim}{A_2}$,根据式(7-1),可得出机的模糊综合评价为

$$\underset{\sim}{B_2} = \underset{\sim}{A_2} \circ \underset{\sim}{R_2} = (0.35 \quad 0.2 \quad 0.45) \begin{bmatrix} 0.81 & 0.63 & 0.20 \\ 0.89 & 0.29 & 0.23 \\ 0.96 & 0.08 & 0.04 \end{bmatrix} = (0.89 \quad 0.32 \quad 0.14)$$

(3) 环境因素的模糊综合评价

由前面确定出的单因素评价矩阵 $\underset{\sim}{R_3}$ 和权重集 $\underset{\sim}{A_3}$,根据式(7-1),可得出环境的模糊综合评价为

$$\underset{\sim}{B_3} = \underset{\sim}{A_3} \circ \underset{\sim}{R_3} = (0.24 \quad 0.2 \quad 0.26 \quad 0.3) \begin{bmatrix} 0.83 & 0.80 & 0.52 \\ 0.19 & 0.38 & 0.00 \\ 0.85 & 0.67 & 0.48 \\ 0.55 & 0.88 & 0.68 \end{bmatrix} = (0.64 \quad 0.71 \quad 0.65)$$

6. 二级模糊综合评价

将人、机、环境看做单一因素,人、机、环境的一级评价结果可视为单因素评价集,组成二级模糊综合评价的单因素评价矩阵:

$$\underset{\sim}{R} = \begin{bmatrix} \underset{\sim}{B_1} \\ \underset{\sim}{B_2} \\ \underset{\sim}{B_3} \end{bmatrix} = \begin{bmatrix} 0.92 & 0.83 & 0.15 \\ 0.89 & 0.32 & 0.14 \\ 0.64 & 0.71 & 0.65 \end{bmatrix}$$

由单因素评价矩阵 $\underset{\sim}{R}$ 和权重集 $\underset{\sim}{A}$,根据式(7-6),可得出二级模糊综合评价为

$$\underset{\sim}{B} = \underset{\sim}{A} \circ \underset{\sim}{R} = (0.65 \quad 0.25 \quad 0.1) \begin{bmatrix} 0.92 & 0.83 & 0.15 \\ 0.89 & 0.32 & 0.14 \\ 0.64 & 0.71 & 0.65 \end{bmatrix} = (0.89 \quad 0.69 \quad 0.20)$$

根据最大隶属原则,胶带运输系统的安全性模糊综合评价结果为:安全性好。

第七节 TOPSIS 评价法

一、TOPSIS 方法概述

TOPSIS(technique for order preference by similarity to ideal solution,TOPSIS)是逼近理想解的排序方法的英文缩写,是一种统计分析方法,它借助多属性(指标)问题的理想解和负理想解对评价对象进行排序。理想解是一个虚拟的最优解,它的各个指标值都达到评价对象中的最优值;而负理想解是虚拟的最差解,它的各个指标都达到评价对象中的最差值。

用理想解求解多属性评价问题的概念简单,只要在属性空间定义适当的距离测度就能

计算备选方案与理想解。TOPSIS法所用的是欧氏距离。至于既用理想解又用负理想解，是因为在仅仅使用理想解时有时会出现某两个评价对象与理想解的距离相同的情况，为了区分这两个评价对象的优劣，引入负理想解并计算这两个评价对象与负理想解的距离，与理想解的距离相同的评价对象离负理想解远者为优。TOPSIS法的思路可以用图7-12来说明。图7-12表示两个属性的评价问题，f_1和f_2为加权的规范化属性，均为效益型；评价对象集X中的六个对象x_1到x_6，根据它们的加权规范化属性值标出了在图7-12中的位置，并确定理想解x^*和负理想解x^0。图7-12中的x_4和x_5与理想解x^*的距离相同，引入它们与负理想解x_0的距离后，由于x_4比x_5离负理想解x_0远，就可以区分两者的优劣了。

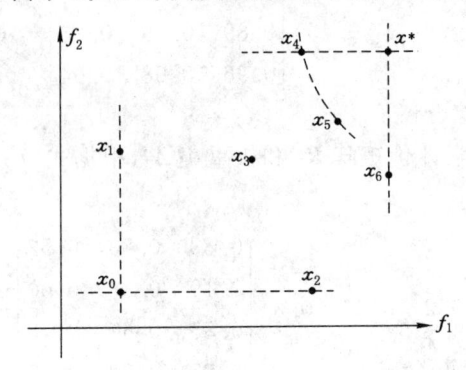

图 7-12　理想解和负理想解示意图

二、基于熵权的 TOPSIS 方法

设有 m 个评价对象，n 个评价指标，各评价对象的评价指标值组成矩阵 $\boldsymbol{X}$，x_{ij} 表示第 i 个评价对象的第 j 个指标的指标值。

（一）数据的规范化

因为各指标通常具有不同的量纲，无法直接进行比较，所以必须对指标值矩阵进行规范化。规范化的方法很多，这里仅给出常用的标准化方法：

$$y_{ij} = x_{ij} \Big/ \sum_{i=1}^{m} x_{ij} \quad (j = 1, 2, \cdots, n) \tag{7-7}$$

式中　y_{ij}——第 i 个评价对象的第 j 个指标的规范化值。

（二）确定评价指标的熵权

在信息论中，信息熵是系统无序程度的度量。信息熵定义为

$$H(y_i) = -\sum_{i=1}^{m} y_{ij} \ln y_{ij} \text{（其中：} 0\ln 0 \equiv 0 \text{）} \tag{7-8}$$

式中　m——评价对象的个数。

一般来说，综合评价中某项指标的指标值变异程度越大，信息熵 $H(y_j)$ 越小，该指标提供的信息量越大，其权重也应越大；反之，其权重也应越小。因此，就可以根据各项指标值的变异程度，利用信息熵这个工具，计算出各指标的权重——熵权。

首先求解输出熵 E_j：

$$E_j = H(y_j)/\ln m \tag{7-9}$$

其次求解指标的差异度 G_j，即

$$G_j = 1 - E_j \quad (1 \leqslant j \leqslant n) \tag{7-10}$$

最后计算熵权

$$a_j = G_j \Big/ \sum_{i=1}^{n} G_i \quad (j=1,2,\cdots,n) \tag{7-11}$$

（三）构造加权规范化矩阵

因为各因素的重要程度不同，所以应考虑各因素的熵权，将规范化数据加权，构成加权规范化矩阵。

$$\boldsymbol{V} = (v_{ij})_{m \times n} = \begin{bmatrix} a_1 y_{11} & a_2 y_{12} & \cdots & a_n y_{1n} \\ a_1 y_{21} & a_2 y_{22} & \cdots & a_n y_{2n} \\ \vdots & \vdots & & \vdots \\ a_1 y_{m1} & a_2 y_{m2} & \cdots & a_n y_{mn} \end{bmatrix} \tag{7-12}$$

（四）确定理想解和负理想解

$$V^+ = \{(\max_i v_{ij} \mid j \in J_1), (\min_i v_{ij} \mid j \in J_2) \mid i=1,2,\cdots,m\} \tag{7-13}$$

$$V^- = \{(\min_i v_{ij} \mid j \in J_1), (\max_i v_{ij} \mid j \in J_2) \mid i=1,2,\cdots,m\} \tag{7-14}$$

式中　J_1——效益型指标集；

　　　J_2——成本型指标集。

（五）计算距离

各评价对象与理想解和负理想解的距离分别为

$$d_i^+ = \sqrt{\sum_{j=1}^{n}(v_{ij}-v_j^+)^2} \quad d_i^- = \sqrt{\sum_{j=1}^{n}(v_{ij}-v_j^-)^2} \quad (i=1,2,\cdots,m) \tag{7-15}$$

（六）确定相对接近度

评价对象与理想解的相对接近度为

$$C_i = \frac{d_i^-}{d_i^+ + d_i^-} \quad (i=1,2,\cdots,m) \tag{7-16}$$

根据相对接近度大小，就可以对评价对象的优劣进行排序。

当评价对象的指标划分成不同层次时，就需要利用多层次评价模型进行评价。多层次评价模型是在单层次评价基础上进行的，单层次评价的结果，即各评价对象的相对接近度组成上一层次的评价矩阵 $\boldsymbol{C}_2$，此时考虑各因素的权重 $\boldsymbol{A}$，评价矩阵和权重向量合成为评价结果向量。

$$\boldsymbol{C} = \boldsymbol{A} \cdot \boldsymbol{C}_2 \tag{7-17}$$

根据加权相对接近度的大小即可确定评价对象的优劣。

三、基于熵权的 TOPSIS 方法的应用

矿井通风系统是一个动态的、随机的、复杂的大系统，影响因素很多。不同学者从不同角度提出了通风系统的评价指标体系，但到目前为止，仍然没有一套通用的评价指标体系。从通风系统的评价标准出发，充分考虑各指标间的相对独立性和可比较性，提出如下三类指标组成的指标体系：

（1）技术可行性指标。技术可行主要是指在技术先进的前提下，通风系统的各项技术指标均达到煤矿安全生产的有关规定，这是通风系统运行的基本前提。这类指标主要包括矿井总风阻、等积孔、矿井风量供需比、矿井通风方式、矿井有效风量率等。

(2) 经济合理性指标。经济合理是指在技术可行的前提下,通风系统的运行费用比较合理,不超过本行业的平均费用。这类指标主要包括矿井主要通风机的功率、主要通风机的效率、矿井外部漏风率、吨煤主要通风机耗电量和通风井巷工程费等。

(3) 安全可靠性指标。安全可靠是指通风系统不仅能保证矿井的正常生产,而且能预防和控制灾害事故的发生,这是煤矿安全生产的基本要求。这类指标主要包括主要通风机运转稳定性、风流稳定性、矿井抗灾能力等。

矿井通风系统各评价指标间的层次结构关系如图 7-13 所示。

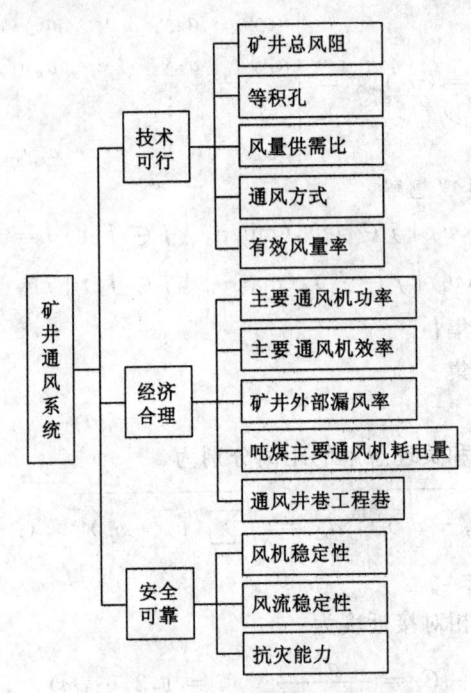

图 7-13 通风系统评价指标体系

以某集团公司下属的规模相当的四矿、五矿、六矿为例,应用基于熵权的 TOPSIS 方法对其通风系统进行评价。各矿井通风系统的原始数据如表 7-33 所列。

表 7-33 通风系统原始数据

评价对象	技术可行性						经济合理性					安全可靠性		
	矿井总风阻/(N·s²/m⁸)	等积孔/m²	风量供需比	通风方式	有效风量率	通风机的功率/kW	通风机的效率	外部漏风率/%	吨煤风机电量/(kWh/t)	井巷工程费/万元	风机稳定性	风流稳定性	抗灾能力
四矿 e_1	0.378	4.32	1.15	9.4	0.877	1 180	0.82	3.1	4.31	27 896	9.2	9.4	9.3
五矿 e_2	0.342	4.86	1.08	9.3	0.856	980	0.85	2.9	4.12	29 124	9.4	9.1	9.5
六矿 e_3	0.289	5.23	1.12	9.8	0.894	1 080	0.88	2.8	3.96	28 356	9.6	9.3	9.8

注:通风方式和安全可靠性指标为专家评分值。

(一) 第 2 层次综合评价

1. 技术可行性评价

(1) 数据的规范化

根据式(7-7),规范化后的矩阵为

$$Y = \begin{bmatrix} 0.375 & 0.300 & 0.343 & 0.330 & 0.334 \\ 0.339 & 0.337 & 0.322 & 0.326 & 0.326 \\ 0.286 & 0.363 & 0.334 & 0.344 & 0.340 \end{bmatrix}$$

(2) 计算各指标的熵权

根据式(7-8)~式(7-11),可计算出各指标的熵权为:$A_1 = (0.612, 0.312, 0.034, 0.026, 0.016)$。

(3) 构造加权规范化矩阵

根据式(7-12),得加权规范化矩阵:

$$V = \begin{bmatrix} 0.229 & 0.094 & 0.0116 & 0.0087 & 0.0054 \\ 0.207 & 0.105 & 0.0109 & 0.0086 & 0.0053 \\ 0.175 & 0.113 & 0.0113 & 0.0091 & 0.0055 \end{bmatrix}$$

(4) 确定理想解和负理想解

技术可行性指标中,总风阻反映矿井通风难易程度,越小越好,等积孔越大越好,风量供需比在[1,1.2]的区间内越大越好,通风方式评分越大越好,有效风量率越大越好。所以理想解和负理想解分别为

$$V^+ = \{0.175, 0.113, 0.0116, 0.0091, 0.0055\},$$
$$V^- = \{0.229, 0.094, 0.0109, 0.0086, 0.0053\}$$

(5) 计算距离

根据式(7-15),分别计算各评价对象与理想解和负理想解的距离:
$d_1^+ = 0.0574, d_1^- = 0.0007, d_2^+ = 0.0331, d_2^- = 0.0248, d_3^+ = 0.0003, d_3^- = 0.0574$

(6) 确定相对接近度

根据式(7-16),各评价对象与理想解的相对接近度分别为:$C_{11} = 0.012, C_{12} = 0.428, C_{13} = 0.995$。根据判断准则可知,$e_3 \succ e_2 \succ e_1$。

2. 经济合理性评价

类似于技术可行性评价过程,可以得到各评价对象与理想解的相对接近度分别为:$C_{21} = 0.012, C_{22} = 0.928, C_{23} = 0.520$。根据判断准则可知,$e_2 \succ e_3 \succ e_1$。

3. 安全可靠性评价

类似于技术可行性评价过程,可以得到各评价对象与理想解的相对接近度分别为:$C_{31} = 0.176, C_{32} = 0.407, C_{33} = 0.934$。根据判断准则可知,$e_3 \succ e_2 \succ e_1$。

(二) 第 1 层次综合评价

第 2 层次的评价结果组成第 1 层次的评价矩阵,此时考虑第 1 层次各因素的权重,权重的确定采用层次分析法(计算过程略),$A = \{0.343, 0.243, 0.414\}$,则第一层次的综合评价为

$$C = A \cdot C_2 = (0.343 \quad 0.243 \quad 0.414) \begin{bmatrix} 0.012 & 0.428 & 0.995 \\ 0.012 & 0.928 & 0.520 \\ 0.176 & 0.407 & 0.934 \end{bmatrix} = (0.080 \quad 0.541 \quad 0.854)$$

根据判断准则可知，$e_3 \succ e_2 \succ e_1$。即六矿的通风系统最好，其次是五矿，四矿最差。

第八节　可拓综合评价法

一、可拓理论概述

可拓理论是广东工业大学的蔡文研究员于1983年首次将物元理论和可拓集合理论相结合提出的一门新兴学科，它用形式化工具，从定性和定量的角度研究解决复杂问题的规律和方法。

可拓理论的理论基础有三个：一个是研究基元（包括物元、事元和关系元）及其变换的基元理论；一个是作为定量化工具的可拓集合理论；另一个是可拓逻辑，它们共同构成了可拓论的理论内涵。这三个理论与其他领域的理论相结合产生了相应的新知识，形成了可拓论的应用外延。以可拓论为基础，发展了一批特有的方法，如物元可拓方法、物元变换方法和优度评价方法等。这些方法与其他领域的方法相结合，产生了相应的可拓工程方法。可拓论与管理科学、控制论、信息论以及计算机科学相结合，使可拓工程方法开始应用于经济、管理、决策、评价和过程控制中。

可拓理论中的物元模型是一个动态模型，参变量既可以是时间，也可以是其他变量，如压力、速度等。动态模型能够很好地拟合现实系统，尤其是复杂的、动态变化的过程。下面介绍几个涉及的可拓理论的基本概念。

(1) 物元

在可拓学中，物元是以事物、特征及事物关于该特征的量值三者所组成的有序三元组，记为 $R=$（事物，特征，量值）$=(N,C,V)$。它是可拓学的逻辑细胞。

事物 N，n 个特征 $c_1,c_2,\cdots,c_n$，及 N 关于特征 $c_i(i=1,2,\cdots,n)$ 对应的量值 $v_i(i=1,2,\cdots,n)$ 所构成的阵列

$$R = (N,C,V) = \begin{bmatrix} N & c_1 & v_1 \\ & c_2 & v_2 \\ & \vdots & \vdots \\ & c_n & v_n \end{bmatrix}$$

称为 n 维物元。

在物元 $R=(N,C,V)$ 中，若 N,V 是参数 t 的函数，称 R 为参变量物元，记作

$$R(t) = (N(t), C, v(t))$$

(2) 可拓集合

设 U 为论域，K 是 U 到实域 $(-\infty,+\infty)$ 的一个映射，T 为给定的对 U 中元素的变换，称

$$\widetilde{A}(T) = \{(u,y,y') \mid u \in U, y = K(u) \in (-\infty,+\infty), y' = K(Tu) \in (-\infty,+\infty)\}$$

为论域 U 上关于元素变换 T 的一个可拓集合，$y=K(u)$ 为 $\widetilde{A}(T)$ 的关联函数。

(3) 距

为了描述类间事物的区别，在建立关联函数之前，规定了点 x 与区间 $X_0=\langle a,b \rangle$ 的距为

$$\rho(x, X_0) = \left| x - \frac{a+b}{2} \right| - \frac{b-a}{2}$$

(4) 关联函数

设 $X_0 = \langle a, b \rangle$, $X = \langle c, d \rangle$, $X_0 \subset X$, 且无公共端点, 令

$$K(x) = \frac{\rho(x, X_0)}{D(x, X_0, X)}$$

则

① $x \in X_0$, 且 $x \neq a, b \leftrightarrow K(x) > 0$
② $x = a$ 或 $x = b \leftrightarrow K(x) = 0$
③ $x \notin X_0$, $x \in X$, 且 $x \neq a, b, c, d \leftrightarrow -1 < K(x) < 0$
④ $x = c$ 或 $x = d \leftrightarrow K(x) = -1$
⑤ $x \notin X$, 且 $x \neq c, d \leftrightarrow K(x) < -1$

称 $K(x)$ 为 x 关于区间 X_0, X 的关联函数。

式中, $D(x, X_0, X)$ 为点 x 关于区间套的位值。

$$D(x, X_0, X) = \begin{cases} \rho(x, X) - \rho(x, X_0) & x \notin X_0 \\ 1 & x \in X_0 \end{cases}$$

二、安全性综合评价的物元模型

设综合性评价问题为 P, 共有 m 个评价对象 $\boldsymbol{R}_1, \boldsymbol{R}_2, \cdots, \boldsymbol{R}_m$, n 个评价指标 $c_1, c_2, \cdots, c_n$, 则此问题可以利用物元表示为

$$P = \boldsymbol{R}_i \times r, \boldsymbol{R}_i \in (\boldsymbol{R}_1, \boldsymbol{R}_2, \cdots, \boldsymbol{R}_m)$$

$\boldsymbol{R}_i$ 为评价对象, $\boldsymbol{R}_i = (N_i, \boldsymbol{C}, \boldsymbol{V}_i) = \begin{bmatrix} N_i & c_1 & v_{i1} \\ & c_2 & v_{i2} \\ & \vdots & \vdots \\ & c_n & v_{in} \end{bmatrix}$; r 为条件物元, $r = \begin{bmatrix} N_i & c_1 & V_1 \\ & c_2 & V_2 \\ & \vdots & \vdots \\ & c_n & V_n \end{bmatrix}$。

三、可拓综合评价模型

可拓综合评价的基本思想是：根据日常管理中积累的数据资料, 把评价对象的优劣划分为若干等级, 由数据库或专家意见给出各等级的数据范围, 再将评价对象的指标代入各等级的集合中进行多指标评定, 评定结果按它与各等级集合的综合关联度大小进行比较, 综合关联度越大, 就说明评价对象与该等级集合的符合程度愈佳。

(1) 确定经典域与节域

令

$$\boldsymbol{R}_{0j} = (N_{0j}, \boldsymbol{C}, \boldsymbol{V}_{0j}) = \begin{bmatrix} N_{0j} & c_1 & V_{0j1} \\ & c_2 & V_{0j2} \\ & \vdots & \vdots \\ & c_n & V_{0jn} \end{bmatrix} = \begin{bmatrix} N_{0j} & c_1 & \langle a_{0j1} & b_{0j1} \rangle \\ & c_2 & \langle a_{0j2} & b_{0j2} \rangle \\ & \vdots & \vdots \\ & c_n & \langle a_{0jn} & b_{0jn} \rangle \end{bmatrix}$$

其中 N_{0j} 表示所划分的第 j 个等级, $c_i (i = 1, 2, \cdots, n)$ 表示第 j 个等级 N_{0j} 的特征 (即评价指标), V_{0ji} 表示 N_{0j} 关于特征 c_i 的量值范围, 即评价对象各优劣等级关于对应的特征所取的数据范围, 此为一经典域。

令

$$\boldsymbol{R}_D = (D, \boldsymbol{C}, \boldsymbol{V}_D) = \begin{bmatrix} D & c_1 & V_{D1} \\ & c_2 & V_{D2} \\ & \vdots & \vdots \\ & c_n & V_{Dn} \end{bmatrix} = \begin{bmatrix} D & c_1 & \langle a_{D1} & b_{D1} \rangle \\ & c_2 & \langle a_{D2} & b_{D2} \rangle \\ & \vdots & \vdots \\ & c_n & \langle a_{Dn} & b_{Dn} \rangle \end{bmatrix}$$

其中 D 表示优劣等级的全体，V_{Di} 为 D 关于 c_i 所取的量值的范围，即 D 的节域。

(2) 确定待评物元

对评价对象 p_i，把测量所得到的数据或分析结果用物元表示，称为评价对象的待评物元。

$$\boldsymbol{R}_i = (p_i, \boldsymbol{C}, \boldsymbol{V}_i) = \begin{bmatrix} p_i & c_1 & v_{i1} \\ & c_2 & v_{i2} \\ & \vdots & \vdots \\ & c_n & v_{in} \end{bmatrix} \quad (i = 1, 2, \cdots, m)$$

式中，p_i 表示第 i 个评价对象，v_{ij} 为 p_i 关于 c_j 的量值，即评价对象的评价指标值。

(3) 首次评价

对评价对象 p_i，首先用非满足不可的特征 c_k 的量值 v_{ik} 评价。若 $v_{ik} \notin V_{0jk}$，则认为评价对象 p_i 不满足"非满足不可的条件"，不予评价；否则进入下一步骤。

(4) 确定各特征的权重

权重的确定可以采用多种方法，如 AHP 方法、熵权、专家评分等。

(5) 建立关联函数，确定评价对象关于各安全等级的关联度

$$K_j(v_{ki}) = \frac{\rho(v_{ki}, V_{0ji})}{\rho(v_{ki}, V_{0Pi}) - \rho(v_{ki}, V_{0ji})} \tag{7-18}$$

式中，$\rho(v_{ki}, V_{0ji})$ 为点 v_{ki} 与区间 V_{0ji} 的距。

$$\rho(v_{ki}, V_{0ji}) = \left| v_{ki} - \frac{a_{0ji} + b_{0ji}}{2} \right| - \frac{1}{2}(b_{0ji} - a_{0ji}) \tag{7-19}$$

(6) 关联度的规范化

关联度的取值是整个实数域，为了便于分析和比较，将关联度进行规范化。

$$K'_j(v_{ki}) = \frac{K_j(v_{ki})}{\max\limits_{1 \leqslant i \leqslant m} |K_j(v_{ki})|} \tag{7-20}$$

(7) 计算评价对象的综合关联度

考虑各特征的权系数，将规范化的关联度和权系数合成为综合关联度。

$$K_j(p_k) = \sum_{i=1}^{n} \alpha_i K'_j(v_{ki}) \tag{7-21}$$

式中，p_k 表示第 k 个评价对象。

(8) 安全性等级评定

若 $K_k(p) = \max\limits_{k \in (1,2,\cdots,m)} K_j(p_i)$，则评价对象 p 的安全性属于等级 k。

当评价对象的各指标间分为不同层次或评价指标较多而使权系数过小时，需要采用多层次综合评价模型。多层次综合评价是在单层次综合评价的基础上进行的，评价方法与单层次相似。第二层次评价结果组成第一层次的评价矩阵 $\boldsymbol{K}_1$，然后考虑第一层次各因素的权系数 $\boldsymbol{A}$，权系数矩阵和综合关联度矩阵合成为评价结果矩阵。

$$K = A \cdot K_1 \tag{7-22}$$

四、可拓综合评价的应用

某矿的煤炭开采方式以综合机械化采煤为主,目前主要有三个主采面,利用基于熵权的可拓方法对这三个主采工作面的安全性进行评价,故评价对象集为 $E = \{R_1, R_2, R_3\}$。其中:R_1——戊$_{22060}$综采面;R_2——戊$_{21091}$综采面;R_3——戊$_{22040}$综采面。

(一)建立评价指标集

影响综采面安全性的因素很多,从人-机-环境系统工程的角度可以分为人、机、环境三大因素,此为第一层次的因素。影响人、机、环境的因素为第二层次的因素。影响人的因素很多,主要选取平均年龄、平均工龄、平均受教育年限、平均专业培训时间和作业人员的三违率;影响机的因素选取完好率、待修率、故障率、设备带病作业率、设备更新率和安全防护设施合格率;影响环境的因素选取温度、湿度、照度、噪声和瓦斯浓度。指标体系层次结构关系如图 7-14 所示。

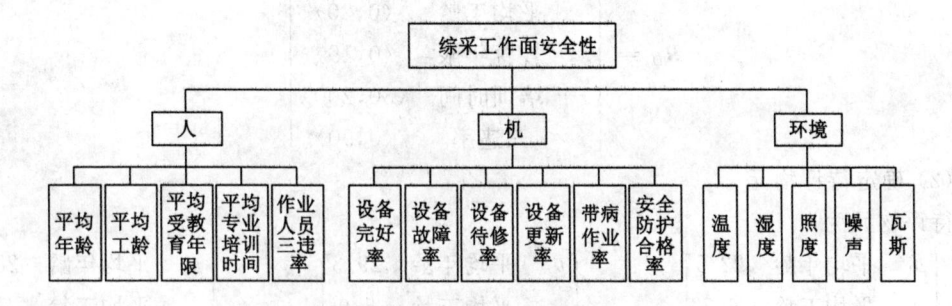

图 7-14 综采面安全性评价指标体系

各评价对象的人、机、环境各指标的原始数据如表 7-34 所列。

表 7-34　　综采工作面人-机-环境的原始数据

评价对象	平均年龄/a	平均工龄/a	平均受教育年限/a	平均专业培训时间/d	三违率/%	完好率/%	待修率/%	故障率/%	更新率/%	带病作业率/%	安全防护合格率/%	温度/℃	湿度/%	噪声/dB	照度/lx	瓦斯/%
R_1	26.5	6.7	9.3	112	45.6	97.9	2.0	8.1	8.6	13.6	94.6	27.6	92	90	102	0.5
R_2	29.3	5.9	8.8	115	43.3	98.1	2.3	9.4	9.1	11.8	93.1	26.2	95	95	115	0.3
R_3	28.6	5.4	7.6	98	51.4	96.9	1.8	6.5	10.5	10.4	94.2	28.1	94	92	96	0.4

(二)第 2 层次可拓综合评价

1. 人的因素可拓评价

(1)确定经典域和节域

综采工作面的安全性等级可以划分为 4 级:优、良、一般、差。根据煤矿安全规程和该矿的实际情况,各等级的经典域物元分别为

$$R_{01} = \begin{bmatrix} N_{01} & 平均年龄 & \langle 22,26 \rangle \\ & 平均工龄 & \langle 10,15 \rangle \\ & 教育年限 & \langle 14,19 \rangle \\ & 培训时间 & \langle 120,180 \rangle \\ & 三违率 & \langle 0,30 \rangle \end{bmatrix} \quad R_{02} = \begin{bmatrix} N_{02} & 平均年龄 & \langle 26,30 \rangle \\ & 平均工龄 & \langle 5,10 \rangle \\ & 教育年限 & \langle 9,14 \rangle \\ & 培训时间 & \langle 100,120 \rangle \\ & 三违率 & \langle 30,50 \rangle \end{bmatrix}$$

$$R_{03} = \begin{bmatrix} N_{03} & 平均年龄 & \langle 30,40 \rangle \\ & 平均工龄 & \langle 1,5 \rangle \\ & 教育年限 & \langle 6,9 \rangle \\ & 培训时间 & \langle 80,100 \rangle \\ & 三违率 & \langle 50,60 \rangle \end{bmatrix} \quad R_{04} = \begin{bmatrix} N_{04} & 平均年龄 & \langle 40,55 \rangle \\ & 平均工龄 & \langle 0,1 \rangle \\ & 教育年限 & \langle 0,6 \rangle \\ & 培训时间 & \langle 60,80 \rangle \\ & 三违率 & \langle 60,80 \rangle \end{bmatrix}$$

节域物元为

$$R_D = \begin{bmatrix} D & 平均年龄 & \langle 20,60 \rangle \\ & 平均工龄 & \langle 0,20 \rangle \\ & 教育年限 & \langle 0,19 \rangle \\ & 培训时间 & \langle 30,200 \rangle \\ & 三违率 & \langle 0,90 \rangle \end{bmatrix}$$

（2）确定待评物元

待评物元为

$$R_1 = \begin{bmatrix} p_1 & 平均年龄 & 22.5 \\ & 平均工龄 & 6.7 \\ & 教育年限 & 9.3 \\ & 培训时间 & 112 \\ & 三违率 & 45.6 \end{bmatrix} \quad R_2 = \begin{bmatrix} p_2 & 平均年龄 & 29.3 \\ & 平均工龄 & 5.9 \\ & 教育年限 & 8.8 \\ & 培训时间 & 115 \\ & 三违率 & 43.3 \end{bmatrix} \quad R_3 = \begin{bmatrix} p_3 & 平均年龄 & 28.6 \\ & 平均工龄 & 5.4 \\ & 教育年限 & 7.6 \\ & 培训时间 & 98 \\ & 三违率 & 51.4 \end{bmatrix}$$

（3）首次评价

在该评价指标体系中，没有非满足不可的指标（特征），故该步可省略。

（4）确定各特征的熵权

根据式(7-7)～式(7-11)，可计算出各特征的熵权（计算过程略），$A_1 = \{0.067, 0.296, 0.263, 0.178, 0.196\}$。

（5）建立关联函数，计算关联度

根据式(7-18)和式(7-19)可计算各评价对象与各等级的关联度。

$$K_{p1} = \begin{bmatrix} -0.071 & 0.083 & -0.35 & -0.675 \\ -0.330 & 0.340 & -0.202 & -0.460 \\ -0.336 & 0.033 & -0.031 & -0.262 \\ -0.089 & 0.108 & -0.128 & -0.281 \\ -0.260 & 0.110 & -0.090 & -0.245 \end{bmatrix}$$

$$\boldsymbol{K}_{p2} = \begin{bmatrix} -0.262 & 0.081 & -0.070 & -0.535 \\ -0.410 & 0.180 & -0.132 & -0.454 \\ -0.371 & -0.022 & 0.023 & -0.241 \\ -0.056 & 0.063 & -0.150 & -0.292 \\ -0.235 & 0.183 & -0.134 & -0.278 \end{bmatrix}$$

$$\boldsymbol{K}_{p3} = \begin{bmatrix} -0.232 & 0.194 & -0.140 & -0.570 \\ -0.460 & 0.080 & -0.069 & -0.449 \\ -0.457 & -0.156 & 0.226 & -0.174 \\ -0.244 & -0.029 & 0.030 & -0.209 \\ -0.357 & -0.035 & 0.038 & -0.182 \end{bmatrix}$$

(6) 关联度的规范化

根据式(7-20)可将关联度规范化为

$$\boldsymbol{K}'_{p1} = \begin{bmatrix} -0.273 & 0.429 & -1 & -1 \\ -0.717 & 1 & -1 & -1 \\ -0.734 & 0.214 & -0.138 & -1 \\ -0.364 & 1 & -0.851 & -0.962 \\ -0.729 & 0.601 & -0.673 & -0.880 \end{bmatrix}$$

$$\boldsymbol{K}'_{p2} = \begin{bmatrix} -1 & 0.419 & -0.200 & -0.793 \\ -0.891 & 0.529 & -0.654 & -0.987 \\ -0.813 & -0.143 & 0.103 & -0.922 \\ -0.227 & 0.578 & -1 & -1 \\ -0.659 & 1 & -1 & -1 \end{bmatrix}$$

$$\boldsymbol{K}'_{p3} = \begin{bmatrix} -0.886 & 1 & -0.400 & -0.844 \\ -1 & 0.235 & -0.341 & -0.977 \\ -1 & -1 & 1 & -0.664 \\ -1 & -0.264 & 0.202 & -0.718 \\ -1 & -0.191 & 0.281 & -0.655 \end{bmatrix}$$

(7) 计算评价对象的综合关联度

根据式(7-21),可得各评价对象的综合关联度:

$\boldsymbol{K}_{p1} = \boldsymbol{A}_1 \cdot \boldsymbol{K}'_{p1} = (-0.631, 0.677, -0.683, -0.97)$,$\boldsymbol{K}_{p2} = (-0.714, 0.446, -0.554,$ $-0.962)$,$\boldsymbol{K}_{p3} = (-0.992, -0.21, 0.226, -0.776)$

2. 机的因素的可拓综合评价

类似于人的因素的可拓评价过程,可以得到各评价对象的综合关联度:

$\boldsymbol{K}_{p1} = (-0.899, 0.337, -0.144, -0.693)$,$\boldsymbol{K}_{p2} = (-0.916, -0.132, 0.239,$ $-0.629)$,$\boldsymbol{K}_{p3} = (-0.501, 0.55, -0.716, -0.999)$。

3. 环境因素的可拓综合评价

类似于人的因素的可拓评价过程,可以得到各评价对象的综合关联度:

$\boldsymbol{K}_{p1} = (-0.951, 0.017, 0.004, -0.506)$,$\boldsymbol{K}_{p2} = (0.06, -0.131, -0.976, -0.973)$, $\boldsymbol{K}_{p3} = (-0.743, 0.75, -0.4, -0.694)$。

(三) 第1层次可拓综合评价

第2层次的评价结果组成第1层次的关联度矩阵，此时考虑人、机、环境的权系数，权系数由层次分析法计算得出：$A=(0.682, 0.103, 0.215)$。则根据式(7-22)，各评价对象第1层次的综合评价为

$$K_1 = A \cdot K_{p1} = (0.682 \quad 0.103 \quad 0.215) \begin{bmatrix} -0.631 & 0.677 & -0.683 & -0.970 \\ -0.899 & 0.337 & -0.144 & -0.693 \\ -0.951 & 0.017 & 0.004 & -0.506 \end{bmatrix}$$

$$= (-0.728 \quad 0.5 \quad -0.48 \quad -0.842)$$

$$K_2 = A \cdot K_{p2} = (-0.569 \quad 0.263 \quad -0.563 \quad -0.93)$$

$$K_3 = A \cdot K_{p3} = (-0.888 \quad 0.074 \quad -0.001 \quad -0.782)$$

由评价结果可以看出，三个综采面的安全性均属于良等级，但戊$_{22060}$综采面的安全性最好，其次是戊$_{21091}$综采面，戊$_{22040}$综采面的安全性最差。

第九节 改进的灰色关联法

一、灰色理论概述

1982年，中国学者邓聚龙教授创立的灰色系统理论，是一种研究少数据、贫信息不确定性问题的新方法。灰色系统是一门研究信息部分清楚、部分不清楚并带有不确定性现象的应用数学学科。它以"部分信息已知，部分信息未知"的"小样本"、"贫信息"不确定性系统为研究对象，主要通过对"部分"已知信息的生成、开发，提取有价值的信息，实现对系统运行行为、演化规律的正确描述和有效监控。在客观世界中，大量存在的不是白色系统（信息完全明确），也不是黑色系统（信息完全不明确），而是灰色系统。因此，灰色系统理论以这种大量存在的灰色系统为研究而获得进一步发展。

灰色系统理论经过30多年的发展，现已基本建立起一门新兴学科的结构体系。其主要内容包括以灰色代数系统、灰色方程、灰色矩阵等为基础的理论体系，以灰色序列生成为基础的方法体系，以灰色关联空间为依托的分析体系，以灰色模型（GM）为核心的模型体系，以系统分析、评估、建模、预测、决策、控制、优化为主体的技术体系。

灰色系统关联分析是实际应用较多的一种分析方法，是对系统所包含的相互联系、相互影响、相互制约的因素之间关联程度进行定量比较的一种研究方法，其实质就是对关联序列进行相似或相异程度的分析计算。序列所表达的对象发展变化态势越一致，关联度越大；反之，关联度越小。

二、改进的灰色关联法

改进的灰色关联法可以分为单层次灰色关联评价和多层次灰色关联评价。

(一) 熵与熵增定理

设有限离散序列 $X=\{x_i | i=1,2,\cdots,n\}$，$\forall i, x_i \geqslant 0$，且 $\sum_{i=1}^{n} x_i = 1$，称

$$H(X) = -\sum_{i=1}^{n} \ln x_i \text{（其中：} 0\ln 0 \equiv 0） \tag{7-23}$$

为序列 X 的熵。

熵增定理 设 X 为有限离散序列 $X=(x_i|i=1,2,\cdots,n)$，$\forall i, x_i \geqslant 0$，且 $\sum_{i=1}^{n}x_i=1$，$H(X)$ 为序列 X 的熵，则任何趋于使 $x_1,x_2,\cdots,x_n$ 均等地变动，即使序列 X 趋于常数列的变动都会使熵增加。

(二) 均衡度

由熵增定理可知，熵是离散序列 X 的分量值均衡程度的测度，熵越大，序列就越均衡。对于元素个数为 n 的离散序列 X 而言，序列的极大熵是当序列中的各元素均相等时，只与元素个数有关的常数 $\ln n$。因此，序列的均衡度 B 就可以定义为：

$$B = H(X)/H_m \tag{7-24}$$

其中 H_m 为序列极大熵。

显然，B 越大，序列就越均衡，特别地，当 $B=1$ 时，$H(X)=H_m$，序列为一个常数列。

(三) 加权灰色关联度

灰色关联度是参考序列和比较序列接近程度的测度。关联度由关联系数计算得出，关联系数的计算式为：

$$L_i(k) = \frac{\min_i \min_k |v_k^* - v_k^i| + \rho \max_i \max_k |v_k^* - v_k^i|}{|v_k^* - v_k^i| + \rho \max_i \max_k |v_k^* - v_k^i|} \tag{7-25}$$

式中，ρ 为分辨系数，在 $[0,1]$ 中取值，通常取 0.5；v_k^* 为参考序列的第 k 个值；v_k^i 为第 i 个比较序列的第 k 个值；$\min_i \min_k |v_k^* - v_k^i|$ 为两级最小差；$\max_i \max_k |v_k^* - v_k^i|$ 为两级最大差。

因为关联系数列中数据很多，信息过于分散，比较不便，所以有必要将各个时刻关联系数集中为一个值。将关联系数集中处理的常用方法是求平均值，但此种处理方法没有考虑各因素的重要性差别，所以结果可能出现较大的偏差。本书提出将关联系数加权，得到加权灰色关联度，其计算式可表示为：

$$r_{oi} = \sum_{k=1}^{n} a_k L_i(k) \tag{7-26}$$

式中，r_{oi} 为参考序列与第 i 个比较序列的关联度，a_k 为第 k 个因素的熵权，其计算方法见文献[58]。

(四) 单层次灰色关联评价

设 $E=\{e_i|i=1,\cdots,m\}$ 为评价对象的集合，$S=\{s_j|j=1,\cdots,n\}$ 为评价指标的集合，不同评价对象的不同指标值矩阵 $\mathbf{V}=\{v_{ij}|i=1,\cdots,m;j=1,\cdots,n\}$，$e^*$ 为由评价对象集 E 构成的理想对象，$e^*=\{v_j^*|v_j^*=\max_i v_{ij} \text{ 或 } \min_i v_{ij} \text{ 或实际理想值}\}$。评价的具体步骤如下。

1. 确定理想对象 e^*

$$e^* = \{v_j^* \mid v_j^* = \max_i v_{ij} \text{ 或 } \min_i v_{ij} \text{ 或实际理想值}\}$$

2. 各评价对象与理想对象指标值的预处理

数据预处理的方法很多，常用的有线性变换、数据的初值化和数据的均值化三种。

(1) 线性变换

线性变换就是将原始数据中同一指标的数据除以该指标中的最优值，以得到一个相对于最优值的百分比的新数据列，其计算式为

$$\mathbf{V}' = \{v'_{ij} \mid v'_{ij} = v_{ij}/v_j^*\} \tag{7-27}$$

(2) 数据初值化

数据初值化就是原始数据中同一指标的数据都除以该指标的第一个数据,以得到一个相对于第一个数据的百分比的新数据列,其计算式为

$$\boldsymbol{V}' = \{v'_{ij} \mid v'_{ij} = v_{ij}/v_{i1}\} \tag{7-28}$$

(3) 数据均值化

数据均值化就是原始数据中同一指标的数据都除以该指标所有数据的平均值,以得到一个相对于平均值的百分比的新数据列,其计算式为

$$\boldsymbol{V}' = \left\{ v'_{ij} \mid v'_{ij} = \frac{v_{ij}}{\frac{1}{m}\sum_{i=1}^{m} v_{ij}} \right\} \tag{7-29}$$

3. 计算评价对象与理想对象的差值

$C_i = \{c_{ij} \mid c_{ij} = |v_j^* - v'_{ij}|\}$,即某一评价对象的差值是一个序列。

4. 计算加权灰色关联度

首先计算各特征的熵权,然后以理想对象 e^* 为参考序列,各评价对象为比较序列,由式(7-25)和式(7-26)计算理想对象与各评价对象的加权灰色关联度。

5. 对各评价对象的差值序列归一化

归一化后的序列为

$$C'_i = \{c'_{ij} \mid c'_{ij} = c_{ij}/\sum_{k=1}^{n} c_{ik}, j = 1, 2, \cdots, n\} \tag{7-30}$$

6. 计算序列 C'_i 的熵及均衡度

由式(7-23),得

$$H(C'_i) = -\sum_{j=1}^{n} c'_{ij} \ln c'_{ij}, \quad H_m = \ln n, \quad B_i = H(C'_i)/H_m$$

虽然加权灰色关联度考虑了各因素的重要性差异,但不能完全避免由少数几个关联系数较大的点决定关联度的倾向。如图7-15所示,若只考虑加权灰色关联度,则曲线 A 更接近于曲线 B,但得出这样的结论显然是不合理的。而均衡度可以测度各评价对象与理想对象接近的均衡程度,因此考虑均衡度就可以避免这种倾向。

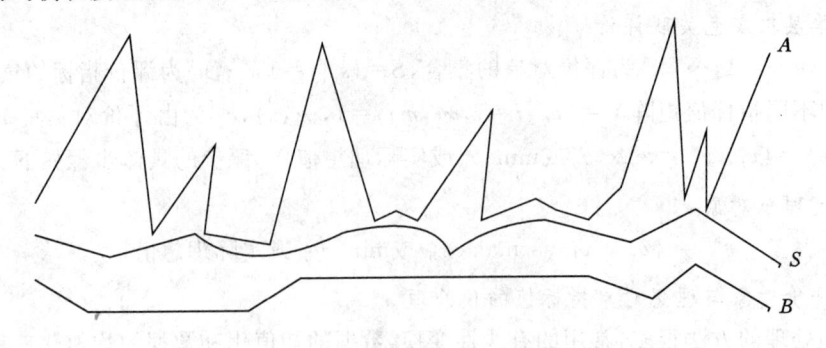

图 7-15 离散序列接近程度示意图

7. 计算均衡接近度并进行评价

灰色关联度是序列接近度的测度,均衡度是序列均衡程度的测度,所以就可以由关联度和均衡度的乘积构造出评价的均衡接近度准则,即

$$w = B \times r \tag{7-31}$$

w 值越大的评价对象越均衡接近理想对象,该评价对象就越好,这样就可以根据 w 值的大小来评价不同评价对象的优劣程度。称按 w 值的方法评价对象的准则为均衡接近度准则。

(五) 多层次灰色关联评价

当评价对象的各指标间分为不同层次或指标过多而使得权重过小时,需要采用多层次综合评价模型。多层次综合评价是在单层次综合评价的基础上进行的,评价方法与单层次相似。第二层次评价结果组成第一层次的评价矩阵,然后考虑第一层次各因素的权重,权重矩阵和均衡接近度矩阵合成为评价结果矩阵。

$$W = A \cdot W_2 \tag{7-32}$$

式中,W_2 为第二层次评价结果组成的均衡接近度矩阵。

由式(7-32)可计算出各评价对象的均衡接近度。多层次综合评价模型如图 7-16 所示。

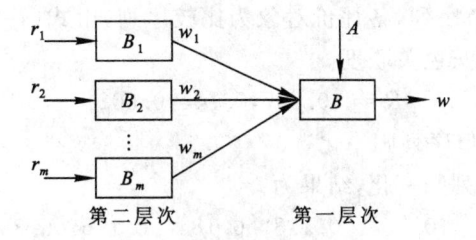

图 7-16 改进的多层次灰色关联评价模型

三、改进的灰色关联法的应用

以上节某矿综采工作面的数据为例进行评价,原始数据如表 7-34 所列。

(一) 确定评价对象集

某矿以综采为主,所以安全性评价就是对三个主采工作面的安全性进行评价。故评价对象集为 $E=\{e_1,e_2,e_3\}$,其中,e_1 为戊$_{22060}$综采面,e_2 为戊$_{21091}$综采面,e_3 为戊$_{22040}$综采面。

(二) 建立评价指标集

影响综采面安全性的因素很多,从人-机-环境系统工程的角度可以分为人、机、环境三大因素,此为第一层次的因素。影响人、机、环境的因素为第二层次的因素。影响人的因素选取平均年龄、平均工龄、平均受教育年限、平均专业培训时间和作业人员的三违率;影响机的因素选取完好率、待修率、故障率、设备带病作业率、设备更新率和安全防护设施合格率;影响环境的因素选取温度、湿度、照度、噪声和瓦斯浓度。

(三) 第 2 层次综合评价

以人的因素评价为例。

(1) 确定理想对象

反映人的因素的各指标中,年龄越接近 25 岁越好,平均工龄、平均受教育年限、平均专业培训时间属于效益型指标,越大越好,三违率属于成本型指标,越小越好。所以理想对象为 $e^* = \{25,7,10,120,40\%\}$。

(2) 计算各指标的熵权

确定出各指标的熵权系数为:$A_1 = \{0.067, 0.296, 0.263, 0.177, 0.197\}$。

(3) 各评价对象与理想对象指标值的预处理

根据式(7.27)对原始数据进行预处理,处理后的结果为

$$\boldsymbol{V}' = \begin{bmatrix} 1 & 1 & 1 & 1 & 1 \\ 1.060 & 0.957 & 0.93 & 0.933 & 1.40 \\ 1.172 & 0.843 & 0.88 & 0.958 & 1.083 \\ 1.144 & 0.771 & 0.76 & 0.817 & 1.285 \end{bmatrix}$$

(4) 计算评价对象与理想对象的差值

计算各评价对象与理想对象的差值,组成差值矩阵为

$$\boldsymbol{C} = \begin{bmatrix} 0.060 & 0.043 & 0.07 & 0.067 & 0.140 \\ 0.172 & 0.157 & 0.12 & 0.042 & 0.083 \\ 0.144 & 0.229 & 0.24 & 0.183 & 0.285 \end{bmatrix}$$

(5) 计算加权灰色关联度

以理想对象 e^* 为参考序列,各评价对象为比较序列,由式(7-25)和式(7-26)计算理想对象与各评价对象的加权灰色关联度。

$$R = \{0.867, 0.744, 0.502\}$$

(6) 各评价对象的差值序列归一化

由式(7-30)对差值序列归一化,结果为

$$\boldsymbol{C}' = \begin{bmatrix} 0.158 & 0.113 & 0.184 & 0.176 & 0.369 \\ 0.300 & 0.274 & 0.209 & 0.073 & 0.144 \\ 0.133 & 0.211 & 0.222 & 0.170 & 0.264 \end{bmatrix}$$

(7) 计算序列 C'_i 的熵及均衡度

由式(7-23)和式(7-24)计算出各评价对象的均衡度分别为:$B_1 = H(C'_1)/H_m = 0.946$,$B_2 = 0.940$,$B_3 = 0.984$。

(8) 计算均衡接近度并进行评价

由式(7-31)可计算出各评价对象与理想对象的均衡接近度分别为:$w_1 = 0.820$,$w_2 = 0.699$,$w_3 = 0.494$。根据评价准则可知,$e_1 \succ e_2 \succ e_3$。

类似的,分别对机的因素和环境因素进行评价,评价结果为:

机的因素:$w_1 = 0.402$,$w_2 = 0.356$,$w_3 = 0.667$。根据评价准则可知,$e_3 \succ e_1 \succ e_2$。

环境因素:$w_1 = 0.097$,$w_2 = 0.182$,$w_3 = 0.165$。根据评价准则可知,$e_2 \succ e_3 \succ e_1$。

(四) 第1层次综合评价

第2层次综合评价的结果组成第1层次评价的均衡接近度矩阵,此时考虑第1层次各因素的权重,权重的确定采用层次分析法,$A = \{0.682, 0.103, 0.215\}$。根据式(7-32),可得最终评价结果为:

$$\boldsymbol{W} = \boldsymbol{A} \cdot \boldsymbol{W}_2 = (0.622 \quad 0.553 \quad 0.441)$$

根据评价准则可知,$e_1 \succ e_2 \succ e_3$。

(五) 结果分析

综合考虑人、机和环境三方面的因素,综采面戊$_{22060}$的安全性最好,其次是戊$_{21091}$,戊$_{22040}$的安全性最差。

从第二层次的评价结果可以看出各综采面中人、机、环境的综合状况。综采面戊$_{22060}$的

作业人员的整体素质要远远好于另外两个综采面,但其机的整体状况远不如戊$_{22040}$综采面,环境状况在三个综采面中最差。因此,该工作面安全管理的重点应是降低故障率、待修率和设备带病作业率,提高机器设备的完好率和更新率,大力改善环境状况。综采面戊$_{21091}$的环境状况最好,但其机的整体状况最差,作业人员的素质介于另外两个综采面之间,所以其安全管理的重点应是降低设备的故障率、待修率和带病作业率,加强对工人的专业培训,提高工人的素质,减少人为失误。综采面戊$_{22040}$机的整体状况最好,但人员素质最差,环境介于另外两者之间,所以其安全管理的重点应是大力提高工人的技术水平,加强对工人的业务培训和安全培训,提高工人的整体素质。

本章小结

本章主要介绍了定量安全评价方法的定义、常用的定量安全评价方法类型,重点分析了火灾爆炸指数、ICI蒙德评价法、概率危险性评价、危险度评价法、六阶段安全评价、模糊综合评价、TOPSIS评价法、可拓综合评价法和改进的灰色关联法等定量安全评价方法的评价原理、特点、步骤及应用等方面的知识。

思考题

1. 简述定量安全评价方法的基本过程。
2. 简述六阶段安全评价法的评价步骤及评价内容。
3. 模糊综合评价法的评价步骤及内容是什么?
4. 简述道化学火灾、爆炸危险指数评价法(第七版)的优缺点、适用范围及评价程序。
5. TOPSIS评价法的基本思想是什么?
6. 简述 TOPSIS 评价的基本步骤。
7. 简述可拓综合评价的基本思想和步骤。
8. 简述改进的灰色关联法的基本思想和改进之处。
9. 煤矿运输系统主要由胶带运输、电机车运输和刮板运输三个子系统组成,评价对象为这3个子系统,故选取某矿主斜井胶带运输 R_1、二水平大巷电机车运输 R_2 和戊$_{21062}$工作面刮板运输 R_3 为评价对象。影响运输系统安全性的因素及原始数据如表7-35所列。试利用基于熵权的 TOPSIS 方法和可拓综合评价法进行安全性评价。

表 7-35　　人-机-环境各因素的原始数据

评价对象	人				机			环境			
	平均年龄/a	平均工龄/a	平均受教育年限/a	平均专业培训时间/d	完好率/%	待修率/%	故障率/%	温度/℃	湿度/%	照度/lx	噪声/dB(A)
R_1	29.4	9.06	9.75	89	92.01	2.30	0.36	22.4	92.4	119	78
R_2	34.9	13.1	9.2	150	90.02	3.56	0.76	23.3	94.8	137	84
R_3	38.5	17.1	8	75	82.98	4.02	0.89	27.5	96.0	82	91

第八章

重大危险源评价实例分析

第一节 煤气作业区的评价

在冶金、化工等行业,煤气系统是常见和高危作业区。本实例针对冶金转炉煤气作业区进行安全评价,方法采用了我国的易燃易爆有毒类危险源的评价方法。

一、转炉煤气的储量

A-02 号危险源危险物质基本情况如表 8-1 所列。

表 8-1　　　　　　　A-02 号危险源危险物质基本情况

作业区危险物质	煤气
最大量/m³	20 000

二、转炉煤气的物化特性

转炉煤气的气体组成如表 8-2 所列。转炉煤气的物化特性如表 8-3 所列。

表 8-2　　　　　　　　转炉煤气的气体组成

种类	CO/%	CO_2/%	H_2/%	N_2/%	O_2/%	CH_4/%	$C_m H_n$/%
转炉煤气	60~70	15~20	<1.5	10~20	<2	—	—

表 8-3　　　　　　　　转炉煤气的物化特性

种类	热值/(kg/m³)	着火温度/℃	爆炸极限/%	理论燃烧温度/℃
转炉煤气	7 117~8 373	530	18~83	2 000

注:若已知危险物质的成分,则其物化特性可从《工业安全卫生基本数据手册》及其他相关的书籍中查出对应的值。

三、A-02 号危险源危险物质事故易发性评价

A-02 号危险源危险物质事故易发性评价如表 8-4 所列。

表 8-4　　　　　　　　　　A-02 号危险源危险物质事故易发性评价

	性质	焦炉煤气现有值	分级等级	得分
气体燃烧性	爆炸极限/%	18~83	$H \geqslant 20$	20
	最小点燃电流/A	0.6	0.45~0.8	15
	最小点燃能量/mJ	0.019	0.1~0.3	17
	引燃温度/℃	530	>450	5
总分 G_1				57
易发性系数 α_1	气体		1.0	1.0
危险系数 $\alpha_1 \times G_1$				57
毒性	物质毒性系数	Ⅱ	30	30
	物质密度修正系数	1.5	15	15
	物质气味修正系数	气味淡	气味淡	5
	物质状态修正系数	气体	气体	15
毒性部分合计 G_2				65
毒性易发性系数 α_2	毒性气体		1.0	1.0
危险系数 $\alpha_2 \times G_2$				65

四、A-02 号危险源工艺过程事故易发性评价

A-02 号危险源工艺过程事故易发性评价如表 8-5 所列。

表 8-5　　　　　　　　　A-02 号危险源工艺工程事故易发性评价

	性质	现在状态	分级等级	得分	$W_{ij}B_{i12}$
火灾爆炸危险系数	物料处理系数 B_{112-3}	混合危险	指工艺中两种或两种以上物质混合或相互接触时能引起火灾、爆炸或急剧反应的危险	30	0.9
	粉尘系数 B_{112-6}	故障性烟雾	发生故障时装置内外可能形成爆炸性粉尘或烟雾	100	0.2
	高温系数 B_{112-8}	高温工作	操作温度≤熔点，B_{112-8} 取 15	10	0.7
	高压系数 B_{112-10}	工作压力:2 MPa	75	70×1.3=91	0.9
	泄漏系数 B_{112-13}	操作时可能使可燃气体逸出	20	20	0.9
	设备系数 B_{112-14}	临近设备寿命周期和超过寿命周期	75	75	0.9
	密闭单元系数 B_{112-15}	密闭单元 B_{112-15} 取 40		40	0.9
	工艺布置系数 B_{112-16}	单元高度为 5~10 m 时		20	0.9
	明火系数 B_{112-17}	有明火		80	0.9

续表 8-5

	性质	现在状态	分级等级	得分	$W_{ij}B_{i12}$
$\sum B_{112\text{-}i}$				466	
毒物系数	腐蚀系数 $b_{112\text{-}1}$	腐蚀速率<0.5 mm/a 时		10	
	输送系数 $b_{112\text{-}6}$	气体压送		60	
$\sum b_{112\text{-}i}$				70	

事故易发性 B_{11} 计算：

$$B_{11} = \sum_{i=1}^{n}\sum_{j=1}^{m}(B_{111})_i W_{ij}(B_{112})_j$$

$= 57 \times (30 \times 0.9 + 100 \times 0.2 + 10 \times 0.7 + 91 \times 0.9 + 20 \times 0.9 + 75 \times 0.9 + 40 \times 0.9 + 20 \times 0.9 + 80 \times 0.9) + 65 \times (10 + 60)$

$= 24\ 351.8$

五、煤气伤害模型及重伤半径

煤气燃烧爆炸选用蒸气云爆炸模型（VCM）。

$20\ 000\ \text{m}^3$ 煤气对应的 TNT 当量：

爆源总能量：

$$E = 20\ 000 \times 7\ 745 = 154\ 900\ 000\ (\text{kJ})$$

$$W_{\text{TNT}} = \alpha W_f Q_f / Q_{\text{TNT}} = 0.02 \times 20\ 000 \times 7\ 745 \div 4\ 520 = 685.4\ (\text{kg})$$

式中 α——蒸气云当量系数，取标准值 0.02。

因此，死亡半径 R_1 为

$$R_1 = 13.6 \times (W_{\text{TNT}}/1\ 000)^{0.37} = 11.8\ (\text{m})$$

重伤半径 R_2 由下式确定：

$$\begin{cases} \Delta p_s = 44\ 000/p_0 = 44\ 000/101\ 289 = 0.434\ 4 \\ \Delta p_s = 0.137Z^{-3} + 0.119Z^{-2} + 0.269Z^{-1} - 0.019 \\ Z = \left(\dfrac{p_0}{E}\right)^{1/3} R_2 = \left(\dfrac{101\ 289}{154\ 900\ 000}\right)^{1/3} R_2 = 0.086\ 8R_2 \end{cases}$$

解上述方程组，得

$$R_2 = 14.3(\text{m})$$

轻伤半径 R_3 由下式确定：

$$\begin{cases} \Delta p_s = 17\ 000/p_0 = 17\ 000/101\ 289 = 0.167\ 8 \\ \Delta p_s = 0.137Z^{-3} + 0.119Z^{-2} + 0.269Z^{-1} - 0.019 \\ Z = \left(\dfrac{p_0}{E}\right)^{1/3} R_3 = \left(\dfrac{101\ 289}{154\ 900\ 000}\right)^{1/3} R_3 = 0.086\ 8R_3 \end{cases}$$

解上述方程组，得：

$$R_3 = 22.5(\text{m})$$

对于爆炸破坏，财产破坏半径为

$$R_A = \frac{K_{\mathrm{II}} W_{\mathrm{TNT}}^{1/3}}{\left[1+\left(\dfrac{3\,175}{W_{\mathrm{TNT}}}\right)^2\right]^{1/6}} = \frac{5.6 \times 685.4^{1/3}}{\left[1+\left(\dfrac{3\,175}{685.4}\right)^2\right]^{1/6}} = 29.4$$

式中 K_{II}——财产的二级破坏系数，取 5.6。

煤气爆炸的伤亡半径如表 8-6 所列。

表 8-6　　　　　　　　　　　　　煤气爆炸时的伤亡半径

死亡半径/m	重伤半径/m	轻伤半径/m	财产损失半径/m
11.8	14.3	22.5	29.4

六、事故严重度的计算

事故严重度包括财产损失和人员伤亡折算来的损失：

$$B_{12} = C + 20(N_1 + 0.5 N_2 + 105 N_3 / 6\,000)$$

式中，B_{12} 为事故严重度；C 为财产损失半径内的财产损失；N_1 为死亡半径内的人员死亡个数；N_2 为重伤半径内的重伤人数；N_3 为轻伤半径内的受轻伤人效。这些参数依据相应半径内的正常工作人数和财产总价值估算出来。

经估算，29.4 m 以内的财产价值约为 500 万元，死亡 1 人，重伤 3 人，轻伤 5 人，则总损失为

$$B_{12} = 500 + 20 \times (1 + 0.5 \times 3 + 105 \times 5 / 6\,000) = 551.75$$

七、固有危险性分级

$$B_1 = B_{11} \times B_{12} = 24\,351.8 \times 551.75 = 13\,436\,105.6$$

危险性等级为

$$A = \lg(B_1/10^5) = \lg(13\,436\,105.6/10^5) = 2.13$$

根据冶金公司危险源分级标准（表 8-7），应将其归入第一类中，即属于一级危险源。

表 8-7　　　　　　　　　　　　　危险源分级标准

重大危险源级别	一级	二级	三级	四级
国家级	≥3.5	2.5～3.5	1.5～2.5	<1.5
公司级（暂定）	≥2	1～2	<1	

第二节　危险化学品重大危险源评价

已知某公司原料罐区有 8 个化学危险品储罐，基本情况如表 8-8 所列，罐区平面图如图 8-1 所示，罐中物质的主要物理化学特性如表 8-9 所列。试对该公司原料罐区的重大危险源进行评价。

表 8-8　　　　　　　　　　　　　储罐基本情况

编号	T-100	T-102	T-202	T-104	T-105	T-213	T-223	T-382
直径/m	2	2	2.6	2.9	2.9	2.9	6	2.9
容积/m³	30	30	80	80	80	80	200	80
储存物质名称	氨水	丙烯腈	丙烯腈	丁二烯	丁二烯	苯乙烯	苯乙烯	苯乙烯
最大量/m³	24	25.5	68	64	64	68	68	68

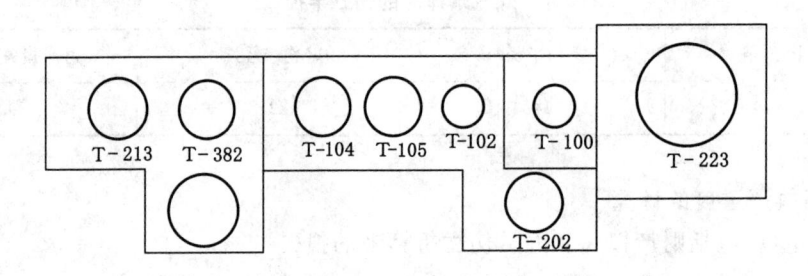

图 8-1　罐区平面示意图

表 8-9　　　　　　　　　　　　物质的主要物化特性

物质名称	丁二烯	丙烯腈	苯乙烯	氨
GB 编号	21022	32162	33541	82503
相对分子质量	54.09	53.064	104.14	17
液体密度	0.621 1	0.806	0.905 9	0.88～0.96
沸点/℃	4.4	77.3	145.2	
燃点/℃	450	481	490	630
闪点/℃	−60	2.5	32.3	
蒸汽压/mmHg①		83.81	4.3	
爆炸上限(体积分数)/%	2	3	1.1	15.3
爆炸下限(体积分数)/%	12	17	6.1	28
临界温度/℃	161.8	263		
临界压力/mmHg	42.6	45		
燃烧热/(kcal/mol)②	607.9	420.5		

注：① 1 mmHg=133.322 4 Pa；

② 1 kcal=4.184 kJ。

一、原料罐区的事故易发性 B_{11} 评价

原料罐区事故易发性 B_{11} 包含物质事故易发性 B_{111} 和工艺过程事故易发性 B_{112} 两方面及其耦合。

（1）物质事故易发性 B_{111}

选取丁二烯、丙烯腈和苯乙烯作为物质易发性评价的对象，以丁二烯为例，列表计算，如表 8-10 所列。

第八章 重大危险源评价实例分析

表 8-10　　　　　　　　　丁二烯事故易发性 B_{111} 计算表

	性质	分级	得分
爆炸气体特性	最大安全缝隙	0.9~1.14	10
	爆炸极限	2%~12%	11
	最小点燃电流	0.86 A	10
	最小点燃能	0.31 mJ	14
	引燃温度	450 ℃	8
总分			$G=53$
易发性系数 a_i			1.0
危险系数 $C_{ij}=a_iG$			$1.0 \times 53=53$
化学活泼系数 K			0.12
丁二烯的物质事故易发性 $B_{111}=C_{ij}(1+K)=53\times(1+0.12)=59.36$			

丙烯腈是二级易燃液体,物质事故易发性 $B_{111}=50$。
苯乙烯是三级易燃液体,物质事故易发性 $B_{111}=40$。

(2) 工艺过程事故易发性 B_{112}

从 21 种工艺影响因素中找出罐区工艺过程实际存在的危险,构成工艺过程事故易发性。

物质事故易发性与工艺事故易发性之间的相关性用相关系数 W_{ij} 表示,如表 8-11 所列。二者耦合成为事故易发性 B_{11}。

表 8-11　　　　　　　　工艺过程事故易发性 B_{112} 和相关系数 W_{ij}

影响因素	内容与参数	B_{112}	相关系数
B_{112-10} 高压	0.1~0.8 MPa	30	$W_{ij}=2.1_{j=10}=0.9$
B_{112-12} 腐蚀	速率为 0.5~1.0 mm/a	20	$W_{ij}=2.1_{j=12}=0.9$
B_{112-13} 泄漏	设备泄漏	20	$W_{ij}=2.1_{j=13}=0.9$
B_{112-21} 静电	液体流动	30	$W_{ij}=2.1_{j=21}=0.9$

(3) 事故易发性 B_{11}

事故易发性 B_{11} 计算为

$$B_{11}=\sum_{i=1}^{n}\sum_{j=1}^{m}B_{111}W_{ij}(B_{112})_j$$

$$=63.6\times(30\times0.9+20\times0.7+20\times0.9+30\times0)+50\times(30\times0.7+20\times0.7+20\times0.7+30\times0)+40\times(30\times0.5+20\times0.5+20\times0.5+30\times0)$$

$$=7\,602.4$$

二、原料罐区的伤害模型及伤害-破坏半径

原料罐区最大的火灾爆炸风险是丁二烯罐的燃烧爆炸,其伤害模型有两种:① 蒸气云爆炸(VCE)模型;② 沸腾液体扩展蒸气爆炸(BLEVE)模型。前者属于爆炸型,后者属于火灾型。

不同的伤害模型有不同的伤害-破坏半径,不同伤害-破坏半径所包围的封闭面积内,人员多少、财产价值多少将影响事故严重度大小。伤害-破坏半径划分为死亡半径、重伤(二度烧伤)半径、轻伤(一度烧伤)半径及财产破坏半径。

(1) 丁二烯蒸气云爆炸(VCE)

丁二烯有两个储罐,分别是 T-104 罐(悬挂圆柱立罐,最大储存量 64 m³)和 T-105 罐(悬挂圆柱立罐,最大储存量 64 m³)。因此,最大储存质量为

$$W_f = (64+64) \times 621.1 = 79\,500.8 (\text{kg})$$

TNT 当量计算公式为

$$W_{TNT} = 1.8 a W_f Q_f / Q_{TNT}$$

式中,1.8 为地面爆炸系数;a 为蒸气云当量系数,取 $a=0.04$;Q_f 为丁二烯的爆热,取 $Q_f=46\,977.7$ kJ/kg;Q_{TNT} 为 TNT 的爆热,取 $Q_{TNT}=4\,520$ kJ/kg。

因此:

$$W_{TNT} = 1.8 \times 0.04 \times 79\,500.8 \times 46\,977.7/4\,520 = 59\,491.8(\text{kg})$$

死亡半径 R_1 为

$$R_1 = 13.6(W_{TNT}/1\,000)^{0.36} = 59.20(\text{m})$$

重伤半径 R_2 为

$$\begin{cases} \Delta p_s = 0.137 Z^{-3} + 0.119 Z^{-2} + 0.269 Z^{-1} - 0.019 \\ Z = R_2/(E/p_0)^{1/3} = 0.007\,22 R_2 \\ \Delta p_s = 44\,000/p_0 = 0.434\,4 \end{cases}$$

解上述方程组,得

$$R_2 = 151.7 \text{ m}$$

轻伤半径 R_3 为

$$\begin{cases} \Delta p_s = 0.137 Z^{-3} + 0.119 Z^{-2} + 0.269 Z^{-1} - 0.019 \\ Z = R_3/(E/p_0)^{1/3} = 0.007\,22 R_3 \\ \Delta p_s = 17\,000/p_0 \approx 0.167\,8 \end{cases}$$

解上述方程组,得

$$R_3 = 271.7 \text{ m}$$

对于爆炸性破坏,财产损失半径 R_a 的计算公式为

$$R_a = K_{\text{II}} W_{TNT}^{1/3}/[1+(3\,175/W_{TNT})^2]^{1/6}$$

式中,K_{II} 为二级破坏系数,$K_{\text{II}}=5.6$。

计算得

$$R_a = 218.51 \text{ m}$$

将上述结果列入表 8-12。

表 8-12　　　　　　　　　丁二烯蒸气云爆炸破坏半径

死亡半径/m	重伤半径/m	轻伤半径/m	破坏半径/m
59.20	151.7	271.7	218.51

伤害区域如图 8-2 所示。

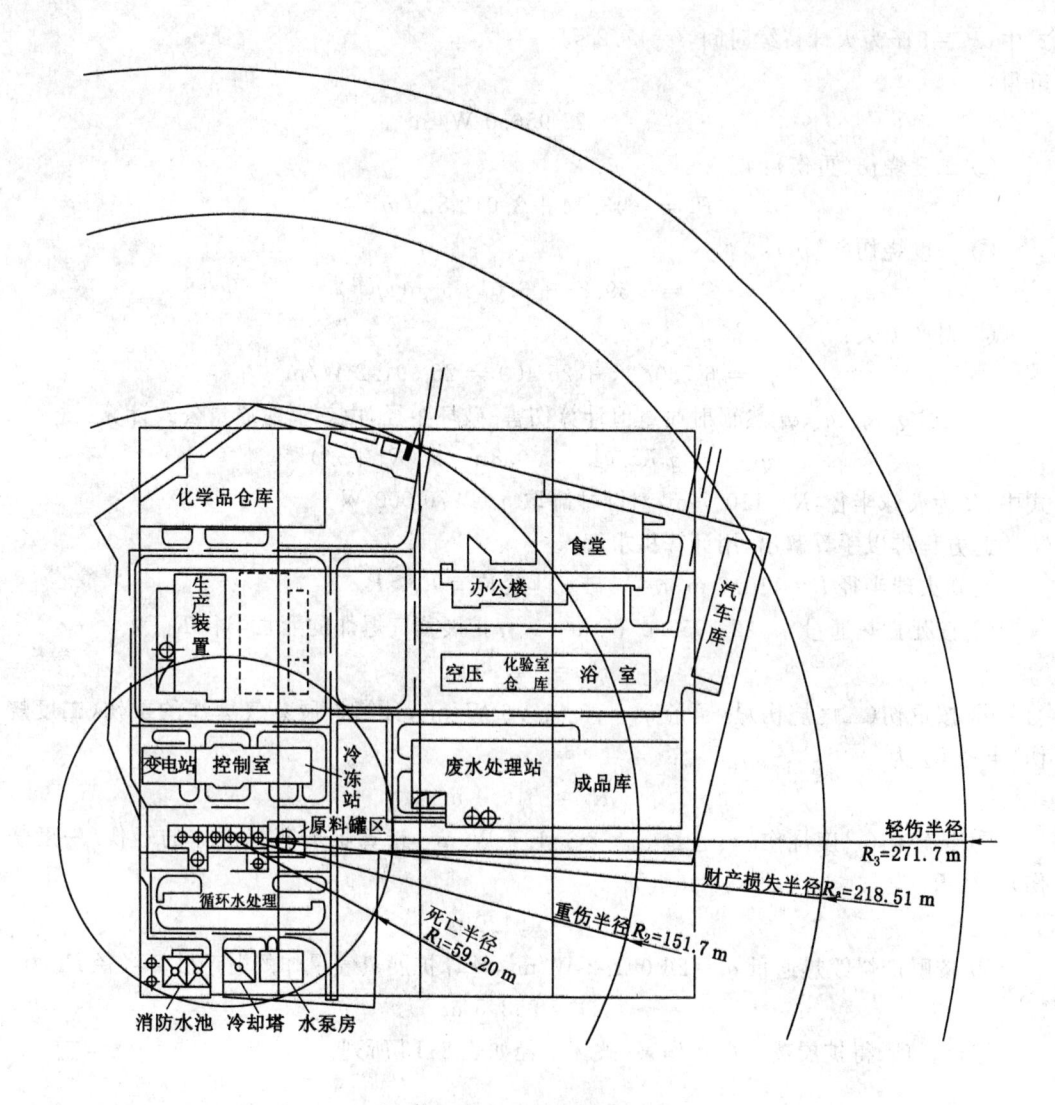

图 8-2 蒸气云爆炸伤害区域

(2) 丁二烯扩展蒸气爆炸(BLEVE)

丁二烯用两罐储存,取 $W=0.7\times 79\,500.8=55\,650.6$ kg。

按以下公式进行计算:

火球半径:$R=2.9W^{1/3}=110.7$ m

火球持续时间:$t=0.45W^{1/3}=17.2$ s

当伤害概率 $P_r=5$ 时,伤害百分数 $D=\int_{\infty}^{P-5}e^{-u^2/2}du=50\%$,死亡、一度、二度烧伤及烧毁财物都以 $D=50\%$ 定义。

下面求出不同伤害、破坏时的热通量:

① 死亡:

$$P_r=-37.23+2.56\ln(tq_1^{4/3})$$

式中，$P_r=5$；t 为火球持续时间，$t=17.2$ s。

解得：
$$q_1 = 27\ 956.0\ \text{W/m}^2$$

② 二度烧伤(重伤)：
$$P_r = -43.14 + 3.018\ 8\ln(tq_2^{4/3})$$

③ 一度烧伤(轻伤)：
$$P_r = -39.83 + 3.018\ 6\ln(tq_3^{4/3})$$

④ 财产损失：
$$q_4 = 6\ 730t^{-4/5} + 25\ 400 = 26\ 091.2\ \text{W/m}^2$$

按上述 q_1、q_2、q_3、q_4 热辐射通量值计算伤害-破坏半径，由热辐射通量公式计算：
$$q(r) = q_0 R^2 r(1 - 0.058\ln r)/(R^2 + r^2)^{3/2}$$

式中，R 为火球半径，$R=110.7$ m；对圆柱罐取 $q_0=270\ 000$ W。

此方程难以手算解出，用计算机求解。

已知火球半径 $R=110.7$ m，伤害-破坏半径应有 $R_i > R$。

⑤ 按死亡热通量 $q_1=27\ 956.0$ W/m²，计算扩展蒸气爆炸的死亡半径 R_1 为
$$R_1 = 247.5\ \text{m}$$

⑥ 按重伤(二度烧伤)热通量 $q_2=18\ 515.6$ W/m²，计算扩展蒸气爆炸的重伤(二度烧伤)半径 R_2 为
$$R_2 = 316.4\ \text{m}$$

⑦ 按轻伤(一度烧伤)热通量 $q_3=8\ 141.7$ W/m²，计算扩展蒸气爆炸的轻伤(一度烧伤)半径 R_3 为
$$R_3 = 491.0\ \text{m}$$

⑧ 按财产烧毁热通量 $q_4=26\ 091.2$ W/m²，计算扩展蒸气爆炸的财产破坏半径 R_4 为
$$R_4 = 258.5\ \text{m}$$

综合各项，得扩展蒸气爆炸伤害-破坏半径如表 8-13 所列。

表 8-13　　　　　　　　丁二烯扩展蒸气爆炸伤害—破坏半径

死亡半径/m	重伤半径(二度烧伤)/m	轻伤半径(一度烧伤)/m	财产破坏半径/m
247.5	316.4	491.0	258.5

伤害区域如图 8-3 所示。

显然，如果丁二烯罐发生扩展蒸气爆炸，火球半径 $R=110.7$ m，使整个原料罐区成为一片火海，全部被吞没；由于死亡半径 $R_1=247.5$ m，财产损失半径 $R_4=258.5$ m，使得罐区一旦发生扩展蒸气爆炸，厂区内的人员难以幸免，而且会殃及四邻。

三、事故严重度 B_{12} 的估计

事故严重度 B_{12} 用符号 S 表示，反映发生事故造成的经济损失大小。它包括人员伤害和财产损失两个方面，并把人的伤害也折算成财产损失(万元)。

用下式表示总损失值：
$$S = C + 20(N_1 + 0.5N_2 + 105N_3/6\ 000)$$

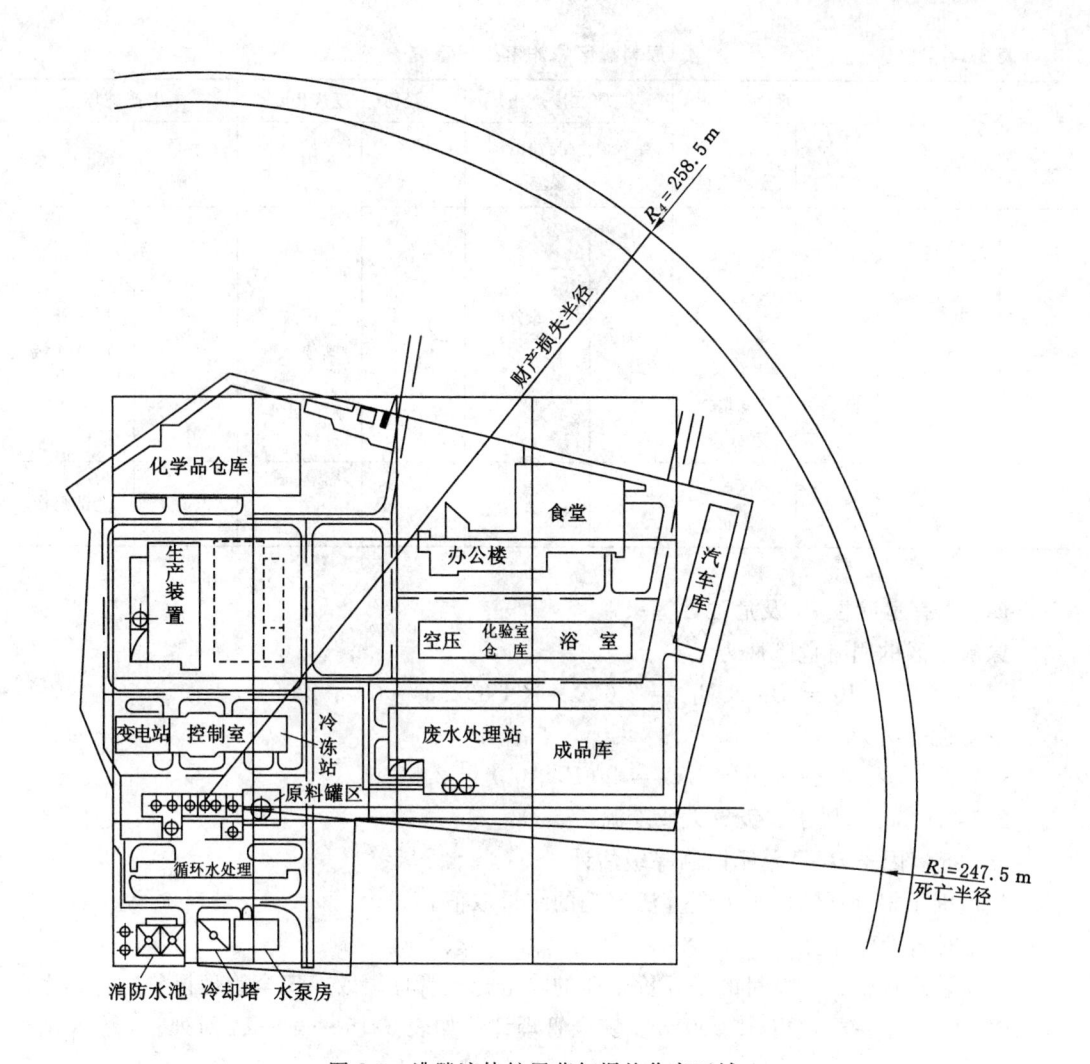

图 8-3 沸腾液体扩展蒸气爆炸伤害区域

式中,C 为财产破坏价值,万元;N_1,N_2,N_3 分别为事故中人员死亡、重伤、轻伤人数。

事故严重度 B_{12} 取决于伤害摧坏半径构成圆面积中损失的财产价值和死伤人数。由于丁二烯罐区爆炸伤害模型是两个,即蒸气云爆炸和扩展蒸气爆炸,并可能同时发生,则储罐爆炸事故严重度应是两种严重度加权求和:

$$S = AS_1 + (1-A)S_2$$

式中,S_1,S_2 分别为两种爆炸事故后果;$A,1-A$ 分别为两种爆炸的发生概率,$A=0.9$,$1-A=0.1$。蒸气云爆炸的可能性远大于扩展蒸气爆炸,蒸气云爆炸是主要的。

事故严重度的计算结果为

$$S_1 = 3\,062.8 + 20 \times (30 + 0.5 \times 60 + 105 \times 30/6\,000) = 4\,273.3(万元)$$
$$S_2 = 3\,062.8 + 20 \times 120 = 5\,462.8(万元)$$
$$S = 0.9S_1 + 0.1S_2 = 4\,392.3(万元)$$

原料罐区爆炸事故严重度计算如表 8-14 所列。

表 8-14　　　　　　　　　　　　　原料罐区爆炸事故严重度

事故类型		死亡		重伤(二度烧伤)		轻伤(一度烧伤)		财产破坏	
		半径/m	波及范围暴露人员	半径/m	波及范围暴露人员	半径/m	范围人员	半径/m	范围人员
储罐爆炸	蒸气云爆炸	61.7	罐区、变电站、控制室、冷冻站、水泵房、冷却塔等约30人	151.7	大部分区域约60人	271.7	厂区波及其他区域	218.3	厂区外界广泛区域
	扩展蒸气爆炸	247.5	厂区全部人员					258.2	全部财产

四、固有危险性 B_1 及危险性等级

原料罐区的固有危险性为

$$B_1 = B_{11} \times B_{12} = 7\,602.4 \times 4\,392.3 = 33\,392\,021.52$$

危险性等级为

$$A = \lg(B_1/10^5) = 2.52$$

$2.5 < A < 3.5$，属于二级重大危险源。

五、抵消因子 B_2 及单元控制等级估计

抵消因子根据抵消因子关联算法实例的结果取值。

（1）安全管理评价

安全管理评价的主要目的是评价企业的安全行政管理绩效。安全管理评价指标体系共10个项目，72个指标，总分1 000分。安全管理评价如表8-15～表8-24所列。

表 8-15　　　　　　　　　　　　　　安全生产责任制

序号	评价内容及标准	是否	应得分	实得分
1.1	厂长(经理)对安全生产工作负全面领导责任	√		
1.2	分管安全生产工作的副厂长(副经理)对安全生产负主要领导责任	√		
1.3	分管其他工作的副厂长(副经理)对分管范围的安全生产工作负直接领导责任	√		
1.4	总工程师(技术负责人)对安全生产在技术上负全面责任，负责提出对使用新技术、新工艺、新材料、试制新产品过程中的安全技术措施	√	100	100
1.5	各职能部门负责人对各自业务范围内的安全生产工作负领导责任	√		
1.6	车间主任对职责范围内的安全生产工作负具体领导责任	√		
1.7	班组长对本职范围的安全生产工作负责	√		
1.8	生产工人对本岗位的安全生产负直接责任	√		
1.9	工会负责人对安全生产工作负监督责任	√		

表 8-16　　　　　　　　　　　　　安全生产教育

序号	评价内容及标准	是否	应得分	实得分
2.1	新工人上岗前三级安全教育	√		
2.2	特殊工种工人专业培训	√		
2.3	对采用新技术、新工艺、新设备、新材料的工人进行安全技术教育	√		
2.4	对复工工人进行安全教育	×	100	80
2.5	对调换新工种的工人进行安全教育	√		
2.6	中层干部安全教育	√		
2.7	班组长安全教育	√		
2.8	全员安全教育	√		

表 8-17　　　　　　　　　　　　　安全技术措施计划

序号	评价内容及标准	是否	应得分	实得分
3.1	企业在编制生产、技术、财务计划时,必须同时编制安全技术措施计划	√		
3.2	按规定提取安全技术措施费用,专款专用	√	100	100
3.3	安全技术措施计划有明确的期限和负责人	√		
3.4	企业年度工作计划中有安全目标值	√		

表 8-18　　　　　　　　　　　　　安全生产检查

序号	评价内容及标准	是否	应得分	实得分
4.1	定期组织全面安全检查	√		
4.2	车间、班组进行经常性检查	√		
4.3	安全管理人员进行专门的安全检查	√		
4.4	每年要按规定进行专业性的安全检查	√	100	80
4.5	季节性安全检查	√		
4.6	节假日检查	×		
4.7	要害部门重点检查	√		

表 8-19　　　　　　　　　　　　　安全生产规章制度

序号	评价内容及标准	是否	应得分	实得分
5.1	安全生产奖励制度	×		
5.2	安全值班制度	√		
5.3	各工种安全技术操作规程	√		
5.4	特种作业设备管理制度	√		
5.5	危险作业管理审批制度	√		
5.6	易燃、易爆、剧毒、放射性、腐蚀性等危险物品的生产、使用、储运、管理制度	√		
5.7	防护用品发放和使用制度	√	100	70
5.8	安全用电制度	√		
5.9	加班加点审批制度	×		
5.10	危险场所动火审批制度	√		
5.11	危险岗位巡回检查制度	√		
5.12	防止物料泄漏、跑损管理制度	√		
5.13	安全标志管理制度	×		

表 8-20　　　　　　　　　　　　　安全生产管理机构及人员

序号	评价内容及标准	是否	应得分	实得分
6.1	建立企业安全生产委员会	√	100	100
6.2	建立或指定安全管理组织机构	√		
6.3	车间（班组）按规定配专职或兼职安全管理人员	√		
6.4	企业工会设三级劳保组织,配专职或兼职劳保干部,负责安全保卫工作,对日常出现的问题进行分析处理,并上报备案	√		
6.5	专职安全管理人员具备劳动部门认可的安全监督员资格	√		

表 8-21　　　　　　　　　　　　　　事故统计分析

序号	评价内容及标准	是否	应得分	实得分
7.1	有系统完整的事故记录	√	100	100
7.2	有完整的事故调查、分析报告	√		
7.3	有年度、月度事故统计、分析图表	√		

表 8-22　　　　　　　　　　　　　危险源评估与整改

序号	评价内容及标准	是否	应得分	实得分
8.1	两年内是否进行过危险评价（安全评价）	√	100	75
8.2	有无危险源分级管理制度	×		
8.3	对事故隐患是否按要求整改	√		
8.4	仓库、锅炉等重要部位是否列为重要安全管理对象	√		

表 8-23　　　　　　　　　　　　　　应急计划与措施

序号	评价内容及标准	是否	应得分	实得分
9.1	有应急指挥和组织机构	√	100	100
9.2	有场内应急计划、事故应急处理程序和措施	√		
9.3	有场外应急计划和向外报警程序	√		
9.4	有安全装置、报警装置、疏散口装置、避难场所位置图	√		
9.5	安全进、出口路线畅通无阻,数量、规格符合要求	√		
9.6	急救设备（担架、氧气瓶、防护用品等）符合规定要求	√		
9.7	通讯联络与报警系统可靠	√		
9.8	与应急服务机构（医院、消防）建立联系	√		
9.9	每年进行一次事故应急训练和演习	√		

表 8-24　　　　　　　　　　消防安全管理

序号	评价内容及标准	是 否	应得分	实得分
10.1	有防火安全委员会	√		
10.2	有领导负责的逐级防火责任制	√		
10.3	有专职或兼职的防火安全人员,并按规定时间路线进行巡道	√		
10.4	有健全的三级火灾隐患管理制度,并建立了隐患治理台账	√		
10.5	防火区设有防火安全标志	√		
10.6	有重点防火部位分布图、灭火计划平面图	×	100	70
10.7	根据《消防条例》设有消防站或消防车、消防艇、消火栓、灭火器(干粉、泡沫、水)等,且符合消防安全规定	×		
10.8	消防用水、干粉等灭火剂充足	×		
10.9	火灾通讯系统完备可靠	√		
10.10	每年进行一次消防演习	√		

安全管理评价的实得分为

$$100 + 80 + 100 + 80 + 70 + 100 + 100 + 75 + 100 + 70 = 875(分)$$

(2) 危险岗位操作人员素质评价

基于对系统中人的行为特征的分析,从操作人员的合格性、熟练性、稳定性及工作负荷量四个方面对工业设施危险岗位操作人员的群体素质进行评估。

原料罐区有 5 名操作工,均是持证上岗,岗位工龄为 6 年,无事故工作时间为 6 年,每天平均工作 8 h。

人员的合格性为

$$R_1 = 1$$

人员的熟练性为

$$R_2 = 1 - \frac{1}{k_2\left(\dfrac{t}{T_2}+1\right)} = 1 - \frac{1}{4 \times \left(\dfrac{6}{0.5}+1\right)} = 0.980\ 8$$

人员的操作稳定性为

$$R_3 = 1 - \frac{1}{k_3\left[\left(\dfrac{t}{T_3}\right)^2+1\right]} = 1 - \frac{1}{2 \times \left[\left(\dfrac{6}{0.5}\right)^2+1\right]} = 0.996\ 6$$

操作人员的负荷因子为

$$R_4 = 1 - k_4\left(\dfrac{t}{T_4}-1\right)^2 = 1 - k_4\left(\dfrac{8}{8}-1\right)^2 = 1$$

单个人员的可靠性为

$$R_{si} = R_1 R_2 R_3 R_4 = 1 \times 0.980\ 8 \times 0.996\ 6 \times 1 = 0.977\ 5$$

指定岗位人员素质的可靠性为

$$R_s = \sum_{i=0}^{n} \frac{R_{si}}{N} = 0.977\ 5$$

单元人员素质的可靠性为

$$R_{\mathrm{p}} = \prod_{i=0}^{n} R_{si} = 0.9775$$

(3) 工艺设备、建筑物抵消因子评价

工艺设备、建筑物抵消因子用表 8-25 计算：

表 8-25　　　　　　　　　　工艺设备、建筑物抵消因子

项目	子项目内容	得分	是否
$B_{21\text{-}1}$设备维修保养8(or)	1. 严格按照计划对设备检查、维修、保养	8	√
	2. 基本按照计划对设备检查、维修、保养	6	
$B_{21\text{-}2}$抑爆装置35(and)	1. 处理粉尘或蒸气的设备有抑爆装置或设备本身有抑爆作用	24	
	2. 设备上有防爆膜或泄爆口	11	√
$B_{21\text{-}3}$惰性气体保护15(or)	1. 盛装易燃气体设备有连续的惰性气体保护	13	
	2. 惰性气体系统量足够并自动吹扫整个单元	15	
$B_{21\text{-}4}$紧急冷却12(or)	1. 冷却系统能保证在出现故障时维持正常冷却 10 min 以上	10	√
	2. 备用冷却系统冷却能力为正常需要量的 1.5 倍,且至少维持 10 min	12	
$B_{21\text{-}5}$应急电源12(or)	1. 单元中设有双电源等多路电源	12	
	2. 单元中备有柴油发电机组	12	
$B_{21\text{-}6}$电气防爆7(or)	1. 电气设备为隔爆型	7/5	√
	2. 电气设备为增安型	7/5	
	3. 电气设备为本质安全型	7/5	
	4. 电气设备为正压型	7/5	
	5. 电气设备为充油型	7/5	
	6. 电气设备为充砂型	7/5	
	7. 电气设备为无火花型	7/5	
	8. 电气设备为防爆特殊型	7/5	
	9. 电气设备为粉尘防爆型	7/5	
	10. 单元的防爆区域等级(在备注栏内填写)		
$B_{21\text{-}7}$防静电7(and)	1. 生产过程中尽量少产生静电荷	7/5	
	2. 泄漏和导走静电荷	7/5	√
	3. 中和物体上聚集着的静电荷	7/5	
	4. 屏蔽带静电的物体	7/5	
	5. 使物体内外表面光滑和无棱角	7/5	
$B_{21\text{-}8}$避雷35(and)	1. 防雷接地电阻小于 10 Ω	7/5	√
	2. 避雷针、避雷带与接地线采用焊接连接	7/5	
	3. 独立的避雷针及接地装置不设在行人经常通过的地方,与道路或建筑物出入口及其他接地体的距离大于 3 m	7/5	
	4. 装有避雷针或避电线的构架上不架设低压或通讯线	7/5	
	5. 系统的定期检查,保证接地处于完好状态	7/5	

续表 8-25

项目	子项目内容	得分	是否
B_{21-9}阻火装置36(and)	1. 使用阻火器	12	
	2. 液封	12	
	3. 其他阻火材料	12	
B_{21-13}工艺参数控制11(or)	1. 同一参数有一套仪表监测	11/7	√
	2. 同一参数有并行两套(或以上)仪表监控,手动控制	11/7	
	3. 同一参数有并行两套(或以上)仪表监控,自动控制	11/7	
B_{21-14}泄漏检测装置与响应15(or)	1. 气体或蒸气泄漏检测装置能报警和确定危险带	11	√
	2. 该装置既能报警又能在达到燃烧极限之前使保护系统动作	15	
B_{21-15}故障报警及控制装置35(and)	1. 设有某一种流体管线发生故障时能可靠切断另一种流体的连锁装置	11	
	2. 在容器或泵的吸入侧设有远距离控制阀	11	
	3. 压缩机、透平、鼓风机等装有振动测定仪,振动能报警	10	
	4. 上述振动仪能使设备自动停车	13	
	5. 其他装置	10	
B_{21-16}事故排放与处理62(and)	1. 备用储槽能安全地直接接受单元内的物料	11	
	2. 备用储槽安置在单元外	13	
	3. 应急通风管能将全部安全阀、紧急排放阀及其他气体、蒸气物料排至火炬或密闭槽	13	√
	4. 装有易燃性液体和液化气的管道,容器有双层夹套	14	
	5. 易燃性液体的储罐区域设有防护堤	11	√
B_{21-17}厂房通风6	处理易燃性液体的单元以及研磨、喷涂树脂、熟化及敞口罐的单元安装在室内,但厂房有充分换气	6	
B_{21-18}建筑物泄压8(or)	1. 危险操作隔离厂房设有压力升高时能自动打开的窗	8	
	2. 隔离厂房设有安全孔	8	
	3. 其他泄压设施	8	
B_{21-19}装置监控40(and)	1. 操作人员能用无线电或类似设备同控制室联系	10	√
	2. 重要项目能用计算机或闭路电视监视	12	√
	3. 在线计算机有故障时的应急停车或故障排除功能	18	
B_{21-120}厂房结构25(and)	1. 合理划分生产的火灾危险分类	5	√
	2. 厂房的耐火等级、层数及占地面积符合规定	5	√
	3. 合适的厂房防火间距	5	
	4. 厂房的防爆措施适当	5	√
	5. 厂房的安全疏散口符合要求	5	√
B_{21-121}工业下水道10(and)	1. 设有易燃可燃物的工业下水道符合要求	5	
	2. 隔油池符合规范	5	√

工艺设备、建筑物抵消因子评价的应得分为

$$8+35+12+7+7+35+11+15+62+40+25+10=267$$

实得分为

$$8+11+10+7+7+27+11+11+24+22+25+5=168$$

(4) 抵消因子的关联算法

对于原料罐区：

$$V_1 = \frac{168}{267} = 0.6292$$

$$V_2 = 0.9775$$

$$V_3 = \frac{875}{1\,000} = 0.875$$

$X_{AB}=0.6292$ $X_{A\bar{B}}=0.0225$
$X_{\bar{A}B}=0.3708$ $X_{\bar{A}\bar{B}}=0.0225$
$X_{AC}=0.6292$ $X_{A\bar{C}}=0.125$
$X_{\bar{A}C}=0.3708$ $X_{\bar{A}\bar{C}}=0.125$
$X_{BC}=0.875$ $X_{B\bar{C}}=0.125$
$X_{\bar{B}C}=0.0225$ $X_{\bar{B}\bar{C}}=0.0225$

$X_{T1}=X_{AB}+X_{\bar{A}B}+X_{A\bar{B}}+X_{\bar{A}\bar{B}}=1.045$
$X_{T2}=X_{AC}+X_{\bar{A}C}+X_{A\bar{C}}+X_{\bar{A}\bar{C}}=1.25$
$X_{T3}=X_{BC}+X_{\bar{B}C}+X_{B\bar{C}}+X_{\bar{B}\bar{C}}=1.045$

$W(ab)=0.8373$ $W(a\bar{b})=0.1196$
$W(\bar{a}b)=0.0215$ $W(\bar{a}\bar{b})=0.0215$
$W(bc)=0.5034$ $W(b\bar{c})=0.1$
$W(\bar{b}c)=0.2966$ $W(\bar{b}\bar{c})=0.1$
$W(ac)=0.6021$ $W(a\bar{c})=0.0215$
$W(\bar{a}c)=0.3548$ $W(\bar{a}\bar{c})=0.0215$

$B_{2A}=0.8373\times0.982+0.1196\times0.522+0.0215\times0.254+0.0215\times0.216$
$B_{2B}=0.5034\times0.969+0.1\times0.792+0.2966\times0.775+0.1\times0.658$
$B_{2C}=0.6021\times0.923+0.0215\times0.379+0.3548\times0.569+0.0215\times0.347$

$B_{21}=0.563$

$B_{22}=0.8627$

$B_{23}=0.6766$

综合抵消因子为

$$B_2 = \prod_{k=1}^{3}(1-B_{2k}) = 0.0222$$

原料罐区控制程度等级是 C 级。

原料罐区的危险等级是二级，而控制能力等级是 C 级。控制能力没有和危险等级相匹配，控制能力未能达到危险等级所要求的 B 级，说明原料罐区的安全措施和安全管理还未达到较理想的状况。

六、现实危险性 A

原料罐区发生爆炸的现实危险性由于抵消因子的抵消和控制作用，已经较固有危险性大大降低。

罐区发生爆炸的现实危险性为

$$A = B_1 \prod_{k=1}^{3}(1 - B_{2k}) = B_1 B_2 = 33\ 392\ 021.52 \times 0.022\ 2 = 741\ 302.9$$

现实危险性 A 值是固有危险性 B_1 值的 2.22%，可见有效的安全技术装备和管理会使系统的危险性大大降低。

七、原料罐区评价单元结论

原料罐区的安危关系到工厂的存亡，原料罐区的安全装备、安全管理至关重要。

原料罐区的丁二烯火灾爆炸事故是极小概率事件，是可以预防的，但是丁二烯爆炸的后果是严重的。用数学模型计算分析测算表明：原料罐区是二级重大危险源，一旦发生爆炸将是毁灭性的，可能导致全厂绝大多数人员死亡或重伤，基地大部分财产毁于一旦。

原料罐区的爆炸，在上述分析中都是以两个丁二烯罐作为研究对象，它的严重后果足以说明问题，已不必再考虑整个罐区同时爆炸的严重后果，当然情况会更严重。

本章小结

本章主要介绍了重大危险源评价的两个实例。通过这两个评价实例，主要说明如何进行重大危险源的评价，掌握评价的程序和过程。

思考题

1. 重大危险源评价中应注意哪些问题？
2. 举例说明你生活或生产周围有哪些重大危险源，并进行评价。

第九章

系统安全预测技术

凡事预则立,不预则废。传统的安全管理实质上是被动的事故管理,忽视了事故发生之前每一工作环节潜在的危险,工作重点没有从事故的追查处理转变到事前的危险预测。这就使"安全第一、预防为主、综合治理"的方针成为空话。

安全预测就要预测造成事故后果的许多前级事件,包括起因事件、过程事件和情况变化;随着生产的发展,新工艺、新技术的开展,预测会产生什么样的新危险、新的不安全因素;随着科学技术的发展,预测未来的安全生产面貌及应采取的安全对策。

第一节 系统安全预测概述

一、预测的概念

所谓预测,就是对尚未发生或目前还不确切的事物(或危险)进行预先的估计和推断,是现时对事物(或危险)将要发生的结果进行探讨和研究。与求神问卦不同,科学预测是建立在客观事物发展规律基础之上的科学推断。

在设计一个新系统或改造一个旧系统时,人们都需要对系统的未来进行分析估计,以便作出相应的决策。即使是对正在正常运转的系统,也要经常分析将来的前途和发展设想,对系统的未来进行分析估计,也称为系统预测。系统预测是以系统为研究对象,根据以往旧系统或类似系统的历史统计资料,运用科学的方法和逻辑推理,对系统中某些确定因素或系统今后的发展趋势进行推测和预计,并对此作出评价,以便采取相应的措施,扬长避短,使系统沿着安全的方向发展。

综上所述,系统预测就是根据系统发展变化的实际数据和历史资料,运用现代的科学理论和方法以及各种经验、判断和知识,对事物(或危险)在未来一定时期内的可能变化情况进行推测、估计和分析。

系统安全预测的实质就是充分分析、理解安全系统发展变化的规律,根据安全系统的过去和现在估计未来,根据已知预测未知,从而减少对未来危险认识的不确定性,以指导我们的安全决策行动,减少安全决策的盲目性。

系统预测的方法和手段称为预测技术。对一个系统来说,各种因素错综复杂,一旦预测错误,往往会使系统遭到毁灭性的打击。因此,预测技术在近几十年日益受到重视,并逐渐发展成为一门独立的、比较成熟且应用性很强的科学。它对于长远规划的制定、重大战略问题的决策以及提高系统的安全性等都具有极其重要的意义。

二、预测技术的种类

由于预测有着广泛的用途，并且在应用中具有多样性，所以预测科学的技术方法很多。可以按下列几种分类法进行分类。

1. 按预测技术的性质分类

（1）定性预测。所谓定性，就是确定预测目标未来发展的性质。定性分析大多根据专业知识和实际经验进行，对把握事物的本质特征和大体程度有重要作用。这种预测主要利用直观材料，依靠个人经验，对今后的状况进行预测。主要有专家调查法、市场调查法、主观概率法、交叉概率法、领先指标法、类推法等较常用的方法。

（2）定量预测。所谓定量，就是确定未来事件可能出现的具体结果（数据），从数量上来描述事件发展的趋势和程度。其中，利用历史数据来推断事物发展趋势的叫外推法，主要有时间序列方法；利用系统内部发展因素的因果关系来预测系统发展趋势的叫因果法，常用的有回归分析法、系统动力学方法等。

2. 按预测期限长短分类

（1）近期预测。一般指3个月以下的预测。它是制订月、旬计划和明确规定近期安全活动具体任务的依据。

（2）短期预测。一般指3个月以上1年以下的预测。它是制订年度计划、季度计划和明确规定短期安全工作具体任务的依据。

（3）中期预测。一般指1年以上5年以下的预测。它是制订安全发展五年计划，规划安全五年发展任务的依据。

（4）长期预测。一般指5年以上的预测。它是制订安全发展长期计划、远景规划，规定安全工作长期发展任务的依据，它为安全管理方面的重大决策提供科学依据。

除上述分类外，还可按预测范围分为全国性的宏观预测、个别单位的微观预测以及介于两者之间的省、地区范围的中观预测；按预测问题的特点分为无条件预测和有条件预测；按预测现象的特征分为随机预测和非随机预测等。

三、预测原理

预测是在调查研究的基础上对事物未来发展变化的规律进行研究的理论和方法的总称。预测的基本原理有：

（1）整体性原理。事物是由若干部分相互关联而成的有机整体，事物发展变化的过程也是一个有机整体。因此，以整体性为特征的系统理论是预测的基本理论。

（2）可知性原理。由于事物发展过程的统一性，即事物发展的过去、现在和将来是一个统一的整体，所以人类不但可以认识预测对象的过去和现在，而且也可以通过过去到现在的发展规律推测将来的发展变化。

（3）可能性原理。预测对象的发展有各种各样的可能性，预测是对预测对象发展的各种可能性的一种估计。如果认为预测是必然结果，则失去了预测的意义。

（4）相似性原理。把预测对象与类似的已知事物的发展变化规律进行类比，可以对预测对象进行描述。

（5）反馈原理。预测未来的目的是为了更好地指导当前，因此应用反馈原理不断地修正预测才会更好地指导当前工作，为决策提供依据。

四、预测的程序

预测的程序随预测目的和预测方法的不同而不同。一般来说,预测的程序有以下几个步骤:

(1) 确定预测目的。进行一项预测,首先必须确定预测的具体目的。只有目的明确,才能根据预测目的去收集必要的资料,决定适当的工作步骤,选用合适的方法,这样才能收到较好的预测效果。

(2) 收集和分析有关资料。资料的收集工作是由预测的具体目的所决定的。一般来说,资料的收集要求完整、准确、适用。数据的分析和整理是发现系统发展变化规律性和系统各组成部分内在联系的关键,是建立预测模型的根据,因此要选择合适的数据处理方法。

(3) 选择预测方法。对不同的预测对象应当采用不同的预测方法。选择预测方法时,主要考虑预测对象的种类和性质、对预测结果精度的要求、现已掌握资料的可靠性和完整性以及现实条件(人力、物力、财力和时间期限)等,经过分析,合理选择预测效果好、经济又方便的预测方法。在可能的情况下,最好能对同一预测对象采用不同的预测方法进行预测,以便比较分析。

(4) 建立预测模型。预测的核心是建立符合客观规律的数学模型,即通过对资料的分析、推理和判断,揭示所要预测对象的结果和变化,根据实际情况和需要作出必要的假设,建立反映预测对象内部结构、发展规律的模型。

(5) 模型的检验与分析。只有通过检验的模型才能用于预测,否则预测的结果就难以令人信服。检验过程中发现错误必须对模型进行修正,转至步骤(4)。模型的分析是指对系统内部、外部的因素进行评定,找出使系统转变的内部因素和客观环境对系统的影响,以分析预测对象的整体规律性。

(6) 进行预测。根据所建立的模型进行预测计算。在进行预测计算的前后,都应认真分析模型内外因素的变化情况。如果这些变化使预测对象的未来显著地不同于过去和现在,就需要根据分析判断,对预测模型或结果进行必要的修正。

(7) 分析预测误差。由于实际情况受多方面因素的影响,而预测又不可能将所有因素均考虑在内,故预测结果往往与实际值有一定的差距,即产生预测误差。虽然,预测允许有一定的误差,但如果误差太大,预测就失去了实际意义。所以需要认真分析产生误差的程度及原因,并进行必要的修正。

(8) 改进预测模型。如果预测结果经检验出现不显著,即表明预测结果与实际值出现较大的误差,这往往是由于所建立的预测模型未能准确地描述预测对象的实际情况所致。出现这种情况,就需要对原有的预测模型进行修改或重新设计。同时,如果实际情况发生了较大的变化,原有的方法也必须重新选择。

(9) 规划政策和行动。预测的目的一般不只是为了设想未来的情况将会怎样,更重要的在于根据对未来情况的设想和推断,制定当前的行动和相应的政策,以便影响、控制以至改变未来的情况。

上面所列的预测程序只是一般的过程,在实际工作中,要根据具体情况灵活运用。实际上,预测是对客观事物不断认识和深化的动态过程,这一动态过程可用图 9-1 表示。

五、预测应注意的问题

在对系统安全性进行预测的过程中,需注意以下几个问题:

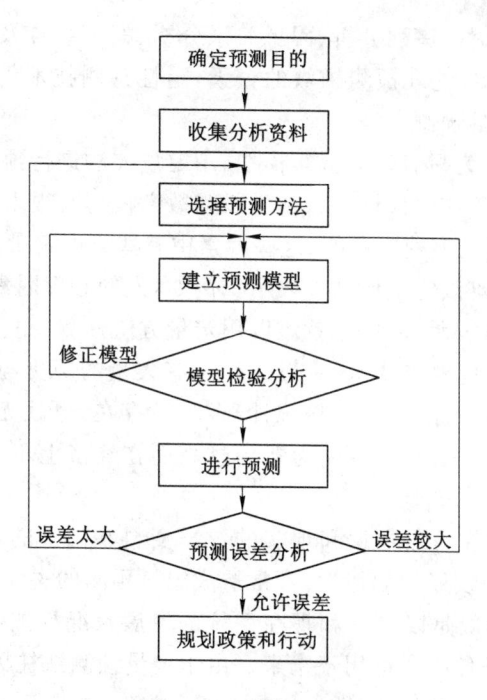

图 9-1 预测程序图

(1) 加强预测工作的领导。预测工作往往是由一个小组来完成的,所以必须加强工作小组的领导,组长最好由单位的主要领导担任。领导的支持是预测工作顺利进行的有力保证。

(2) 依靠集体的力量。系统预测是一项复杂的工作,需要集体大力协作才能很好地完成。因此,在进行预测工作时,必须借助集体的力量。

(3) 协调预测人员的认识。预测工作小组中各个成员的文化层次不同、专业背景不同、社会经历不同,所以对问题的认识有时可能不一致,这时需要协调预测人员的认识,使他们的认识尽可能一致,以便顺利地开展工作。

(4) 注意积累资料。每次预测工作结束后,应将本次预测工作所用的资料整理好后保存,以备将来参考和使用。

(5) 采用先进的计算技术和工具——计算机。在预测工作中,尤其是采用定量预测技术时,计算量往往比较大。因此,应尽可能采用先进的计算技术,利用先进的计算工具——计算机,提高运算的速度和精度。

第二节 定性预测技术

一、定性预测概述

定性预测是一种直观性预测。它主要根据预测人员的经验和判断能力,不用或仅用少量的计算,即可从对被预测对象过去和现在的有关资料及相关因素的分析中,揭示出事物发展规律,求得预测结果。

定性预测是应用最早的一种预测技术,它的作用十分重要。即使是在定量预测技术得到很大发展,出现了诸如时间序列分析、因果关系分析、概率统计及灰色预测等大量的定量预测方法,电子计算机技术进入预测领域的今天,定性预测技术仍有其不可忽视的重要作用,不失为实用而又科学的预测方法。

我们切不可片面地认为只有建立数学模型、用定量方法进行预测才是科学的,因为大量的预测实践证明,在预测工作中仅仅靠数学手段和数学模型有很多局限性和不足之处。

(1) 系统的影响因素是多种多样的,这些因素中有些可以定量地加以分析,但还有大量的因素只有定性的特征,难以定量地加以表示。例如,人的心理因素和生理因素对人的不安全行为的影响就难以定量表示,因此也就难以用定量方法预测。

(2) 在预测中应用定量预测技术,一般必须占有大量的历史与现实的数据资料。而这些数据一方面可能因为种种原因(如未作统计)根本不存在,也就无法得到;另一方面,即使数据存在,但要得到这些数据又往往因为费用过高而在经济上不合理,或太浪费时间而不允许。

(3) 定量预测是建立在历史数据和现实的数据资料基础上的定量分析,某些原始数据资料失真或反映不出客观发展的规律性,常常造成定量预测的失误。

(4) 定量预测技术一般是以过去和现在系统的发展状况推测未来的发展趋势,并假定决定过去和现在发展的条件同样适用于未来。由于定量预测往往无法灵敏地反映外界因素的影响,缺乏自适应能力,因此,即使数据资料充足、准确,在进行定量预测特别是中长期预测时,其结果往往带有一定的片面性,有时甚至因为估计不到系统发展的转折点而导致预测失误。

基于以上原因,在国内外当前实际预测工作中,定性预测所占的比重仍然是相当大的。一些重大的经济预测、技术预测、企业经营预测等,往往采用定性预测的方法进行,或者是在采用定量预测的同时辅以定性预测方法加以修正。

定性预测方法很多,本节将重点介绍德尔菲法、交叉概率法、类推法等较常用的方法。

二、德尔菲法

德尔菲(Delphi)法是美国兰德公司在承担美国空军名为"德尔菲计划"的预测中,由数学家黑尔莫(O. Helmet)和达凯(N. Dalkey)共同研究成功的一种方法。德尔菲法是一种专家调查法,即利用专家们的经验和知识对所要研究的问题进行分析和预测的一种方法,它具有三个特征:匿名、循环和有控制地反馈、统计团体响应。它是依靠若干专家背靠背地发表意见(各抒己见),同时对专家们的意见进行统计处理和信息反馈,经过几轮循环,使得分散的意见逐渐收敛,最后达到较高准确性的一种方法。此种方法最常用于中长期预测。

(一) 德尔菲法的程序

德尔菲法的程序可用图9-2来表示。

1. 组织专门小组

预测工作者是专家调查的主持人,通常组织一个专门小组进行这项工作。其任务是:拟定调查提纲,提供背景材料,专人负责与专家联系,收集、分析和整理调查结果,提出预测报告。

2. 拟定调查提纲

预测组织者把需要预测的内容拟成几个或十几个问题,列成调查提纲。提纲要明确具体、用词确切,尽量避免含糊不清和缺乏定量概念的词汇;问题不宜过多,估计回答问题的时间尽量不超过 2~4 h,以避免答复的人不耐烦,有利于保证预测质量;对有怀疑、有争议的问题预测必须指明参考的资料,并提供必要的背景材料;提纲后面要留有足够的空白,供专家阐明个人意见和理由。

3. 选择预测人选

这是德尔菲法成败的关键。一般选择与预测问题有关的各领域、具有数年以上专业工作经验、熟悉业务、有预见性和分析能力、有一定声望的人士,同时还要聘请边缘学科和其他专业的专家,这样可以开阔思路,提高预测质量。专家预测的人选还可以是全国各地甚至是世界各地的有关人士,这样就避免了开座谈会方法使参加人员受地区限制的弊端,从而可能得到在部分地区不易得到的一些宝贵意见,并提高预测的准确性和权威性。专家人数多少与预测规模、被预测内容是否经常交流、估计调查表回收率高低、研究经费数量等有关,根据现有经验,一般 10~15 人为宜。有一点值得注意,聘请专家要事先征得本人同意,坚持自愿的原则,否则调查表回收率太低,也会影响预测的质量。

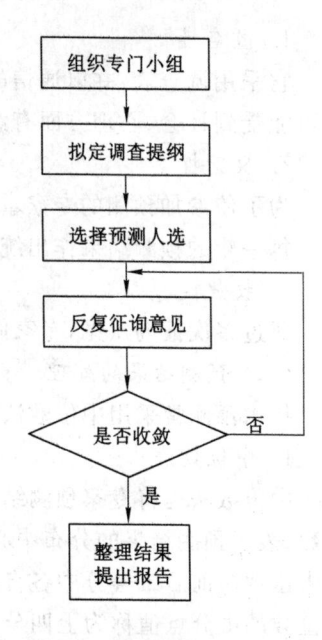

图 9-2 德尔菲法程序图

4. 反复征询意见

一般要经过三轮反复征询。第一轮是提出预测,逐步征询。即将调查提纲及有关背景材料寄给已选定的专家,请他们在规定的时间内按调查表的要求提出自己的预测意见,填好后寄回,目的是广泛征集对预测问题的预测意见及进一步预测时需要的资料。第二轮是修改预测,说明理由。即预测组织者将第一轮征集到的各种意见进行综合整理,列出新的调查提纲,把各种不同意见都写上去,但不说明是谁提出的;再把第二次调查表寄给参加预测的专家,征求他们新的预测意见,并要求说明预测的根据和理由,以利于其他参加预测者在下一轮中考虑,达到相互交流与启发的目的。表填好后,再寄回给预测组织者。第三轮是最后预测,补充理由。即预测组织者把第二轮预测意见汇总整理后,拟成第三轮征询调查表,把各种不同意见写上并附上理由和根据,寄给专家们。要求各位专家看看别人的意见和理由后,再重新考虑自己的预测意见,作出判断,提出自己的最后预测意见及根据,填表寄回。一般到此为止,已足以取得相当一致的意见,征询可以结束。根据实际情况需要,也可以进行三轮以上的征询。每次调查征询的时间间隔可根据实际情况而定,一般 7~10 d 左右,大的课题也不要超过 1 个月,以避免时间太长、干扰因素增多、影响预测进度和质量。这种使分散的意见逐步趋向一致的方法,可以汇集专家个人评判和集体智慧两者的有利因素,比较科学全面,准确度较高,而且用途广泛,简单实用。

5. 整理预测结果

在征询结束后,必须对最后一轮征询意见进行整理和评价,将取得一致意见的事件写成一份公认的预测报告(包括未来事件的名称、实现时间、数量及概率等)。对预测结果处理,常用中位数法和主观概率法。

(二) 德尔菲法的特点

1. 匿名性

它采用调查表,并以通信的方式征集专家意见。这样可以避免当面谈或署名探讨问题时可能受到社会、心理方面有意或无意的干扰,较易得到比较实事求是的科学意见。

2. 反馈性

为了使参加预测的专家掌握每轮预测的汇总结果和其他专家提出意见的论证,专门小组对每一轮的预测结果作出统计,并作为反馈材料发给每位专家,供下一轮预测时参考。

3. 收敛性

通过多次征询意见,专家们之间的意见一轮比一轮更趋向一致。

(三) 预测结果的处理

技术预测常采用中位数法,经济预测常采用主观概率法。

1. 中位数法

中位数法是将专家预测结果从小到大依次排列,然后把数列二等分,则中分点值称为中位数,表示预测结果的分布中心,即预测的较可能值。为了反映专家意见的离散程度,可以在中位数法前后二等分中各自再进行二等分,先于中位数的中分点值称为下四分位数,后于中位数的中分点值称为上四分位数。用上下四分位数之间的区间来表示专家意见的离散程度,也可称为预测区间。

其中位数按下式计算:

$$\bar{x} = \begin{cases} x_{k+1} & (n=2k+1)(奇数) \\ \dfrac{x_k + x_{k+1}}{2} & (n=2k)(偶数) \end{cases} \tag{9-1}$$

式中 $\bar{x}$——中位数;

x_k——第 k 个数据;

x_{k+1}——第 $k+1$ 个数据;

k——正整数。

上四分位点记为 $x_上$,其计算公式为

$$x_上 = \begin{cases} x_{\frac{1}{2}(3k+3)} & (n=2k+1, k\text{ 为奇数}) \\ \dfrac{x_{\frac{3}{2}k+1} + x_{\frac{3}{2}k+2}}{2} & (n=2k+1, k\text{ 为偶数}) \\ x_{\frac{1}{2}(3k+3)} & (n=2k, k\text{ 为奇数}) \\ \dfrac{x_{\frac{3}{2}k} + x_{\frac{3}{2}k+1}}{2} & (n=2k, k\text{ 为偶数}) \end{cases} \tag{9-2}$$

下四分位点记为 $x_下$,其计算公式为

$$x_下 = \begin{cases} x_{\frac{k+1}{2}} & (n=2k+1, k\text{ 为奇数}) \\ \dfrac{x_{\frac{k}{2}} + x_{\frac{k}{2}+1}}{2} & (n=2k+1, k\text{ 为偶数}) \\ x_{\frac{k+1}{2}} & (n=2k, k\text{ 为奇数}) \\ \dfrac{x_{\frac{k}{2}} + x_{\frac{k}{2}+1}}{2} & (n=2k, k\text{ 为偶数}) \end{cases} \tag{9-3}$$

例如,某矿邀请16位专家对该矿某事件发生概率进行预测,得16个数据,即 $n=16$,

$n=2k, k=8$ 为偶数。由小到大将所得数据排列，如表 9-1 所列。

表 9-1　　　　　　　　　　　　事件概率专家预测值

n	1	2	3	4	5	6	7	8	9	10	11	12	13	14	15	16
事件发生概率 $P/\times 10^{-3}$	1.35	1.38	1.40	1.40	1.40	1.45	1.47	1.50	1.50	1.50	1.50	1.53	1.55	1.60	1.60	1.65

$k=8$ 为正整数，$n=2k$ 为偶数，则中位数 $\bar{x}$ 为

$$\bar{x} = \frac{1}{2}(x_8 + x_{8+1}) = \frac{1}{2}(1.50 + 1.50) = 1.50$$

由于 $k=8$ 是偶数，由式(9-2)第 4 式，得 $\frac{3}{2}k=12, \frac{3}{2}k+1=13$，则上四分位点是第 12 个数与第 13 个数的平均值：

$$x_{\pm 4} = \frac{1}{2}(x_{12} + x_{13}) = \frac{1}{2}(1.53 + 1.55) = 1.54$$

由式(9-3)的第 4 式，得 $k/2=4, k/2+1=5$，可知下四分位点是第 4 个数与第 5 个数的平均值：

$$x_{\text{下}4} = \frac{1}{2}(x_4 + x_5) = \frac{1}{2}(1.40 + 1.40) = 1.40$$

处理结果如下：

该事件发生概率期望值为

$$P = \bar{x} \times 10^{-3} = 1.50 \times 10^{-3}$$

预测区间如下：

上限为

$$P_{\text{上}} = 1.54 \times 10^{-3}$$

下限为

$$P_{\text{下}} = 1.40 \times 10^{-3}$$

2. 主观概率法

主观概率法是在调查个人判断能力、信念程度的基础上，寻求对未来世界最佳主观估计的一种有效方法。主观概率是某人对某一事件可能发生程度的一种主观估量。要求专家不仅要有估量(概率)，还要说明根据。对同一事件在相同情况下的预测，不同专家可能提出不同的数量估计和实现概率，甚至对于成功和失败的机会持完全相反的意见。正是因为存在着不同的个人估计，所以才有寻求合理或最佳估计量的必要。在处理中，一般也是取预测结果的分布中心作为预测结论。

例如，要预测某一事件发生可能性的大小，可以调查一组专家的预测概率，然后相加求平均值，得出某事件的预测概率，即

$$P = \frac{\sum_{i=1}^{n} P_i}{n} \tag{9-4}$$

式中　P——事件预测概率平均值；

　　　P_i——每一位专家主观预测概率；

n——专家人数。

三、交叉概率法

交叉概率(相互影响分析)法是1968年由海沃德(Hayward)和戈尔登(T.J. Cordon)首次提出的,是对在交互影响因素作用下的事物进行预测的一种定性预测技术。

交叉概率法的基本思想是,很多事件的发生或发展对其他事件将产生各种各样的影响,根据各事件之间的相互影响研究事件发生的概率,并用以修正专家的主观概率,从而对事物的发展作出较客观的评价。

交叉概率法用于确定一系列事件 $E_i(i=1,2,\cdots,n)$ 之间的相互关系。若其中的一个事件 $E_m(1 \leqslant m \leqslant n)$ 发生,即发生概率 $P_m=1$ 时,求 E_m 对于其余事件 $E_i(i=1,2,\cdots,n;i \neq m)$ 的影响也就是求 $P_i(i=1,2,\cdots,n;i \neq m)$ 的变化,其中包括有无影响、正影响还是负影响以及影响的程度。该方法的步骤为:

(1) 确定各事件之间的影响关系;
(2) 确定各事件之间的影响程度;
(3) 计算某事件发生时对其他事件发生概率的影响;
(4) 分析其他事件对该事件的影响;
(5) 确定修正后的主观概率。

例如,现以美国能源评价预测分析来说明交叉概率法的使用。经简化,影响美国能源政策的因素有:E_1——用煤炭代替石油,其概率 $P_1=0.3$;E_2——降低国内石油价格,其概率 $P_2=0.4$;E_3——控制空气、水源的质量标准,其概率 $P_3=0.3$。这些因素之间的关系如表9-2所列。

表 9-2

事件	事件发生概率	对其他事件的影响		
		E_1	E_2	E_3
E_1	0.3	—	↑	↑
E_2	0.4	↓	—	—
E_3	0.3	↓	↓	—

表中向上的箭头表示正方向的交叉影响,它表明该事件的发生将促进另一事件发生的概率。而箭头向下,则表明负的影响,说明该事件发生将抑制或消除另一事件发生的概率。"—"号表示两事件无明显关系或相互间没有影响。

根据表9-2列出的矩阵,可求出其中各因素相互影响程度数值,用以修正发生概率,作出预测。

E_i 事件发生后,其余事件发生的概率可按下式调整:

$$P'_j = P_j + KS(1-P_j) \tag{9-5}$$

式中 P_j——E_i 事件发生前,t 时间 E_j 事件发生的概率;

P'_j——E_i 事件发生后,t 时间 E_j 事件发生的概率;

K——说明 E_i 发生对 E_j 的影响方向,若 E_i 对 E_j 的影响为正则取 $K=1$,若 E_i 对 E_j 影响为负则取 $K=-1$,若无影响取 $K=0$;

S——表明 E_i 发生对 E_j 的影响程度,$0<S<1$,随影响程度由小到大,S 取值由 0 到 1 逐渐加大。

事件 E_i 发生后,E_j 发生概率的调整如图 9-3 所示。

四、类推法

类推法是利用经济指标之间存在的相似发展规律,通过找出先导事件来进行预测迟发事件。类推法不要求先导事件与预测对象之间存在必然联系,只要两者具有相同或相似的发展规律,就可采用类推法进行预测。

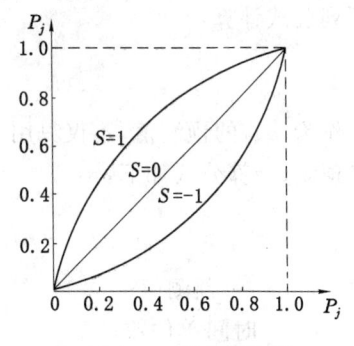

图 9-3 概率调整图

使用类推法进行预测的步骤如下:

(1) 选择先导事件。例如需要预测事件 B,可选择另一事件 A,要求事件 A 与事件 B 具有相同或相似的发展规律,发展规律已知并领先于事件 B。通常称事件 B 为迟发事件,事件 A 为先导事件。

(2) 依据时间序列统计分析先导事件的数据,找出先导事件的发展规律、关键特征,并绘制发展趋势图。

(3) 分析先导事件与迟发事件发展规律的相似程度,判断是否可以进行类推预测。若差异显著则必须重新选择先导事件。

(4) 根据先导事件的发展规律,类推迟发事件的未来情形。

类推法预测的关键是选择先导事件。不同类型的预测目标应使用不同类型的先导模型,常见的先导模型主要有以下三种:

(1) 历史上发生过的同类事件。例如:用蒸汽机车类推内燃机车的演变过程时,蒸汽机车就是历史上已经发生过的事件,即先导事件。

(2) 国外或外地发生过的同类事件。例如:用国外小轿车的发展速度类推我国小轿车未来的发展时,国外小轿车的发展规律就是先导事件。

(3) 其他领域内发生过的同类事件。例如:用已在航空航天工业领域中应用的新技术类推在汽车工业等其他应用领域中应用时,新技术在航空航天领域的应用就是先导事件。

第三节 时间序列预测法

时间系列预测法是指利用观察或记录到的一组按时间顺序排列起来的数字序列,分析它们的变化方向和程度,从而对下一时期或以后若干时期可能达到的水平进行推测。时间序列预测法的基本思想是把时间序列作为一个随机应变量序列的一个样本,用概率统计方法,从而尽可能减少偶然因素的影响,或消除季节性、周期性变动的影响,通过分析时间序列的趋势进行预测。

一、滑动平均法

一般情况下,可以认为未来的状况与较近时期的状况有关。根据这一假设,可采用与预测期相邻的几个数据的平均值,随着预测期向前滑动,相邻的几个数据的平均值也向前滑动作为滑动预测值。

假定未来的状况与过去三个月的状况关系较大,而与更早的情况联系较少,因此可用过去三个月的平均值作为下个月的预测值,经过平均后,可以减少偶然因素的影响。平均值可用下列公式计算:

$$\hat{x}_{t+1} = \frac{x_t + x_{t-1} + x_{t-2}}{3} \tag{9-6}$$

作为 x_{t+1} 的预测值,不仅只用三个月的滑动平均值来预测,也可用更多月份的滑动平均值来预测,计算公式如下:

$$\hat{x}_{t+1} = \frac{x_t + x_{t-1} + \cdots + x_{t-(t-1)}}{t} \tag{9-7}$$

式中 $\hat{x}_{t+1}$——预测值;
   t——时间单位数;
   x——实际数据。

也可以用连加符号把上面的公式归纳为

$$\hat{x}_{t+1} = \frac{1}{t}\sum_{i=0}^{t-1} x_{t-i} \tag{9-8}$$

在这一方法中,对各项不同时期的实际数据是同等看待的。但实际上距离预测期较近的数据与较远的数据,它们的作用是不等的,尤其在数据变化较快的情况下更应该考虑到这一点。

为了克服上述缺点,可采用加权滑动平均法来缩小预测偏差。加权滑动平均法根据距离预测期的远近,预测对象的不同情况,给各期的数据以不同的权数,把求得的加强权平均数作为预测值。例如,在计算三个月的加权滑动平均值时,分别以权数 3、2、1,那么预测值为

$$\hat{x}_{t+1} = \frac{3x_t + 2x_{t-1} + x_{t-2}}{6} \tag{9-9}$$

用任意几个月,给予其他权数来计算加权滑动平均值,其公式为

$$\hat{x}_{t+1} = \frac{c_t \cdot x_t + c_{t-1} \cdot x_{t-1} + \cdots + c_{t-(t-1)} \cdot x_{t-(t-1)}}{c_t + c_{t-1} + \cdots + c_{t-(t-1)}} \tag{9-10}$$

式中 c_t——各期的权数;
   x_t——各期的实际数据。

把上述归纳为

$$\hat{x}_{t+1} = \frac{\sum_{t=0}^{t-1} c_{t-i} \cdot x_{t-i}}{\sum_{i=0}^{t-1} c_{t-i}} \tag{9-11}$$

例如,表 9-3 列出了某矿务局 1980 年至 1987 年采煤机械化程度(%),利用滑动平均法和加权滑动平均法来预测 1988 年的采煤机械化程度。

从表中可以看出,应用三种滑动平均对实际采煤机械化程度的变化的反映是各不相同的。由于三年的加权滑动平均更强调近期的作用,它对机械化程度的变化反映较快,预测值符合实际。五年的滑动平均对机械化程度的变化反映较为迟缓,但它反映的数值较为平滑、波动少,可以看出机械化程度的变化趋势。

表 9-3　　　　　　　　　　　某矿务局采煤机械化程度预测表

年份	实际机械化程度/%	三年的滑动平均值 $\hat{x}_{t+1}=\dfrac{x_t+x_{t-1}+x_{t-2}}{3}$	五年滑动平均值 $\hat{x}_{t+1}=\dfrac{x_t+x_{t-1}+\cdots+x_{t-4}}{5}$	三年的加权滑动平均值 $\hat{x}_{t+1}=\dfrac{3x_t+2x_{t-1}+x_{t-2}}{6}$
1980	61.35			
1981	69.45			
1982	70.44			
1983	73.88	67.08		57.02
1984	79.00	71.26		72.00
1985	81.00	74.44	70.82	75.87
1986	88.06	77.96	74.75	79.15
1987	91.00	82.69	78.48	84.20
1988		86.69	82.59	88.35

二、指数滑动平均法

指数滑动平均法是滑动平均法的改进,它既有滑动平均法的优点,又减少了数据的存储量,应用方便。

指数滑动平均法的基本思想是把时间序列看做是一个无穷的序列,即 $x_t, x_{t-1}, \cdots$。把 $\hat{x}_{t+1}$ 看做是这个无穷序列的一个函数,即

$$\hat{x}_{t+1} = a_0 \cdot x_t + a_1 \cdot x_{t-1} + \cdots$$

为了在计算中使用单一的权数,并且使权数之和等于 1,即

$$\sum_{i=0}^{\infty} a_i = 1$$

令 $a_0=a, a_k=a(1-a)^k, k=1,2,\cdots$,当 $0<a<1$ 时,则:

$$\sum_{i=0}^{\infty} a_i = a + a(1-a) + a(1-a)^2 + \cdots = a \cdot \frac{1}{a} = 1$$

这样,应用指数滑动平均法得到的预测值 $\hat{x}_{t+1}$ 为

$$\begin{aligned}\hat{x}_{t+1} &= a \cdot x_t + a(1-a) \cdot x_{t-1} + a(1-a)^2 \cdot x_{t-2} + \cdots \\ &= a \cdot x_t + (1-a)[a \cdot x_{t-1} + a(1-a) \cdot x_{t-2} + \cdots] \\ &= a \cdot x_t + (1-a) \cdot \hat{x}_t\end{aligned} \tag{9-12}$$

即　　　　预测值＝平滑系数×前期实际值＋(1－平滑系数)×前期预测值

上面的公式并项后可得:

$$\hat{x}_{t+1} = \hat{x}_t + a(x_t - \hat{x}_t) \tag{9-13}$$

即　　　　预测值＝前期预测值＋平滑系数×(前期实际值－前期预测值)

由此可见,指数滑动平均法得到的预测值 $\hat{x}_{t+1}$ 是上一时期的实际值 x_t 和预测值 $\hat{x}_t$ 的加权平均而得的。或者是上一时期的预测值 $\hat{x}_t$ 加上实际与预测值的偏差的修正值而得。

平滑系数 a 取值的大小对时间序列均匀程度影响很大,a 值的选定取决于实际情况。一般来说,近期数据作用越大,则值就取得越大。根据经验,在实际应用中取 a 为 0.8 或 0.7 为宜。

第四节 趋势预测法

在一个时间序列中,特别是某些社会、经济系统中的渐变发展过程,往往可能存在某种长期趋势,用适当的方法测定这个趋势,给它选择一个合适的趋势曲线方程,以作为外推预测的依据,是趋势预测的基本方法之一。

趋势预测是基于如下两个假设基础之上的:第一,影响预测对象过去发展的因素,在很大程度上也将决定其未来的发展;第二,预测对象的发展过程不是突变,而是渐变过程。

利用趋势预测法,关键要解决两个问题:一是找到合适的趋势曲线方程;二是确定趋势曲线方程中参数。下面将着重讨论几种常见的趋势曲线方程及其参数的确定。

一、趋势直线预测模型

趋势直线预测模型是趋势预测模型中经常使用的一种预测模型,即根据系统行为的历史和现在的统计数据建立趋势直线,以此预测系统的未来行为。

趋势直线预测模型为

$$\hat{y} = a + bx$$

式中　a——趋势直线模型中的待定参数,$x=0$ 时的 $\hat{y}$ 值;

　　　b——趋势直线模型中的待定参数,表示趋势直线的斜率。

若取时间数列的中点为原点,利用最小二乘法可得:

$$a = \frac{\sum y}{N} \tag{9-14}$$

$$b = \frac{\sum xy}{\sum x^2} \tag{9-15}$$

式中　y——时间序列数据的实际值;

　　　N——数列的项数。

例如,已知某矿井的供风量近 11 年来的数据如表 9-4 所列,试建立趋势直线预测模型并预测 2003 年的供风量。

表 9-4　　　　某矿井 1992~2002 年的供风量及相关计算表

年份	x	y	xy	x^2	$\hat{y}$
1992	−5	1 345	−6 725	25	1 313.51
1993	−4	1 682	−6 728	16	1 458.39
1994	−3	1 577	−4 731	9	1 603.27
1995	−2	1 425	−2 850	4	1 748.15
1996	−1	1 677	−1 677	1	1 893.03
1997	0	2 306	0	0	2 037.91
1998	1	2 419	2 419	1	2 182.79
1999	2	2 133	4 266	4	2 327.67
2000	3	2 379	7 137	9	2 472.55
2001	4	2 544	10 176	16	2 617.43
2002	5	2 930	14 650	25	2 762.31
合计	0	22 417	15 937	110	

根据表 9-4 中的数据可得：

$$a = \frac{\sum y}{N} = \frac{22\ 417}{11} = 2\ 037.91$$

$$b = \frac{\sum xy}{\sum x^2} = \frac{15\ 937}{110} = 144.88$$

则趋势直线预测模型为

$$\hat{y} = 2\ 037.91 + 144.88x$$

利用该模型预测 2003 年的供风量为

$$\hat{y} = 2\ 037.91 + 144.88 \times 6 = 2\ 907.19$$

二、二次趋势曲线预测模型

二次趋势曲线预测模型与趋势直线预测模型的不同之处在于：二次曲线的斜率是随着时间而变化的。

二次趋势曲线预测模型为

$$\hat{y} = a + bx + cx^2$$

若取时间数列的中点为原点，则利用最小二乘法可得：

$$\begin{cases} \sum y = Na + c\sum x^2 \\ \sum xy = b\sum x^2 \\ \sum x^2 y = a\sum x^2 + c\sum x^4 \end{cases} \quad (9\text{-}16)$$

求解上述方程组即可求出待定参数 a、b 和 c 的值。

例如，已知某矿井 1994~2002 年的年产量如表 9-5 所列，试建立二次趋势曲线预测模型并预测 2003 年的产量。

表 9-5　　某矿井 1994~2002 年的煤炭产量及相关计算表

年份	x	y	xy	x^2	x^2y	x^4	$\hat{y}$
1994	-4	39	-156	16	624	256	20.83
1995	-3	50	-150	9	450	81	57.11
1996	-2	67	-134	4	268	16	88.31
1997	-1	97	-97	1	97	1	114.43
1998	0	143	0	0	0	0	135.47
1999	1	177	177	1	177	1	151.43
2000	2	177	354	4	708	16	162.31
2001	3	152	456	9	1 368	81	168.11
2002	4	165	660	16	2 640	256	168.83
合计	0	1 067	1 110	60	6 332	708	

将表 9-5 中的数据代入式(9-16)得：

$$\begin{cases} 1\,067 = 9a + 60c \\ 1\,110 = 60b \\ 6\,332 = 60a + 708c \end{cases}$$

解上述方程组,得:
$$a = 135.47, b = 18.5, c = -2.54$$

则二次趋势曲线预测模型为
$$\hat{y} = 135.47 + 18.5x - 2.54x^2$$

根据此模型,该矿井 2003 年的产量预测为
$$\hat{y} = 135.47 + 18.5 \times 5 - 2.54 \times 5^2 = 164.47$$

三、三次趋势曲线预测模型

三次趋势曲线预测模型是将二次趋势预测模型的次数提高一次,增加预测模型的一个常数则可使趋势曲线多一个弯度。二次趋势曲线只有一个弯度,而三次趋势曲线则有两个弯度。有时统计数据需要有两个弯度的曲线,才能更接近实际。

三次趋势曲线的预测模型为
$$\hat{y} = a + bx + cx^2 + dx^3$$

若取时间数列的中点为原点,则利用最小二乘法可得:
$$\begin{cases} \sum y = Na + c\sum x^2 \\ \sum xy = b\sum x^2 + d\sum x^4 \\ \sum x^2 y = a\sum x^2 + c\sum x^4 \\ \sum x^3 y = b\sum x^4 + d\sum x^6 \end{cases} \quad (9\text{-}17)$$

解上述方程组即可确定待定参数 a, b, c 和 d 的值。

例如,若以上例表 9-5 中的数据为例,试建立三次趋势曲线预测模型并预测该矿井 2003 年的产量。

表 9-6　　　　某矿井 1994~2002 年的年产量及相关计算表

年份	x	y	xy	x^2	$x^2 y$	$x^3 y$	x^4	x^6	$\hat{y}$
1994	-4	39	-156	16	624	$-2\,496$	256	4\,096	36.63
1995	-3	50	-150	9	450	$-1\,350$	81	729	32.69
1996	-2	67	-134	4	268	-536	16	64	73.89
1997	-1	97	-97	1	97	-97	1	1	104.43
1998	0	143	0	0	0	0	0	0	135.47
1999	1	177	177	1	177	177	1	1	161.43
2000	2	177	354	4	708	1\,416	16	64	176.73
2001	3	152	456	9	1\,368	4\,104	81	729	175.79
2002	4	165	660	16	2\,640	10\,560	256	4\,096	153.03
合计	0	1\,067	1\,110	60	6\,332	11\,778	708	9\,780	

将表 9-6 中的数据代入式(9-17)中得:

$$\begin{cases} 1\,067 = 9a + 60c \\ 1\,110 = 60b + 708d \\ 6\,332 = 60a + 708c \\ 11\,778 = 708b + 9\,780d \end{cases}$$

解上述方程组,得:
$$a = 135.47, b = 29.43, c = -2.54, d = -0.93$$

则三次趋势曲线预测模型为
$$\hat{y} = 135.47 + 29.43x - 2.54x^2 - 0.93x^3$$

根据此模型,该矿井 2003 年的产量预测为
$$\hat{y} = 135.47 + 29.43 \times 5 - 2.54 \times 5^2 - 0.93 \times 5^3 = 102.87$$

四、修正指数曲线预测模型

修正指数曲线预测模型是通常指数曲线的数学方程:
$$y = ab^x$$

增加一个常数项 K,成为
$$y = K + ab^x$$

上式则称为修正指数曲线。此曲线可说明一种常见的成长现象,即初期迅速成长,随后逐渐降低其成长率,终至接近高限(渐近线)。就指数曲线 $y=ab^x$ 而言,当 $a>0$ 且 $0<b\leqslant 1$ 时,则成长率会随着 x(年份)值的增加而降低。y 值逐渐降至于零为极限,若加上一正的常数项 K,成为 $y=K+ab^x$,则 y 的值就以 K 为极限。当 $a<0$ 且 $0<b\leqslant 1$ 时,则 y 的值将随着 x 的增加而增加。因为当 x 值较小时,从 K 值减去之值较大,而 x 值愈大,则所减去之值就愈小,终至于零,也即 $(K+ab^x)$ 之值,终至等于 K。如此,K 又成为 y 的高限。换句话说,$y=K$ 为曲线 $y=K+ab^x$ 的渐近线,如图 9-4 所示。

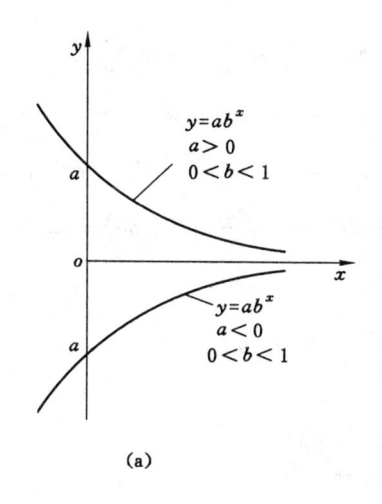

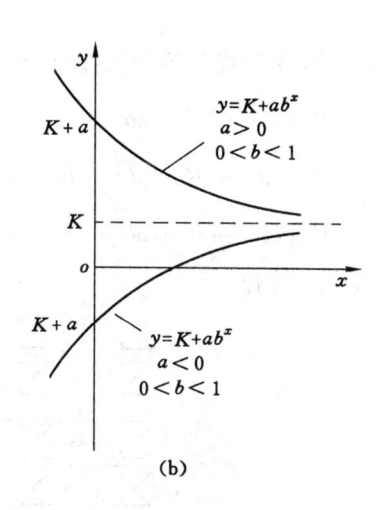

图 9-4 指数曲线和修正指数曲线
(a) 指数曲线;(b) 修正指数曲线

一般说来,修正指数曲线的三个常数中 K 表示渐近线常数,a 是 $x=0$ 时 y 的值与渐进

线常数 K 之差，b 为相邻一次差的比率。因此，需要有三个方程来求解 K、a、b 三个常数。下面，就以具体实例来说明如何求解修正指数曲线预测模型中的三个常数 a、b 和 K。

例如，已知某矿井 1996~2007 年的年产量资料如表 9-7 所列，试建立修正指数曲线预测模型。

表 9-7　　　　　　　某矿井 1996~2007 年煤炭产量数据表

年份	x	y	$\hat{y}$
1996	0	135	135.4
1997	1	145	144.8
1998	2	153	152.9
1999	3	160	159.8
$\sum_1 y$		593	
2000	4	166	165.80
2001	5	171	170.90
2002	6	175	175.27
2003	7	179	179.02
$\sum_2 y$		691	
2004	8	182	182.24
2005	9	185	185.00
2006	10	187	187.36
2007	11	190	189.39
$\sum_3 y$		744	

将数据按年份分成相等的三部分，并求其局部总和 $\sum_1 y$，$\sum_2 y$ 和 $\sum_3 y$。

$$\sum\nolimits_1 y = K + ab^0 + K + ab^1 + K + ab^2 + K + ab^3 = 4K + a + ab + ab^2 + ab^3$$

$$\sum\nolimits_2 y = K + ab^4 + K + ab^5 + K + ab^6 + K + ab^7 = 4K + ab^4 + ab^5 + ab^6 + ab^7$$

$$\sum\nolimits_3 y = K + ab^8 + K + ab^9 + K + ab^{10} + K + ab^{11} = 4K + ab^8 + ab^9 + ab^{10} + ab^{11}$$

解上述三个方程：

$$\frac{\sum_3 y - \sum_2 y}{\sum_2 y - \sum_1 y} = \frac{ab^4(b^4-1)}{a(b^4-1)} = b^4$$

所以

$$b = \sqrt[4]{\frac{\sum_3 y - \sum_2 y}{\sum_2 y - \sum_1 y}} = \sqrt[4]{\frac{744-691}{691-593}} = 0.8576$$

将 b 代入 $\sum_2 y - \sum_1 y$ 可求出：

$$a = \left(\sum\nolimits_2 y - \sum\nolimits_1 y\right) \frac{b-1}{(b^4-1)^2} = (691-593) \frac{0.8576-1}{(0.8576^4-1)^2} = -66.21$$

将 a、b 的值代入 $\sum_1 y$，即可求出：

$$K = \frac{1}{4}\left[\sum_1 y - a(b^2+1)(b+1)\right] = \frac{1}{4}\left[\sum_1 y - a\left(\frac{b^4-1}{b-1}\right)\right] = 201.61$$

则修正指数曲线预测模型为

$$\hat{y} = 201.61 - 66.21 \times 0.857\,6^x$$

根据上述求解过程,修正指数曲线预测模型的三个常数的计算式为

$$b = \sqrt[n]{\frac{\sum_3 y - \sum_2 y}{\sum_2 y - \sum_1 y}} \tag{9-18}$$

$$a = \left(\sum_2 y - \sum_1 y\right)\frac{b-1}{(b^n-1)^2} \tag{9-19}$$

$$K = \frac{1}{n}\left[\sum_1 y - a\left(\frac{b^n-1}{b-1}\right)\right] \tag{9-20}$$

式中 n——分组数据中的数据个数。

五、戈伯资(Gompertz)曲线预测模型

戈伯资曲线是生长曲线的一种,用于描述事物发生、发展、成熟和衰亡的过程。社会和经济系统中的很多现象是符合戈伯资曲线的。例如一个新产品从试制到成熟的过程,投放市场的初期增长较慢,随着时间的推移,增长速度加快,发展到某一时刻后,增长速度开始减慢,一直达到市场饱和。戈伯资曲线如图 9-5 所示。

戈伯资曲线预测模型为

$$\hat{y} = Ka^{b^x}$$

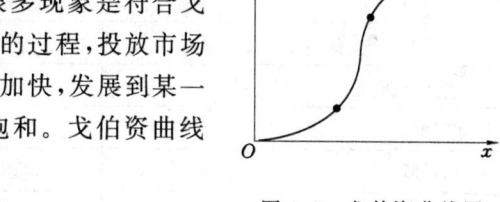

图 9-5 戈伯资曲线图

为了便于计算,将上述预测模型改写为对数形式,即对两边同时取对数:

$$\lg \hat{y} = \lg K + (\lg a)b^x$$

若以 $\hat{y}$ 代替 $\lg \hat{y}$,K 代替 $\lg K$,a 代替 $\lg a$,则上式与修正指数曲线模型相同。因此该模型的参数可以参照修正指数曲线的参数的求解方法求出:

$$b = \sqrt[n]{\frac{\sum_3 \lg y - \sum_2 \lg y}{\sum_2 \lg y - \sum_1 \lg y}} \tag{9-21}$$

$$\lg a = \left(\sum_2 \lg y - \sum_1 \lg y\right)\frac{b-1}{(b^n-1)^2} \tag{9-22}$$

$$\lg K = \frac{1}{n}\left[\sum_1 \lg y - \left(\frac{b^n-1}{b-1}\right)\lg a\right] \tag{9-23}$$

例如,已知某造纸厂 A 型纸 1988~1999 年的产量数据如表 9-8 所列,试建立戈伯资曲线预测模型。

将表 9-8 中的数据代入式(9-21)、式(9-22)和式(9-23)得:

$$b = \sqrt[4]{0.389\,29} = 0.79$$

$$\lg a = (11.299\,17 - 9.332\,52)\frac{0.79-1}{(0.79^4-1)^2} = -1.108\,09$$

$$\lg K = \frac{1}{4}\left[9.332\,52 - \left(\frac{0.79^4-1}{0.79-1}\right) \times (-1.108\,09)\right] = 3.138\,47$$

所以 $a=0.078, K=1\,375.53$,则戈伯资曲线预测模型为
$$\hat{y}=1\,375.53\times 0.078^{0.79^x}$$

将不同的 x 值代入该预测模型,即可计算出不同年份的产量预测值,如表9-8最后一列所列。

表9-8　　　　　　某造纸厂A型纸1988～1999年产量

年份	x	y	lg y	$\hat{y}$
1988	0	160	2.204 12	107.29
1989	1	192	2.283 30	183.33
1990	2	250	2.397 94	279.92
1991	3	280	2.447 16	391.05
$\sum_1$ lg y			9.332 52	
1992	4	510	2.707 57	509.26
1993	5	600	2.778 15	627.42
1994	6	772	2.887 62	739.86
1995	7	843	2.925 83	842.77
$\sum_2$ lg y			11.299 17	
1996	8	956	2.980 46	934.09
1997	9	1 062	3.026 12	1 013.18
1998	10	1 092	3.037 82	1 080.37
1999	11	1 048	3.020 36	1 136.58
$\sum_3$ lg y			12.064 76	

六、趋势曲线预测模型的选择

由于预测曲线具有多样性,因此,能否正确地选择趋势预测模型,对预测任务的成败是至关重要的。

为了获得与预测对象发展趋势一致的趋势预测模型,不仅要分析预测对象历史演变的特点即测试历史数据的特点,而且更重要的是要分析其未来的发展趋势。由此看来,选择趋势预测模型时,一方面要从客观上分析其过去序列的特点,另一方面又要从主观上判断其未来趋势。前者主要可由已有的样本数据分析得到,而后者却要依据预测人员的经验和判断,体现了预测的科学性和艺术性的统一。

从数列的形态而言,在选择预测模型时应考虑以下一些因素:

(1) 若数列的一次差(即数列的后一项与前一项之差)为常数或基本上是常数(即变化不大),则应采用趋势直线预测模型进行预测。

例如有一数列:40,50,60,71,80,92,101,110,120,…

其一次差为:10,10,11,9,12,9,10,…

则对此数列宜采用趋势直线预测模型进行预测。

(2) 若数列的二次差(即对数列的一次差数列再进行一次差)为常数或基本上是常数,则应采用二次趋势曲线预测模型进行预测。

例如有一数列：12，47，78，103，124，140，…

其一次差为：35，31，25，21，16，…

其二次差为：-4，-6，-4，-5，…

则对此数列宜采用二次趋势曲线预测模型进行预测。

(3) 若数列的三次差(即对数列的二次差数列再进行一次差)为常数或基本上是常数，则应采用三次趋势曲线预测模型进行预测。

例如有一数列：45，49，56，68，87，115，155，208，…

其一次差为：4，7，12，19，28，40，53，…

其二次差为：3，5，7，9，12，13，…

其三次差为：2，2，2，3，1，…

则对此数列宜采用三次趋势曲线预测模型进行预测。

(4) 若数列的一次差变动的百分率为一常数或基本上是常数，则应采用修正指数曲线预测模型进行预测。

例如有一数列：126，136，143，148，151.5，154，…

其一次差为：10，7，5，3.5，2.5，…

其一次差数列的后一项与前一项之比基本上为70%。所以对此数列宜采用修正指数曲线预测模型进行预测。

(5) 若数列的对数一次差变动的百分率为一常数或基本上是常数，则应采用戈伯资曲线预测模型进行预测。

利用趋势预测模型进行实际预测时，数列的形态不是很容易就能确定的。一般可以建立几种不同的趋势模型，然后逐个进行分析比较，最终选择一个具有最小偏差的预测模型实施预测。

第五节 回归预测法

回归预测是经常使用的一种定量预测方法，是研究变量之间相互关系的数理统计分析方法。回归分析根据自变量的个数通常分为一元回归和多元回归，根据变量之间相互关系又可分为线性回归和非线性回归两种。工作中经常使用的经验公式，大多是用某种回归分析方法得到的。

回归分析是一种数理统计方法，使用该方法进行预测分析时，一般要经历以下步骤：

(1) 从一组数据出发，确定因变量和自变量之间的关系式；

(2) 对关系式中的参数进行估计，并进行统计检验；

(3) 筛选自变量，即从大量自变量中找出影响显著的，剔除不显著的；

(4) 用求得的回归模型进行预测；

(5) 对预测结果进行分析、评价。

一、一元线性回归模型

回归预测模型的一般形式是：

$$y = f(x)$$

如果 $f(x)$ 为一元线性函数形式时，模型变为

$$y = a + bx$$

如果当参数 a、b 已知时,给定 x 的值即可确定 y 的值。在笛卡尔坐标系中,该式可用一条斜率为 b、截距为 a 的直线表示,因此这种形式的回归分析称为一元线性回归。

进行预测是用已占有的数据,分析系统发展变化的规律性。根据所占有的若干组数据 $(x_i, y_i)(i=1,2,\cdots,n)$,计算出系数 $\hat{a}$ 和 $\hat{b}$,就得出该事物发展变化的规律性:

$$\hat{y} = \hat{a} + \hat{b}x \tag{9-24}$$

这就是所要确定的预测模型。

一元线性回归的预测模型只适用于散点图近似呈直线分布的情况,也就是当 x、y 两个变量有大致的线性关系时才能应用,否则预测误差较大,是不适用的。

例如,表 9-9 是某矿务局 1998～2007 年顶板事故死亡人数的统计数据。将表中数据代入上述方程组便可求出 a 和 b 的值,即:

表 9-9　　　　　　　　某矿务局 1998～2007 年顶板事故死亡人数

年度	时间顺序 x	死亡人数 y	x^2	$x \cdot y$	y^2
1998	0	30	0	0	900
1999	1	24	1	24	576
2000	2	18	4	36	324
2001	3	4	9	12	16
2002	4	12	16	48	144
2003	5	8	25	40	64
2004	6	22	36	132	484
2005	7	10	49	70	100
2006	8	13	64	104	169
2007	9	5	81	45	25
合计	$\sum x = 45$	$\sum y = 146$	$\sum x^2 = 285$	$\sum x \cdot y = 511$	$\sum y^2 = 2\,802$

(一) 一元线性回归模型的简易求法

求预测模型式(9-24)参数的简易方法是:

(1) 将 n 组数据 (x_i, y_i) 平均地分为两组(分组数决定于需确定的参数个数),分别代入式(9-24);

(2) 把各组方程相加,得到两个以 a、b 为变量的线性方程;

(3) 解此线性方程组可求出 a、b 的值,代入式(9-24),即是所求预测模型。

根据表 9-9 的数据并将其分为两组,代入式(9-24)后得:

$$30 = \hat{a} \qquad\qquad 8 = \hat{a} + 5\hat{b}$$
$$24 = \hat{a} + \hat{b} \qquad\qquad 22 = \hat{a} + 6\hat{b}$$
$$18 = \hat{a} + 2\hat{b} \qquad\qquad 10 = \hat{a} + 7\hat{b}$$
$$4 = \hat{a} + 3\hat{b} \qquad\qquad 13 = \hat{a} + 8\hat{b}$$
$$12 = \hat{a} + 4\hat{b} \qquad\qquad 5 = \hat{a} + 9\hat{b}$$

将两列方程组分别相加,得到以 $\hat{a}$、$\hat{b}$ 为变量的方程组为

$$\begin{cases} 88 = 5\hat{a} + 10\hat{b} \\ 58 = 5\hat{a} + 35\hat{b} \end{cases}$$

解上述方程组得：

$$\hat{a} = 20, \hat{b} = -1.2$$

则预测模型为

$$\hat{y} = 20 - 1.2x$$

(二) 最小二乘法

对于回归模型式(9-24)，将所占有的数据 $x_i(i=1,2,\cdots,n)$ 代入后得：

$$\hat{y} = \hat{a} + \hat{b}x_i$$

令

$$y_i - \hat{y}_i = e_i$$

式中 e_i——所占有数据 y_i 与预测值 $\hat{y}_i$ 的误差。

为了防止误差正、负抵消，采用误差平方和最小作为确定参数 $\hat{a}$、$\hat{b}$ 的准则，这种确定参数 $\hat{a}$、$\hat{b}$ 的方法叫最小二乘法。

依据最小二乘法原理得：

$$\min Q = \sum_{i=1}^{n} e_i^2 = \sum_{i=1}^{n}(y_i - \hat{y}_i)^2 = \sum_{i=1}^{n}(y_i - \hat{a} - \hat{b}x_i)^2 \qquad (9\text{-}25)$$

要使 Q 最小，对 $\hat{a}$、$\hat{b}$ 求偏导，得如下方程组：

$$\begin{cases} \dfrac{dQ}{d\hat{a}} = -2\sum_{i=1}^{n}(y_i - \hat{a} - \hat{b}x_i) = 0 \\ \dfrac{dQ}{d\hat{b}} = -2\sum_{i=1}^{n}(y_i - \hat{a} - \hat{b}x_i)x_i = 0 \end{cases} \qquad (9\text{-}26)$$

解上述方程组得：

$$\hat{a} = \bar{y} - \hat{b}\bar{x} \qquad (9\text{-}27)$$

$$\hat{b} = \frac{\sum_{i=1}^{n} x_i y_i - \bar{x}\sum_{i=1}^{n} y_i}{\sum_{i=1}^{n} x_i^2 - \bar{x}\sum_{i=1}^{n} x_i} \qquad (9\text{-}28)$$

式中：

$$\bar{x} = \frac{1}{n}\sum_{i=1}^{n} x_i$$

$$\bar{y} = \frac{1}{n}\sum_{i=1}^{n} y_i$$

参数 $\hat{b}$ 还可以改写成如下形式：

$$\hat{b} = \frac{n\sum_{i=1}^{n} x_i y_i - \sum_{i=1}^{n} x_i \sum_{i=1}^{n} y_i}{n\sum_{i=1}^{n} x_i^2 - (\sum_{i=1}^{n} x_i)^2} \quad \text{或} \quad \hat{b} = \frac{\sum_{i=1}^{n} x_i y_i - n\overline{xy}}{\sum_{i=1}^{n} x_i^2 - n\bar{x}^2} \qquad (9\text{-}29)$$

特别地，如果 $\sum_{i=1}^{n} x_i = 0$，则式(9-27)和式(9-28)就可以简化为

$$\hat{b} = \frac{\sum_{i=1}^{n} x_i y_i}{\sum_{i=1}^{n} x_i^2} \tag{9-30}$$

$$\hat{a} = \bar{y} \tag{9-31}$$

(三)线性回归预测模型检验过程及预测精度

一元线性回归模型在某种程度上揭示了两个变量之间的线性相关关系。但在应用线性回归的计算公式时,并不需要预先假设两个变量之间一定具有线性相关关系。也就是说,对任意给定的 N 组数据都可根据公式确定一条直线而得出预测方程。因此需要解决这条直线能否反映出所研究系统的变化规律的问题,即所得的预测模型是否有实际使用价值。

前面曾指出,只有当两个变量之间有大致的线性相关关系时,用该方法所得到的预测模型才是适用的。如何检验两变量之间线性相关的程度,以决定用回归分析的数学模型来研究系统的规律呢?这就是线性回归的检验问题。

1. 相关系数

我们把评价 x,y 两个变量之间线性关系密切程度的数量指标叫相关系数,并以 r 表示,其计算公式为

$$r = \frac{L_{xy}}{\sqrt{L_{xx} L_{yy}}} \tag{9-32}$$

式中

$$L_{xx} = \sum_{i=1}^{n} (x_i - \bar{x})^2 = \sum_{i=1}^{n} x_i^2 - n\bar{x}^2 \tag{9-33}$$

$$L_{yy} = \sum_{i=1}^{n} (y_i - \bar{y})^2 = \sum_{i=1}^{n} y_i^2 - n\bar{y}^2 \tag{9-34}$$

$$L_{xy} = \sum_{i=1}^{n} (x_i - \bar{x})(y_i - \bar{y}) = \sum_{i=1}^{n} x_i y_i - n\bar{x}\bar{y} \tag{9-35}$$

L_{xx} 称为 x 的离差平方和,它反映自变量 x 波动的程度。L_{xx} 越大,说明 x 的波动越大,反之越小。L_{yy} 称为 y 的离差平方和,它反映变量 y 波动的程度。L_{yy} 越大,说明 y 的波动就越大,反之越小;L_{xy} 叫做 x、y 的离差乘积和。

r 的取值范围为 $-1 \leqslant r \leqslant 1$,$r$ 值为负时,称为负相关,即 y 随 x 的增加而减少;r 值为正时,称为正相关,即 y 随 x 的增加而增加。r 的绝对值越接近 1,表示相关关系越强;越接近 0,表示相关关系越弱。

为了说明 r 如何反映两个变量之间线性关系的密切程度,现研究 $\hat{b}$ 与 r 的关系。由式(9-29)知:

$$\hat{b} = \frac{n \sum x_i y_i - \sum x_i \sum y_i}{n \sum x_i^2 - (\sum x_i)^2} = \frac{\sum x_i y_i - n\bar{x}\bar{y}}{\sum x_i^2 - n\bar{x}^2} = \frac{L_{xy}}{L_{xx}} \tag{9-36}$$

将式(9-36)的分子、分母同乘以 $\sqrt{L_{yy}}$,得:

$$\hat{b} = \frac{\sqrt{L_{yy}} L_{xy}}{\sqrt{L_{xx} L_{yy}} \sqrt{L_{xx}}} = r \frac{\sqrt{L_{yy}}}{\sqrt{L_{xx}}} \tag{9-37}$$

或

$$\hat{b}^2 = r^2 \frac{L_{yy}}{L_{xx}} \tag{9-38}$$

相关系数 r 虽然反映了两变量 x 与 y 的线性相关程度,但只是反映了相对程度,若要进行绝对评价,还必须进行显著性检验。

2. 显著性检验

进行显著性检验,实际上相当于规定一个合理的、认为能满足使用要求的指标界限,并用该指标界限对系统预测模型的适用性进行绝对评价。

显著性检验就是依据所占有的数据量及其分布情况、变量个数等条件,确定一个合理的标准作为评价指标。常用的显著性检验有三种:t 检验、F 检验、r 检验。

(1) t 检验

t 检验的意义是检验回归方程中参数 b 的估计值 $\hat{b}$ 在某一显著性水平 α 下(通常选为 0.05)是否为零。该检验是在假设 $\hat{b}=0$ 的情况下进行的。如果 $\hat{b}$ 为零,则说明 y 与 x 的变化无关。因此该方法根据占有数据的多少(样本数 n)查 $t_{1-\alpha/2}(n-2)$ 的分布表,确定 t 的临界值 t_α,与根据实际问题计算的 t 分布值 t 进行比较,如果 $t > t_\alpha$,则说明原假设不成立,相关显著,回归方程有实用价值。否则原假设成立,可认为 $\hat{b}$ 在所确定的显著性水平下为零,即 $b=0$,这时,回归方程无实用价值。

t 的计算式为

$$t = \frac{\hat{b}}{S}\sqrt{L_{xx}} \tag{9-39}$$

式中,S 为 y 的均方差。

$$S = \sqrt{\frac{\sum(y_i - \bar{y})^2}{n-2}} = \sqrt{\frac{L_{xx}L_{yy} - L_{xy}^2}{(n-2)L_{xx}}}$$

(2) F 检验

F 检验的意义与 t 检验相同,只不过是查 $F_{1-\alpha}(1, n-2)$ 表确定 F 的临界值 F_α。

F 的计算公式为

$$F = (n-2)\frac{r^2}{1-r^2} \tag{9-40}$$

当 $F > F_\alpha$ 时,否定原假设,变量相关显著。

(3) r 检验

为了使用方便,由公式 $(n-2)\frac{r^2}{1-r^2} > F_{1-\alpha}(1, n-2)$ 反求出 r 的临界值 r_α,即可通过 r 的大小直接判断显著性。

当 $|r| \geqslant \sqrt{\dfrac{1}{\dfrac{n-2}{F_{1-\alpha}(1,n-2)}+1}} = r_\alpha$ 时,两变量相关显著。

3. 方差分析

为了估计预测精度需对预测模型作方差分析。

应用预测模型 $\hat{y} = \hat{a} + \hat{b}x$,当 $x = x_0$ 时,求出的预测值 $\hat{y}_0$ 只是实际 y_0 的期望值,且该估计是无偏估计。由数理统计知其方差为

$$D(\hat{y} - y) = \sigma^2 \left[1 + \frac{1}{n} + \frac{(x - \bar{x})^2}{\sum_{i=1}^{n}(x_i - \bar{x})^2} \right]$$

因为 $\hat{\sigma}$ 是 σ 的无偏估计，所以可以用 $\hat{\sigma}$ 代替 σ，由于 $\hat{\sigma}^2 = \dfrac{1}{n-2}\sum\limits_{i=1}^{n}(\hat{y}_i - \hat{a} - \hat{b}x_i)^2$ 且 y 落在区间 $(\hat{y}-\delta, \hat{y}+\delta)$ 内的概率为 $1-\alpha$，即

$$P(\hat{y}-\delta, \hat{y}+\delta) = 1-\alpha \tag{9-41}$$

所以

$$\delta^2 = F_{1-\alpha}(1, n-2) \cdot \hat{\sigma}^2 \left[1 + \frac{1}{n} + \frac{(x-\bar{x})^2}{\sum\limits_{i=1}^{n}(x_i - \bar{x})^2} \right] \tag{9-42}$$

或

$$\delta^2 = t_{1-\frac{\alpha}{2}}(n-2) \cdot \hat{\sigma}^2 \left[1 + \frac{1}{n} + \frac{(x-\bar{x})^2}{\sum\limits_{i=1}^{n}(x_i - \bar{x})^2} \right] \tag{9-43}$$

由 δ 的计算式可知，δ 的大小取决于数据组数（样本数）n 和 x 的大小。当 n 越大时，δ 的值越小，预测精度就越高，反之则越低；当数据组数一定且在 $x=\bar{x}$ 时，δ 的值最小；若 x 越远离 $\bar{x}$，δ 就越大，则预测误差就越大。其几何意义如图 9-6 所示。由此可看出提高线性回归预测精度的方法主要有两条途径：① 增加数据组数（样本数）n；② 使预测期限尽量接近 $\bar{x}$。

当然，在实际工作中增加占有的样本数据量，通常会增加预测费用和时间，因此要以系统思想确定合理的预测精度和期限，达到以最省的预测费用取得最好的预测效果的目的。

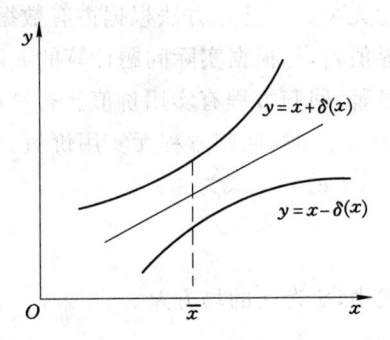

图 9-6 预测精度示意图

二、一元非线性回归模型

在实践中，经常遇到两个变量之间的关系呈非线性关系的情况。一般情况下，非线性函数都可通过变量代换的方法或应用泰勒级数展开而变成一元线性和多元线性函数。对于用变量代换的方法将其化为一元线性关系的问题，可采用一元线性回归的方法，对于用泰勒级数将其化为多元线性关系的问题，可用多元回归分析法去解决。

（一）化一元非线性函数为线性函数

在一元函数中可化曲线方程为直线方程的问题有很多。在进行该项工作之前，困难的是确定要配合的曲线类型。

确定曲线类型的方法一般为：

(1) 根据理论分析以及过去所积累的经验，确定 x、y 之间的函数类型；
(2) 在数据量不大的情况下，作出散点图，观察散点的分布，确定函数类型；
(3) 采用多种曲线模型进行回归分析后，进行相对比较分析，从中选择一个较好形式的模型作为预测模型。

下面介绍将特殊的曲线方程化成直线方程的变量代换方法。

1. 双曲线函数

双曲线函数的一般形式为

$$\frac{1}{y} = a + \frac{b}{x} \tag{9-44}$$

令 $1/y=y^*$, $1/x=x^*$, 代入式(9-44)中, 可得:
$$y^* = a + bx^*$$
上式即为一元线性函数形式, 所以其预测模型为
$$\hat{y}^* = \hat{a} + \hat{b}x^*$$

2. 指数函数

指数函数的一般形式为
$$y = ce^{bx} \tag{9-45}$$

对式(9-45)取对数后得: $\ln y = \ln c + bx$

令 $\ln y = y^*$, $\ln c = a$, 代入上式即可化为一元线性回归的预测模型:
$$\hat{y}^* = \hat{a} + \hat{b}x$$

3. 对数函数

对数函数的一般形式为
$$y = a + b\ln x \tag{9-46}$$

令 $\ln x = x^*$, 代入上式即可化为一元线性回归的预测模型:
$$\hat{y}^* = \hat{a} + \hat{b}x$$

4. 幂函数

幂函数的一般形式为
$$y = cx^b \tag{9-47}$$

对式(9-47)两边取对数得: $\ln y = \ln c + b\ln x$

令 $\ln y = y^*$, $\ln x = x^*$, $\ln c = a$, 代入上式即可化为一元线性回归预测模型:
$$\hat{y}^* = \hat{a} + \hat{b}x^*$$

5. S 曲线

S 曲线的一般形式为
$$y = \frac{1}{a + be^{-x}} \tag{9-48}$$

对式(9-48)取倒数得: $1/y = a + be^{-x}$

令 $1/y = y^*$, $e^{-x} = x^*$, 代入上式即可化为一元线性回归预测模型:
$$\hat{y}^* = \hat{a} + \hat{b}x^*$$

(二) 化一般一元非线性函数为线性函数

任何一元非线性函数都可通过数学分析(泰勒级数展开, 取近似值)的方法化成以下形式:
$$y = a + b_1 x + b_2 x^2 + \cdots + b_n x^n \tag{9-49}$$

通过变量代换的方法, 可将上式化成一个多元线性模型。

令 $x_1 = x$, $x_2 = x^2$, $\cdots$, $x_n = x^n$, 代入式(9-49)得
$$y = a + b_1 x_1 + b_2 x_2 + \cdots + b_n x_n \tag{9-50}$$

这就是多元线性模型的一般形式, 它可采用多元线性回归的方法建立模型。

三、多元线性回归模型

以前讨论的回归预测方法, 只涉及两个变量。但在实际问题中, 影响因变量的因素往往不止一个, 此时必须探索在各种因素综合作用下系统变化的规律性, 以预测系统的变化, 为

系统决策提供依据。解决这类问题的方法之一就是多元线性回归分析。

多元线性回归分析的原理与一元线性回归分析基本相同,不同点只是计算复杂、分析方法的理论较深。现以二元回归分析为例,得出多元线性回归分析的一般方法。

(一) 二元线性回归分析

例如,某矿井准备根据影响安全效益的两个重要因素——安全投入和安全管理水平,建立安全效益预测模型,有关资料如表 9-10 所列。

表 9-10　　　　　　　　　某矿井 2000～2006 年的有关资料

年份	效益 y/百万元	安全投入 x_1/十万元	管理水平 x_2(专家打分)
2000	3.1	3.9	2.4
2001	2.6	3.6	2.1
2002	2.9	3.8	2.3
2003	2.7	3.9	1.9
2004	2.8	3.7	1.9
2005	3.0	3.9	2.1
2006	3.2	3.8	2.4

现考虑的自变量有两个:一个是安全投入,以 x_1 表示;另一个是管理水平,以 x_2 表示。若安全效益以 y 表示,现研究当 x_1、x_2 改变时,y 的变化规律。我们采用线性回归模型

$$\hat{y} = \hat{b}_0 + \hat{b}_1 x_1 + \hat{b}_2 x_2 \tag{9-51}$$

作为预测模型。

因该方程在三维空间中可用一个平面表示,故称它为 y 对 x_1、x_2 的回归平面。$\hat{b}_0$、$\hat{b}_1$、$\hat{b}_2$ 称为回归系数。

仍用最小二乘法,以误差平方和最小作为回归分析的准则,即求

$$\min Q = \sum_{i=1}^{n}(y_i - \hat{b}_0 - \hat{b}_1 x_{1i} - \hat{b}_2 x_{2i})^2 \tag{9-52}$$

由微分学可知,只有当 $\frac{\partial Q}{\partial \hat{b}_0} = \frac{\partial Q}{\partial \hat{b}_1} = \frac{\partial Q}{\partial \hat{b}_2} = 0$ 时,Q 取最小值。

故得方程组:

$$\begin{cases} \frac{\partial Q}{\partial \hat{b}_0} = -2\sum_{i=1}^{n}(y_i - \hat{b}_0 - \hat{b}_1 x_{1i} - \hat{b}_2 x_{2i}) \\ \frac{\partial Q}{\partial \hat{b}_1} = -2\sum_{i=1}^{n}(y_i - \hat{b}_0 - \hat{b}_1 x_{1i} - \hat{b}_2 x_{2i})x_{1i} \\ \frac{\partial Q}{\partial \hat{b}_2} = -2\sum_{i=1}^{n}(y_i - \hat{b}_0 - \hat{b}_1 x_{1i} - \hat{b}_2 x_{2i})x_{2i} \end{cases} \tag{9-53}$$

对上述方程组化简可得:

$$\begin{cases} n\hat{b}_0 + \sum_i x_{1i}\hat{b}_1 + \sum_i x_{2i}\hat{b}_2 = \sum_i y_i \\ \sum_i x_{1i}\hat{b}_0 + \sum_i x_{1i}^2\hat{b}_1 + \sum_i x_{1i}x_{2i}\hat{b}_2 = \sum_i x_{1i}y_i \\ \sum_i x_{2i}\hat{b}_0 + \sum_i x_{1i}x_{2i}\hat{b}_1 + \sum_i x_{2i}^2\hat{b}_2 = \sum_i x_{2i}y_i \end{cases} \quad (9\text{-}54)$$

式(9-54)称为正规方程组。解正规方程组中的第一个方程,得:

$$\hat{b}_0 = \bar{y} - \hat{b}_1\bar{x}_1 - \hat{b}_2\bar{x}_2 \quad (9\text{-}55)$$

式中:

$$\bar{y} = \frac{1}{n}\sum_{i=1}^n y_i$$

$$\bar{x}_1 = \frac{1}{n}\sum_{i=1}^n x_{1i}$$

$$\bar{x}_2 = \frac{1}{n}\sum_{i=1}^n x_{2i}$$

把 $\hat{b}_0$ 代入式(9-54)中的后两个方程,并整理得:

$$\begin{cases} l_{11}\hat{b}_1 + l_{12}\hat{b}_2 = l_{10} \\ l_{21}\hat{b}_1 + l_{22}\hat{b}_2 = l_{20} \end{cases} \quad (9\text{-}56)$$

改写成矩阵的形式为

$$\begin{bmatrix} l_{11} & l_{12} \\ l_{21} & l_{22} \end{bmatrix} \cdot \begin{bmatrix} \hat{b}_1 \\ \hat{b}_2 \end{bmatrix} = \begin{bmatrix} l_{10} \\ l_{20} \end{bmatrix} \text{或} \boldsymbol{LB} = \boldsymbol{L}_0$$

其中:

$$L_{kj} = \sum_{i=1}^n (x_{ki} - \bar{x}_k)(x_{ji} - \bar{x}_j) \quad (k,j = 1,2) \quad (9\text{-}57)$$

$$L_{k0} = \sum_{i=1}^n (x_{ki} - \bar{x}_k)(y_i - \bar{y}) \quad (k = 1,2) \quad (9\text{-}58)$$

该方程也称为正规方程,它形式简单,求解也很容易。因为矩阵 $\begin{bmatrix} l_{11} & l_{12} \\ l_{21} & l_{22} \end{bmatrix}$ 是对称非奇异矩阵,所以 $\boldsymbol{B} = \boldsymbol{L}^{-1}\boldsymbol{L}_0$ 即为正规方程(9-56)的解。

由式(9-56)解出 $\hat{b}_1$ 和 $\hat{b}_2$ 后,代入式(9-55)即求出 $\hat{b}_0$。

求出 $\hat{b}_0$、$\hat{b}_1$、$\hat{b}_2$ 后得出预测方程(9-51)。

通过上述推导可知,建立二元线性预测模型的关键是形成正规方程。在形成正规方程后就把二元线性回归分析归结为求解线性方程组的解的问题了。

现以上例说明建立预测模型的方法和步骤:

(1) 求解正规方程组的系数(即建立 $\boldsymbol{L}$ 和 $\boldsymbol{L}_0$ 矩阵)

$$l_{11} = \sum_{i=1}^7 (x_{1i} - \bar{x}_1)(x_{1i} - \bar{x}_1) = 0.08$$

$$l_{12} = \sum_{i=1}^7 (x_{1i} - \bar{x}_1)(x_{2i} - \bar{x}_2) = 0.03$$

$$l_{21} = \sum_{i=1}^7 (x_{2i} - \bar{x}_2)(x_{1i} - \bar{x}_1) = 0.03$$

$$l_{22} = \sum_{i=1}^{7}(x_{2i} - \bar{x}_2)(x_{2i} - \bar{x}_2) = 0.277$$

$$l_{10} = \sum_{i=1}^{7}(x_{1i} - \bar{x}_1)(y_i - \bar{y}) = 0.08$$

$$l_{20} = \sum_{i=1}^{7}(x_{2i} - \bar{x}_2)(y_i - \bar{y}) = 0.21$$

所以正规方程为

$$\begin{cases} 0.08\hat{b}_1 + 0.03\hat{b}_2 = 0.08 \\ 0.03\hat{b}_1 + 0.277\hat{b}_2 = 0.21 \end{cases}$$

(2) 求解正规方程

求解正规方程得：

$$\hat{b}_1 = 0.7461, \hat{b}_2 = 0.6769$$

将求解出的 $\hat{b}_1$、$\hat{b}_2$ 代入式(9-55)得：$\hat{b}_0 = -1.3956$。

(3) 建立预测模型，进行预测

根据所求出的系数，预测模型为

$$\hat{y} = -1.3956 + 0.7461x_1 + 0.6769x_2$$

当给定 x_1、x_2，即给定安全投入和管理水平时，可预测该矿井的安全效益。如给定 $x_1 = 4.2, x_2 = 3.1$ 时，安全效益的预测值为

$$\hat{y} = -1.3956 + 0.7461 \times 4.2 + 0.6769 \times 2.6 = 3.50(百万元)$$

(二) 多元线性回归分析

多元线性回归分析是研究系统在多个因素的影响下，建立系统总体变化规律预测模型的方法。现在二元回归分析的基础上进行推广，即可得到多元线性回归分析的一般方法。

多元线性回归模型的一般形式为

$$\hat{y} = \hat{b}_0 + \hat{b}_1 x_1 + \hat{b}_2 x_2 + \cdots + \hat{b}_m x_m \tag{9-59}$$

该方程是 $m+1$ 维空间的一个超平面，所以它为 $\hat{y}$ 对 x 的回归超平面方程。

当自变量数由两个增加到 m 个时，$\hat{b}_0$ 的求法可推广为

$$\hat{b}_0 = \bar{y} - \hat{b}_1 \bar{x}_1 - \hat{b}_2 \bar{x}_2 - \cdots - \hat{b}_m \bar{x}_m = \bar{y} - \sum_{i=1}^{m} \hat{b}_i \bar{x}_i \tag{9-60}$$

正规方程组的系数，即 L 矩阵的元素 l_{kj} 为

$$l_{kj} = \sum_{i=1}^{n}(x_{ki} - \bar{x}_k)(x_{ji} - \bar{x}_j) \quad (k, j = 1, 2, \cdots, m) \tag{9-61}$$

正规方程的常数项，L_0 向量的分量 l_{k0} 为

$$l_{k0} = \sum_{i=1}^{n}(x_{ki} - \bar{x}_k)(y_i - \bar{y}) \quad (k = 1, 2, \cdots, m) \tag{9-62}$$

求解正规方程组，即可确定 $\hat{b}_1, \hat{b}_2, \cdots, \hat{b}_m$，代入式(9-60)，求出 $\hat{b}_0$，从而得到预测模型：

$$\hat{y} = \hat{b}_0 + \hat{b}_1 x_1 + \hat{b}_2 x_2 + \cdots + \hat{b}_m x_m$$

(三) 多元线性回归模型的检验

多元线性回归模型和一元线性回归分析一样，需要检验模型的适用性。检验的基本思想是，首先对整个多元回归模型进行显著性检验。因多元线性回归分析中自变量的数量多，因此，在总的显著性分析的基础上，还得分析哪些因素（自变量）对因变量的影响大，哪些因

素影响小,哪些可以忽略不计,最后再确定它的区间估计值。

多元分析与一元分析相比,一元分析是多元分析在变量数为 $m=1$ 时的特殊情况。因此,其分析的公式也有相似之处。

多元分析的平方和分解公式仍为

$$L_{yy} = U + Q(回归平方和与剩余平方和) \tag{9-63}$$

式中:

$$U = \sum_{i=1}^{n}(\hat{y}_i - \bar{y})^2, Q = \sum_{i=1}^{n}(y_i - \hat{y}_i)^2$$

经推导得

$$U = \sum_{i=1}^{m}\hat{b}_i l_{i0} \tag{9-64}$$

$$Q = L_{yy} - U = L_{yy} - \sum_{i=1}^{m}\hat{b}_i l_{i0} \tag{9-65}$$

剩余标准差为

$$S_y = \sqrt{\frac{Q}{n-m-1}} = \sqrt{\frac{1}{n-m-1}(L_{yy} - \sum_{i=1}^{m}\hat{b}_i l_{i0})} \tag{9-66}$$

相关系数为

$$R = \sqrt{1 - \frac{Q}{L_{yy}}} \tag{9-67}$$

这里 R 是衡量整个回归效果的数量指标,称为全相关系数,其含意与一元线性回归分析中相关系数 r 完全一致。

若回归无意义,即 $\hat{b}_0 = \hat{b}_1 = \hat{b}_2 = \cdots = \hat{b}_m = 0$,则

$$F = \frac{n-m-1}{m} \times \frac{R^2}{1-R^2} < F_{1-a}(m, n-m-1) \tag{9-68}$$

否则

$$F > F_{1-a}(m, n-m-1)$$

由此式可见,当 $m=1$ 时,就是一元线性回归时的公式(9-40)。

在整个回归显著的基础上,多元分析还必须对多元回归系数进行分析,也就是判断每个自变量与因变量的显著性。因为在多元回归分析中经常出现 y 与自变量总体有相关关系,但 y 与某个个别自变量 x_i 可能无关,也就是说,x_i 对 y 并不起作用或它的作用已被其他 x_j 所代替。进行这步分析可确定出对 y 影响较大的因素和影响较小或没有影响的因素,以决定应该把哪些因素包含在预测模型中,把哪些因素从所确定的模型中剔除,以便建立一个更简单、更适用、更方便的预测模型。

其检验采用 t 检验法:

$$t_k = \frac{\hat{b}_k}{\sqrt{C_{kk}} \times S_y} \tag{9-69}$$

式中,C_{kk} 为正规方程系数矩阵 $\boldsymbol{L}$ 的逆矩阵 $\boldsymbol{L}^{-1}$ 中对角线上的元素。如果

$$|t_k| > t_{1-\frac{a}{2}}(n-m-1)$$

则认为 x_k 对 y 有作用,否则无作用,应予以剔除。

从多元线性回归模型中剔除某个影响不大的因素 x_k(有时需要研究剔除某个影响比较

大的因素），是在$\hat{b}_k=0$的假设下，由t检验确定的，但是决不能从预测模型中以$\hat{b}_k$较小为理由简单地删除$\hat{b}_k x_k$项。因为当剔除某一因素后，相当于从原始数据中去掉了这一因素所对应的所有数据，这必然导致回归模型的变化，故需重新配合方程。为了避免复杂的计算，数理统计学为我们提供了一个不需重新配合方程的计算公式和算法。其算法如下：

设剔除因素之前的回归模型为
$$\hat{y} = \hat{b}_0 + \hat{b}_1 x_1 + \hat{b}_2 x_2 + \cdots + \hat{b}_m x_m$$

剔除因素后新的回归模型为
$$\hat{y} = \hat{b}_0^* + \hat{b}_1^* x_1 + \hat{b}_2^* x_2 + \cdots + \hat{b}_{k-1}^* x_{k-1} + \hat{b}_{k+1}^* x_{k+1} + \cdots + \hat{b}_m^* x_m$$

则

$$\hat{b}_j^* = \hat{b}_j - \frac{C_{kj}}{C_{jk}} \hat{b}_k \quad (j=1,2,\cdots,m; j \neq k) \tag{9-70}$$

$$\hat{b}_0^* = \bar{y} - \sum_{j \neq k} \hat{b}_j^* \bar{x}_j$$

式中 C_{ij}——L^{-1}矩阵中的元素。

当因素剔除后，回归方程变成了新形式，回归平方和也发生了变化。我们把剔除某因素后，回归平方和所发生的变化叫做偏回归平方和。

原回归平方和$U = \sum_{i=1}^m \hat{b}_i l_{i0}$，剔除因素后的回归平方和$U' = \sum_{i \neq k} \hat{b}_i l_{i0}$，则剔除第$k$个因素$x_k$后的偏回归平方和为$U_k = U - U'$。由数理统计学知：

$$U_k = U - U' = \frac{\hat{b}_i^2}{C_{kk}} \tag{9-71}$$

由上述可知，回归平方和U体现出所有变量对y的影响，而偏回归平方和U_k则体现出第k个因素单独对y的影响。如果因素x_k对y的影响大，则U_k大，反之则小。

式(9-70)、式(9-71)提供了在一次回归之后，重新进行回归计算的方便条件，可使计算工作大大简化。

在剔除因素得到新模型之后，再经过检验，直到所有剩下的因素都通过t检验为止，即可确定回归系数的区间估计。

其计算公式为

$$d_k = t_{1-\frac{\alpha}{2}}(n-m-1)\sqrt{C_{kk} \times S_y} \tag{9-72}$$

区间为
$$(\hat{b}_k - d_k, \hat{b}_k + d_k) \tag{9-73}$$

在$x_1, x_2, \cdots, x_m$给出确定值之后，根据$\hat{y} = \hat{b}_0 + \hat{b}_1 x_1 + \hat{b}_2 x_2 + \cdots + \hat{b}_m x_m$可预测出$\hat{y}$值，但尚需估计误差范围。一般采用剩余标准差$S_y$的2倍，即可保证$\alpha=0.05$的置信度。故$y$的估计误差为$2S_y$，区间为$(y-2S_y, y+2S_y)$。

这里需要说明的是，回归分析通常需要较大的样本容量，所以计算量往往比较大，但在进行回归分析时，可以借助统计分析软件 SPSS 来完成。

第六节 马尔柯夫预测法

马尔柯夫预测模型是根据俄国数学家 A·马尔柯夫(A. Markov)的随机过程理论提出来的，它主要是通过研究系统对象的状态转移概率来进行预测的。作为一种预测技术，马尔柯夫预测模型已广泛应用于各个领域。

一、马尔柯夫预测原理

（一）马尔柯夫过程

马尔柯夫预测是从状态及状态转换的概念出发的。若对研究对象考虑一系列随机试验，其中每次试验的结果如果出现在有限个两两互斥的事件集 $E=\{E_1, E_2, \cdots, E_n\}$ 中，且仅出现其中一个，则称事件 $E_i \in E$ 为系统的状态。若事件 E_i 出现，则称系统处在状态 E_i。即状态是研究对象随机试验样本空间的一个划分。例如，机器设备在 $t=t_0$ 时刻，处于正常运行状态，那在任何 $t_1 > t_0$ 时刻可能转变成故障而不能运转，也可能继续保持正常运行。令 E_1 表示正常状态，E_2 表示故障状态。同样，若在 t_0 时刻设备为故障状态，而 $t_1 > t_0$ 时，设备可能已修复好，变为正常运行，也可能未能修复，继续处于故障状态。

马尔柯夫在20世纪初，经过多次试验研究发现，现实中有这样一类随机过程，在系统状态转移过程中，系统将来的状态只与现在的状态有关，而与过去的状态无关。这种性质叫做无后效性，符合这种性质的状态转移过程，称为马尔柯夫过程（Markov Process）。

（二）马尔柯夫链

如果马尔柯夫过程的状态和时间参数都是离散的，则这样的过程称为马尔柯夫链。这里"链"的含义是指，只有在顺序相邻的两个随机变量之间具有相关关系。因而只要表达这两个随机变量之间的联合分布或条件分布，就足以说明该随机过程的性质和特征，从而避免了对过程中所有随机变量相关性的分析。但是这种简化并不妨碍对实际生活中各类问题的描述和研究：例如，对于某地区每年的气候按一定的指标可分为旱、涝两种状态，这样根据多年记录的气候资料就可形成一个以年为时间单位，每一时间只出现旱、涝两种状态之一的时间离散、状态离散的随机时间序列，即马尔柯夫链。当然在实际问题中，时间可以年、月、日等为单位，状态也可能有多种形式，对于本例，也可以按一定的指标将每年的气候划分为轻旱、旱、大旱、正常、轻涝、涝、大涝等七种状态。

在马尔柯夫链中，一个重要的概念就是状态的转移。如果过程由一个特定的状态变化到另一个特定的状态，就说过程实现了状态转移。例如机器的故障和正常有两种状态，则状态的转移就有四种情形，如图9-7所示。显然，在这种状态转移过程中，第 t_n 时刻的状态只与第 t_{n-1} 时刻的状态有关，而与 t_{n-1} 时刻以前的状态转移无关。

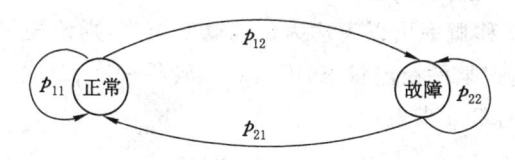

图9-7 正常故障状态转移图

（三）状态转移概率矩阵及其基本性质

既然状态的转移是一种随机现象，那么为了对状态转移过程进行定量描述，必须引入状态转移概率的概念。假设系统有 n 个状态，所谓状态转移概率，是指由状态 i 转移到状态 j 的概率，记为 p_{ij}。p_{ij} 只与 i 和 j 有关，即只与转移前后的状态有关，这个概率也称为马尔柯夫链的一步转移概率。例如图9-7中，若令正常状态为1，故障状态为2，则由正常转为故障

的概率可记为 p_{12},正常转为正常的概率可记为 p_{11}。故障状态转移为正常的概率可记为 p_{21},故障转移为故障的概率可记为 p_{22}。一步状态转移概率可以用矩阵表示为

$$P = \begin{bmatrix} p_{11} & p_{12} \\ p_{21} & p_{22} \end{bmatrix}$$

则矩阵 P 称为一步状态转移概率矩阵,简称概率矩阵。若系统有 n 个状态,则一步状态转移概率矩阵可表示为

$$P = \begin{bmatrix} p_{11} & p_{12} & \cdots & p_{1n} \\ p_{21} & p_{22} & \cdots & p_{2n} \\ \vdots & \vdots & & \vdots \\ p_{n1} & p_{n2} & \cdots & p_{nn} \end{bmatrix}$$

其中,$0 \leq p_{ij} \leq 1$,$i,j = 1,2,\cdots,n$,且 $\sum_{j=1}^{n} p_{ij} = 1$。第 i 行的向量 $p_i = (p_{i1}, p_{i2}, \cdots, p_{in})$ 称为概率向量。

概率矩阵具有如下一些特点:

(1) 若矩阵 A 和 B 都是概率矩阵,则 A 和 B 的乘积也是概率矩阵。同样,A 的 n 次幂 A^n 也是概率矩阵。

(2) 若概率矩阵 P 的 m 次幂 P^m 的所有元素皆为正,则该概率矩阵 P 称为正规概率矩阵(此处 $m \geq 2$)。

(3) 当任一非零向量 $u = (u_1, u_2, \cdots, u_n)$ 乘以某一方阵 A 后,其结果仍为 u,即不改变 u 中各元素的值,则称 u 为 A 的固定向量(或不动点)。即

$$uA = u \tag{9-74}$$

(4) 正规概率矩阵具有如下性质:

① 正规概率矩阵 P 有一个固定概率向量 u,且 u 的所有元素皆为正,此向量叫做特征向量。

② 正规概率矩阵 P 的各次幂序列 $P, P^2, P^3, \cdots$,趋近于某一方阵 U,且 U 的每一行均为其固定概率向量 u。

③ 若 T 为任一概率向量,则向量序列 $TP, TP^2, TP^3, \cdots$,将趋近于 P 的固定概率向量 u。

(5) 若某事物状态转移概率可以表达为正规概率矩阵,则该马尔柯夫链就是正规的,通过若干步转移,最终会达到某种稳定状态,即其后再转移一次、二次、……,结果也不再变化,这时稳定状态可以用行向量 u 来表示:

$$u = (u_1, u_2, \cdots, u_n)$$

$$\sum u_i = 1$$

行向量 u 即为此正规概率转移矩阵的固定概率向量。

例如,某事物的状态转移概率矩阵为一正规概率矩阵,

$$P = \begin{bmatrix} 0.5 & 0.25 & 0.25 \\ 0.5 & 0 & 0.5 \\ 0.25 & 0.25 & 0.5 \end{bmatrix}$$

则若干步转移后达到稳定状态时的特征向量 $u = (u_1, u_2, u_3)$,可如下求解:

$$\begin{cases} (u_1 \quad u_2 \quad u_3) \begin{bmatrix} 0.5 & 0.25 & 0.25 \\ 0.5 & 0 & 0.5 \\ 0.25 & 0.25 & 0.5 \end{bmatrix} = (u_1 \quad u_2 \quad u_3) \\ u_1 + u_2 + u_3 = 1 \end{cases}$$

解此方程组可得:
$$u = (0.4, 0.2, 0.4)$$

(6) 事物经过 k 步由状态 i 转移至状态 j 的概率称为 k 步转移概率,记为 $p_{ij}^{(k)}$,其概率矩阵记为

$$\boldsymbol{P}^{(k)} = \begin{bmatrix} p_{11}^{(k)} & p_{12}^{(k)} & \cdots & p_{1n}^{(k)} \\ p_{21}^{(k)} & p_{22}^{(k)} & \cdots & p_{2n}^{(k)} \\ \vdots & \vdots & & \vdots \\ p_{n1}^{(k)} & p_{n2}^{(k)} & \cdots & p_{nn}^{(k)} \end{bmatrix}$$

称为 k 步转移概率矩阵。在数学上可以证明:

$$\boldsymbol{P}^{(k)} = \boldsymbol{P}^k \tag{9-75}$$

即 k 步转移概率矩阵为一步转移概率矩阵的 k 次幂。

二、实例应用

例 9-1 某单位对 1 250 名接触矽尘人员进行健康检查时,发现职工的健康状况分布如表 9-11 所列。

表 9-11 本年度接尘职工健康状况

健康状况	健康	疑似矽肺	矽肺
代表符号	$s_1^{(0)}$	$s_2^{(0)}$	$s_3^{(0)}$
人数	1 000	200	50

根据统计资料,前年到去年各种健康人员的变化情况如下:

健康人员继续保持健康者剩 70%,有 20% 变为疑似矽肺,10% 的人被定为矽肺,即
$$p_{11} = 0.70, p_{12} = 0.20, p_{13} = 0.10$$

原有疑似矽肺者一般不可能恢复为健康者,仍保持原状者为 80%,有 20% 被正式定为矽肺,即
$$p_{21} = 0, p_{22} = 0.8, p_{23} = 0.2$$

矽肺患者一般不可能恢复为健康或返回疑似矽肺,即
$$p_{31} = 0, p_{32} = 0, p_{33} = 1$$

状态转移概率矩阵为
$$\boldsymbol{P} = \begin{bmatrix} 0.7 & 0.2 & 0.1 \\ 0 & 0.8 & 0.2 \\ 0 & 0 & 1 \end{bmatrix}$$

试预测来年接尘人员的健康状况。

解 一次转移向量

$$s^{(0)} = s^{(0)}P = [s_1^{(0)}, s_2^{(0)}, s_2^{(0)}] \begin{bmatrix} p_{11} & p_{12} & p_{13} \\ p_{21} & p_{22} & p_{23} \\ p_{31} & p_{32} & p_{33} \end{bmatrix} = [1\,000 \quad 200 \quad 50] \begin{bmatrix} 0.7 & 0.2 & 0.1 \\ 0 & 0.8 & 0.2 \\ 0 & 0 & 1 \end{bmatrix}$$

一年后健康者人数 $s_1^{(1)}$ 为

$$s_1^{(1)} = [s_1^{(0)}, s_2^{(0)}, s_3^{(0)}] \begin{bmatrix} p_{11} \\ p_{21} \\ p_{31} \end{bmatrix} = [1\,000 \quad 200 \quad 50] \begin{bmatrix} 0.7 \\ 0 \\ 0 \end{bmatrix}$$

$$= 1\,000 \times 0.7 + 200 \times 0 + 50 \times 0 = 700$$

一年后疑似矽肺人数 $s_2^{(1)}$ 为

$$s_2^{(1)} = [s_1^{(0)}, s_2^{(0)}, s_3^{(0)}] \begin{bmatrix} p_{12} \\ p_{22} \\ p_{32} \end{bmatrix} = [1\,000 \quad 200 \quad 50] \begin{bmatrix} 0.2 \\ 0.8 \\ 0 \end{bmatrix}$$

$$= 1\,000 \times 0.2 + 200 \times 0.8 + 50 \times 0 = 360$$

一年后矽肺患者人数 $s_3^{(1)}$ 为

$$s_3^{(1)} = [s_1^{(0)}, s_2^{(0)}, s_3^{(0)}] \begin{bmatrix} p_{13} \\ p_{23} \\ p_{33} \end{bmatrix} = [1\,000 \quad 200 \quad 50] \begin{bmatrix} 0.1 \\ 0.2 \\ 1 \end{bmatrix}$$

$$= 1\,000 \times 0.1 + 200 \times 0.2 + 50 \times 1 = 190$$

预测结果表明,该单位矽肺发展速度快,必须立即加强防尘工作和医疗卫生工作。

第七节　灰色预测法

时间序列预测采用趋势预测原理进行预测,但是时间序列预测存在以下问题：

(1) 若时间序列变化趋势不明显时,则很难建立起较精确的预测模型；

(2) 趋势预测是基于系统按原趋势发展变化的假设基础之上进行预测的,因而未考虑对未来变化产生影响的各种不确定因素。

为了克服上述缺点,华中科技大学的邓聚龙教授在 20 世纪 80 年代初创立了灰色预测理论。

一、灰色预测概述

部分信息已知、部分信息未知的系统称为灰色系统。比如人体是一个灰色系统,人体某些外形参数如身高、体重等是已知的,某些内部参数如血压、脉搏等也是已知的,但有更多的信息是未知的,如人体信息网络、人体功能机制等。严格说来,灰色系统是绝对的,而白色系统和黑色系统是相对的。

基于灰色系统理论(简称灰色理论或灰理论)的 GM(1,1)模型的预测,称为灰色预测。

1. 灰色预测基本思想

当一时间序列无明显趋势时,采用累加的方法可生成一趋势明显的时间序列。

如时间序列 $x^{(0)} = (32,38,36,35,40,42)$ 的趋势并不明显,但将其元素进行"累加"后所生成的时间序列 $x^{(1)} = (32,70,106,141,181,223)$ 则是一趋势明显的数列,按该数列的增长趋势可建立预测模型并考虑灰色因子的影响进行预测,然后采用"累减"的方法进行逆运算,恢复原时间序列,得到预测结果,这就是灰色预测的基本思想。

2. 灰色预测的类型

灰色预测按其应用的对象不同可分为五种类型:

(1) 数列预测。这类预测是对系统行为特征值大小的发展变化所进行的预测,称为系统行为数据列的变化预测,简称数列预测。如粮食产量的预测等。

(2) 灾变预测。对系统行为的特征值超过某个阈值(界限值)的异常值将在何时再出现的预测称为灾变预测。所以灾变预测就是对异常值出现时刻的预测。

(3) 季节突变预测。若系统行为特征量异常值的出现,或某种事件的发生是在一年中某个特定的时区,则这种预测称为季节性灾变预测。

(4) 拓扑预测。这类预测是对一段时间内系统行为特征数据波形的预测。

(5) 系统预测。系统预测是指对同一系统多种行为变量的预测。系统预测的模型不同于前面四种预测的模型,它是基于一串相互关联的 GM(1,N) 模型。

3. GM 模型机理

灰色理论的微分方程型模型称为 GM 模型(Grey Model)。一般建模是用数据列建立差分方程。而灰色建模则是用原始数据列作生成处理后建立微分方程。GM(1,N) 表示 1 阶的、N 个变量的微分方程型模型。而 GM(1,1) 则是 1 阶的、1 个变量的微分方程型模型。

GM(1,N) 模型适合于建立系统的状态模型,适合于各变量动态关联分析,适合于为高阶系统建模提供基础,但不适合预测使用。因为 GM(1,N) 虽然反映的是变量 x_1 的变化规律,但是每个时刻的 x_1 值都依赖于其他变量在该时刻的值,如果其他变量的预测值未求出,则 x_1 的预测值就不可能得到。因此适合于预测的模型应该是单变量的模型,即 GM(1,1) 模型,GM(1,1) 是 GM(1,N) 的特例(即变量为1)。所以通常所说的灰色预测皆指 GM(1,1) 模型预测。

灰色理论的 GM 模型的机理可概括为以下几点:

(1) 一般系统理论只能建立差分模型,不能建立微分模型。而差分模型是一种递推模型,只能按阶段分析系统的发展,只能用于短期分析。而灰色理论基于关联度收敛原理、生成数、灰导数、灰微分方程等观点和方法建立了微分方程型模型。

(2) 灰色理论将一切随机变量看做是在一定范围内变化的灰色量,将随机过程看做是在一定范围内变化的、与时间有关的灰色过程。利用数据生成的方法,将杂乱无章的原始数据整理成规律性较强的生成数列再作研究。

(3) 对高阶系统建模,灰色理论是通过 GM(1,N) 模型群来解决的。GM 模型群即一阶微分方程组,也可以通过多级多次残差 GM 模型的补充修正来解决。

(4) 灰色理论通过模型计算值与实际值之差(残差)建立 GM(1,1) 模型,作为提高模型精度的主要途径。灰色理论的模型在考虑残差 GM(1,1) 模型的补充和修正后经常会成为差分微分型模型。

(5) 灰色理论建模一般都采用三种检验方式,即残差大小检验、后验差检验和关联度检验。残差大小检验是按点检验,是算术检验;后验差检验是按照残差的概率分布进行检验,属统计检验;关联度检验是根据模型曲线与行为数据曲线的几何相似程度进行检验,是一种几何检验。

(6) 灰色 GM 模型是生成数据模型,因此通过生成数据的 GM 模型所得到的预测值,必须做逆生成处理后才能使用。

二、灰色预测建模方法

设原始离散数据序列 $x^{(0)} = \{x_1^{(0)}, x_2^{(0)}, \cdots, x_N^{(0)}\}$,其中 N 为序列长度,对其进行一次累加生成处理

$$x_k^{(0)} = \sum_{j=1}^{k} x_j^{(0)} \quad (k = 1, 2, \cdots, N) \tag{9-76}$$

则以生成序列 $x^{(1)} = \{x_1^{(0)}, x_2^{(0)}, \cdots, x_N^{(0)}\}$ 为基础建立灰色的生成模型

$$\frac{\mathrm{d}x^{(1)}}{\mathrm{d}t} + ax^{(1)} = u \tag{9-77}$$

称为一阶灰色微分方程,记为 GM(1,1),式中 a, u 为待辨识参数。

设参数向量 $\hat{a} = [a u]^\mathrm{T}$,$y_N = [x_2^{(0)}, x_3^{(0)}, \cdots, x_N^{(0)}]^\mathrm{T}$ 和

$$\boldsymbol{B} = \begin{bmatrix} -(x_2^{(1)} + x_1^{(1)})/2 & 1 \\ \vdots & \vdots \\ -(x_N^{(1)} + x_{N-1}^{(1)})/2 & 1 \end{bmatrix}$$

则由下式求得的最小二乘解:

$$\hat{a} = (\boldsymbol{B}^\mathrm{T} \boldsymbol{B})^{-1} \boldsymbol{B}^\mathrm{T} y_N \tag{9-78}$$

时间响应方程[即式(9-77)的解]:

$$\hat{x}_1^{(1)} = (x_1^{(1)} - \frac{u}{a}) \mathrm{e}^{-ak} + \frac{u}{a} \tag{9-79}$$

离散响应方程:

$$\hat{x}_{k+1}^{(1)} = (x_1^{(1)} - u/a) \mathrm{e}^{-ak} + u/a \tag{9-80}$$

式中,$x_1^{(1)} = x_1^{(0)}$。

将 $\hat{x}_{k+1}^{(1)}$ 计算值作累减还原,即得到原始数据的估计值:

$$\hat{x}_{k+1}^{(0)} = \hat{x}_{k+1}^{(1)} - \hat{x}_k^{(1)} \tag{9-81}$$

GM(1,1)模型的拟合残差中往往还有一部分动态有效信息,可以通过建立残差 GM(1,1)模型对原模型进行修正。

三、预测模型的后验差检验

可以用关联度及后验差对预测模型进行检验,下面介绍后验差检验。记 0 阶残差为

$$\varepsilon_i^{(0)} = x_i^{(0)} - \hat{x}_i^{(0)} \quad (i = 1, 2, \cdots, n) \tag{9-82}$$

式中,$\hat{x}_i^{(0)}$ 是通过预测模型得到的预测值。

残差均值:

$$\bar{\varepsilon}^{(0)} = \frac{1}{n} \sum_{i=1}^{n} \varepsilon_i^{(0)} \tag{9-83}$$

残差方差:

$$s_1^2 = \frac{1}{n} \sum_{i=1}^{n} (\varepsilon_i^{(0)} - \bar{\varepsilon})^2 \tag{9-84}$$

原始数据均值:

$$\bar{x} = \frac{1}{N} \sum_{i=1}^{n} x_i^{(0)} \tag{9-85}$$

原始数据方差：

$$s_2^2 = \frac{1}{N}\sum_{i=1}^{n}(x_i^{(0)} - \bar{x})^2 \tag{9-86}$$

为此可计算后验差检验指标：

后验差比值 c：

$$c = s_1/s_2 \tag{9-87}$$

小误差概率 p：

$$p = p\{|\varepsilon_i^{(0)} - \bar{\varepsilon}^{(0)}| < 0.6745 s_2\} \tag{9-88}$$

按照上述两指标，可从表 9-12 查出精度检验等级。

表 9-12　　　　　　　　　　　　　精度检验等级

预测精度等级	p	c
好(good)	>0.95	<0.35
合格(qualified)	>0.80	<0.5
勉强(just mark)	>0.70	<0.45
不合格(unqualified)	≤0.70	≥0.65

四、灰色预测应用

例 9-2　已知某矿 1996 年至 2004 年千人负伤率如表 9-13 所列，试用 GM(1,1) 模型对该矿 2005 年、2006 年两年的千人负伤率进行灰色预测，并对拟合精度进行后验差检验。

表 9-13　　　　　　某矿 1996～2004 年千人负伤率

年份	1996	1997	1998	1999	2000	2001	2002	2003	2004
千人负伤率	56.165	55.65	49.525	34.585	14.405	9.525	8.970	6.475	4.110

解　由表 9-13 可以得到：

$$x^{(0)} = [56.165, 55.65, 49.525, 34.585, 14.405, \cdots, 4.110]$$

$$x^{(1)} = [56.165, 111.815, 161.34, 195.925, 210.33, \cdots, 239.41]$$

故可建立数据矩阵 $\boldsymbol{B}, \boldsymbol{y}_N$：

$$\boldsymbol{B} = \begin{bmatrix} -83.99 & 1 \\ -136.5775 & 1 \\ \vdots & \vdots \\ -237.355 & 1 \end{bmatrix}$$

$$\boldsymbol{y}_N = [55.65, 49.525, 34.585, 14.405, 9.525, \cdots, 4.110]^T$$

由式(9-78)得：

$$\hat{\boldsymbol{a}} = \begin{bmatrix} a \\ u \end{bmatrix} = \begin{bmatrix} 0.37285 \\ 93.3336 \end{bmatrix}$$

则 a、u 代入式(9-80)可得到：

$$\hat{x}_{k+1}^{(1)} = 250.331 - 194.16^{-0.37285k}$$

$$\hat{x}_{k+1}^{(1)} = \hat{x}_{k+1}^{(1)} - \hat{x}_k^{(0)}$$

计算结果如表 9-14 所列。

表 9-14　　　　　　　　　　　计 算 结 果

年份	序号	$x^{(0)}$	$x^{(1)}$	$\hat{x}^{(1)}$	$\hat{x}^{(0)}$	$\hat{\varepsilon}^{(0)}$
1996	1	56.165	56.165	56.165	0	
1997	2	55.65	111.815	116.594	60.429	−4.779
1998	3	49.525	161.34	158.215	41.621	7.904
1999	4	34.585	195.925	186.883	28.668	5.917
2000	5	14.405	210.33	206.628	19.745	−5.34
2001	6	9.525	219.855	220.228	13.60	−4.075
2002	7	8.970	228.825	229.595	9.367	−0.397
2003	8	6.475	235.30	260.047	6.452	0.023
2004	9	4.110	239.41	240.491	4.444	−0.334
2005	10			243.551	3.06	
2006	11			245.660	2.109	

进行后验差检验

$$\varepsilon_i^{(0)} = x_i^{(0)} - \hat{x}_i^{(0)} \quad (i = 1, 2, \cdots, n)$$
$$\bar{\varepsilon}^{(0)} = 0.4408, s_1 = 4.1589$$
$$\bar{x}^{(0)} = 26.60, s_2 = 21.00$$

则

$$c = s_1/s_2 = 0.198 < 0.35$$
$$p = p\{|\varepsilon_i^{(0)} - \bar{\varepsilon}^{(0)}| < 0.6745 s_2\} = 1 > 0.95$$

对照表 9-12 知,灰色系统预测拟合精度为好,预测结果正确可靠。

第八节　其他预测方法

一、专家系统预测法

一般来说,由于事故的发生是一个非平稳的随机过程,并且由于一些重大事故的样本数据量缺乏和信息量不足,这样一般统计预测模型的误差就会较大。基于计算机专家系统之上的预测法,应用专家知识与预测定量模型相结合,能做到定性、定量分析,误差量将会降低。这样就会有必要采用高精度的预测方法,如专家系统预测方法。根据预测结果,结合相关决策方法,调用知识库安全专家知识,运用推理技术,选择事故隐患库、安全措施库相关内容,作出合理的事故预防决策。决策方法及模型如下:

(1) 事故预防多目标决策。因为事故预防决策要考虑科技水平、经济条件、安全水准等边界限制条件,要考虑降低事故、提高效益、企业能力等多方面因素,拟选用多目标决策法(加权评分法、层次分析法、目标规划法等)为宜。其问题的实质是有 k 个目标,$f_1(x)$,$f_2(x)$,$\cdots$,$f_k(x)$,求解 x,使各目标值从整体上达到最优,$\max[f_1(x), f_2(x), \cdots, f_k(x)]$。

该方法主要用于事故预防的多方案决策。

(2) 安全投资决策。为降低事故,需增加投资,安全投资决策主要运用风险决策、综合评分决策、模糊灰色决策等方法,以使决策方案最优。

(3) 隐患及薄弱环节控制决策。决策目标是应用预测或实际统计的数据,在合理的安全评价理论和方法的基础上,对人、机、环境、管理等生产的事故隐患和薄弱性环节进行对策性决策,以指导科学和准确地采取事故预防措施。

决策方法:最大薄弱环节准则;主次因素分析技术;信息量决策技术等。

决策内容:能给出隐患控制和事故薄弱性环节的优选级措施方案。如采用的技术、装置、事故预防效果、安全措施或方案的难度级、措施投资参考等内容。

二、事故死亡发生概率测度法

直接定量地描述人员遭受伤害的严重程度往往是非常困难的,甚至是不可能的。在伤亡事故统计中通过损失工作日来间接地定量伤害严重程度,有时与实际伤害程度有很大偏差,不能正确反映真实情况。而最严重的伤害——"死亡",概念界限十分明确,统计数据也最可靠。于是,往往把死亡这种严重事故的发生概率作为评价系统的指标。

确定作为评价危险目标值的死亡事故率时有两种考虑:

(1) 与其他灾害的死亡率相对比。一般是与自然灾害和疾病的死亡率比较,评价危险状况。

(2) 死亡率降到允许范围内的投资大小。即预测到死亡一人的危险性后,为了把危险性降低到允许范围,即拯救一个人的生命,必须花费的投资和劳动力的多少。

现以美国交通事故为例,说明确定公众所接受的风险指标的方法以及死亡概率与之对比后的危险性评价。

假设美国每年发生的小汽车相撞事故有 1 500 万次,其中每 300 次造成 1 人死亡,则每年死亡人数为

死亡人数/事故次数×事故总次数/单位时间=$1/300 \times 15\,000\,000/1 = 50\,000$ 人/a

美国有 2 亿人口,则每人每年所承担的死亡风险率为

$$50\,000/200\,000\,000 = 2.5 \times 10^{-4} 人/(人 \cdot a)$$

这个数值意味着一个 10 万人的集体每年有 25 人出车祸死亡的风险,或 4 000 人的集体每年承担着 1 人死亡的风险,或每人每年出车祸死亡的可能性是 0.000 25。

另一种表示风险率的单位,就是把每 10^8 作业小时的死亡人数作为单位,称为 FAFR (fatal accident frequency rate),或称为 1 亿工时死亡事故频率(致使事故的发生频率)。这个单位用起来方便,便于比较。若 1 000 人一生按工作 40 年,每月 25 d,每天 8 h 计的话,则有:

$$1\,000 \times 40 \times 12 \times 25 \times 8 = 0.96 \times 10^8 \approx 10^8$$

所以 FAFR 可以理解为 1 000 人干一辈子只死 1 人的比例。

把上述汽车风险率换算为 FAFR 值(若每天用车时间为 4 h,每年 365 d,总共接触小汽车的时间为 1 460 h),则为

$$2.5 \times 10^{-4} \times 1/1\,460 \times 10^8 = 17.1$$

即 FAFR 值为 17.1。

这个风险率可以作为使用小汽车的一个社会公认的安全指标,也可以作为死亡事故发

生概率评价的依据。也就是说人们愿意接受这样的风险而享受小汽车的利益。如果还想进一步降低风险,必然要花更多的资金改善交通设备和汽车性能。因此,没有人愿意再花更多的钱改变这个数值,也没有人害怕这样的风险而放弃使用小汽车。将合理的风险率定为评价标准是很重要的。

表 9-15、表 9-16 分别列出了美国、英国各类工业所承担的风险率情况。

表 9-15　　　　　　　　美国各行业死亡概率安全指标

行业类型	FAFR	死亡/(人·a)
全美工业	7.1	1.4×10^{-4}
商业	3.2	0.6×10^{-4}
制造业	4.5	0.9×10^{-4}
服务类	4.3	0.86×10^{-4}
机关	5.7	1.14×10^{-4}
运输及公用事业	16	3.6×10^{-4}
农业	27	5.4×10^{-4}
建筑业	28	5.6×10^{-4}
采矿、采石业	31	6.2×10^{-4}

表 9-16　　　　　　　　英国工厂的 FAFR 值

工业类型	FAFR	工业类型	FAFR
全英工业	4	农业	10
制衣和制鞋业	0.15	捕鱼	35
汽车工业	1.3	煤矿	40
化工	3.5	铁路	45
钢铁	8	建筑	67

事故除了可能产生死亡的结果外,大多数是负伤情况,为了对负伤的可能性进行比较,可将受伤情况折合成损失工作日数,根据多年统计资料,得出负伤安全指标的数据,以"损失日数/接触小时"为单位。美国的统计结果如表 9-17 所列。

表 9-17　　　　　　　　不同工作地点的负伤安全指标(美)

工业类型	风险度(损失日数/接触小时)	工业类型	风险度(损失日数/接触小时)
全美工业	6.7×10^{-4}	钢铁工业	6.3×10^{-4}
汽车工业	1.6×10^{-4}	石油工业	6.9×10^{-4}
化学工业	3.5×10^{-4}	造船工业	8.0×10^{-4}
橡胶、塑料	3.6×10^{-4}	建筑业	1.5×10^{-4}
商业(批发零售)	4.7×10^{-4}	采矿、采煤业	5.2×10^{-4}

从上述各表的数据,可以看出各种工业所承担的风险率情况。如何对待不同的风险率,应该是采取措施的重要依据。

应该指出，上面各表所列的安全指标是根据多年统计得来的数据，如果用于设计，则要考虑10～20倍的安全系数。如煤矿生产中的FAFR值为40，在设计时只能用2～4的数值作为安全标准。

本章小结

本章对系统安全预测技术进行了全面、系统的介绍。首先对系统安全预测的概念、预测技术的分类、预测原理、程序和应注意的问题进行了介绍；然后对定性预测技术的德尔菲法、交叉概率法和类推法进行了介绍；之后介绍了几种定量预测技术，主要有时间序列预测法（包括滑动平均法和指数滑动平均法）、趋势预测技术（包括趋势直线、二次曲线、三次曲线、修正指数曲线和戈伯资曲线）、回归预测技术（包括一元线性预测、一元非线性预测和多元线性预测等）、马尔柯夫预测、灰色预测法、专家系统预测法和事故死亡发生概率测度法等，并对主要的预测技术给出了应用实例。

思考题

1. 何谓预测？预测包括哪些步骤？
2. 系统预测的基本原理主要有哪些？
3. 进行系统预测时应注意哪些主要问题？
4. 德尔菲法预测程序的步骤内容是什么？有哪些优点？
5. 如何选择趋势曲线预测模型？
6. 简述线性回归分析法主要步骤。常见的将非线性转化为线性回归方程曲线有哪几种？如何进行计算？
7. 简述马尔柯夫预测原理。
8. 已知某煤矿1997～2002年发生的轻伤事故数据如表9-18所列，试建立灰色预测模型并预测2003、2004年的轻伤事故人数。

表9-18　　　　　　　某矿轻伤事故受伤人数数据表

年 份	1997	1998	1999	2000	2001	2002
轻伤人数/人	32	37	41	46	50	55

第十章

人因失误率预测

第一节 人因失误分析

一、人因失误的定义及分类

人因失误与人的可靠性是一对矛盾的对立统一体:人的可靠性是指人对于系统的可靠性或可用性而言所必须完成的那些活动的成功概率;人因失误性则是从系统的不期望后果(例如绩效的退化、安全性的丧失、费用的增长等)角度来定义的。人因失误的整个研究过程,可以分为两个阶段:第一个阶段是指从20世纪60年代到80年代初期至中后期,主要的工作包括人因失误的理论与分类研究,人的可靠性数据的收集、整理(现场数据和模拟机实验数据)和发展以专家判断为基础的人因失误概率的统计分析与预测方法,其中最有代表性的是人因失误预测技术(THERP)及其核电厂应用中人的可靠性手册(Swain & Guttmann, 1983),它的基本指导思想是将人的绩效操作事先分解为一系列的由系统功能或规程所规定的子任务或步骤,并分别对其给出专家判断的人误概率值(human error probability, HEP),同时考虑到使用绩效形成因子(performance-shaping factor, PSF)在不确定性范围内进行修正。这一阶段产生的HRA模型的基础是人的行为理论,即以人的输出行为为着眼点,不去探究行为的内在历程。在这类模型中,对人的处理方式类似于对机器的处理。因此将这一阶段称为静态的基于专家判断与统计分析相结合的第一代HRA方法。第二个阶段是1979年美国三哩岛核电厂堆芯熔化事件发生之后,人们认识到电厂运行中人与系统的交互作用(尤其在事故进程中)对于事故的缓解或恶化起着至关重要的作用,也就是说复杂的动态过程中的而不仅仅是正常运行条件下的人的可靠性分析具有更加重要的现实意义。因而人的可靠性分析研究进入了结合认知心理学、以人的认知可靠性模型为研究热点的新的阶段,即着重研究人在应急情景下的动态认知过程,包括探查、诊断、决策等意向行为,其核心思想是将人放在事故情景环境中去探究人因失误机理,而不是采取割裂的分解赋值方式。有人称此类方法为第二代的HRA方法,又称为动态的人的可靠性分析模型。

(一)人因失误定义

近年来,人因失误定义有多种阐述。Swain强调人因失误产生的不期望后果:即生产能力、维修能力、运行能力、效绩、可靠性或系统的安全性的丧失或退化。人因失误被定义为,在系统的正常或异常运行之中,人的某些活动超越了系统的设计功能所能接受的限度。因此，人因失误是一种超越系统容许限度(out-of-tolerance)的活动,这里的可容许限度是由具体系统来定义的。

英国著名的心理学家 Reason 在他所著的《人因失误》(1990)一书中详细阐明了他的思想。Reason 认为,大多数的人因失误是非意向性的(unintended),即漫不经心下的疏忽动作造成的;有些失误是意向性的(intended),即操作者以一套不正确的计划、方案去解决问题,但他相信这是正确的或是更好的方法。人的故意的破坏行为不在考虑之内。人因失误的定义取决于人判断一种失误发生的出发点,失误者往往在事后根据各种反馈信号而意识到产生了失误,因此不论是操作者还是局外的观察者都需要一种任务效绩的参照模型以便帮助确定某项计划或动作是否保证正确执行,也就是说一个人的某种行为有没有符合一种内在的或外在的标准或期望目标。因此,Reason 将失误定义为一种通称、表示那些"背离意向计划或规程序列的人的行为,或者是,人的意向计划或动作,没有取得他所期望的结果或没有达到其预期的目标,而这种失败并不能归因于某种外力的干预"。

Lorenzo 认为如果作用于系统的人的任何行为(包含没有执行或疏于执行的行为)超出了系统的容许度,那么就是人因失误。

Fleishman 等认为人因失误基本上是指人不能精确地、恰当地、充分地、可接受地完成其所规定的绩效标准范围内的任务。

我国学者张力将人因失误定义为:人因失误是指在没有超越人-机系统设计功能的条件下,人为了完成其任务而进行的有计划行动的失败,它包括个体、群体和组织的失误。

综合而言,对某一具体的人机系统,人因失误是指对系统已设定的目标及系统的构造、模式、运行发生影响,使之逆转运行或遭受破坏的人的因素造成的各种活动。人因失误一方面影响系统的安全性,另一方面影响系统的可靠性。它是造成系统故障与性能不良、可靠性降低的原因,也是诱发事故的主要因素。

由于人的行为具有多变、灵活、机动的特性,实际生产中的人因失误表现多种多样。根据对各类生产操作活动进行分析,人因失误的表现大致分为以下几个方面:

① 操作错误,忽视安全、警告。
② 人为造成安全装置失效。
③ 使用不安全设备。
④ 手代替工具操作。
⑤ 物体(指成品、半成品、材料、工具、切屑等)存放不当。
⑥ 冒险进入危险场所。
⑦ 攀坐不安全位置,在起吊物下作业。
⑧ 机器运转时加油、修理、检查、调整、焊接、清扫等。
⑨ 有分散注意力的行为。
⑩ 在必须使用个人防护用品用具的场合中忽视使用安全装束。
⑪ 对易燃易爆危险品处理错误。

根据以上对人因失误定义的分析可知,人因失误具有以下特点:

(1) 人因失误的重复性。人因失误常常会在不同甚至相同条件下重复出现,其根本原因之一就是人的能力与外界需求的不匹配。人因失误不可能完全消除,但可以通过有效手段尽可能地避免;而一般的部件或设备,一旦发现失效原因,往往可以通过修改设计而加以克服。

(2) 人引发的失效的潜在性和不可逆转性。三哩岛事故发生的原因之一就是维修人员造成的阀门潜在失误而引起的。大量事实说明这种潜在失误一旦与某种激发条件相结合就会酿成难以避免的大祸。

(3) 人因失误行为往往是情景环境(context)驱使的。人在系统中的任何活动都离不开当时的情景环境。硬件的失效、虚假的显示信号和紧迫的时间压力等的联合效应会极大地诱发人的非安全行为。这种情景环境是目前研究人因失误行为的热点课题。

(4) 人的行为的固有可变性。人的行为的固有可变性是人的一种特性,也就是说,一个人在不借助外力情况下不可能用完全相同的方式(指准确性、精确度等)重复完成一项任务。起伏太大的变化会造成绩效的随机波动而足以产生失效,这种可变性也是人发生错误行为的重要原因。

(5) 人因失误的可修复性。人因失误会导致系统的故障或失效,然而也有许多情况说明,在良好反馈装置或人员冗余条件下,人有可能发现先前的失误并给予纠正。此外,当系统处于异常情况下,由于人的参与,往往可以得到减缓或克服,使得系统恢复正常工况或安全状态。在核电厂概率风险评价(PRA)中,人的恢复因子的计算直接影响核电厂风险值的结果。

(6) 人具有学习的能力。人能够通过不断的学习从而改进他的工作绩效,而机器一般无法做到这一点。在执行任务过程中适应环境和进行学习是人的重要行为特征,但学习的效果又受到多种因素的影响,如动机、态度等。

(二) 人因失误的分类

1. Swain 关于人因失误的分类

在早期的失误行为分类中,认为人的行为属于一种黑箱性质,难以研究。因此,分类的指导思想是与可观察的非期望的人的行为有关,而不探究人的内在行为机理。其中最有代表性的是 Swain(1982)提出的人的遗漏型失误(error of omission,EOO)和执行型失误(error of commission,EOC),它们的产生最初完全是受到 PRA 的事件树逻辑模型(成功与失败)的要求和制约。EOO 是指丢失了某项任务或步骤,即该做而没有做;EOC 是指某项任务或步骤没有正确完成,即做了但做错了。从逻辑上分析,EOO 不外乎以下三种形式:

(1) 在有时间或顺序要求的条件下,完全忘记了应该执行的动作;

(2) 动作被延迟执行,原因可能是当时一下忘记了,过后想起来了或者是由于任务竞争、需求冲突、过程状态、阻碍等条件;

(3) 过早地执行了动作,在真正需要时给以忽略。实际上,还存在着第四种可能,即以替代的方式完成了另一项任务。原因可能是:失去控制、规程或显示仪表的误导等。例如,应该关闭阀门 A 时却关闭了阀门 B。从 EOO 的定义出发,他没有"关闭阀门 A"应属于该类失误(该做而没有做);但是从 EOC 的角度去看,他"错误地关闭了阀门 B"也应属于此类失误(做了但做错了)。其实仔细想来,任何一项 EOC 中都包含着 EOO。表 10-1 给出了两者的差异。

表 10-1　　　　　　　　遗漏型失误(EOO)与指令型失误(EOC)

失误类型		失误特点
遗漏型失误(意向的或非意向的)		遗漏整个任务
		遗漏任务中的某一项或几项
指令型失误	选择失误	选择错误的控制器
		不正当控制动作(包括:动作颠倒,联结松动等)
		选择错误的指令或信息(通过声音或书面)
	序列失误	未给出详细分析
	时间失误	太早
		太晚
	完成质量失误	太少
		太多

2. Reason 关于人因失误的分类

以失误心理学为基础的失误分类方法强调人的行为与意向的关系。Reason 将人的不安全行为归于两大类:一类是执行已形成的意向计划过程中的失误,称为疏忽和遗忘;另一类是在建立意向计划中的失误,称为错误和违反。图 10-1 给出了 Reason 关于人的不安全行为的分类框架。

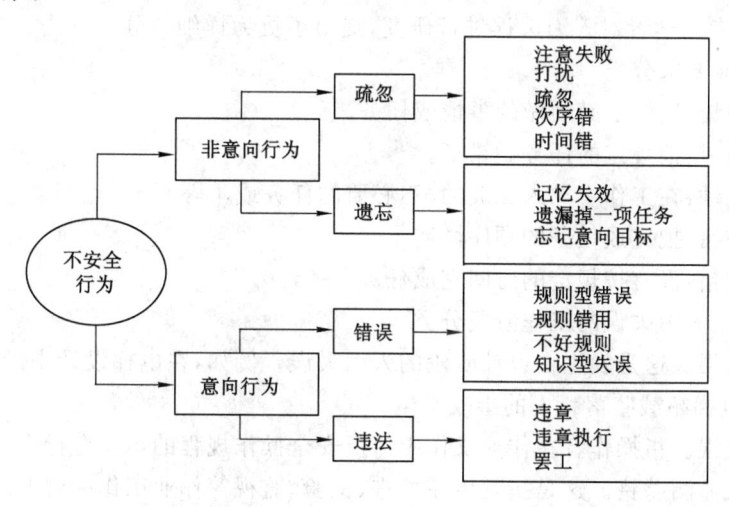

图 10-1　Reason 关于人的不安全行为的分类框架

这种分类方法有助于找出失误行为的不同机理。疏忽和遗忘常常发生在技能型动作的执行过程中,主要是因为人丧失(或分散)注意力或由于作业环境的高度自动化性质所致,因此需要加强系统的反馈机构或在工效学上进行改进从而能够及时纠正和恢复;但错误往往比较隐蔽,短时间内较难被发现和恢复,人们可能会陷入认知上的"隧道效应",即当面对与自己已形成的判断或概念不相容的信息时往往会给予排斥,坚持先前的观点或决策,因此错误的恢复途径比较困难,也是要着力加以防范的失误类型。违反是在常规或应急情景下,操作人员为了"走捷径"或者认为现行规程不如自己的办法好或者不得不采取"冒险"做法。在这种情况下,操作人员一般不会放松注意力,随时要从反馈信息中作出判断或纠正。

Reason 认为除了在不同认知阶段产生的疏忽和错误两大基本失误类型之外,还存在着植根于这种过程之中的形形色色的失误表现形式。"相似性"和"频度偏向"往往是失误形式的重要形成因素,即在人的某些认知过程中,那些熟悉而又高频度相遇的情景或使用的知识等往往由于错误匹配而诱发人因失误产生。

3. PRA 中的人因失误的分类

按照目前国际原子能机构(IAEA)的建议,在 PRA 中主要考虑的人因事件为：

A 类事件——发生在初因事件之前的人因事件。是指按照规程的日常运行或维修、调试活动中所产生的人因事件,这类事件往往是由于管理的原因或者人员素质方面的原因所产生的疏忽型失误,例如维修后忘记将阀门恢复到初始状态等。它的失误概率一般与时间无关。

B 类事件——由人直接引发的初因事件。即人在进行某项作业或实施某项行为时,由于某种不正确的操作行为而直接导致出现电厂异常工况的初因事件,如停电等。

C 类事件——初因事件发生后,在事故进程中所发生的人因事件。指人在与系统发生交互作用过程中的人的活动,它可以缓解事故进程,也可以加剧恶化过程。它主要发生在人的诊断、评价、决策等认知环节上,它的概率与时间有着密切关系,失误类型往往是难以纠正的错误。在工程应用中,一般也习惯称为指令型失误。

4. 现代人因失误的分类方法

现代很多专家学者对人因失误进行研究,提出了更为详细的分类方法。

(1) 按作业要求分类

① 遗漏差错：遗漏了必须做的事情或任务。

② 代办差错：把规定的任务做错了。

③ 无关行动：在工作中导入无关的、不必要的任务或步骤。

④ 顺序差错：把完成任务的顺序做错了。

⑤ 时间差错：没有按规定的时间完成任务。

(2) 按发生人因失误的工作阶段分类

① 设计失误。这是发生在设计阶段的人因失误。例如,在电梯设计中没有设置超负荷限制器,致使电梯超载坠落死人的事故发生。

② 操作失误。指操作者在作业操作中违反安全操作规程的不安全行为。

③ 检查或监测差错。这是指发生在检查、检验、监视等作业工作中的人因失误。

④ 制造失误。这是指影响产品加工质量的人因失误。

(3) 按人体因素和环境因素分类

① 操作者个人特有的因素造成的人因失误。例如操作者个人心理状态、生理素质、教育、培训、知识、能力、积极性等因素影响造成的人因失误。

② 环境因素造成的人因失误。例如机器、设备、设施、器具、环境条件、作业方式、作业空间、车间的组织与管理等因素影响造成的人因失误。

(4) 按大脑信息处理程序分类

① 认知、确认失误。指从接受外界信息到大脑感觉中枢认知过程所发生的失误。

② 判断、记忆失误。指从判断状况并在运动中枢作出相应行动决定到发出指令的大脑

活动过程所发生的人因失误。

③ 动作、操作失误。指从大脑运动中枢发出动作指令到动作完成过程中所发生的人的误操作。

二、人因失误的原因

（一）生理方面的原因

人体各功能系统和各机能器官及生理节奏等生物体活动规律、人体的疲劳特性等，都可能成为发生人因失误的生理方面原因。除此之外，人的大脑的生理活动规律，特别是大脑意识水平，对人体的行为和人因失误的影响尤其不可忽视。本节着重介绍大脑生理活动特性及其影响。

人们总是希望在系统的操纵控制中，有可靠性高的理想状态，可是问题在于调节意识的机构。作为意识之源的大脑的生理活动规律，特别是大脑意识活动水平对人体的行为和人因失误的影响尤为重要。日本的桥本邦衔从生理学的立场上把大脑意识水平分为五个层次，并研究了人在不同层次时的可靠性。

第 0 层次：无意识或精神丧失，注意力为零，生理表现为睡眠，大脑可靠性为零。

第 Ⅰ 层次：意识水平低下，注意迟钝，生理表现为疲劳睡、单调刺激、药物或醉酒作用等，大脑可靠性为 0.9 以下。处于此状态时，作业者对眼前的信号不注意，马马虎虎，丢三拉四，失误率高。

第 Ⅱ 层次：正常意识的意识松弛阶段，注意行为消极被动，心不在焉，缺乏活跃的预见力和创造力，生理表现为安静、休息或按规定进行简单的、熟练作业时的状态，大脑可靠性为 0.99～0.999 99。

第 Ⅲ 层次：正常意识的意识清醒阶段，注意行为积极主动，注意范围广，生理状态表现为精力充沛、积极进取，大脑可靠性达 0.999 999 以上。

第 Ⅳ 层次：超常意识的意识极度兴奋和激动阶段，注意力的紧张度过高，使注意力固定集中于某一客体刺激，不能扩大判断对象或转移判断对象，生理表现为紧急状态下的惊慌和做噩梦时的恐惧感之类的意识状态，大脑几乎停止了判断，大脑可靠性下降到 0.9 以下。

根据大脑活动规律，可以提出以下三个重要观点：

(1) 大脑意识水平是不断变化的。大脑意识水平随人体活动的需要改变，随大脑活动规律而变化。实验表明，人们在工作时的大部分时间里，意识水平属于第 Ⅱ 层次。而第 Ⅲ 层次每次维持的时间并不长，根据马克沃斯(N. H. Mackwoth)1950 年的实验结果表明，30 min 是精神持续活动的变化点，30 min 后注意力下降，即"30 min 效应"。所以，一般情况下，第 Ⅲ 层次维持时间在 15～30 min 左右。8 h 工作日中，处于状态Ⅲ的意识水平不会超过 2～3 h。一般工作中，大脑的意识水平在Ⅱ～Ⅲ之间，并以Ⅱ状态为主，遗憾的是在Ⅱ层次下，人常常表现为心不在焉和不注意。

(2) 大脑意识水平与人因失误发生概率直接相关。意识水平处于Ⅰ和Ⅳ的时候，失误率都很高；当意识水平处于状态Ⅱ时，失误率明显变小；当意识水平提高到状态Ⅲ时，失误率最小。

(3) 大脑生理机能的潮汐节奏。大脑的生理机能是有一定的规律的。实验表明，人的意识水平在早晨 6 点钟为最低，向正午接近时逐渐提高，到正午时分达到最大值，随后慢慢下降，从 22 点到早 6 点连续下降，早 6 点达到最低。由此可见，晚 10 点钟以后的深夜至清晨是大脑活动水平处于低潮时期,所以,夜班时进行非常作业或精密作业时,必须考虑到这段时间是人体可靠性较低时期,也是容易出现人因失误的时期。

(二) 心理方面的原因

1. 注意的心理特性

(1) 不注意与注意。表面看来,许多事故好像是由作业者不注意引起的。因此,分析错误和事故时,人们往往把"不注意"作为一个重要因素来考虑。其实"不注意"是结果而不是原因,分析它发生的真正原因才是重要的。不注意的现象绝不是单独表现出来的,而一般是在一直保持着注意的反应中同时出现的,即不注意是在保持注意的状态中发生并混同其中的一种反应。对同一客体,不注意与注意在时间上不是同时的,实际上这是一种对信息的选择反应。不注意是由于主体对客体的另一种信息保持了注意而形成的一种复杂选择反应结果,或者说不注意是注意方向的转移。注意受到信息的性质和个人生理、心理活动水平的影响,具有不稳定性及转移性。人们一般不会有意识地造成不注意,所以与其说不注意是事故的原因,不如说不注意是某种原因的结果,应研究并消除造成不注意的原因与条件。

(2) 注意的强弱和范围。注意的强弱也叫注意的紧张度或强度,注意的范围也叫注意的广度。两者的作用是对立的,即注意的紧张度越高,注意广度越小;反之,注意的范围越广,注意的紧张度越低。从安全生产作业要求来看,必须具有适当的注意紧张度和广度。另外,注意的选择性、注意的稳定性和注意的分配性等心理特性对产生人因失误也具有重要影响。

2. 主观臆测

所谓主观臆测,是指个人无根据地推测所做的随意性判断。这种臆测作为指令,也是发生人因失误的主要原因。但是人们常常做这种主观臆测判断,尤其在下列情况下更易于发生。

(1) 急于求成。例如,想尽快完成工作,或想尽快横穿马路等,在愿望强烈或心情焦躁的时候容易发生这种臆测。

(2) 缺乏知识。个人所获得和掌握的信息和知识不准确或不完全的时候,自我想当然地或随意地行动。

(3) 片面经验。由于过去的某次或某些行为取得了成功,把过去的经验作为先入为主的成见,以为过去成功了,现在还会成功地重复过去的行为。

(4) 侥幸心理。按照自己的愿望需要而作出的随意性判断。

3. 心理环境

人在很熟悉的环境里,往往不注意外界环境状态的变化,因此造成误认事故是常有的。例如,在很熟悉的路上走路,考虑某件事,对出现的灯红信号或警笛等可能完全不注意。有时,对行动者来说,可认为行动的环境不是真实的环境,而转化成心理的、非现实的环境。特别是在焦躁的精神状态下,进行不很重要的附带作业的时候,这个作业就有可能变为非现实化。所谓"有经验的人,往往大意"就是对作业现象、行动环境没有沉着冷静地观察,把环境转化成心理环境,对客观上的物理的危险等没有引起注意,产生了一切没问题的麻痹思想,按照以往习惯去行动,容易产生事故。

4. 急迫时的行动

在急迫的时候,容易不冷静、不合理、不系统地考虑事物,不假思索、直观地去判断事物,比较固执,不容易改变想法。这样的态度会影响到行动,容易发生错误。紧急、不安、焦躁和愤怒等情绪状态都会有上述的表现。

5. 忘却意图

行动开始时,有某种意图在支配。当其意图比较弱的时候在行动中的其他意图会起主要支配作用,原来的意图被忘却了,引起作业顺序发生混乱。如日常生活中常发生的换错了衣服,忘了拿钱包上街之类的事。

6. 其他心理因素

人们在生活和生产作业中,经常会出现一些心理状态活动,例如,过度紧张和过分松弛;省略行为和近道反应;焦躁反应和单调作业,这些都会导致人因失误。

(三)人的作业姿势和动作方面的原因

1. 姿势

正确的姿势有利于动作的控制。登高作业等,即使连续工作时间不长,也会在主观上对身体位置的感觉降低,因此自觉姿势不正确及改正姿势都是困难的。工作时,需特别注意所利用的脚下位置,使姿势不受束缚,动作要有意识、有控制。

2. 非主要意识动作

像步行那样的习惯动作,可以认为是非主要意识的动作,即不是明确有意识的动作,几乎是反射性地、机械地进行。人的意识中心在处理当前的重大问题或处于某种情绪状态时,常常会踏入凹处、绊倒或踏上斜坡使平衡失调。需要存在非主要意识行动时,必须制定保证非主要意识动作进行的条件。

3. 场面行动

在我们活动的场所,如果在某个方向上有相当强烈的欲求的话,人们往往会不顾前后左右,而向该方向立即行动,这种行动称为场面行动。人在通常情况下,通过充分考虑,观察好对象,自觉地有选择进行行动。但是在特殊情况下,如有危机情况,被场面力、对象力所吸引,采取相排斥的形式。行动上被对象所把握,几乎意识不到自身具有的其他性质,所处的状态。可以认为这是造成误认、错觉现象,导致事故的一个条件。

(四)工作环境方面的原因

温度、湿度、照明、噪声、粉尘、振动等物理环境条件,应在作业者适宜范围内。不良的物理环境易使作业者疲劳、引起意识水平下降,反应能力降低而增加人为失误频率。例如夏季温度偏高,人易瞌睡,注意力降低,容易发生操作错误和事故。另外,寒冷使手脚活动迟钝或感觉迟钝,也容易发生错误和事故,如爬高时,易引起姿势或动作不稳。

(五)作业能力方面的原因

一个系统对操作者的要求必须在操作者作业能力限度内,否则工作负担过重会增加出现错误的可能性。这种负担过重表现在许多方面:

(1)系统要求操作者做普通人做不到的。例如,要求工人对淹没在高噪声中的信号作出反应,或要求操作者使出普通人难以使出的力。

(2)系统可能是为精心选择或严格训练的人设计的,而不是为实际上使用该系统的人设计的,因而使操作者负担过重。

(3)系统要求操作者对过多的输入信号应答,或要求操作者操纵过多的控制器,或要求操作者过于迅速地作出反应,因而使作业者感到力不从心,负担过重。

（六）设施和信息方面的原因

当人们必须在权宜的条件下工作,或者得不到准确信息时,更可能发生错误。许多错误是在没有适当设施情况下进行工作或不准确的信息传递情况下发生的。下面列出易使操作者发生操作失误的相关方面原因：

（1）信号的形态和含义难以区分,显示手段的变化难以识别。

（2）相关的显示装置分散布置,显示方向与操作方向不一致,操作工具的形态难以识别,尺寸设计不当。

（3）设备布置缺乏充裕的空间,作业者作业空间狭小。

（4）装置和作业设计得易使作业者产生人因失误。

除此而外,人因失误与作业者个性也有关系,例如,作业者的知识、经验不足,道德品质较差,对社会和群体的适应性不好,协调合作精神差,法纪观念淡薄等。

三、人因失误的预防

在防止人因失误和预防事故方面,人类已经积累了很丰富的经验,提出了许多行之有效的办法,并且这方面的研究工作不断发展。通过对人因失误与事故产生的原因进行分析发现：无论是人因失误,还是事故的发生,都离不开人、机器设备、环境及管理等各因素,而且,人是最主要的因素,其他因素是通过对人的间接作用而使人产生错误,从而导致事故。人因工程学认为引起错误的环境与引起事故的环境有着一致性,所有的事故都是以错误开始的。下面,把防止人因失误和预防事故的对策归纳合并起来,并从人因工程学角度分析,分别从人的方面、机械设备方面、作业环境方面和管理方面提出对策。

（一）人的因素方面的对策

这里指的人的因素,不仅指个人的,同时也包括与个人工作有关的其他人。工作时的人际关系很重要,没有同心协力的合作,就难以执行命令、指示和联络动作。

（1）要创造一种和睦、严肃的车间安全气氛。不放过任何违反规程和工作错误之类的事。要相互注意,防止出现不使用劳动保护用具等违反规程的事,防止不安全行为；对于不熟练的操作者,在进行操作之前要报告自己的行动,如果有错误,指挥者要加以纠正,从而防止错误；开展班组活动,进行安全分析,有异常现象能够预知,并研讨对策。

（2）重视危险物的处理。对作业者进行安全教育,使作业者意识到危险物发生事故的严重后果,并在行动上慎重,要注意遵守安全操作规程,认真操作。

（3）提高危险作业时的大脑意识水平。平时正常作业时,大脑意识水平处于第Ⅱ层次就可以了。但是,在非正常作业时或危险作业时,必须设法使大脑意识水平提高到第Ⅲ层次。

（4）提高预知危险的能力。要不断扩大和充实安全教育内容,分析研究大量事故案例,使作业者知道自己所从事的作业中隐藏着哪些危险,曾经有过什么样的事故,有过怎样的后果,如何能及时发现异常现象和事故隐患,相应的对策是什么,等等。通过案例教育,提高每一位作业者安全分析和预知危险的能力。还可以使用安全检查表进行检查监督。

（5）要防止在集中精神从事作业时由于意外事件的插入而产生失误。尤其在进行危险作业时,这种意外事件的插入可能造成伤害事故,所以,应设置监督人员,以确保作业者的安全。

（6）紧急事态时的对策。由于紧急状态下大脑的意识水平低,思维能力下降,误操作概率上升,极易发生事故。因此,对于非常事件、突发事件等紧急事态,应预先制定对策,并进行反复训练。以便一旦发生紧急事态就能作出条件反射式的对策行动,避免事故发生。

(二)设备方面的对策

(1)要根据人体特性来设计设备或系统。显示器的信号要适合人的生理心理特征,以减少因信息传递混乱而引起人因失误;控制装置要操作简便、省力;充分利用人的习惯性,提高计量仪表及监控器显示的可视认性,对于紧急操作部件可采用醒目色彩或规定的安全标志,易于识别,防止误操作。设备的大小、高度、视野要求要符合人体尺寸要求。

(2)设备或系统设计,要贯彻"简单"的设计原则,以便减少和防止差错和事故。为便于迅速采取应变对策,紧急事态控制装置可采用"一触即关闭"的结构方式。要设置必要的信息反馈系统和报警系统。

(3)合理安排显示器、控制器。为了保证作业者迅速、准确地判断显示装置显示的信息,应充分考虑视觉特性:合理利用感觉系统的信息接收方式,并合理分配各自的信息容量;适当运用色彩、形状编码,使控制器易于区分并能醒目地标识其状态,以便在任何情况下都能作出准确的判断和迅速地操作;合理安排显示器与控制器的布局,便于信息的处理和交换。

(4)对于重要的设备或系统,可以使用联锁装置、故障安全装置、自动安全装置等安全性设计的方法,确保安全。

(5)通过设置防护装置把人与生产中危险部分隔离。对管道的高热部分、机器的运转部分、机器设备上容易触及的导电部分及可能使人坠落、跌伤的地方等,可根据用途和工作条件不同,设置防护罩、防护网、围栏、挡板等,使防护装置的形式、大小与机器设备被隔离部分完全适应,不妨碍生产操作,不得随意拆卸。

(6)科学设计信号装置。颜色信号必须鲜明,容易辨认;音响信号必须高于工作环境的噪声;指示仪表必须准确、清晰。信号装置必须定期检查维护。

(7)有缺陷的设备、工具及时修理或更换。

(三)环境与媒介方面的对策

(1)从人的因素出发,改善作业环境。把气候、照明、噪声条件及作业和休息时间控制在适宜的水平,使作业者能在精力旺盛和意识集中的条件下作业,避免发生事故。

(2)根据人的特点创造适宜的作业条件。为作业者创造适合感觉器官和运动器官的作业条件,达到易看、易听、易判断、易操作、极少干扰和在舒适姿势下进行作业。

(3)开展文明生产,作业场所实行定点管理,工作现场的原材料、半成品、产品等整洁、定点摆放,工具、备品备件合理存放,安全通道通畅,工作地有足够的作业空间。

(4)危险牌示和识别标志。危险牌示要设在显明易见的地方,文字简明,含义明确,字迹鲜明易认。识别标志常使用清晰、醒目的颜色、标记形象使人一目了然。

(5)绿化净化车间、厂区环境。

(6)对于非正常作业,要事先制定作业指导书,其中要写明预定的方法以及不能实行时所应采取的对策;应明确紧急通话时的有效方式或规定用语,防止出现令人听不懂的用语而耽误时间;工程施工等非固定作业中所使用的指示或标志要色彩醒目,图示清晰,易于感知。

(四)管理方面的对策

(1)加强组织领导。包括:其一,企业领导要重视安全生产工作,进一步落实国家监察、经济主管部门的行政管理和群众监督三结合的管理体制,建立企业安全管理与财产保险和安全咨询相结合的新结构。在企业财产保险方面,安全咨询机构同保险公司结合起来,并受其委托,对投保企业进行系统安全分析与危险度评价,评价合格的企业能从减少保险费和提高发生损失的赔偿费而得到利益,对于危险度大、基本安全条件不具备、评价不合格的企业,则对其增加保险费和减少赔偿费,这样就使企业安全工作的好坏同经济效益挂钩,而且这样做的结果,也使企业安全工作提高了地位,充分发挥安技人员的积极性。其二,进一步完善安全工作方针、政策、法规、制度,建立必要的安全信息交流制度和交流渠道,保证信息通畅。

(2) 职业选择和培训。科学技术进步使许多职业发生了本质的变化,个体在生理、心理特点方面的不足可能导致严重事故。因此对某些有特殊要求的职业,必须从身体条件和心理素质上进行严格的挑选和适应性训练。

其一,职业选择。企业应根据岗位、工种特点,对求职者所应具备的必要的知识、技能、能力、性格等进行考核,选择合适的人员。例如,大多数国家对驾驶人员实施就业选择。日本科学警察研究所编制的驾驶适应性检查包括两方面内容,即笔试和仪器测试。这些测试可以得出有无发生事故可能性及其程度的综合判定值,以及与容易发生事故有关因素特性的判定值。实践表明,这些特性的判定值具有非常高的有效性和可靠性。通过职业适应性检查,可选择适合相应职业的人员,以提高作业人员可靠性,减少人因失误,避免事故伤亡。

其二,职业训练。汽车驾驶员的选择表明,如果进行严格的职业选择,真正符合条件的人员并不多,实际选择时,就业人员的选择标准往往随之降低。因此,必须对入选人员进行培训,其中包括操作培训、技术培训、能力培训和安全培训等。通过对有关事故的原因及情况进行理论分析及模拟训练,可以训练其对紧急情况作出正确反应的能力。

(3) 安全教育。安全教育是防止和减少事故的重要环节,它与改善劳动条件,改善安全防护措施相辅相成。

安全教育包括安全生产的思想教育、劳动保护知识教育、劳动纪律教育、安全技术知识和规程教育、典型经验和事故教训的教育等。安全教育不应使作业者产生恐惧心理,应使其建立杜绝事故的信心,使作业者养成遵守操作规程的习惯,以及相互监督、相互检查的责任感,随时消除不安全的隐患。

为保证安全教育不走过场,行之有效,必须根据不同教育对象,采用多层次、多途径、多形式进行,对新入厂实习人员实行三级教育(入厂教育、车间教育、岗位教育)。入厂教育旨在介绍企业内的危险地点和防护知识;车间教育旨在介绍车间内的危险地点和必须遵守的规定以及典型事例;岗位教育侧重于各个岗位的工作性质、职业范围、操作规程、安全防护品的正确使用;对生产中的要害部门,如锅炉房、压气房、变电室、主控室必须严格管理。对工作中易出事故的工种,如司机、电工等,进行专门的安全技术培训,严格考核,合格后才能上岗。对在岗的作业者,要防止麻痹思想,采取班前班后开安全会、安全日、安全技术交流会、事故现场会、安全教育陈列展览、放映安全教育影片以及安全操作自我检查等形式,进行常备不懈的教育。关键岗位应开展危险预知训练,提高作业者对危险的辨识能力。

(4) 作业管理。包括:采用行政和经济手段,推行各工种的标准化作业,减少人因失误;建立必要的操作标准监督岗,让工人之间、上下级之间相互督促执行操作标准;合理安排作息时间,积极采取保健措施,消除作业人员的疲劳;按规定实行加班作业,禁止连续加班和患病坚持工作;减少单调作业时间或对单调作业进行改进,减少单调作业引起的失误;制定各种措施,提高工人的工作积极性。

总之,企业应重视人的因素,掌握人的特性,利用和发展人的能力潜力,把人-机-环境系统作为一个整体,深入开展系统安全分析和事故预测的技术活动和教育,分析系统内各因素之间相互联系和彼此作用的规律,不断提高安全意识和自觉性,改善设备与作业环境条件,充分依靠和发挥物质与技术力量,加强科学管理,努力防止人因失误,把事故损失降到最低程度。

第二节 人因失误概率及定量模型

一、人因失误概率

作为第二类危险源的人因失误的定量预测,在系统安全评价与预测中是个不可忽视的问题。一般用人因失误发生概率来定量地描述人员从事某项活动时发生人因失误的难易程度。

与物的故障概率相类似,人因失误概率可以广义地表达为

$$E(t) = 1 - e^{-\int_0^t h(t)dt} \tag{10-1}$$

式中 $h(t)$——失误率函数,表明人员从事该项活动到 t 时刻时单位时间内发生失误的比率。

人与物不同,物发生故障后将一直处于故障状态,除非有人修理,否则不会自行恢复到正常状态;人发生失误后可能自己发现失误并改正失误,即具有纠错能力。纠错概率可以表述为

$$R_c = 1 - e^{-\int_0^t r(t)dt} \tag{10-2}$$

式中 $r(t)$——纠错率函数。

实际上,影响人因失误率函数和纠错率函数的因素非常多,因此确定它们是件极端困难的事情。

关于人因失误定量问题,人们已经研究、开发出了许多种实用的人因失误概率预测模型。例如,1985 年汉纳曼(G. W. Hannaman)就曾经介绍过 16 种人因失误定量模型。在众多的人因失误定量模型中,最著名的是 1962 年由斯温(Swain)开发的人因失误率预测技术。在核电站概率危险性评价中应用该技术成功地预测了人因失误概率,并被应用于其他领域的人因失误概率预测中。

一般在预测完成某项操作任务的人因失误发生概率时要考虑以下影响因素:

① 行为的复杂性;
② 时间的充裕性;
③ 人、机、环境匹配情况;
④ 操作者的紧张度;
⑤ 操作者的经验和训练情况。

其中,行为的复杂性主要取决于工作任务。

在工业生产中,人员的工作任务可分成以下五类:

(1) 简单任务。由一些需要稍加决策的、按顺序组成的操作即可完成的任务,如打开手

动阀。

(2) 复杂任务。已经明确规定的且需要决策的一系列操作任务,一些问题需要操作者处理,如进行事故诊断、异常诊断等。

(3) 要求警觉的任务。一些发现信号或警报的工作任务。这种任务要求操作者对信号或警报保持警觉。从事这种工作时影响人因失误概率的主要因素包括等待时间长度,注意集中程度、信号种类和频率、发现信号或警报后必须采取的行动的类型等。

(4) 检验任务。操作者必须作出决策的监视与检验多变量工艺过程。完成检验任务过程中,操作者必须防止扰动引起严重故障。

(5) 应急任务。异常出现时或事故发生时操作者面临的任务。任务的内容可能在很大的范围内变化,可能是条件反射式的反应,也可能需要寻找新的解决办法。当异常后果十分严重时,操作者可能面临严重危险而心理高度紧张,失误发生概率迅速增大。

二、人因失误分析

人因失误分析是人因失误概率预测的基础。它包括预测人因失误、选择重要人因失误和详细分析人因失误三个方面的工作。

(一) 预测人因失误

预测人因失误是人因失误分析的第一步,其内容是找出人员在操作过程中可能发生的人因失误。预测人因失误要按照人因失误的定义来进行,参照人因失误分类可以系统、全面地找出各类失误。

例如,按人因失误表现形式的分类来预测:

(1) 遗漏或遗忘——没有完成规定的行为;

(2) 做错——错误地完成规定的行为;

(3) 进行规定以外的行为。

我们首先必须弄清规定的行为是什么。为此,需要了解操作程序、定期试验程序和维修程序,研究在哪些环节上可能遗漏或遗忘规定的行为,在哪些环节上可能会产生什么样错误的行为或错误的行为结果。一些重要的操作是考虑的重点,但是也不要忽略进行那些不太重要的操作可能产生后果严重的失误的情况。

预测可能发生的第三类失误,即操作者可能产生什么样的额外行为,是件十分困难的事情。为了解决这个问题,可以参考以往的人因失误资料或类似系统运行经验,甚至利用模拟器进行试验操作来发现可能发生的人因失误。

利用已往的人因失误资料对预测任何种类的失误都是有益的,因此,应该不断积累关于人因失误的资料。

利用系统安全分析方法中的故障模式和影响分析、事故树分析和事件树分析等方法,可以找出导致系统故障或系统事故的人因失误。

(二) 选择重要人因失误

详细分析所有预测出的人因失误既不可能也不必要,实际上只能选择其中一些重要的人因失误进行详细分析。人因失误的重要性取决于以下因素:

(1) 人因失误的后果。如果人因失误直接导致事故或重大的系统故障,则该人因失误重要;如果人因失误必须与若干其他人因失误或故障同时出现才导致事故或重大系统故障,则该人因失误不太重要。

(2) 与人因失误同时发生而导致事故或重大系统故障的其他人因失误或故障发生的概率。如果它们发生的概率大，则该人因失误重要。

(3) 人因失误发生概率。人因失误发生概率越大，则重要性越大。作为一种定性的选择，我们可以去掉那些只有与许多其他人因失误或故障同时发生才能导致事故或重大系统故障的人因失误。值得注意的是，其他人因失误或故障发生概率高时会增加该人因失误的重要性，因此一般只去除与相当多的其他人因失误或故障同时发生才能导致事故或系统故障的人因失误。

作为一种粗略的定量选择，考虑与人因失误同时发生而导致事故或重大系统故障的其他人因失误或故障的数目，并设其中的人因失误概率全部为1，物的故障概率为实际值，把这些概率值连乘求出它们导致事故或重大系统故障的概率，如果求出的概率值小于某一定值，则可去掉这些人因失误。

在上述概率计算中以估计的人因失误概率代入，则可以较精确地选择人因失误。

(三) 详细分析人因失误

针对选择的重要人因失误进行详细的分析研究，收集关于人因失误发生概率的所有信息。这不仅是定量分析人因失误的前提，也是探究影响人因失误发生的因素和人机匹配方面弱点的工作，可以为改进系统、减少人因失误提供依据。

详细地分析人因失误需要弄清以下问题：

(1) 行为特征。操作行为的复杂性，时间的充裕性，必需的时间，行为的完整性等。

(2) 人机学特征。设备的人机学设计质量，书面程序的质量（形式和内容），显示（仪表、警报等）的清晰度，控制器的布置（标记、控制器排列等）。

(3) 环境特征。温度、噪声、照明、通道、危险区域、防护用品要求等。

(4) 组织特征。任务分配，管理规则（材料的发送、程序、工具、检查等）。

(5) 纠正失误的方法，发现失误的方法（警报、检验），时间限制和改正措施等。

(6) 失误的后果。

上述这些内容属于"绩效形成因子（performance-shaping factors）"，进行详细的人因失误分析，应该掌握工艺过程，研究有关资料和程序，访问工艺设计者和程序制定者，访问操作者和维修者，了解类似系统的有关情况等。

三、人因失误定量模型

这里介绍几种人因失误定量模型，供预测人因失误概率参考。

(一) 井口教授模型

井口教授把人员操作机械的可靠度视为接受信息可靠度、判断可靠度和执行操作可靠度的乘积：

$$R_0 = R_1 R_2 R_3 \tag{10-3}$$

式中 R_1——接受信息可靠度；

R_2——判断可靠度；

R_3——执行操作可靠度。

这样得到的可靠度 R_0 为基本可靠度，考虑具体操作条件必须乘以一系列的修正系数，得到实际的操作可靠度：

$$R = 1 - k_1 k_2 k_3 k_4 k_5 (1 - R_0) \tag{10-4}$$

由此得出人因失误概率为

$$E = k_1 k_2 k_3 k_4 k_5 (1-R_0) \tag{10-5}$$

式中　E——人因失误发生概率；
　　　k_1——作业时间系数；
　　　k_2——操作频率系数；
　　　k_3——危险程度系数；
　　　k_4——生理、心理条件系数；
　　　k_5——环境条件系数。

表10-2列出基本可靠度数值；表10-3列出各种修正系数的数值范围。

表10-2　　　　　　　　　　人员操作基本可靠度

类别	内容	R_1	R_2	R_3
简单	变量不超过几个人机学考虑全面	0.999 5～0.999 9	0.999 0	0.999 5～0.999 9
一般	变量不超过10个	0.999 0～0.999 5	0.999 5	0.999 0～0.999 5
复杂	变量不超过10个人机学考虑不全面	0.990 0～0.999 0	0.990 0	0.990 0～0.999 0

表10-3　　　　　　　　　　人员操作可靠度修正系数

符号	项目	内容	系数值
k_1	作业时间	有充足的多余时间 没有充足的多余时间 完全没有多余时间	1.0 1.0～3.0 3.0～10.0
k_2	操作频繁	频繁适当 连续操作 很少操作	1.0 1.0～3.0 3.0～10.0
k_3	危险程度	即使误操作也安全 误操作危险性大 误操作有重大事故危险	1.0 1.0～3.0 3.0～10.0
k_4	心理、生理状态	教育训练、健康、疲劳、动机等 综合状态良好 综合状态不好 综合状态很差	 1.0 1.0～3.0 3.0～10.0
k_5	环境条件	综合状态良好 综合状态不好 综合状态很差	1.0 1.0～3.0 3.0～10.0

（二）人认知可靠性模型

在生产过程中出现异常时，操作者必须立即作出判断，选择应该采取的措施，并执行选择的措施。诊断性操作中人因失误概率是可供选择、执行恰当措施的时间的函数。

美国电力研究院（EPRI）开发了人认知可靠性模型 HCR（human cognitive reliability），用于预测操作者对异常状态反应失误的概率。该模型主要考虑了在出现异常的紧急情况下,时间充裕度对人因失误概率的影响。为了使模型适用更一般的情况,以可供选择、执行恰当行为的时间 t 与选择、执行恰当行为必要时间的平均值 $T_{0.5}$ 之比的无因次量 $t/T_{0.5}$ 作为变量,得到三参数威布尔分布形式的人因失误概率计算公式:

$$E = e^{-\left[\frac{(t/T_{0.5})-B}{A}\right]^C} \tag{10-6}$$

式中　t——可供选择、执行恰当行为的时间;
　　　$T_{0.5}$——选择、执行恰当行为必要时间的平均值;
　　　A,B,C——与人员行为层次有关的系数,见表 10-4。

表 10-4　　　　　　　　　　系数 A、B、C

行为层次	A	B	C
反射	0.407	0.7	1.2
规则	0.601	0.6	0.9
知识	0.791	0.5	0.8

威布尔分布曲线如图 10-2 所示。

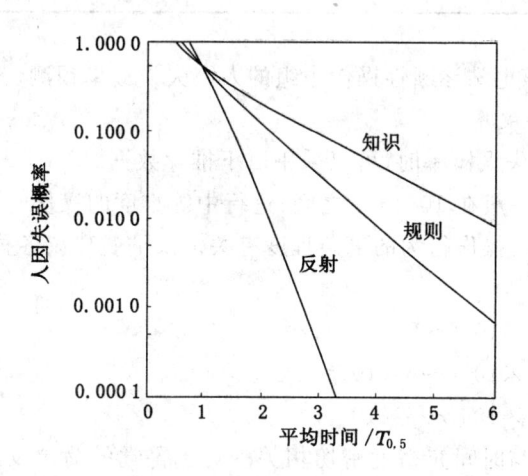

图 10-2　HCR 人因失误率曲线

可供选择、执行恰当行为的时间 t 可以通过模拟试验和分析得到;选择、执行恰当行为必要时间的平均值 $T_{0.5}$ 可以按下式计算:

$$T_{0.5} = \overline{T}_{0.5}(1+k_1)(1+k_2)(1+k_3) \tag{10-7}$$

式中　$\overline{T}_{0.5}$——标准状态下选择、执行恰当行为必要时间的平均值;
　　　k_1——操作者能力系数;
　　　k_2——操作者紧张度系数;
　　　k_3——人机匹配情况系数。
系数 k_1、k_2、k_3 可以查表 10-5 获得。

表 10-5　　　　　　　　　　　系数 k_1、k_2、k_3 取值

系数	状况	系数值	标准
能力	熟练者	−0.22	5年以上操作经验
	一般	0	半年以上操作经验
	新手	0.44	不足半年操作经验
紧张度	紧迫	0.44	高度紧张,人员受到威胁
	较紧张	0.28	很紧张,可能发生事故
	最优	0	最优紧张度,负荷适当
	松懈	0.28	无预兆,警觉度低
人机匹配	优秀	−0.22	在紧急情况下有应急支持
	良好	0	有综合信息的显示
	一般	0.44	有显示,但无综合信息
	较差	0.78	有显示,但不符合人机学
	极差	0.92	操作者直接看不到显示

HCR 模型适用于核电站诊断性操作小组的人因失误概率预测。

（三）估计人因失误概率

在粗略地估计人因失误概率时,可以采用以下推荐数据。

(1) 人因失误概率一般在 $10^{-5} \sim 1$ 之间;进行中等难度的操作时约为 10^{-3}。

(2) 人因失误概率与操作行为的复杂程度有关。汉纳曼建议各种层次行为的人因失误概率为:

① 反射层次行为 $5 \times 10^{-5} \sim 5 \times 10^{-3}$;

② 规则层次行为 $5 \times 10^{-4} \sim 5 \times 10^{-2}$;

③ 知识层次行为 $5 \times 10^{-3} \sim 5 \times 10^{-1}$。

(3) 人因失误概率与时间充裕度密切相关。对于警觉的简单反应性操作,艾布利特建议的可利用时间 t 与人因失误概率 E 间的关系如表 10-6 所列。

表 10-6　　　　　　可利用时间与人因失误概率间的关系表

t/min	1	5	10	>10
E	10^{-1}	10^{-2}	10^{-4}	$10^{-6} \sim 10^{-5}$

进行复杂的诊断性操作时人因失误概率增加,斯温建议按表 10-7 的数值估计人因失误概率。

(4) 人员紧张度大。人因失误概率增加,罗南(W. W. Ronan)发现人员在紧张的情况下人因失误概率高达 0.15。

表 10-7　　　　　　　　可利用时间与人因失误概率间的关系表

$t/\min$	1	5	10	20
E	1	2×10^{-1}	10^{-1}	10^{-2}

第三节　人因失误率预测技术

一、人因失误率预测技术简介

人因失误率预测技术(technique for human error rate prediction,简称 THEPR)由斯温等人于 1962 年研究开发,曾在 WASH-1400 研究中应用,特别适合于预测运转、检测和维修操作的人因失误率。

THERP 的主要贡献在于提供了 HRA 事件树和基本 HEP 数据库,以及创建了人因可靠性的一个重要概念——形成因子(performance shaping factor,简称 PSF)。HERP 的理论基础是布尔代数模型,以简单的方程处理了设备变量、人员冗余、培训、紧张程度等因素带来的行为的多样性。它还是一种结构化的工程分析方法,容易并入 PSA,是至今为止 PSA 中使用最普遍的人因可靠性分析方法。

但应注意到,受数据和工具的限制,THERP 对诊断决策过程中的人误度量过于粗糙,PSF 的敏感性也不够,另外,在情景模型和数据库的应用上缺乏统一性。

这种方法大体上分四个步骤:

(1) 危险性辨识。考察系统控制设施,完成事故树分析,着重了解操作对关键设备的影响和可能导致的失误事件。

(2) 定性评价。针对关键事件进行调查,对操作规程进行熟悉和了解,进行操作分析,建造人员可靠性分析(HRA)事件树。

(3) 定量评价。人的行为受多种因素影响,如环境、执行任务程序、设备和任务状况、心理应力、身体条件、学识与技能等。根据这些影响人行为的因素,形成一个相对数值称为行为形成因子。这个数值的确定极为复杂,往往由专家判断,带有很大经验性。合理选择行为形成因子对定量评价十分重要。

在进行定量评价时,还应评价操作之间的相关性,分配人因失误概率、确定成功和失败概率以及确定复原因子的影响。复原因子表示人因失误纠正的可能性。

(4) 提出必要的建议。根据人因失误预测的结果,进行灵敏度分析,有针对性地提出防范失误措施的建议,降低系统的风险等级,提高安全运行水平。

二、人因失误率预测技术方法

生产装置的运转、检测和维修作业一般是一些程序化的复杂操作,人因失误定量分析非常困难。在这里把复杂任务分解成若干连续进行的单元操作,如从仪表上读数、按按钮、开阀门等,分别计算各单元操作中人因失误发生概率。然后根据单元操作中的人因失误概率计算整个操作的人因失误概率。

1. 单元操作中人因失误概率

单元操作中人因失误概率可按下式计算:

$$B = kP_1 P_2 \tag{10-8}$$

式中　P_1——基本失误概率,取决于单元操作特征和人机匹配情况;

　　　P_2——失误发生后没有纠正的概率;

　　　k——考虑操作者紧张的系数。

基本失误概率可以从有关手册或数据库查出。使用这些数据时应注意以下限制:

(1) 装置、设备在正常状态下运行,不考虑应急或其他造成操作者紧张的情况。

(2) 操作者不必使用个体防护用品。如果操作中必须佩戴个体防护用品,则由于操作条件不好而操作者急于尽早完成任务,增加人因失误概率。

(3) 管理工作处于一般水平。

(4) 操作者有资格进行操作。

(5) 操作条件处于良好到最佳状态。

如果实际情况超出了这些限制,则要对查得的数据进行修正。

表 10-8~表 10-10 列出手册中的一些单元操作的基本失误概率。表中 HEP 为人因失误概率的英文缩写。当操作条件好时,取表中数值的上限;当操作条件不好时,取表中数值的下限。

表 10-8　　　　　　　　　　　读数失误(读错)概率

读数任务	HEP
模拟式仪表	0.003(0.001~0.01)
数字式仪表	0.001(0.000 5~0.005)
图表记录	0.006(0.002~0.02)
有许多参数的印刷记录	0.05(0.01~0.2)
图表记录	0.01(0.005~0.05)
定量显示的指示灯	0.001(0.000 5~0.005)
仪表失灵且无指示警告用户	0.1(0.02~0.2)

表 10-9　　　　　　　　　　操作手动控制器的操作错误概率

任　务	HEP
从仅靠标记区别的一组控制器中选错控制器	0.003(0.001~0.01)
从性能相同的一组控制器中选错控制器	0.001(0.000 5~0.005)
从画有清晰线条的控制盘上选错控制器	0.000 5(0.000 1~0.001)
往错误方向操作控制器(不违背习惯动作)	0.000 5(0.000 1~0.001)
往错误方向操作控制器(违背习惯动作)	0.05(0.01~0.1)
高度紧张的情况下往错误方向操作控制器(严重违背习惯动作)	0.001(0.000 1~0.1)
拨错多向开关	0.001(0.000 1~0.1)
按错接头	0.01(0.005~0.05)

表 10-10　　　从多个信号器中正确选择一个的人因失误概率

信号器数目	HEP
1	0.000 1(0.000 05~0.001)
2	0.000 6(0.000 06~0.006)
3	0.001(0.000 1~0.01)
4	0.002(0.000 2~0.02)
5	0.003(0.000 3~0.03)
6	0.005(0.000 5~0.05)
7	0.009(0.000 9~0.09)
8	0.02(0.002~0.2)
9	0.03(0.003~0.3)
10	0.05(0.005~0.5)
11~15	0.1(0.01~0.999)
16~20	0.15(0.015~0.999)
21~40	0.2(0.02~0.999)
>40	0.25(0.002 5~0.999)

2. 人可靠性分析事件树

THERP 利用人可靠性分析事件树(human reliability analysis event Tree)把各单元操作联结起来,利用事件树分析技术得到所求的人因失误概率。

在人可靠性分析事件树中,从第一个单元操作开始,每个单元操作有成功或失误两种可能,分别用相应的分支来表示,逐次得到整个操作任务事件树(见图 10-3),如果涉及硬件故障,也用相应的分支来表示。

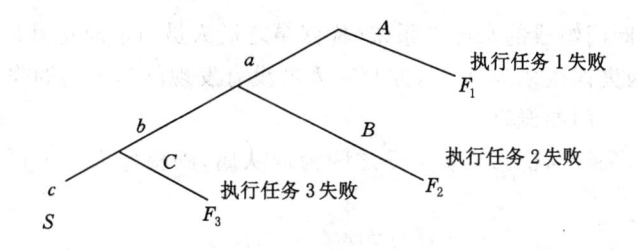

图 10-3　人的可靠性分析事件树

在利用事件树计算人因失误发生概率时,要考虑相邻两失误间的从属关系。这里把从属关系划分为完全从属(CD)、高从属(HD)、中从属(MD)、低从属(LD)和零从属(ZD)。

设在执行单元操作 A 后执行单元操作 B,$BHEP$ 是进行单元操作 B 时独立发生失误的概率(非条件概率),则在执行操作 A 时发生失误后执行操作 B 发生失误的条件概率 B 应按下列公式计算:

(1) 完全从属(CD):

$$B = 1.0 \tag{10-9}$$

(2) 高从属(HD)：
$$B = \frac{1+BHEP}{2} \tag{10-10}$$

(3) 中从属(MD)：
$$B = \frac{1+6BHEP}{7} \tag{10-11}$$

(4) 低从属(LD)：
$$B = \frac{1+19BHEP}{20} \tag{10-12}$$

(5) 零从属(ZD)：
$$B = BHEP \tag{10-13}$$

当 $BHEP$ 值很小时，高从属、中从属和低从属情况下失误的条件概率分别收敛于 0.5、0.15 和 0.05(见图 10-4)。

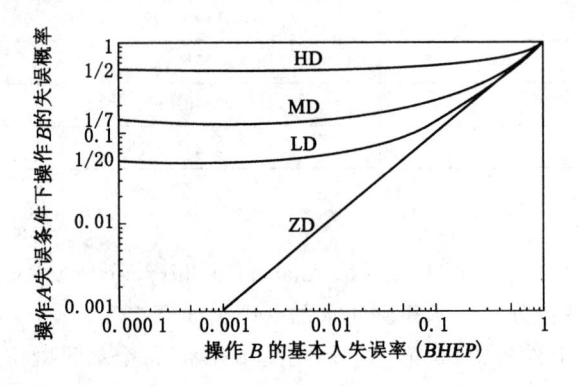

图 10-4 从属性与条件概率

例如，由泵和阀门组成的水冷却系统，检修泵之后人员可能忘记开启阀门。假设检修泵后忘开阀门的人因失误概率为 0.01，控制室人员没有发现阀门关闭的失误概率为 0.1，计算检修泵后没有开启阀门的概率。

设控制室人员失误与检修人员失误之间为低从属，则检修人员失误后控制室人员失误的条件概率为

$$B = \frac{1+19BHEP}{20} = \frac{1+19\times 0.1}{20} = 0.15$$

于是，在泵检修后没有开启阀门的概率为

$$0.01 \times 0.15 = 0.0015$$

如果构成操作任务的单元操作数目很多，则最终建立的事件树很庞大，计算起来很烦琐，需要把事件树简化。简化事件树的基本方法如下：

(1) 略去完全从属事件。所谓完全从属事件是指一个事件的发生完全决定了其后的一系列事件发生的一些事件。例如，关闭第一阀门错误导致操作其他阀门失误，则后面的失误就完全从属于第一个失误。

(2) 略去小概率事件。如果事件树的一个分支代表的事件发生概率小到可以忽略，则

可以把这个分支删除。

(3) 成功或失败节点不再发展。如果事件树中的一条途径已经达到了操作任务成功或失败节点,则后面的分析已经没有必要了。

(4) 忽略纠正因素。操作者如在进行单元操作后发现了失误,则会纠正失误。选择纠正因素在事件树中形成闭合环,增加事件树分析复杂性。可以认为纠正因素影响很小,即可忽略,待整个操作任务的成功或失败概率确定后再考虑纠正因素。

三、人因失误概率预测实例

某工人的任务是用3台检测仪器监测蒸汽装置的压力是否正常。当工人监视3台检测仪器都发生失误时,则会发生漏报型监测失误。

该项操作可分解成以下四项单元操作:

(1) 安装检测仪器;
(2) 监视检测仪器1;
(3) 监视检测仪器2;
(4) 监视检测仪器3。

建立人可靠性分析事件树(如图10-5所示),树的左右两个分支分别代表操作的成功与失误,或硬件故障程度的轻与重;字母 S 和 F 分别代表整个操作任务的成功与失误。该例中,至少有1台检测仪器显示的异常被工人发现了,则监测操作成功;当3台检测仪器显示的异常都没有被发现时,则监测操作失误。

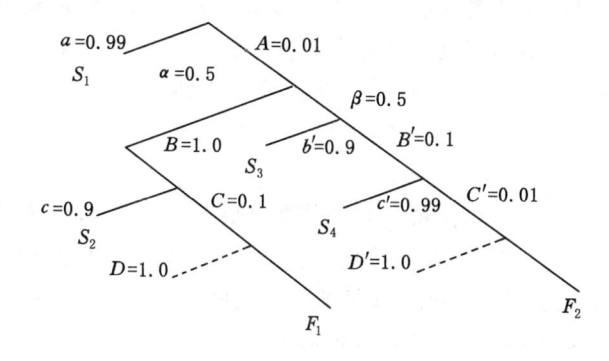

图 10-5 监视操作人可靠性分析事件树

图10-5中大写字母和等号后面的数字代表单元操作失误和相应的失误概率,小写字母和等号后的数字代表单元操作成功和相应的成功概率,希腊字母和等号后面的数字代表硬件发生故障和相应的发生故障概率。

假设安装检测仪器失误的概率为0.01,安装失误的结果导致检测仪器不能正常工作,即硬件故障。硬件故障按其严重程度分为小毛病和大问题两种,其发生概率各占0.5。工人监视每台检测仪器失误的概率是0.01;监视3台检测仪器都失误的概率是$(0.01)^3 = 10^{-6}$,可以忽略。

假设工人安装检测仪器1不能发现小毛病,则概率 $B=1.0$。当工人监视检测仪器2时,可能发现安装方面的小毛病,发现安装小毛病的概率 $c=0.9$。如果在监视前两台检测仪器时没有发现安装方面的小毛病,则认为也不会发现检测仪器3在安装方面的小毛病,这

种失误概率为 $D=1.0$。节点 F_1 表示相继监视 3 台检测仪器失误。

如果安装检测仪器发生了大问题,则工人在监视检测仪器 1 时就会发现。发现安装方面的大问题的概率 $b'=0.9$,由于工人很可能发现安装错误并加以纠正,所以可能至少正确地监视 1 台检测仪器,节点 S_3 表示这一成功事件。即使工人在监视检测仪器 1 时没有发现安装方面的大问题,那么在监视检测仪器 2 时也会发现。设节点 S_4 代表这一成功事件,成功的概率 $c'=0.99$。如果在监视前两台检测仪器时没有发现安装方面的大问题,可以认为在监视第三台时也不会发现,失误概率为 $D=1.0$。节点 F_2 代表相继监视 3 台检测仪器都失误的事件。

两失误节点 F_1 和 F_2 处的事件发生概率为

$$P[F_1] = 0.01 \times 0.5 \times 1.0 \times 0.1 \times 1.0 = 0.000\ 5$$
$$P[F_2] = 0.01 \times 0.5 \times 0.1 \times 0.01 \times 1.0 = 0.000\ 005$$

发生监测操作失误的概率为

$$E = P[F_1] + P[F_2] = 0.000\ 505$$

第四节 人体生物节律预测法

一、人体生物节律理论简介

早在 19 世纪瑞士联邦工学院的汉斯·斯恩就指出人体有生物节律。20 世纪初,德国内科医生成尔赫姆·弗里斯和奥地利心理学家赫尔曼·斯瓦波特从长期的临床观察中,各自独立发现人的体力和情绪的盛衰波动是有周期性的。即从人出生之日算起,体力为 23 d 一个周期,情绪是 28 d 一个周期,从而进一步证实了人体生物节律的存在。赫尔曼·斯瓦波特于 1904 年发表了《人类生命周期的精神学与生物学意义》一文,当时引起了社会的轰动。政府为此授予他勋章。

过了 20 年,奥地利的阿尔弗雷特·泰尔其教授在研究学生考试成绩中发现,人的智力也有个从出生日算起为期 33 d 的波动周期。这三个节律从人出生开始到生命终结,影响着人的一生。因此,大家把这三个生物节律统称为"人体生物三节律",又因为这三个节律像钟表一样往复循环,所以有人将其称为"人体生物钟"。

人体的体力、情绪与智力从出生之日起就按节律周期运行,其运行情况如图 10-6 所示(以正弦曲线方式示意)。

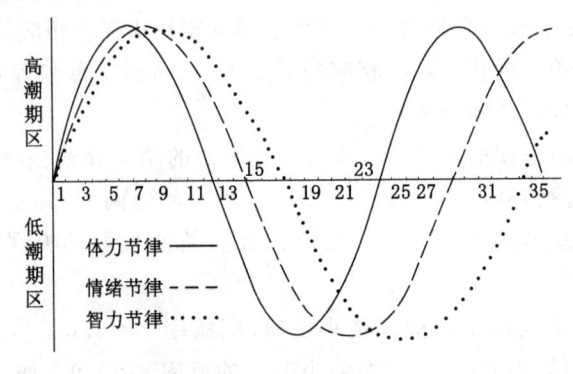

图 10-6 体力、情绪与智力节律变化

现代生物三节律理论揭示人生的每个月的三节律运行状况多有不同,有高潮期、低潮期与临界期。图 10-7 中的曲线示意为一个节律周期。

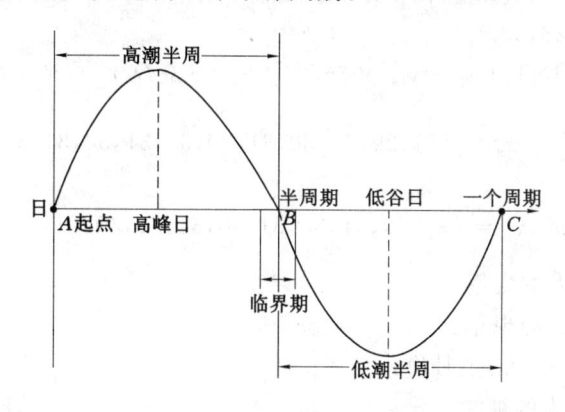

图 10-7 生物节律一个周期

图 10-7 中,A 为节律周期起点,B 为中间日,C 为节律周期终点。

横坐标表示一个月的 31 d,在横坐标线以上为高潮期($A-B$)。其中间(1/4 周期处)为高峰日;横坐标以下($B-C$)为低潮期,其中间(3/4 周期处)为低谷日;节律曲线通过横坐标上升,称为"上升临界点"(起始日期),下降则为"下降临界点"。临界点前和后的 1~1.5 d 的区间称临界期,临界期通常为 2~3 d。

人们在从事各种社会活动时,当人处于人的生物三节律高潮期较易取得好成绩,处于低潮期则相反。临界期是个不稳定的时期,身体处于调整过渡状态,机体协调能力差,精神恍惚易出差错,易生病,因此人们通常称临界期为危险期。据调查,司机处于临界期发生交通事故的机会较大。

人体生物三节律处于高潮期、低潮期和临界期时人的体力、情绪和智力情况如表 10-11 所列。

表 10-11　人体生物三节律处于高潮期、低潮期和临界期时人的体力、情绪和智力情况表

时期	节律		
	体力	情绪	智力
高潮期	体力充沛、抵抗力强	情绪高涨、乐观向上	思维敏捷、记忆力强
临界期	容易感染疾病、抵抗力弱	情绪不稳定、烦躁不安	判断力差、易出差错
低潮期	容易疲劳、耐力下降	情绪不振、无精打采	思维迟钝、记忆力弱

当然,表 10-11 所描述的三个时期的情况不是绝对的,其表现情况的强弱也因人而异。有的人自我感觉强些,有些人自我感觉弱些,但一般来讲,各人都存在着这样三个节律的变化现象。对于三个生物节律的规律,科学家们用统计学方法研究发现的只是客观事物规律的揭示,指出了有什么现象和是什么规律,但对形成该规律的机理目前仍在深入研究中。

二、人体生物节律方法介绍

(一)人体生物节律计算程序和公式

人体生物节律计算公式为

$$U = T - \text{INT}(T/2) \times \alpha \tag{10-14}$$

式中　U——被预测人当日第一个周期开始的低谷日；
　　　α——取值 23,28,33。

$$T = \text{INT}[(y_2 - y_1) \times 365/4] + [(S + D_2) - (R + D_1)]$$

其中　R——$R = \sum_{i=1}^{m_1-1} x_i, x_i = \{31,29,31,30,31,30,31,31,30,31,30,31\}$；
　　　S——$S = \sum_{i=1}^{m_2-1} x_i, x_i = \{31,29,31,30,31,30,31,31,30,31,30,31\}$；
　　　y_1——被预测人的生年；
　　　y_2——被预测人的现年；
　　　m_1——被预测人的出生月份；
　　　m_2——被预测人的被测月份；
　　　D_1——被预测人的出生日期；
　　　D_2——被预测人的被测日期。

由于这种计算方法较为复杂，计算起来很不方便，因此，有关人员通过研究制定了一种类似上述方法的，只需简单的四则运算就可以很快地测出某人一年内任何一天的体力、情绪和智力周期所处的状态。具体程序和步骤如下：

(1) 按公历计算，从每个预测人的出生年、月、日开始至预测年的上一年末，计算出出生总天数（包括闰年所增加的天数）。

(2) 用出生总天数分别除以体力、情绪、智力各周期的天数（体力周期为23，情绪周期为28，智力周期为33），求出高谷的余数。

(3) 再分别用体力、情绪、智力各周期的天数分别减去各余数，得到的这个数就是所求周期曲线的第一个低谷点。

(4) 以此点为中心，曲线开口向上，以该周期天数的1/2为峰顶，联结峰谷和峰顶，依次画出全年的体力、情绪和智力三条曲线。其中前半周期为高潮期，后半周期为低潮期，曲线与横轴交点附近为临界期。

(二) 绘制张某1992年的体力、情绪与智力周期曲线图

提供条件：张某的出生时间为：1962年10月31日。

第一步：先求出张某出生起到1991年末的总天数，包括闰年为 10 288 d。

第二步：求出体力、情绪、智力各周期的余数。

体力周期为：$\dfrac{10\,288}{23} = 447 \cdots\cdots 7$（余数）

情绪周期为：$\dfrac{10\,288}{28} = 367 \cdots\cdots 12$（余数）

智力周期为：$\dfrac{10\,288}{33} = 311 \cdots\cdots 25$（余数）

第三步：用各周期天数分别减去各余数。

体力周期：$23 - 7 = 16$

情绪周期：$28 - 12 = 16$

智力周期：$33 - 25 = 8$

这样就可以判定:1992年1月16日为体力周期的低谷,1992年1月16日为情绪周期的低谷,1992年1月8日为智力周期的低谷,由此可以画出张某任意一天的三节律状态曲线图。

三、人体生物节律的应用

事故的发生同体力、情绪和智力的循环性变化也有关系。图10-8表示的是一个在11月5日出生的人,1987年12月三种节律的变化曲线。

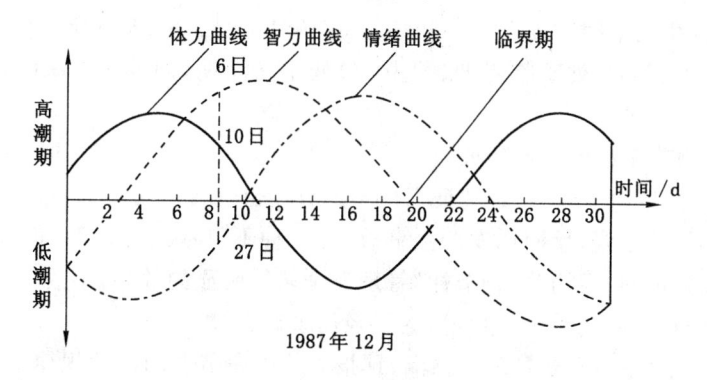

图10-8 生物节律

图10-8中,处于曲线中轴线以上的日期为"高潮期"。在这段时期中,人往往表现为精力旺盛。如体力(图中为实线)处于高潮期,一般表现为体力充沛,生气勃勃;情绪(图中为点划线)处于高潮期,一般感到心情欢快、乐观豁达,做事欲望强烈;智力(图中为虚线)处于高潮期,则头脑灵活,思维敏捷、记忆力好、处理问题顺手。相反,处于中轴线以下的那段时间为"低潮期"。这时身体容易疲倦,做事拖沓,提不起精神,情绪烦躁不安,遇事畏怯,头脑不好使,容易忘事,判断力下降。从高潮期转向低潮期,即在正弦曲线上跨越中轴线的日子,称为"临界期",这是一个极不稳定的时期,身体各方面处于频繁变化和过渡之中。在临界期,机体各部位协调性差,易感染疾病,工作中也易出现错误,甚至导致人身事故,因而需要特别注意。一般认为,在体力周期和情绪周期的临界日发生事故的可能性很大,而在智力周期临界日则相对较小,但如果与其他临界日相重时,则发生事故的可能性更大。双重临界日1年中大约有6次,三重日1年有1次,在负半周的三重日,危险增长到最高程度。据美国一家保险公司对涉及偶然事故所引起的死亡事故的统计,事故的肇事者约有60%处于生物节律的临界期。美国近年来发生13起飞机坠机事故,其中10起是由于驾驶员出了差错,而他们及其助手大多处于临界期。

如果用G表示高潮期,D表示低潮期,L表示临界期,那么三节律的周期变化在同一天可能出现下列之一的组合,每种组合人所表现的身心状态有很大区别:

(1) GGG状态:三节律皆为高潮期,身心状态最好;
(2) GGD状态:两节律处于高潮期,一节律处于低潮期,身心状态好;
(3) GDD状态:身心状态较好;
(4) DDD状态:身心状态一般;
(5) GGL状态:身心状态不良;
(6) GDL状态:身心状态较差;

(7) DDL 状态:身心状态差;

(8) GLL 状态:身心状态很差;

(9) DLL 状态:身心状态最差;

(10) LLL 状态:身心状态极差。

例如,一工人出生于1954年6月1日,他想测算自己在1981年11月25日登高作业时的生物节律状况。

查"人体三大生物节律时期"表,得知该工人1981年11月25日所处的节律状态是:体力(T)为临界期、情绪(Q)处于临界期、智力(Z)处于高潮期,即处于"GLL"状态,所以身心状态很差。

四、人体生物节律运用注意事项

(1) 有人认为"生物节律"科学性证据尚不充分。也有人认为"一旦被提醒有危险,会出现因受到暗示而过分紧张,反而诱发产生事故,是一种不可取的方法"。但经过全国各地许多单位的具体实践证明,运用"生物节律"管理安全取得明显的效果,事故率年年比推行前大幅度降低,重大伤亡事故几乎全部杜绝,甚至轻伤事故也极少。

(2) "生物节律"是在安全管理中预测、预报人体生命节奏的波动规律,目的是找出人们的生物节律不利于安全操作的时期,以便在劳动生产中对自己起到警惕、控制和调节的作用,达到减少或避免事故。但它并不能代替生产环境安全设备条件的完备,劳动条件的改善,使用机具设备的安全可靠性。

(3) "生物节律"不是万能的,它也不能代替安全管理上的严、细、实以及外界诸因素对人本身的影响,如情绪处于高潮的人,受到意外打击时,情绪就不可能高涨。

(4) 应用"生物节律"管理安全生产的时候,必须同时综合考虑人的心理、生理、性格、身体、精神上的因素,配合好思想工作,有的放矢地提高安全意识,集中精力进行操作,才能避免人为安全事故的发生。

(5) "生物节律"仅是安全管理众多科学手段之一,必须与安全生产其他传统的和科学的手段结合起来进行综合治理,才能掌握安全生产的主动权。

五、正确对待人体生物节律

(一) 人体生物节律不同于"算命"、"算卦"

人的生命运动一方面受遗传因子的影响,另一方面也受自然界诸多规律的制约。人体生物节律理论的发现和其他科学一样是建立在大量实践经验的积累、对许多现象的观察、资料的统计分析及综合研究的基础之上,它的应用价值早已引起世界各国的广泛重视,但迄今为止对其理论的研究仍处于初级阶段,对它的性质尚无精确的定义。特别是一提到出生年月日,往往使人产生误解,不少人自然地把它与算命算卦联系起来,由于中国传统文化的关系,这并不奇怪。其实,生物节律属于时间生物学的一个范畴,是人体科学的组成部分。它既不是愚弄民众的看相、卜卦的迷信活动,更与那些打着科学招牌进行所谓"电脑算命"的骗人行径毫不相干。测算生物节律之所以要用出生年月日,那是因为科学家通过反复研究确认,人自出生至谢世都存在着以 33 d、28 d、23 d 为周期的循环规律;出生日是周期的起点,周期的循环情况决定节律状态。因此,要计算人的生物节律必须了解出生年月日。生物学家通过解剖也已经发现,人体"生物钟"藏在大脑上部超级染色体交叉点的细胞核内。这个细胞核位于 2 片脑叶之间,它与松果腺分泌出来的抗黑变激素相结合影响人体生理机制的变化。美国科学家近年来还研制以抗黑变激素为主要成分的药物用于改善人们的生物钟习惯,使跨时区飞行的乘客、日夜倒班的职工均可随其心愿自由调节和控制自己的生物节律。

人们的生物节律是人体长期适应自然界变化的一种生理现象,它既不能预测人的凶吉祸福和寿命长短,也不能说明人的命运前途和事业的成败兴衰。然而,它对于指导安全生产,降低事故发生概率,减少矛盾冲突,促进安定团结,选择受孕佳期,提高人口素质以及科学安排工作和学习时间等,均可取得良好的社会效益和经济效益。

(二)怎样对待高潮期、低潮期和临界期

(1)人体处于三种高潮期时是生理机能最旺盛、最协调、最理想的时期,表现出思维敏捷,记忆力增强,情绪高涨,积极向上,精力充沛,身体健康,是从事各项工作的最佳时机。选择此时受孕大部分人可获得一个优质量的胎儿,若配合其他优生条件效果将会更好。

(2)智力与体力节律处于高潮期,人会表现出记忆力增强,精力旺盛、不易疲劳,脑力劳动者可适当延长时间加大工作量可收到较好效果;反之,这两种节律运行到低潮期和临界期时完成一般工作量即可,并注意劳逸结合,以免影响健康或出现差错。

(3)智力与情绪处于高潮期时具有思维敏捷、合作进取、极易激发灵感的特点,是从事决策活动、艺术创作的大好时机,应充分加以利用,可以收到事半功倍的效果;反之,两种节律运行到低潮期和临界期时完成一般工作量即可,以免发生意外和失误。

(4)体力与情绪节律处于高潮期,具有精神振奋、体力充沛、适应性强等特点,这个时期是运动员、舞蹈演员习功练武的大好时机,可加大活动量,学习高难度动作,能发挥出较好的竞技水平;反之,这两种节律运行到低潮期和临界期时,只可进行一般性训练,不可要求过高,以免造成事故和损失。

(5)智力、情绪、体力节律都处于低潮期和临界期时是比较糟糕的时期,人会出现疲劳、不适、粗心大意、心神不宁、情绪低落、反应迟钝、注意力不集中、易感染疾病、易出差错等现象。在此期间大部分人自我感觉不良,易发生各类事故、决策失误,从事特殊工作任务者应格外提防。如果男女双方在此时受孕,出生的孩子一般脾气抑郁,体质较差,智力低下。

(三)如何克服生物节律对人的消极影响

生物节律处于"危象期"时智力下降、情绪欠佳或体力不好,对大部分人都会产生程度不同的危害和影响。但在实际应用中往往出现这样两种偏见:一是部分人一遇到"危象期"就出现恐惧和过度紧张的变态心理,怕字当头,不敢越"雷池"一步,变成谨小慎微的君子,甚至以生物节律不好为借口什么事情都不干,拒绝正常工作,贻误生产。当然,在条件允许的情况下,对生物节律处于多重临界日的作业者,为了避免操作失误,减少差错事故,采取临时改变工作或者适当休息的措施,各级领导也应当予以大力支持。二是部分人遇到"危象期"满不在乎,抱着根本不相信、不理睬、无所谓的态度,结果出了事情,造成损失,后悔也来不及了。正确的做法应该是,对于生物节律的不良作用既不能轻视又不能迷信。因为人是有理智的,人的意志和主观能动作用是不可忽视的。况且,大量的事实也证明生物节律处在高潮期也会出事故,处于"危象期"也会不出事故。生物节律不如意仅仅是一种不良的倾向而已,它并非预示着一定要发生什么不幸之事,也不是说一定要出什么问题。只是提醒人们要注意些什么,要加强自我控制,自我调节,放慢生活节奏,避免过度劳累,以达到缓解生物节律对人的不良影响。我们在实践中还体会到,对参加重要比赛和考试的学生,除防止上述片面认识外,还应特别注意以下几点:① 不要吃得过饱。根据科学家研究,人体内有一种叫做纤维芽细胞生长因子的物质,它是引起大脑节律减慢、工作效率降低的一个重要因素。如果进食过饱,纤维芽细胞生长因子在大脑中的数量就会大幅度增加,将影响大脑的思维和智力水平的发挥。另外当人们进食之后,消化系统处于高度兴奋状态,血液主要集中在这里进行工作,导致大脑的暂时性缺血,也会使人的记忆力受到一定程度的抑制。② 补充能量加强营养。生物节律在"危象期",人体的新陈代谢相对减慢,部分生理机能处于暂短的抑制状态。因此,有必要适当补充大脑中能量的供给及脑细胞的营养物质。如多食一些葡萄糖、维生素与含卵磷脂较丰富的食品,蛋类、豆类、核桃、花生、动物内脏、新鲜瓜果蔬菜,等等,以提高大脑功能,防止出现低血糖现象。

在实际应用过程中,我们发现有个别人对生物节律感受性较低的问题。据国外的资料介绍,受生物节律影响有两种类型的人:一种是属于"节律型"的人,约占90%,对节律的感受性较强;一种是"非节律型"的人,约占10%左右,对节律的感受性较差,受其影响也较小。

本章小结

人因失误与人的可靠性是一对矛盾的对立统一体。本章首先对人因失误的概念进行了定义,对人因失误进行了分类,分析了人因失误的生理方面、心理方面、人的作业姿势和动作方面、工作环境方面、作业能力方面、设施和信息方面的原因,并从人的方面、机械设备方面、作业环境方面和管理方面提出了预防人因失误的对策。其次,对人因失误的概率进行了定义,介绍了人因失误分析的方法和人因失误定量模型:井口教授模型、人认知可靠性模型、估计人因失误概率、人因失误率预测技术。最后介绍了人体生物节律预测法,如何正确对待人体生物节律。

思考题

1. 什么是人因失误?人因失误的分类方法有哪些?
2. 简要叙述人因失误的原因。
3. 人因失误的预防有哪些措施?
4. 什么是人因失误的概率?
5. 人因失误的分析包括哪三个方面的工作?
6. 人因失误的定量模型主要有哪些?简要叙述其模型的主要内容。
7. 简要叙述人因失误率预测技术。
8. 什么是人体生物节律?
9. 如何绘制人体生物节律图?
10. 如何正确对待人体生物节律预测?

第十一章

事故预防及系统危险控制

第一节 事故可预防原理及宏观对策

一、事故的可预防原理

事故预防可从两个方面去考虑：一是排除妨碍生产的因素，促进生产的发展；二是排除不安全因素，保障人民生命财产的安全。前者是从经济效益考虑的，后者是从保护劳动者考虑的。事故的可预防原理可以从以下三个方面考虑。

（一）"事故可以预防"原理

这里所指的事故，系指非自然因素引起的伤亡事故。实质上，安全技术和安全工程学的基本内容主要是事故预防问题，它是建立在"事故可以预防"这一基本原则的基础之上的。它研究和解释事故发生的原因和过程，并研究防止事故发生的理论与对策，是一门严谨的系统的学科。我们应当从"事故可以预防"这一原则出发，一方面要考虑事故发生后减少或控制事故损失的应急措施，另一方面更要考虑消除事故发生的根本措施。前者称为损失预防措施，属于消极的对策；后者称为事故预防措施，属于积极的预防对策。

事故预防以往多倾向于研究事故发生后的应急对策。例如，为了减少或控制火灾、爆炸事故发生后造成的损失，常见采取诸如用防火结构的构筑物，或者限制易燃、易爆物的储存数量，或者控制一定的安全距离，或者构筑防爆墙、防油堤等预防措施，以及安装火灾报警设备、灭火机等以便及早发现并及早扑灭火灾，和预留安全避难设施、急救设施，以便进行事故后的紧急处理。当然，在事故预防工作中，这些消极的预防对策都是完全必要的，但这些措施都是应急措施。安全科学研究的重点是加强积极的预防对策的研究，如妥善管理事故发生源和危险物，使事故根本不可能发生，这才是事故预防的上策。而这又是建立在"事故可以预防"这一总的认识的基础上的。

（二）"防患于未然"原理

事故与损失是偶然性的关系。任何一次事故的发生都是其内在因素作用的结果，但事故何时发生以及发生以后是否造成损失、损失的种类、损失的程度等都是由偶然因素决定的。即使是反复出现的同类事故，各次事故的损失情况通常也是各不相同的，有的可能造成伤亡，有的可能造成物质、财产损失，有的既有伤亡、又有物质财产的损失，也可能未造成损失（险肇事故）。如瓦斯爆炸事故发生以后，设备被破坏的范围及程度、人员受伤害的情况、有无火灾并发现象等，是与爆炸的地点、人员所处的位置、周围可燃物的数量等偶然因素有关的,我们无法预先予以判断。由此说明,由于事故与后果存在着偶然性关系,唯一的、积极的办法是防患于未然,因为只有完全防止了事故出现,才能避免由事故所引起的各种程度的损失。我们如果仅从事故后果的严重程度来分析事故的性质,以此作为判断事故是否需要预防的依据,这显然是片面的,甚至是错误的。因为它极少能反映事故前的不安全状态、不安全行为以及管理上的缺陷。因此,从预防事故的角度考虑,绝对不能以事故是否造成伤害或损失作为是否应当预防的依据。对于未发生伤害或损失的险肇事故,如果不采取及时、有效的防范措施,则以后也必然会发生具有伤害或损失的偶然性事故。因此,我们对于已发生伤害或损失的事故及未发生伤害或损失的险肇事故,均应全面判断隐患,分析原因。只有这样才能准确地掌握发生事故的倾向及频率,提出比较切合实际的预防对策。

(三)"事故的可能原因必须予以根除"原理

事故与其发生的原因是必然性关系,任何事故的出现总是有原因的。事故与原因之间存在着必然性的因果关系。我们可按下述事故与原因的关系去理解事故发生的经过:损失←事故←直接原因←间接原因←基础原因。

为了使预防事故的措施有效,首先应当对事故进行全面的调查和分析,准确地找出直接原因、间接原因以及基础原因。一般在事故调查报告中,只列出造成事故的直接原因,即在事故发生前的瞬间所做的或发生的事情,或者在时间上最接近事故发生的原因,而没有分析管理缺陷及造成管理缺陷的基础原因,所采取的预防对策也往往只是针对直接原因而言,所以预防措施常常无效。这是因为显而易见的直接原因几乎很少是事故的根本原因。如一台安装在走廊上的机器,因为漏油使得走廊的路面上积了一大摊油迹,某工人踩着油迹滑倒摔伤。若对这次事故的分析不深入,则我们只是针对直接原因因有油迹而滑倒去采取预防措施——清扫走廊地面上的油迹。实际上,进一步分析原因,即找出前一个原因之所以发生的原因——为什么会漏油,不难理解,真正预防滑倒事故发生的措施应当是防止漏油,因为漏油才是引起事故的根源。这个简化了的例子说明,即使去掉了直接原因(暂时地)但只要间接原因还存在,就会重新出现直接原因。所以,有效的事故预防措施来源于深入的原因分析。

二、事故预防的宏观对策

如同一切事物一样,事故亦有其发生、发展以及消除的过程,因而是可以预防的。事故的发展可归纳为三个阶段:孕育阶段、生长阶段和损失阶段。孕育阶段是事故发生的最初阶段,此时事故处于无形阶段,人们可以感觉到它的存在,而不能指出它的具体形式;生长阶段是由于基础原因的存在,出现管理缺陷,不安全状态和不安全行为得以发生,构成生产中事故隐患阶段,此时,事故处于萌芽状态,人们可以具体指出它的存在;损失阶段是生产中的危险因素被某些偶然事件触发而发生事故,造成人员伤亡和经济损失的阶段。

安全工作的目的是要避免因发生事故而造成损失,因此要将事故消灭在孕育阶段和生长阶段。为达到这一目的,首先就需要识别事故,即在事故的孕育阶段和生长阶段中明确识别事故的危险性,所以需要进行事故的分析和评价工作。

(一)事故法则

事故法则即事故的统计规律,又称 1:29:300 法则。即:在每 330 次事故中,会造成死亡重伤事故 1 次,轻伤、微伤事故 29 次,无伤事故 300 次。这一法则是美国安全工程师海因里希(H. W. Heinrich)统计分析了 55 万起事故提出的,得到安全界的普遍承认。人们经常根据事故法则的比例关系绘制成三角形图,称为事故三角形,如图11-1所示。

事故法则告诉人们,要消除1次死亡重伤事故以及29次轻伤事故,必须首先消除300次无伤事故。也就是说,防止灾害的关键,不在于防止伤害,而是要从根本上防止事故。所以,安全工作必须从基础抓起,如果基础安全工作做得不好,小事故不断,就很难避免大事故的发生。

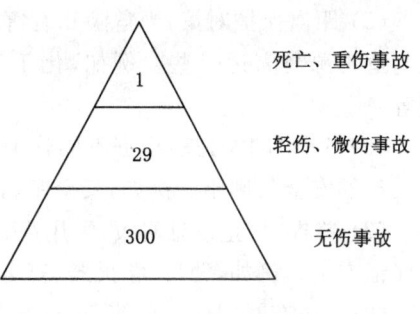

图 11-1 事故三角形

上述事故法则是从一般事故统计中得出的规律,其绝对数字不一定适用于每一个行业事故。因此,为了进行行业事故的预测和评价工作,有必要对行业事故的事故法则进行研究。

有关学者曾对这一问题做过一些初步研究,得到煤矿事故的结论如下:

对于采煤工作面所发生的顶板事故,其事故法则为:

死亡∶重伤∶轻伤∶无伤＝1∶12∶200∶400

对于全部煤矿事故,其事故法则为:

死亡∶重伤∶轻伤＝1∶10∶300

(二)事故预防的宏观对策

综上所述,事故是有其固有规律的,除了人类无法左右的自然因素造成的事故(如地震、山崩等)以外,在人类生产和生活中所发生的各种事故都是可以预防的。

事故的宏观预防工作应该遵循"全面治理"的原则,即从教育(education)、技术(engineering)和组织管理(enforcement)三方面归纳总结出的"3E"对策,这是事故预防的三根支柱。

1. 技术对策

在生产过程中,客观上存在的隐患是事故发生的前提。因此,要预防事故的发生,就需要针对危险隐患采取有效的技术措施进行治理。在采取有效技术措施进行治理过程中,应当遵循的基本原则是:

(1)消除潜在危险的对策:即从本质上消除事故隐患,其基本做法是,以新的系统、新的技术和工艺代替旧的不安全的系统和工艺,从根本上消除发生事故的可能性。例如,用不可燃材料代替可燃材料,改进机器设备、消除人体操作对象和作业环境的危险因素,消除噪声、尘毒对工人的影响等,从而最大可能地保证生产过程的安全。

(2)降低潜在危险严重度的对策:即在无法彻底消除危险的情况下,最大限度地限制和减少危险程度。例如,手电钻工具采用双层绝缘措施,利用变压器降低回路电压,在高压容器中安装安全阀等。

(3)闭锁对策:在系统中采用一些原器件的机器联锁或机电、电气互锁作为保证安全的条件。例如,冲压机械的安全互锁器、电路中的自动保安器、煤矿上使用的瓦斯-电闭锁装置等。

(4)能量屏蔽对策:在人、物与危险源之间设置屏障,防止意外能量作用到人体和物体上,以保证人和设备的安全。例如,建筑高空作业的安全网、核反应堆的安全壳等都起到了保护作用。

(5) 距离保护对策：当危险和有害因素的伤害作用随着距离的增加而减弱时，应尽量使人与危害源距离远一些。例如，化工厂建立在远离居民区的地方，爆破时的危险距离控制等。

(6) 个体保护对策：根据不同作业性质和条件，配备相应的保护用品及用具，以保护作业人员的安全与健康。例如，安全带、护目镜、绝缘手套等。

(7) 警告、禁止信息对策：采用声、光、色等其他标志，作为传递组织和技术信息的目标，以保证安全。例如，警灯、警报器、安全标志、宣传画等。

此外，还有时间保护对策、薄弱环节对策、坚固性对策、代替作业人员对策等，可以根据需要确定采取相关的预防事故的技术原则。

2. 组织管理对策

预防事故的发生不仅要遵循上述的技术对策，而且还要在组织管理上采取相关的措施，才能最大限度地减少事故发生的可能性。

(1) 系统整体性对策：安全工作是一项系统性、整体性的工作，它涉及企业生产过程中的各个方面。安全工作的整体性要体现出：有明确的工作目标，综合地考虑问题的原因，动态地认识安全状况；而且落实措施要有主次，要有效地抓住各个环节，并且能够适应变化的要求。

(2) 计划性对策：安全工作要有计划和规划，近期的目标和长远的目标要协调进行。工作方案、人财物的使用要按照规划进行，并且有最终的评价，形成闭环的管理模式。

(3) 效果性对策：安全工作的好坏，要通过最终成果的指标来衡量。但是，由于安全问题的特殊性，安全工作的成果既要考虑经济效益，又要考虑社会效益。正确认识和理解安全的效果性，是落实安全生产措施的重要前提。

(4) 党政工团协调安全工作对策：党制定正确的安全生产方针和政策。教育干部和群众遵章守法，了解和解决工人的思想负担，把不安全行为变为安全行为。政府实行安全监察管理职责，不断改善劳动条件，提高企业生产的安全性。工会代表工人的利益，监督政府和企业把安全工作搞好。青年是劳动力中的有生力量，青年工人中往往事故发生率高，因此，动员青年开展事故预防活动，是安全生产的重要保证。

(5) 责任制对策：各级政府及相关的职能部门和企事业单位应当实行安全生产责任制，对违反劳动安全法规和不负责任的人员而造成的伤亡事故应当给予行政处罚，造成重大伤亡事故的应当根据《刑法》追究刑事责任。只有将安全责任落到实处，安全生产才能得以保证，安全管理才能有效。

3. 教育对策

所谓教育对策，系指通过家庭、学校以及社会等途径的传授与培训，掌握安全知识及正确的作业方法。每个人应当从幼年时期开始灌输安全知识，在大学里应当系统地学习必要的安全工程学知识；对在职人员，则应根据其具体的业务，进行安全技术（包括事故管理技术）在内的教育；对工人应进行三级安全教育和特殊工种的培训教育。总之，教育的内容包括安全知识、安全技能、安全态度等三个方面。

上面简述了三种对策。在这三种对策中，首先必须提出技术对策。在事故预防对策中，应当把安全技术作为主要的研究对象，创造一种不发生事故的客观条件，或者说，创造安全生产的良好物质基础。

总之，在事故预防中，应选择最恰当的对策，而最恰当的对策是在原因分析的基础上得出来的。最根本的对策则是以间接原因及基础原因为对象的对策。一旦对策确定以后，必须尽快地去实施，从总体上提高预防事故的能力，有效地控制事故，保证生产和生活的安全。

第二节　事故预防的对策

一、人为事故的预防

人为事故在工业生产发生的事故中占较大比例。有效控制人为事故，对保障安全生产发挥着重要作用。

人为事故的预防和控制，是在研究人与事故的联系及其运动规律的基础上认识到人的不安全行为是导致与构成事故的要素。因此，要有效预防、控制人为事故的发生，依据人的安全与管理的需求，运用人为事故规律和预防、控制事故原理联系而产生的一种对生产事故进行超前预防、控制的方法。

1. 人为事故的规律

在生产实践活动中，人既是促进生产发展的决定因素，又是生产中安全与事故的决定因素。人的安全行为能保证安全生产，人的异常行为会导致与构成生产事故。因此，要想有效预防、控制事故的发生，必须做好人的预防性安全管理，强化和提高人的安全行为，改变和抑制人的异常行为，使之达到安全生产的客观要求，以致超前预防、控制事故的发生。

表 11-1 为揭示了人为事故的基本规律。为了深入地研究人为事故规律，我们还可利用安全行为科学的理论和方法。

表 11-1　　　　　　　　　　人为事故的基本规律

异常行为系列原因		内在联系	外延现象
产生异常行为内因	静态始发致因	生理缺陷	耳聋、眼花、各种疾病、反应迟钝、性格孤僻等
		安技素质差	缺乏安全思想和安全知识、技术水平低、无应变能力等
		品德不良	意志衰退、目无法纪、自私自利、道德败坏等
	动态续发致因	违背生产规律	有章不循、执章不严、不服管理、冒险蛮干等
		身体疲劳	精神不振、神志恍惚、力不从心、打盹睡觉等
		需求改变	急于求成、图懒省事、心不在焉、侥幸心理等
产生异常行为外因	外侵导发致因	家庭社会影响	情绪反常、思想散乱、烦恼忧虑、苦闷冲动等
		环境影响	高温、严寒、噪声、异光、异物、风雨雪等
		异常突然侵入	心慌意乱、惊慌失措、恐惧胆怯、措手不及等
	管理延发致因	信息不准	指令错误、警报错误
		设备缺陷	技术性能差、超载运行、无安技设备、非标准等
		异常失控	管理混乱、无章可循、违章不纠

在掌握了人们异常行为的内在联系及其运行规律后，为了加强人的预防性安全管理工作，有效预防、控制人为事故，我们可从以下四个方面入手。

(1) 从产生异常行为静态始发致因的内在联系及其外延现象中得知：要想有效预防人

为事故,必须做好劳动者的表态安全管理。例如,开展安全宣传教育、安全培训,提高人们的安全技术素质,使之达到安全生产的客观要求,从而为有效预防人为事故的发生提供基础保证。

(2) 从产生异常行为动态续发致因的内在联系及其外延现象中得知:要想有效预防、控制人为事故,必须做好劳动者的动态安全管理。例如,建立、健全安全法规,开展各种不同形式的安全检查等,促使人们的生产实践规律运动,及时发现并及时改变人们在生产中的异常行为,使之达到安全生产要求,从而预防、控制由于人的异常行为而导致的事故发生。

(3) 从产生异常行为外侵导发致因的内在联系及其外延现象中得知:要想有效预防、控制人为事故,还要做好劳动环境的安全管理。例如,发现劳动者因受社会或家庭环境影响思想混乱,有产生异常行为的可能时,要及时进行思想工作,帮助解决存在的问题,消除后顾之忧等,从而预防、控制由于环境影响而导致的人为事故发生。

(4) 从产生异常行为管理延发致因的内在联系及其外延现象中得知:要想有效预防、控制人为事故,还要解决好安全管理中存在的问题。例如,提高管理人员的安全技术素质,消除违章指挥;加强工具、设备管理,消除隐患等,使之达到安全生产要求,从而有效预防、控制由于管理失控而导致的人为事故。

2. 强化人的安全行为,预防事故发生

强化人的安全行为,预防事故发生,是指通过开展安全教育提高人们的安全意识,使其产生安全行为,做到自我预防事故的发生。主要应抓住两个环节:一要开展好安全教育,提高人们预防、控制事故的自为能力;二要抓好人为事故的自我预防。

(1) 劳动者要自觉接受教育,不断提高安全意识,牢固树立安全思想,为实现安全生产提供支配行为的思想保证。

(2) 要努力学习生产技术和安全技术知识,不断提高安全素质和应变事故的能力,为实现安全生产提供支配行为的技术保证。

(3) 必须严格执行安全规律,不能违章作业、冒险蛮干,即只有用安全法规统一自己的生产行为,才能有效预防事故的发生,实现安全生产。

(4) 要做好个人使用的工具、设备和劳动保护用品的日常维护保养,使之保持完好状态,并要做到正确使用,当发现有异常情况时要及时进行处理,控制事故的发生,保证安全生产。

(5) 要服从安全管理,并敢于抵制他人违章指挥,保质保量地完成自己分担的生产任务,遇到问题要及时提出,求得解决,确保安全生产。

3. 改变人的异常行为,控制事故发生

改变人的异常行为,是继强化人的静态安全管理之后的动态安全管理。通过强化人的安全行为预防事故的发生,改变人的异常行为控制事故发生,从而达到超前有效预防、控制人为事故的目的。

要改变人的异常行为,控制事故发生,主要有如下五种方法:

(1) 自我控制。是指在认识到人的异常意识具有产生异常行为、导致人为事故的规律之后,为了保证自身,在生产实践中的自我改变异常行为,控制事故的发生。自我控制是行为控制的基础,是预防、控制人为事故的关键。例如,劳动者在从事生产实践活动之前或生产之中,当发现自己有产生异常行为的因素存在时,如身体疲劳、需求改变,或因外界影响思想混乱等，能及时认识和加以改变，或终止异常的生产活动，均能控制由于异常行为而导致的事故。又如当发现生产环境异常，工具、设备异常时，或领导违章指挥有产生异常行为的外因时，能及时采取措施，改变物的异常状态，抵制违章指挥，也能有效控制由于异常行为而导致的事故生产。

（2）跟踪控制。是指运用事故预测法对已知具有产生异常行为因素的人员做好转化和行为控制工作。例如，对已知的违反安全人员指定专人负责做好转化工作和进行行为控制，防止异常行为的产生和导致事故发生。

（3）安全监护。是指对从事危险性较大生产活动的人员指定专人对其生产行为进行安全提醒和安全监督。例如，电工在停送电作业时，一般要有两人同时进行，一人操作、一人监护，防止误操作的事故发生。

（4）安全检查。是指运用人自身技能，对从事生产实践活动人员的行为进行各种不同形式的安全检查，从而发现并改变人的异常行为，控制人为事故发生。

（5）技术控制。是指运用安全技术手段控制人的异常行为。例如，绞车安装的过卷装置，能控制由于人的异常行为而导致的绞车过卷事故；变电所安装的联锁装置，能控制人为误操作而导致的事故；高层建筑设置的安全网，能控制人从高处坠落后导致人身伤害的事故发生等。

二、设备因素导致事故的预防

设备与设施是生产过程的物质基础，是重要的生产要素。为了有效预防、控制设备导致的事故发生，运用设备事故规律和预防、控制事故原理联系生产或工艺实际，即提出了这种超前预防、控制事故的方法。

在生产实践中，设备是决定生产效能的物质技术基础，没有生产设备特别是现代生产是无法进行的。同时设备的异常状态又是导致与构成事故的重要物质因素。例如，没有机械设备的异常运行，就不会发生与锅炉相关的各种事故等。因此，要想超前预防、控制设备事故的发生，必须做好设备的预防性安全管理，强化设备的安全运行，改变设备的异常状态，使之达到安全运行要求，才能有效预防、控制事故的发生。

1. 设备因素与事故的规律

设备事故规律，是指在生产系统中由于设备的异常状态违背了生产规律，致使生产实践产生了异常运动而导致事故发生，所具备的普遍性表现形式。

（1）设备故障规律。是指由于设备自身异常而产生故障及导致发生的事故在整个寿命周期内的动态变化规律。认识与掌握设备故障规律，是从设备的实际技术状态出发，确定设备检查、试验和修理周期的依据。例如，一台新设备和同样一台长期运行的老、旧设备，由于投运时间和技术状态不同，其检查、试验、检修周期是不应相同的。应按照设备故障变化规律来确定其各自的检查、试验、检修周期。这样既可以克服单纯以时间周期为基础静态管理的弊端，减少一些不必要的检查、试验、检修的次数，节约一些人力、物力、财力，提高设备安全经济运行的效益，又能提高必要的检查、试验、检修的效果，确保设备安全运行。

设备在整个寿命期内的故障变化规律大致分为三个阶段：第一阶段，是设备故障的初发期；第二阶段，是设备故障的偶发期；第三阶段，是设备故障的频发期。

设备故障初发期是指设备在开始投运的一段时间内，由于人们对设备不够熟悉，使用不当，以及设备自身存在一定的不平衡性，因而故障率较高。这段时间也称设备使用的适应期。

设备故障偶发期是指设备在投运后,由于经过一段时间的运行,其适应性开始稳定,除在非常情况下偶然发生事故外,一般是很少发生故障的。这段时间较长,也称设备使用的有效期。

设备故障频发期是指设备经过了一段长时期运行后,其性能严重衰退,局部已经失去了平衡,因而故障→修理→使用→故障的周期逐渐缩短,直至报废为止。这段时间故障率最高,也称设备使用的老化期。

从设备故障变化规律中得知,设备在第一阶段故障初发期。尽管故障率较高,但多半是属于局部的、非实质性故障,因而只需增加安全检查的次数,即检查周期要短。其定期试验、定期检修的周期,可同第二段故障偶发期的试验、检修周期相同。但到了第三阶段故障频发期,随着设备故障频率的增高,其定期检查、试验、检修的周期均要相应地缩短,这样才能有效预防、控制事故发生,保证设备安全运行。

(2) 与设备相关的事故规律。设备不仅因自身异常能导致事故发生,而且与人、与环境的异常结合也能导致事故发生。因此要想超前预防、控制设备事故的发生,除要认识掌握设备故障规律外,还要认识掌握设备与人、与环境相关的事故规律,并相应地采取保护设备安全运行的措施,才能达到全面有效预防、控制设备事故的目的。

(3) 设备与人相关的事故规律。是指由于人的异常行为与设备结合而产生的物质异常运动,是导致事故的普遍性表现形式。例如,人们违背操作规程使用设备、超性能使用设备、非法使用设备等所导致的各种与设备相关的事故,均属于设备与人相关事故规律的表现形式。

(4) 设备与环境相关的事故规律。是指由于环境异常与设备结合而产生的物质异常运动,是导致事故的普遍性表现形式。其中又分为固定设备与变化的异常环境相结合而导致的设备故障,如由于气温变化或环境无人导致的设备故障;另一种是移动性设备与异常环境结合而导致的设备事故,如汽车在交通运输中由于路面异常而导致的交通事故等。

2. 设备故障及事故的原因分析

导致设备发生事故的原因,从总体上分为内因耗损和外因作用两大原因。内因耗损是检查、维修问题,外因作用是操作使用问题。其具体原因又分为:是设计问题还是使用问题,是日常维修问题还是长期失修问题,是技术问题还是管理问题,是操作问题还是设备失灵问题等。

设备事故的分析方法,同其他生产事故一样,均要按"三不放过"原则进行,即事故原因查不清不放过,事故的责任者及群众受不到教育不放过,没有制定防范措施不放过。

通过设备事故的原因分析,针对导致事故的问题采取相应的防范措施,如建立、健全设备管理制度,改进操作方法,调整检查、试验、检修周期,加强维护保养,以及对老、旧设备进行更行、改造等,从而防止同类事故重复发生。

3. 设备导致事故的预防、控制要点

在现代化生产中,人与设备是不可分割的统一整体,没有人的作用设备是不会自行投入生产使用的,同样没有设备人也是很难从事生产实践活动的,只有把人与设备有机地结合起来才能促进生产的发展。但是人与设备又不是同等的关系,而是主从关系。人是主体,设备是客体,设备不仅是人设计的,而且是由人操作使用的,服从于人、执行人的意志。同时人在预防、控制设备事故中始终起着主导支配的作用。

因此,对设备事故的预防和控制要以人为主导,运用设备事故规律和预防、控制事故原理,按照设备安全与管理的需求,重点做好如下预防性安全管理工作:

(1) 首先要根据生产需求和质量标准,做好设备的选购、进场验收和安装调试,使投产的设备达到安全技术要求,为安全运行打下基础。

(2) 开展安全宣传教育和技术培训,提高人的安全技术素质,使其掌握设备性能和安全使用要求,并要做到专机专用,为设备安全运行提供人的素质保证。

(3) 要为设备安全运行创造良好的条件,如为设备安全运行保持良好的环境,安装必要的防护、保险、防潮、防腐、保暖、降温等设施,以及配备必要的测量、监视装置等。

(4) 配备熟悉设备性能、会操作、懂管理、能达到岗位要求的技术工人。其中危险性设备要做到持证上岗,禁止违章使用。

(5) 按设备的故障规律定好设备的检查、试验、修理周期,并要按期进行检查、试验、修理,巩固设备安全运行的可靠性。

(6) 要做好设备在运行中的日常维护保养,如该防腐的要防腐、该降温的要降温、该去污的要去污、该注油的要注油、该保暖的要保暖等。

(7) 要做好设备在运行中的安全检查,做到及时发现问题,及时加以解决,使之保持安全运行状态。

(8) 根据需要和可能,有步骤、有重点地对老、旧设备进行更新、改造,使之达到安全运行和发展生产的客观要求。

(9) 建立设备管理档案、台账,做好设备事故调查、讨论分析,制定保证设备安全运行的安全技术措施。

(10) 建立、健全设备使用操作规程和管理制度及责任制,用以指导设备的安全管理,保证设备的安全运行。

4. 设备的检查、修理及报废

设备的检查、修理及报废,是对设备进行预防性管理、保证安全运行的三个相互联系的重要环节。

三、环节因素导致事故的预防

安全系统的最基本要素就是人-机-环-管四要素。显然,环境因素也是重要方面。通过揭示环境与事故的联系及其运动规律,认识异常环境是导致事故的一种物质因素,使之能有效地预防、控制异常环境导致事故的发生,并在生产实践中依据环境安全与管理的需求,运用环境导致事故的规律和预防、控制事故原理联系实际,最终对生产事故进行超前预防、控制的方法,这就是研究环境因素导致事故的目的。

1. 环境与事故的规律

环境,是指生产实践活动中占有的空间及其范围内的一切物质状态。其中,又分为固定环境和流动环境两种类别。

固定环境是指生产实践活动所占有的固定空间及其范围内的一切物质状态。

流动环境是指流动性的生产活动所占有的变动空间及其范围内的一切物质状态。

环境包括的内容,依据其导致事故的危害方式,分为如下五个方面内容:① 环境中的生产布局,地形、地物等;② 环境中的温度、湿度、光线等;③ 环境中的尘、毒、噪声等;④ 环境中的山林、河流、海洋等；⑤ 环境中的雨水、冰雪、风云等。

环境是生产实践活动必备的条件，任何生产活动无不置于一定的环境之中，没有环境生产实践活动是无法进行的。例如，建筑楼房不仅要占用自然环境中的土地，而且施工过程还要人为形成施工环境，否则无法建筑楼房。又如，船舶须置于江、河、湖、海的环境之中才能航行，否则寸步难行。

同时环境又是决定生产安危的一个重要物质因素。其中，良好的环境是保证安全生产的物质因素，异常环境是导致生产事故的物质因素。例如，在生产过程中，由于环境中的温度变化，高温天气能导致劳动者中暑，严寒能导致劳动者冻伤，也能影响设备安全运行而导致设备事故。又如，生产环境中的各种有害气体能引起爆炸事故和导致劳动者窒息；尘、毒危害能导致劳动者患职业病；以及生产环境中的地形不良、材料堆放混乱，或有其他杂物等，均能导致事故发生。

总之，环境是以其中物质的异常状态与生产相结合而导致事故发生的。其运动规律，是生产实践与环境的异常结合，违反了生产规律而产生的异常运动，是导致事故的普遍性表现形式。

2. 环境导致事故的预防、控制要点

在认识到良好的环境是安全生产的保证，了解环境是导致事故的物质因素及其运动规律之后，依据环境安全与管理的需求对环境导致事故的预防和控制，主要应做好四个方面工作：运用安全法制手段加强环境管理，预防事故的发生；治理尘、毒危害，预防、控制职业病发生；应用劳动保护用品，预防、控制环境导致事故的发生；运用安全检查手段改变异常环境，控制事故发生。

因此，为了使生产环境的安全管理、尘毒危害治理及劳动保护用品使用均能达到管理标准的要求，防止其发生异常变化，就要坚持做好生产过程中的安全检查，做到及时发现并及时改变生产的异常环境，使之达到安全要求，同时对不能加以改变的异常环境，如临电作业、危险部位等，还要设置安全标志，从而控制异常环境导致事故的发生。

第三节 事故预警和应急系统

一、事故预警的准备

事故的预警离不开必要的物质条件。一般需要准备的条件大致可以分为三类：

（一）经费

管理离不开经费的支持。在预防管理阶段，一般应有日常的经费预算。

（二）设施

预防管理阶段，一般应有开展危机监测的各种工具和危机信息处理的各种工具。在危机事件处理中，所需的设施也是比较多的，这些设施同样平时就要有所准备，并要安排有关人员学会其使用操作。

（三）信息资料

每一个企业需要有下列能随时取用的书面材料：主要利害攸关者的地址、电话和电传序列；董事会及董事会办公室，包括公司管理者；法律顾问，外部审计员，其他方面的顾问，主要银行关系户；分支机构的主要经理；主要客户和供应商；主要股东；工会领导人；地方官员，包括公安、火警和医疗保健方面的人员;政府官员;社区和各企业的负责人;主要的传媒联系人。对每一位利害攸关者要制定紧急情况下的联系方法,包括电子邮件、电传、电话、亲自造访等。

详细描述所有设备及布局、面积和单位面积的人数。

所有员工的传记性资料,主要负责人的资料要详尽一些。

所有设备和负责人的照片。

设备和机构统计:现有员工人数、建筑物和设备费用,年净收入,产品和服务的描述,与团体和供应商的主要合同,以及这些机构正在进行的诉讼和费用,一些常设机构和派出机构的资料。

历史情况:包括主要事件,这些事件用记事卡加以记录。

二、预警系统的建立

（一）要求

(1) 能采集到预警所需要的信息;

(2) 能准确地预警危机,既不会对不是危机发生的信号发生错误的预警也不会忽视危机发生的征兆;

(3) 危机警报能被应该接受警报的人接收到,并能被接受者正确地理解;

(4) 各种危机警报之间不会相互干扰而影响危机警报的接收;

(5) 系统的建立和使用要经济、合理。

（二）要解决的问题

对潜在危机的危险进行分类并评估其特点,再确定应采取的符合逻辑的步骤。进行了危险分类之后,要考虑如下问题:

(1) 企业是否有阻止危险变成危机的方针或工作程序？

(2) 一旦危机发生,是否有应付危机各个方面的方案？

(3) 方案是否经过模拟性演习,以确保能达到满意的效果？

(4) 企业是否了解危机突发时将要影响的用户是谁？

(5) 用户将受到怎样的影响？

(6) 方案是否包括了与受影响用户进行有效沟通的工作程序,以使他们了解事情的发生与处理情况？

(7) 方案中信息传播工作以及企业的反应性行动设计是否经过模拟性演习？

（三）建立程序

第一步,确定企业需要对哪些危机建立预警系统。

第二步,评估危机风险源、危机征兆、危机征兆与危机发生之间的关系。这时需要企业内外的专家和企业内受危机影响的部门成员一起参与评估,如有必要也可以邀请企业外的受危机影响者参与评估。

第三步,根据评估结果确定危机监测的内容和指标,并确定预警的临界点。

第四步,确定建立什么样的预警系统,采用什么样的技术、设备、程序,需要为预警系统配备哪些资源。

第五步,评估预警系统的性能,了解系统的特性,如系统的误差、系统的准确性、系统的可信度、系统的稳定性、系统需要什么样的维护措施、系统的连续性、系统可能受到什么样的干扰,等等。

第六步,为预警系统的使用和维护配备人员,并制定相应的规章制度,确定使用和维护人员的责任、权利和义务。

第七步,向需要接收警报的人们(不一定只是企业成员,如果危机会影响到企业外部人员,应该包括外部成员)说明预警系统,使他们能理解警报,并在收到警报时能作出正确的反应。

三、预警系统的行动实施

(一) 预测

由于对危机事件的预测水平直接影响和制约着危机预警系统运作的水平,加之预测本身具有不确定性和风险性,这就决定了危机预测的重要性和困难程度。为增强预测的准确性,应当在把握事物发展内在规律的基础上,采取科学的预测方法。具体方法有:

(1) 直观预测法,即以专家的知识、经验和综合分析能力为基础所进行的预测;

(2) 探索预测法,即对未来环境作具体规定,假定未来仍然按照过去的趋向发展;

(3) 规范预测法,将未来的状况作为限制条件并与目前的现实状态进行比较,从而推测未来;

(4) 反馈预测法,将探索预测法和规范预测法结合起来,使两者相互补充,同处于一个不断反馈的统一体中。

通过科学预测,不仅要预见危机发生的可能性,还要进一步分析引起危机的原因,以便针对可能出现的危机事件制定预防措施。

(二) 识别隐患

在管理过程中,有部分安全隐患是完全可以依靠从业经验、专业技术水平等来预先识别的。其识别过程大体可以分解为:

摸底,即由相关专业人员按计划分别对管理区域里相应专业范围内可能存在的隐患进行摸底,实现隐患初步识别;

清查,即由管理员会同各专业人员对管理区域内的隐患进行更加全面细致的清查,从不同角度出发尽可能找出各种潜在隐患,并尽力消除能够处理的隐患;

整理,即对清查出且无法消除的隐患进行最后的确认识别;

分类,即根据隐患的属性进行分类,并编辑成册备用。

当然,隐患识别工作不是就此完结,随着周围环境的变化等还需要企业在日常运营中继续加以关注,不断识别新的安全隐患。

(三) 进行防范

为确保危机不发生,应该针对企业存在的危险情况,制定涉及全公司的防范方针政策,并确保企业各部门管理层不仅有实施这些政策的资金和其他资源,而且还有明确的政策实施责任。尽管这种做法花费较高,但若不制定如此全面的政策,就公司的整个前途来说,就很可能出现灾难性的后果。但在制定政策时,可参照企业已有的准则,这有助于把握政策的框架和深度。在具体制定时,应考虑这样一些问题:

这种危险是否真正影响企业的最终目的?

所鉴别出的潜在危机真实性如何?

企业现有的行为是否能阻止或遏制危机?

所制定的方针政策是否经得住考验？

企业是否具备行动所需之资源？

这种资源消费对于企业来说是否能接受？

是否有采取行动的决心？

不采取行动的结果将会怎样？

此外，还要对所制定的防范方针的贯彻落实情况进行定期检查。此工作可指定由管理小组本身来做，也可另指定一险情审核小组来做。审核小组人员构成应至少有一名危机预警管理小组成员，一名所审核部门的专家和一名称职的外聘顾问，以便提供客观的看法。

四、事故应急救援系统

（一）事故应急救援的基本原则与任务

事故应急救援工作是在预防为主的前提下，贯彻统一指挥、分级负责、区域为主、单位自救和社会救援相结合的原则。其中预防工作是事故应急救援工作的基础，除了平时做好事故的预防工作，避免或减少事故的发生外，落实好救援工作的各项准备措施，做到预先准备，一旦发生事故就能及时实施救援。重大事故所具有的发生突然、扩散迅速、危害范围广的特点，也决定了救援行动必须达到迅速、准确和有效，因此，救援工作只能实行统一指挥下的分级负责制，以区域为主，并根据事故的发展情况，采取单位自救和社会救援相结合的形式，充分发挥事故单位及地区的优势和作用。

事故应急救援又是一项涉及面广、专业性很强的工作，靠某一个部门是很难完成的，必须把各方面的力量组织起来，形成统一的救援指挥部，在指挥部的统一指挥下，安全、救护、公安、消防、环保、卫生、质检等部门密切配合，协同作战，迅速、有效地组织和实施应急救援，尽可能地避免和减少损失。

事故应急救援的基本任务包括下述几个方面：

（1）立即组织营救受害人员，组织撤离或者采取其他措施保护危害区域内的其他人员。抢救受害人员是应急救援的首要任务，在应急救援行动中，快速、有序、有效地实施现场急救与安全转送伤员是降低伤亡率，减少事故损失的关键。指导群众防护，组织群众撤离。由于重大事故发生突然、扩散迅速、涉及范围广、危害大，应及时指导和组织群众采取各种措施进行自身防护，并迅速撤离出危险区或可能受到危害的区域。在撤离过程中，应积极组织群众，开展自救和互救工作。

（2）迅速控制危险源，并对事故造成的危害进行检验、监测，测定事故的危险区域、危害性质及危害程度。及时控制造成事故的危险源是应急救援工作的重要任务，只有及时控制住危险源，防止事故的继续扩展，才能及时有效地进行救援。特别对发生在城市或人口稠密地区的化学事故，应尽快组织工程抢险队与事故单位技术人员一起及时控制事故继续扩展。

（3）做好现场清洁，消除危害后果。针对事故对人体、动植物、土壤、水源、空气造成的现实危害和可能的危害，迅速采取封闭、隔离、洗消等措施。对事故外溢的有毒有害物质和可能对人和环境继续造成危害的物质，应及时组织人员予以清除，消除危害后果，防止对人的继续危害和对环境的污染。对危险化学品事故造成的危害进行监测、处置，直至符合国家环境保护标准。

（4）查清事故原因，评估危害程度。事故发生后应及时调查事故的发生原因和事故性质，评估出事故的危害范围和危险程度，查明人员伤亡情况，做好事故调查。

(二) 事故应急救援系统

由于自然灾害或人为原因,当事故或灾害不可避免的时候,有效的应急救援行动是唯一可以抵御事故或灾害蔓延并减缓危害后果的有力措施。因此,如果在事故或灾害发生前建立完善的应急救援系统,制订周密救援计划,而在事故发生时采取及时有效的应急救援行动,以及事故后的系统恢复和善后处理,可以拯救生命、保护财产、保护环境。

1. 应急救援组织机构

应急救援系统的组织结构包括图 11-2 所示五个方面的运作机构:

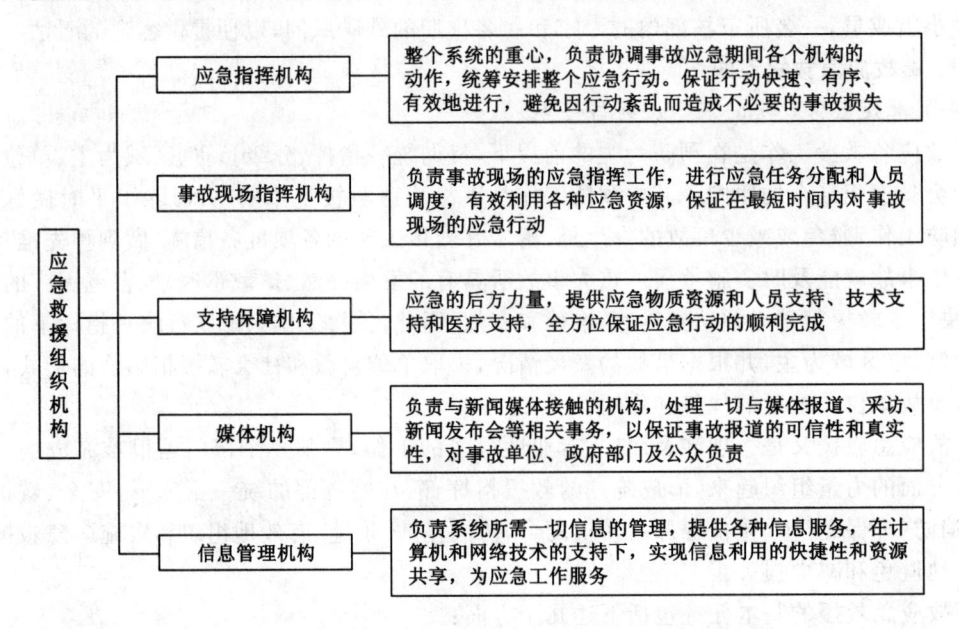

应急救援组织机构	应急指挥机构	整个系统的重心,负责协调事故应急期间各个机构的动作,统筹安排整个应急行动。保证行动快速、有序、有效地进行,避免因行动紊乱而造成不必要的事故损失
	事故现场指挥机构	负责事故现场的应急指挥工作,进行应急任务分配和人员调度,有效利用各种应急资源,保证在最短时间内对事故现场的应急行动
	支持保障机构	应急的后方力量,提供应急物质资源和人员支持、技术支持和医疗支持,全方位保证应急行动的顺利完成
	媒体机构	负责与新闻媒体接触的机构,处理一切与媒体报道、采访、新闻发布会等相关事务,以保证事故报道的可信性和真实性,对事故单位、政府部门及公众负责
	信息管理机构	负责系统所需一切信息的管理,提供各种信息服务,在计算机和网络技术的支持下,实现信息利用的快捷性和资源共享,为应急工作服务

图 11-2 应急救援系统组成框架图

(1) 应急指挥机构——协调应急组织各个机构运作和关系;
(2) 事故现场指挥机构——负责事故现场应急的指挥工作、人员调度、资源的有效利用;
(3) 支持保障机构——提供应急物质资源和人员支持的后方保障;
(4) 媒体机构——安排媒体报道、采访、新闻发布会;
(5) 信息管理机构——信息管理、信息服务。

各机构要不断调整运行状态,协调关系,形成整体,使系统快速有序、高效地开展现场应急救援行动。

2. 应急救援预案

要保证应急救援系统的正常运行必须事先制定一个应急救援预案(又称应急计划),用计划指导应急准备、训练和演习,乃至迅速高效的应急行动。

(1) 对可能发生的事故进行预测和评价;
(2) 人力、物资等资源的确定与准备;
(3) 明确应急组织和人员的职责;

(4) 设计行动战术和程序；
(5) 制订训练和演习计划；
(6) 制订专项应急计划；
(7) 制订事故后清除和恢复程序。

3. 应急培训和演习

训练和演习可以看做应急预案的一部分或继续。它是通过培训和演练，把应急预案加以验证和完善，确保事故发生时应急预案得以实施和贯彻。主要目的是：
(1) 测试预案和程序的充分程度；
(2) 测试紧急装置、设备及物质资源供应；
(3) 提高现场内、外的应急部门的协调能力；
(4) 判别和改正预案的缺陷；
(5) 提高公众应急意识。

4. 应急救援行动

发生火灾、爆炸和有毒物质泄漏等紧急情况时，所采取的营救与疏散、减缓与控制、清除净化等一系列的行动都是应急救援行动。应急行动需要以下资源的支持和保障：
(1) 人力资源；
(2) 物资与设备；
(3) 个人防护装备。

首要的应急行动是确定现场对策，即应急行动方案：
(1) 现场初始评估；
(2) 危险物质的探测；
(3) 建立现场工作区域；
(4) 确定重点保护区域；
(5) 行动的优先原则；
(6) 增援梯队。

5. 事故现场的清洁与净化

对现场中接触污染的员工和应急队员必须进行清洁净化，例如对化学品及放射性物质污染的清洁净化。净化的方法主要是稀释、处理、物理去除、中和、吸附和隔离等。

此外，还要考虑伤害和医疗前的净化、分类及处理。

设备的清洁也是应急行动的一个环节，在事故发生后要对被污染的仪器和设备进行清洁、清理。

6. 事故后的恢复

在应急救援行动结束后必须对系统进行恢复，而且尽快恢复最重要。恢复活动主要包括：
(1) 现场警戒和安全；
(2) 清洁；
(3) 对从业人员提供帮助；
(4) 对破坏损失的评估；
(5) 保险的索赔；

(6) 事故调查。

（三）应急救援系统的运作

应急救援系统内各个机构的协调努力是圆满处理各种事故的基本条件。当发生事故时，由信息管理机构首先接收报警信息，并立刻通知应急指挥机构和事故现场指挥机构在最短时间内赶赴事故现场，投入应急工作，并对现场实施必要的交通管制。如有必要，应急指挥机构进而通知媒体和支持保障单位进入工作状态，并协调各机构的运作，保证整个应急行动能有序高效地进行。同时，事故指挥机构在现场开展应急的指挥工作，并保持与应急指挥机构的联系，从支持保障机构调用应急所需的人员和物质支持投入事故的现场应急。同时，信息管理机构为其他各单位提供信息服务。这种应急救援运作能使各机构明确自己的职责，管理统一，从而满足事故应急救援快速、有效的需要。

上述应急救援系统是以模块化设计为主进行的，通过对系统内五个方面机构的设计和建立，以实现机构的快速反应、整体行动、信息共享，尽可能提高应急救援的速度，缩短救援作业的时间，降低事故灾害后果。该系统能够在应急救援行动中动态调整应急救援行动，最大可能地完成最优化的应急救援。在该系统的建设中，应尽可能注意各机构的优势和能力的协调，强调一体化管理，步调要一致，行动要迅速，配备训练有素的救援人员和必要的设备等，从而保证应急救援系统的有效运转。

（四）应急救援的组织准备与基本程序

应急救援准备工作，主要抓好组织机构、人员、装备三落实，并制定切实可行的工作制度，使救援的各项工作达到规范化管理。

目前在我国各大中城市和有关政府部门正在建立事故应急救援机构。上海市人民政府于1991年7月5日颁布命令，明确上海市化学事故应急救援工作由市和区、县抗灾救灾委员会领导，日常工作由市和区、县民防办公室负责，组建起化学事故应急救援专家委员会和救援专业队伍，实行24 h的昼夜值勤制度。

2002年5月1日发布实施的《南宁市社会应急联动规定（试行）》是中国的第一个多部门、多警种应急联动地方政府法规。南宁市社会应急联动中心的地理信息系统由公安、交警、消防、急救、防洪、护林防火、防震、防空、水、电、气等56类应急救助资源和经济社会发展信息构建而成的信息化、数字化"南宁"平台，覆盖市辖区10 092平方公里。南宁市110报警服务台、火警119、急救120、交警122等报警救助系统、市长公开电话12345及水、电、管道燃气、防洪、护林防火、防震、防空等应急救助系统纳入统一的指挥调度系统。公安部2002年6月向全国公安系统正式推广南宁市社会应急联动中心的社会应急联动工作模式。

2003年2月国家安全生产监督管理局（国家煤矿安全监察局）成立了"矿山救援指挥中心"和"国家矿山应急救援委员会"，并着手国家矿山应急救援体系建设。

国家矿山应急救援体系建设方案是根据国家安全生产监督管理局（国家煤矿安全监察局）关于建立国家矿山应急救援体系的工作部署，依据《中华人民共和国安全生产法》、《中华人民共和国矿山安全法》、《煤矿安全监察条例》及其他法律法规和矿山应急救援工作发展的客观需要制定的，该方案由矿山应急救援管理系统、组织系统、技术支持系统、装备保障系统、通讯信息系统五部分组成。

(1) 矿山应急救援管理系统由国家矿山应急救援委员会、国家安全生产监督管理局矿山救援指挥中心、省级矿山救援指挥中心、市级及县级矿山应急救援指挥部门及矿山企业应急救援管理部门等组织(机构)组成。国家矿山应急救援委员会是在国家安全生产监督管理局领导下的负责矿山应急救援决策和协调的组织。国家安全生产监督管理局矿山救援指挥中心是国家安全生产监督管理局直属的事业单位,受国家安全生产监督管理局的委托,负责组织协调全国矿山救护及其应急救援工作。

(2) 矿山应急救援组织系统分为救护队伍和医疗队伍两部分。救护队伍由区域矿山救援基地、重点矿山救护队和矿山救护队组成。急救医疗队伍包括国家安全生产监督管理局矿山医疗救护中心、区域和重点医疗救护中心和企业医疗救护站,负责矿山重大事故的救护及医疗。

(3) 矿山救援技术支持系统包括国家矿山应急救援专家组、国家安全生产监督管理局矿山救援技术研究实验中心、国家安全生产监督管理局矿山救援技术培训中心,负责为矿山应急救援工作提供技术和培训服务。

(4) 矿山应急救援装备保障系统的基本框架是:国家安全生产监督管理局矿山救援指挥中心购置先进的、具备较高技术含量的救灾装备与仪器仪表,储存在区域矿山救援基地,用于支援重大、复杂灾害的抢险救灾;区域矿山救援基地要按规定进行装备并加快现有救护装备更新改造,配备较先进、关键性的救灾技术装备,用于区域内或跨区域矿山灾害的应急救援;重点矿山救护队负责省(市、自治区)内重大、特大矿山事故的应急救援,按规定配齐常规救援装备并保持装备的完好性。

(5) 矿山应急救援通讯信息系统以国家安全生产监督管理局中心网站为中心点,建立完善的矿山抢险救灾通讯信息网络,使国家安全生产监督管理局矿山救援指挥中心、省级矿山救援指挥中心、各级矿山救护队、各级矿山医疗救护中心、各矿山救援技术研究、实验、培训中心、地(市)及县(区)应急救援管理部门和矿山企业之间,建立并保持畅通的通讯信息通道,并逐步建立起救灾远程会商视频系统。矿山应急救援通讯信息系统在国家安全生产监督管理局矿山救援指挥中心与国家安全生产监督管理局调度中心之间实现电话、信息直通。

矿山应急救援的基本程序是:当矿山发生重大事故时,应以企业自救为主。企业救护队和医院在进行救助的同时,上报上一级矿山救援指挥中心(部门)及政府;救援能力不足以有效抢险救灾时,立即向上级矿山救援指挥小心提出救援要求;各级矿山救援指挥中心对得到的事故报告要迅速向上一级汇报,并根据事故的大小、处理的难易程度等决定调用重点矿山救护队或区域矿山救援基地以及矿山医疗救护中心实施应急救援。省内发生重特大矿山事故时,省内区域矿山救援基地和重点矿山救护队的调动由省级矿山救援指挥中心负责;国家安全生产监督管理局矿山救援指挥中心负责调动区域矿山救援队伍进行跨省区应急救援。

第四节　系统危险控制的技术措施

一、降低事故发生概率的措施

影响事故发生概率的因素很多,如系统的可靠性、系统的抗灾能力、人因失误和违章等。在生产作业过程中,既存在自然的危险因素,也存在人为的生产技术方面的危险因素。这些因素能否转化为事故,不仅取决于组成系统各要素的可靠性,而且还受到企业管理水平和物质条件的限制,因此,降低系统事故的发生概率,最根本的措施是设法使系统达到本质安全化,使系统中的人、物、环境和管理安全化。

(一)提高设备的可靠性

要控制事故的发生概率,提高设备的可靠性是基础。为此,应采取以下措施:

1. 提高元件的可靠性

设备的可靠性取决于组成元件的可靠性。要提高设备的可靠性,必须加强对元件的质量控制和维修检查。一般可采取:

(1)使元件的结构和性能符合设计要求和技术条件,选用可靠性高的元件代替可靠性低的元件。

(2)合理规定元件的使用周期,严格检查维修,定期更换或重建。

2. 增加备用系统

在一定条件下,增加备用系统,当发生意外事件时,可随时启用,不致中断正常运行,也有利于系统的抗灾救灾。例如对矿井的一些关键性设备,如供电线路、通风机、电动机、水泵等均配置一定量的备用设备,以提高矿井的抗灾能力。

3. 利用平行冗余系统

实际上,平行冗余系统也是一种备用系统,这是在系统中选用多台单元设备,每台单元设备都能完成同样功能,一旦其中一台或几台设备发生故障,系统仍能正常运转。只有当平行冗余系统的全部设备都发生故障,系统才可能失败。在规定的时间内,多台设备同时全部发生故障的概率等于每台设备单独发生故障的概率的乘积,显然,平行冗余系统发生故障的概率是相当低的,可使系统的可靠性大大增加。

4. 对处于恶劣环境下运行的设备采取安全保护措施

煤矿井下环境较差,应采取一切办法控制温度、湿度和风速,改善设备周围的环境条件。对于磨损、腐蚀、侵蚀等条件下的设备,应采取相应的防护措施。对振动大的设备应加强防振、减振和隔振等措施。

5. 加强预防性维修

预防性维修是排除事故隐患、排除设备的潜在危险、提高设备可靠性的重要手段。为此,应制定相应的维修制度,并认真贯彻执行。

(二)选用可靠的工艺技术,降低危险因素的感度

危险因素的存在是事故发生的必要条件。危险因素的感度是指危险因素转化为事故的难易程度。虽然物质本身所具有的能量和发生性质不可改变,但危险因素的感度是可以控制的,其关键是选用可靠的工艺技术。例如,在煤矿用火药中加入消焰剂等安全成分,爆破时使用水炮泥,井巷工程中采用湿式打眼,清扫巷道煤尘等,都是降低危险因素感度的措施。

(三)提高系统抗灾能力

系统的抗灾能力是指系统受到自然灾害和外界事物干扰时,自动抵抗而不发生事故的能力,或者指系统中出现某种危险事件时,系统自动将事态控制在一定范围的能力。提高煤矿生产系统的抗灾能力,应该建立健全通风系统,实行独立通风,建立防爆水棚,采用安全防护装置,如风电封锁装置、漏电保护装置、提升保护装置、斜井防跑车装置、安全监测监控装置等;矿井主要设备实行双回路供电、选择备用设备(备用主要通风机、备用电动机、备用水

泵等)。

(四)减少人因失误

由于人在生产过程中的可靠性远比电机设备差,很多事故都是由人因失误造成的。欲降低事故发生概率,必须减少人因失误。主要方法在此略去。

(五)加强监督检查

建立健全各种自动制约机制,加强专职与兼职、专管与群管相结合的安全检查工作。对系统中的人、事、物进行严格的监督检查,在各种劳动生产过程中都是必不可少的。煤矿生产受到自然条件的严重制约,只有加强安全检查工作,才能有效地保证煤矿安全生产。

二、减低事故严重度的措施

事故严重度是指因事故造成的财产损失和人员伤亡的严重程度。事故的发生是由于系统中的能量失控造成的,事故的严重度与系统中危险因素转化为事故时释放的能量有关,能量越高,事故的严重度越大;也与系统本身的抗灾能力有关,抗灾能力越大,事故的严重程度越小。因此,降低事故严重程度可采取如下措施:

(一)限制能量或分散风险的措施

为了减少事故损失,必须对危险因素的能量进行限制。如煤矿井下火药库的爆破材料储存量的限制,井下各种限流、限压、限速设备都是对危险因素的能量进行限制。

分散风险的办法是把大的事故损失化为小的事故损失。如在煤矿把"一条龙"通风方法改造成并联通风,每一矿井、采区和工作面均实行独立通风,可达到分散风险的效果。

(二)防止能量逸散的措施

防止能量逸散就是设法把有毒、有害、有危险的能量源储存在有限允许范围,而不影响其他区域的安全。如井下防爆设备的外壳、井下堵水、密闭墙、密闭火区、采空区密闭等。

(三)加装缓冲能量的装置

在生产中,设法使危险源能量释放的速度减慢,可大大降低事故的严重程度。使能量释放减慢的装置称为缓冲能量装置。煤矿生产中使用的缓冲能量装置较多。如矿车上装置的缓冲碰头、缓冲阻车器以及为缓和矿山对支架的破坏而采用的摩擦金属支柱或可压缩性U型支架等。

(四)避免人身伤亡的措施

避免人身伤亡的措施包括两方面:一是防止发生人身伤害;二是一旦发生人身伤害时,采取相应急救措施。采用遥控操作、提高机械化程度、使用整体或局部的人身个体防护都是避免人身伤害的措施。在生产过程中及时注意观察各种灾害的预兆,以便采取有效措施,防止发生事故,即使不能防止事故发生,也可以及时撤离人员、避免人员伤亡。做好矿山救护和人工自救准备,对降低事故严重度也有重要意义。

三、加强安全管理的措施

安全管理是用现代科学知识,根据安全生产的目标要求,对生产过程中的各种事故及其隐患进行控制、处理,以便把安全工作提高到一个新水平。要控制事故发生概率和事故后果的严重度,必须以最优化安全管理作保证,控制事故的各种技术措施的制定与实施也必须以合理的安全管理措施为前提。

(一)建立健全安全管理机制

应依法建立健全各级安全管理机构,配备足够的精明强干、技术过硬的安全管理人员。

要充分发挥安全管理机构的作用,并使其与设计、生产、劳动人事等职能部门密切配合,形成一个有机的安全管理机构,全面贯彻落实"安全第一、预防为主、综合治理"的安全生产方针。

（二）建立健全安全生产责任制

责任制是根据生产必须管安全的原则,明确规定各级领导和各类人员在生产中应负的安全责任。它是职业岗位责任制的一个组成部分,是企业中最基本的一项安全措施,是安全管理规则制定的核心。应根据各企业的实际情况,建立健全这种责任制,并在生产中不断加以完善。特别应当指出的是厂（矿）长要对本企业的安全生产负责,厂（矿）长是否能落实安全生产责任制是搞好安全生产的关键。

（三）编制安全技术措施计划,制定安全操作规程

编制和实施安全技术措施计划,有利于计划有步骤地解决重大安全问题,合理地使用国家资金。也可以吸收工人群众参加安全管理工作。制定安全操作规程是安全管理的一个重要方面,是事故预防措施的一个重要环节,也可以限制作业人员在作业环境中的越轨行为,调整人与自然的关系。

（四）加强安全监督和检查

各厂（矿）应建立安全信息管理系统,加快安全信息的转运速度,以便对安全生产进行经常性的"动态"检查,对系统中的人、事、物进行严格控制。经常性的安全检查是劳动生产过程中必不可少的基础工作,也是运用群众路线的方法,是揭露和消除隐患、交流经验、推动安全工作的有效措施。

（五）加强职工安全教育

职工安全教育的内容,主要包括政治思想教育、劳动纪律教育、方针政策教育、法制教育、安全技术培训以及典型经验和事故的教育等。职工安全教育不仅可以提高企业各级领导和职工搞好安全生产的责任感和自觉性,而且能普及和提高职工的安全技术知识,使其掌握不安全因素的客观规律,提高安全操作水平,掌握检测技术和控制技术的科学知识,学会消除工伤事故和职业病的技术本领。

职工安全教育主要形式有三种,即三级教育（入厂（矿）教育、车间（区队）教育、岗位教育）、经常性教育和特殊工种教育。三级教育是对新工人的教育,内容主要是基本安全知识,包括入厂（矿）一般安全知识和预防事故方面的基本知识。经常性教育是职工业务学习的内容,也是安全管理中经常性的工作,进行方式有多种多样,如班会、安全月、广播、黑板报、看录像等。特殊工种教育是对那些技术比较复杂、岗位比较特殊的操作人员,如绞车司机、通风员、瓦斯检查员、电工等进行的专门教育和训练。按照《中华人民共和国矿山安全法》规定,特种作业人员必须接受专门培训,经考试合格,取得操作资格证书的,方可上岗作业。

四、人、机、环境匹配

（一）合理进行人机功能分配,建立高效可靠的人机系统

（1）对部件等系统宜选用并联组装。

（2）形成冗余的人机系统:系统在运行中应让其有充足的多余时间不能使系统无暇顾及运行中的错误情形,杜绝其失误运行。

（3）系统运行时其运行频率应适度。

（4）系统运行时应设置纠错装置,当操作者出现误操作时,也不能酿成系统事故。例如,电脑中的纠错系统等。

(5) 经过上岗前严格培训与考核,允许具有进入"稳定工作期"可靠度的人上岗操作。

(二) 减少人因失误

减少人因失误,提高人的可靠性能使人机系统的安全可靠性大大增加,而减少人因失误主要有以下几种措施:

(1) 使操作者的意识水平处于良好状态。操作者产生操作失误除了机器的原因外,主要是由于操作者本身的意识水平或称觉醒水平处于Ⅰ级或Ⅳ级低水平状态。所以,为了保证安全操作,首先应使操作者的眼、手及脚保持一定的工作量,既不会过分紧张而造成过早疲劳,也不会因工作负荷过低而处于较低的意识状态;其次从精神上消除其头脑中一切不正确的思想和情绪等心理因素,把操作者的兴趣、爱好和注意力都引导到有利于安全生产上来,变"要我安全"为"我要安全",通过调整人的生理状态,使之始终处于良好的意识状态、有较强的安全意识,从事操作工作。

(2) 建立合理可行的安全规章制度与规范,并严格执行,以约束不按操作规程操作的人员的行为。

(3) 安全教育和安全训练。安全教育和安全训练是消除人的不安全行为的最基本措施。对不知者进行安全知识教育,对知而不能者进行安全技能教育,对既知又能而不为者进行安全态度教育。通过安全教育和安全训练,达到使操作者自觉遵守安全法规,养成正确的作业习惯,提高感觉、识别、判断危险的能力,学会在异常情况下处理意外事件的能力,减少事故的发生。

(4) 按照人的生理特点安排工作,充分利用科学技术手段,探索和研究人的生理条件与不安全行为的关系,以便合理地安排操作者的作息时间,避免频繁倒班或连续上班,防止操作失误。

(5) 减少单调作业,克服单调作业导致人因失误。可从以下几个方面着手:

① 操作设计应充分考虑人的生理和心理特点,作业单调的程度取决于操作的持续时间和作业的复杂性,即组成作业的基本动作数。所谓动作由三类十八个动作因素组成,即第一类的伸手、抓取、移动、定位、组合、分解、使用、松手;第二类的检查、寻找、发现、选择、计划、预置;第三类的持住、迟延、故延和休息。若要在一定时间内保持较高的工作效率,作业内容应包括10～12项以上的基本动作,至少不少于5～6项基本动作,而且基本动作的操作时间至少不应少于30 s。每种基本动作都应留有瞬间的小歇(从零点几秒到几秒),以减轻工作的紧张程度。此外,操作与操作之间还应留有短暂的间歇,这是克服单调和预防疲劳的重要手段。

② 将不同种类的操作加以适当的组合,从一种单一的操作变换为另一种虽然也是单一的,但内容有不同的操作,也能起到降低单调感觉的目的。这两种操作之间差异越大,则降低单调感觉的效果越好。从单调感比较强的操作变换到单调感比较弱的操作,效果也很明显。在单调感同样强的条件下,从紧张程度较低的操作变换为紧张程度较高的操作,效果也很好。例如,高速公路应有意地设计一定的坡度和高度,以提高驾驶员的紧张程度,这有利于交通安全。

③ 改善工作环境,科学地安排环境色彩、环境装饰及作业场所布局,可以大大减轻单调感和紧张程度。色彩的运用必须考虑工人的视觉条件、被加工物品的颜色、生产性质与劳动组织形式、工人在工作场所逗留的时间、气候、采光方式、车间污染情况、厂房的形式与大小

等。此外,还必须考虑工人的心理特征和民族习惯。作业场所的布局还必须考虑到当与外界隔离时产生孤独感的问题。在视野范围内若看不到有表情、言语和动作的伙伴,则很容易萌发孤独感。日本一家无线电通信设备厂曾发生过从事传送带作业的15名女工集体擅自缺勤的事件,其直接原因是女工对每天的单调作业非常厌烦。经采取新的作业布局,包括采用圆形作业台,使女工彼此之间感觉到伙伴们的工作热情,从而消除了单调感,提高了工效。可见,加强团体的凝聚力,改善人际关系也是克服单调的措施之一。

(三) 对机械产品进行可靠性设计

一种可靠性产品的产生,需靠设计师综合创造、安装、使用、维修、管理等多方面反馈回来的产品的技术、经济、功能与安全信息资料,参考前人的经验、资料,经权衡后设计出来的。所以它是各个领域专家、技术人员的集体成果。作为从事安全科学技术的工程技术人员应该了解可靠性设计原理及设计要点,以便将设备使用和维修过程中发现的危险与有害因素及零部件的故障数据资料等及时反馈给设计部门,以进行针对性的改进设计。

产品的可靠度分为固有可靠度和使用可靠度,前者主要是由零件的材料、设计及制造等环节决定的达到设计目标所规定的可靠度;后者则是出厂产品经包装、保管、运输、安装、使用和维修等环节在其寿命期内实际使用中所达到的可靠度。当然,重点应放在设计和制造环节,提高固有可靠度,向用户提供本质安全度高的设备。机械产品结构可靠性设计有以下几个要点:

(1) 确定零部件合理的安全系数;
(2) 进行合理的冗余设计;
(3) 耐环境设计;
(4) 简单化和标准化设计;
(5) 结构安全设计;
(6) 安全装置设计;
(7) 结合部的可靠性及其结合面的设计;
(8) 维修性设计。

(四) 加强机械设备的维护保养

(1) 机械设备的维护保养要做到制度化、规范化,不能头痛医头,脚痛医脚。
(2) 维护保养要分级分类进行。操作者、班组、车间、厂部应分级分工负责,各尽其职。
(3) 机械设备在达到原设计规定使用期时即接近或达到固有寿命期,应予以更换,不得让设备超期带病"服役"。

(五) 改善作业环境

(1) 安全设施与环境保护措施应与主体工程同时设计、同时施工、同时投产。从本质上做到安全可靠,环境优良。改善作业环境应像重视安全生产一样列入议事日程。
(2) 环境的好坏不仅影响人们的身心健康,而且还影响产品质量,腐蚀损坏设备,还会诱发事故。因此对作业环境有害物应定期检测,及时治理,特别是随着高科技的发展,带来许多新的危害因素,这些危害更要及时治理。因此,提倡建"花园式工厂、宾馆式车间",工人在这样的环境中生产,对保障安全生产,提高产品质量以及工人身心健康都是有益的。

> **本章小结**

为了达到保障人的身心安全与健康、为人类创造一个安全舒适的工作、生活环境的目的,最主要的工作就是控制和消除事故。因此,事故及事故的分析、预防、控制等方法的研究是系统安全评价与预测的核心内容。本章在阐述了事故的因果性、偶然性、必然性和规律性,事故的潜在性、再现性、预测性和复杂性等基本特征的基础之上,提出了事故的可预防原理,从技术、组织管理、教育三方面提出了事故预防的宏观对策。就人为事故、设备因素导致事故、环境因素导致事故提出了具体的预防对策。建立了事故预警和应急系统,从降低事故发生概率、降低事故严重度、加强安全管理的措施,以及合理地进行人、机、环境匹配等方面阐述了对系统危险进行控制的主要措施与途径。

> **思考题**

1. 试阐述海恩里希因果理论的积极意义及不足。
2. 事故预防与控制的基本原则有哪些?
3. 人因失误有哪几种类型?其具体表现形式有哪些?对人对人机系统可能造成什么影响?
4. 一个完整的事故预警与应急系统包括哪些方面?
5. 提高人机系统安全可靠性有哪些途径?

附录

物质系数和特性

化合物	物质系数 MF	燃烧热 H_c/($\times 10^3$ Btu/lb)	NFPA 分级 健康危险 N_H	NFPA 分级 易燃性 N_F	NFPA 分级 化学活性 N_R	闪点/°F	沸点/°F
乙醛	24	10.5	3	4	2	−36	69
醋酸	14	5.6	3	2	1	103	244
醋酐	14	7.1	3	2	1	126	282
丙酮	16	12.3	1	3	0	−4	133
丙酮合氰化氢	24	11.2	4	2	2	165	203
乙腈	16	12.6	3	3	0	42	179
乙酰氯	24	2.5	3	3	2	40	124
乙炔	29	20.7	0	4	3	气	−118
乙酰基乙醇胺	14	9.4	1	1	1	355	304～308
过氧化乙酰	40	6.4	1	2	4	—	(4)
乙酰水杨酸[8]	16	8.9	1	1	1	—	—
乙酰基柠檬酸三丁酯	4	10.9	0	1	0	400	343[1]
丙烯醛	19	11.8	4	3	3	−15	127
丙烯酰胺	24	9.5	3	2	2	—	257[1]
丙烯酸	24	7.6	3	2	2	124	286
丙烯腈	24	13.7	4	3	2	32	171
烯丙醇	16	13.7	4	3	1	72	207
烯丙胺	16	15.4	4	3	1	−4	128
烯丙基溴	16	5.9	3	3	1	28	160
烯丙基氯	16	9.7	3	3	1	−20	113
烯丙醚	24	16.0	3	3	2	20	203
氯化铝	24	(2)	3	0	2	—	(3)
氨	4	8.0	3	1	0	气	−28
硝酸铵	29	12.4(7)	0	0	3	—	410
醋酸戊酯	16	14.6	1	3	0	60	300
硝酸戊酯	10	11.5	2	2	0	118	306～316
苯胺	10	15.0	3	2	0	158	364
氯酸钡	14	(2)	2	0	1	—	—
硬脂酸钡	4	8.9	0	1	0	—	—
苯甲醛	10	13.7	2	2	0	148	354

续表

化合物	物质系数 MF	燃烧热 H_c/($\times 10^3$ Btu/lb)	NFPA 分级 健康危险 N_H	NFPA 分级 易燃性 N_F	NFPA 分级 化学活性 N_R	闪点/°F	沸点/°F
苯	16	17.3	2	3	0	12	176
苯甲酸	14	11.0	2	3	1	250	482
醋酸苄酯	4	12.3	1	1	0	195	417
苄醇	4	13.8	2	1	0	200	403
苄基氯	14	12.6	2	2	1	162	387
过氧化苯甲酰	40	12.0	1	3	4	—	—
双酚 A	14	14.1	2	1	1	175	428
溴	1	0.0	3	0	0	—	138
溴苯	10	8.1	2	2	0	124	313
邻-溴甲苯	10	8.5	2	2	0	174	359
1,3-丁二烯	24	19.2	2	4	2	−105	24
丁烷	21	19.7	1	4	0	−76	31
1-丁醇	16	14.3	1	3	0	84	243
1-丁烯	21	19.5	1	4	0	气	21
醋酸丁酯	16	12.2	1	3	0	72	260
丙烯酸丁酯	24	14.2	2	2	2	103	300
（正）丁胺	16	16.3	3	3	0	10	171
溴代丁烷	16	7.6	2	3	0	65	215
氯丁烷	16	11.4	2	3	0	15	170
2,3-环氧丁烷	24	14.3	2	3	2	5	149
丁基醚	16	16.3	2	3	1	92	288
特丁基过氧化氢	40	11.9	1	4	4	<80 或更高	(9)
硝酸丁酯	29	11.1	1	3	3	97	277
过氧化乙酸特丁酯	40	10.6	2	3	4	<80	(4)
过氧化苯甲酸特丁酯	40	12.2	1	3	4	>190	(4)
过氧化特丁酯	29	14.5	1	3	3	64	176
碳化钙	24	9.1	3	3	2	—	—
硬脂酸钙[6]	4	—	0	1	0	—	—
二硫化碳	21	6.1	3	4	0	−22	115
一氧化碳	21	4.3	3	4	0	气	−313
氯气	1	0.0	4	0	0	气	−29
二氧化氯	40	0.7	3	1	4	气	50
氯乙酰氯	14	2.5	3	0	1	—	223
氯苯	16	10.9	2	3	0	84	270
三氯甲烷	1	1.5	2	0	0	—	143

续表

化合物	物质系数 MF	燃烧热 H_c/($\times 10^3$ Btu/lb)	NFPA 分级 健康危险 N_H	NFPA 分级 易燃性 N_F	NFPA 分级 化学活性 N_R	闪点/°F	沸点/°F
氯甲基乙基醚	14	5.7	2	1	1	—	—
1-氯-1-硝基乙烷	29	3.5	3	2	3	133	344
邻-氯酚	10	9.2	3	2	0	147	47
三氯硝基甲烷	29	5.8[7]	4	0	3	—	234
2-氯丙烷	21	10.1	2	4	0	−25	95
氯苯乙烯	24	12.5	2	1	2	165	372
氧杂萘邻酮	24	12.0	2	1	2	—	554
异丙基苯	16	18.0	2	3	1	96	306
异丙基过氧化氢	40	13.7	1	2	4	175	[4]
氨基氰	29	7.0	4	1	3	286	500
环丁烷	21	19.1	1	4	0	气	55
环己烷	16	18.7	1	3	0	−4	179
环己醇	10	15.0	1	2	0	154	322
环丙烷	21	21.3	1	4	0	气	−29
DER*331	14	13.7	1	1	1	485	878
二氯苯	10	8.1	2	2	0	151	357
1,2-二氯乙烯	24	6.9	2	3	2	36～39	140
1,3-二氯丙烯	16	6.0	3	3	0	95	219
2,3-二氯丙烯	16	5.9	2	3	0	59	201
3,5-二氯代水杨酸	24	5.3	0	1	2	—	—
二氯苯乙烯	24	9.3	2	1	2	225	—
过氧化二枯基	29	15.4	0	1	3	—	—
二聚环戊二烯	16	17.9	1	3	1	90	342
柴油	10	18.7	0	2	0	100～130	315
二乙醇胺	4	10.0	1	1	0	342	514
二乙胺	16	16.5	3	3	0	−18	132
间-二乙基苯	10	18.0	2	2	0	133	358
碳酸二乙酯	16	9.1	2	3	1	77	259
二甘醇	4	8.7	1	1	0	255	472
二乙醚	21	14.5	2	4	1	−49	94
二乙基过氧化物	40	12.2	—	4	4	[4]	[4]
二异丁烯	16	19.0	1	3	0	23	214
二异丙基苯	10	17.9	0	2	0	170	401
二甲胺	21	15.2	3	4	0	气	44
2,2-二甲基-1-丙醇	16	14.8	2	3	0	98	237

续表

化合物	物质系数 MF	燃烧热 H_c/($\times 10^3$ Btu/lb)	NFPA 分级 健康危险 N_H	NFPA 分级 易燃性 N_F	NFPA 分级 化学活性 N_R	闪点/°F	沸点/°F
1,2-二硝基苯	40	7.2	3	1	4	302	606
2,4-二硝基苯酚	40	6.1	3	1	4	—	—
1,4-二恶烷	16	10.5	2	3	1	54	214
二氧戊环	24	9.1	2	3	2	35	165
二苯醚	4	14.9	1	1	0	239	496
二丙二醇	4	10.8	0	1	0	250	449
二特丁基过氧化物	40	14.5	3	2	4	65	231
二乙烯基乙炔	29	18.2	—	3	3	<−4	183
二乙烯基苯	24	17.4	2	2	2	157	392
二乙烯基醚	24	14.5	2	3	2	<−22	102
DOWANOL*DM	10	10.0	2	2	0	197[seta]	381
DOWANOL*EB	10	12.9	1	2	0	150	340
DOWANOL*PM	16	11.1	0	3	0	90[seta]	248
DOWANOL*PnB	10	—	0	2	0	138	338
DOWICIL*75	24	7.0	2	2	2	—	—
DOWICIL*200	24	9.3	2	2	2	—	—
DOWFROST*	4	9.1	0	1	0	215[Toc]	370
DOWFROST*HD	1	—	0	0	0	None	—
DOWFROST*250	1	—	0	0	0	300[seta]	—
DOWTHERM*4000	4	7.0	1	1	0	252[seta]	—
DOWTHERM*A	4	15.5	2	1	0	232	495
DOWTHERM*G	4	15.5	1	1	0	266[seta]	551
DOWTHERM*HT	4	—	1	1	0	322[Toc]	650
DOWTHERM*J	10	17.8	1	2	0	136[seta]	358
DOWTHERM*LF	4	16.0	1	1	0	240	550~558
DOWTHERM*Q	4	17.3	1	1	0	249[seta]	513
DOWTHERM*SR-1	4	7.0	1	1	0	232	325
DURSBAN*	14	19.8	1	2	1	81~110	—
3-氯-1,2-环氧丙烷	24	7.2	3	3	2	88	241
乙烷	21	20.4	1	4	0	气	−128
乙醇胺	10	9.5	2	2	0	185	339
醋酸乙酯	16	10.1	1	3	0	24	171
丙烯酸乙酯	24	11.0	2	3	2	48	211
乙醇	16	11.5	0	3	0	55	173
乙胺	21	16.3	3	4	0	<0	62

续表

化合物	物质系数 MF	燃烧热 H_c/ ($\times 10^3$ Btu/lb)	NFPA 分级 健康危险 N_H	NFPA 分级 易燃性 N_F	NFPA 分级 化学活性 N_R	闪点/℉	沸点/℉
乙苯	16	17.6	2	3	0	70	277
苯甲酸乙酯	4	12.2	1	1	0	190	414
溴乙烷	4	5.6	2	1	0	None	100
乙基丁基胺	16	17.0	3	3	0	64	232
乙基丁基碳酸脂	14	10.6	2	2	1	122	275
丁酸乙酯	16	12.2	0	3	0	75	248
氯乙烷	21	8.2	1	4	0	−58	54
氯甲酸乙酯	16	5.2	3	3	1	61	203
乙烯	24	20.8	1	4	2	气	−155
碳酸乙酯	14	5.3	2	1	1	290	351
乙二胺	10	12.4	3	2	0	110	239
1,2-二氯乙烷	16	4.6	2	3	0	56	181～183
乙二醇	4	7.3	1	1	0	232	387
乙二醇二甲醚	10	11.6	2	2	0	29	174
乙二醇单醋酸酯	4	8.0	0	1	0	215	347
氮丙啶	29	13.0	4	3	3	12	135
环氧乙烷	29	11.7	3	4	3	−4	51
乙醚	21	14.4	2	4	1	−49	94
甲酸乙酯	16	8.7	2	3	0	−4	130
2-乙基己醛	14	16.2	2	2	1	112	325
1,1-二氯乙烷	16	4.5	2	3	0	2	135～138
乙硫醇	21	12.7	2	4	0	<0	95
硝酸乙酯	40	6.4	2	3	4	50	190
乙氧基丙烷	16	15.2	1	3	0	<−4	147
对-乙基甲苯	10	17.7	3	2	0	887	324
氟	40	—	4	0	0	气	−307
氟(代)苯	16	13.4	3	3	0	5	185
甲醛(无水气体)	21	8.0	3	4	0	气	−6
甲醛,液体(37%～56%)	10	—	3	2	0	140～181	206～212
甲酸	10	3.0	3	2	0	122	213
♯1 燃料油	10	18.7	0	2	0	100～162	304～574
♯2 燃料油	10	18.7	0	2	0	162～204	—
♯4 燃料油	10	18.7	0	2	0	142～204	—
♯6 燃料油	10	18.7	0	2	0	150～270	—
呋喃	21	12.6	1	4	1	<32	88

续表

化合物	物质系数 MF	燃烧热 H_c/ ($\times 10^3$ Btu/lb)	NFPA 分级 健康危险 N_H	NFPA 分级 易燃性 N_F	NFPA 分级 化学活性 N_R	闪点/℉	沸点/℉
汽油	16	18.8	1	3	0	−45	100～400
甘油	4	6.9	1	1	0	390	340
乙醇腈	14	7.6	1	1	1	—	—
(正)庚烷	16	19.2	1	3	0	25	209
六氯丁二烯	14	2.0	2	1	1	—	—
六氯二苯醚	14	5.5	2	1	1	—	—
己醛	16	15.5	2	3	1	90	268
己烷	16	19.2	1	3	0	−7	156
无水肼	29	7.7	3	3	3	100	236
氢	21	51.6	0	4	0	气	−423
氰化氢	24	10.3	4	4	2	0	79
过氧化氢(40%～60%)	14	[2]	2	0	1	—	226～237
硫化氢	21	6.5	4	4	0	气	−76
羟胺	29	3.2	2	0	3	[4]	158
2-羟乙基丙烯酸酯	24	8.9	2	1	2	214	410
羟丙基丙烯酸酯	24	10.4	3	1	2	207	410
异丁烷	21	19.4	1	4	0	气	11
异丁醇	16	14.2	1	3	0	82	225
异丁胺	16	16.2	2	3	0	15	150
异丁基氯	16	11.4	2	3	0	<70	156
异戊烷	21	21.0	1	4	0	<−60	82
异戊间二烯	24	18.9	2	4	2	−65	93
异丙醇	16	13.1	1	3	0	53	181
异丙基乙炔	24	—	2	4	2	<19	92
醋酸异丙酯	16	11.2	1	3	0	34	194
异丙胺	21	15.5	3	4	0	−15	93
异丙基氯	21	10.0	2	4	0	−26	95
异丙醚	16	15.6	2	3	1	−28	156
喷气式发动机燃料 A&A-1	10	21.7	0	2	0	110～150	400～550
喷气式发动机 燃料 B	16	21.7	1	3	0	−10～30	—
煤油	10	18.7	0	2	0	100～162	304～574
十二烷基溴	4	12.9	1	1	0	291	356
十二烷基硫醇	4	16.8	2	1	0	262	289
十二烷基过氧化物	40	15.0	0	1	4	—	—
LORSBAN * 4E	14	3.0	1	2	1	85	165
润滑油	4	19.0	0	1	0	300～450	680

续表

化合物	物质系数 MF	燃烧热 H_c/($\times 10^3$ Btu/lb)	NFPA 分级 健康危险 N_H	NFPA 分级 易燃性 N_F	NFPA 分级 化学活性 N_R	闪点/°F	沸点/°F
镁	14	10.6	0	1	1	—	2 025
马来酸酐	14	5.9	3	1	1	215	395
甲基丙烯酸	24	9.3	3	2	2	171	325
甲烷	21	21.5	1	4	0	气	−258
醋酸甲酯	16	8.5	1	3	0	14	140
甲基乙炔	24	20.0	2	4	2	气	−10
丙烯酸甲酯	24	18.7	3	3	2	27	177
甲醇	16	8.6	1	3	0	52	147
甲胺	21	13.2	3	4	0	气	21
甲基戊基甲酮	10	15.4	1	2	0	102	302
硼酸甲酯	16	—	2	3	1	<80	156
碳酸二甲酯	16	6.2	2	3	1	66	192
甲基纤维素(袋装)	4	6.5	0	1	0	—	—
甲基纤维素粉[8]	16	6.5	0	1	0	—	—
氯甲烷	21	5.5	1	4	0	−50	12
氯醋酸甲酯	14	5.1	2	2	1	135	266
甲基环己烷	16	19.0	2	3	0	25	214
甲基环戊二烯	14	17.4	1	2	1	120	163
二氯甲烷	4	2.3	2	1	0	—	104
甲撑二苯基二异氰酸盐	14	12.6	2	1	1	460	[9]
甲醚	21	12.4	2	4	1	气	−11
甲基乙基甲酮	16	13.5	1	3	0	16	176
甲酸甲酯	21	6.4	2	4	0	−2	89
甲肼	24	10.9	4	3	2	21	190
甲基乙丁基甲酮	16	16.6	2	3	1	64	242
甲硫醇	21	10.0	4	4	0	气	43
甲基丙烯酸甲酯	24	11.9	2	3	2	50	213
2-甲基丙烯醛	24	15.4	3	3	2	35	154
甲基乙烯基甲酮	24	13.4	4	3	2	20	179
石油	4	17.0	0	1	0	380	680
重质灯油	10	17.6	0	2	0	275	480~680
氯苯	16	11.3	2	3	0	84	270
一氨基乙醇	10	9.6	2	2	0	185	339
石脑油	16	18.0	1	3	0	28	212~320
萘	10	16.7	2	2	0	174	424
硝基苯	14	10.4	3	2	1	190	411
硝基联苯	4	12.7	2	1	0	290	626
硝基氯苯	4	7.8	3	1	0	216	457~475
硝基乙烷	29	7.7	1	3	3	82	237
硝化甘油	40	7.8	2	2	4	[4]	[4]

续表

化合物	物质系数 MF	燃烧热 H_c/($\times 10^3$ Btu/lb)	NFPA 分级 健康危险 N_H	NFPA 分级 易燃性 N_F	NFPA 分级 化学活性 N_R	闪点/°F	沸点/°F
硝基甲烷	40	5.0	1	3	4	95	213
硝基丙烷	24	9.7	1	3	2	75～93	249～269
对-硝基甲苯	14	11.2	3	1	1	223	460
N-SERV*	14	15.0	2	2	1	102	300
(正)辛烷	16	20.5	0	3	0	56	258
辛硫醇	10	16.5	2	2	0	115	318～329
油酸	4	16.8	0	1	0	372	547
氧己环	16	13.7	2	3	1	−4	178
戊烷	21	19.4	1	4	0	<−40	97
过醋酸	40	4.8	3	2	4	105	221
高氯酸	29	[2]	3	0	3	—	66[9]
原油	16	21.3	1	3	0	20～90	—
苯酚	10	13.4	4	2	0	175	358
2-皮考啉	10	15.0	2	2	0	102	262
聚乙烯	10	18.7	—	—	—	NA	NA
发泡聚苯乙烯	16	17.1	—	—	—	NA	NA
聚苯乙烯片料	10	—	—	—	—	NA	NA
钾(金属)	24	—	3	3	2	—	1410
氯酸钾	14	[2]	1	0	1	—	752
硝酸钾	29	[2]	1	0	3	—	752
高氯酸钾	14	—	1	0	1	—	—
过四氧化二钾	14	—	3	0	1	—	[9]
丙醛	16	12.5	2	3	1	−22	120
丙烷	21	19.9	1	4	0	气	−44
1,3-二氨基丙烷	16	13.6	2	3	0	75	276
炔丙醇	29	12.6	4	3	3	97	237～239
炔丙基溴	40	13.7[7]	4	3	4	50	192
丙腈	16	15.0	4	3	1	36	207
醋酸丙酯	16	11.2	1	3	0	55	215
丙醇	16	12.4	1	3	0	74	207
正丙胺	16	15.8	3	3	0	−35	120
丙苯	16	17.3	2	3	0	86	319
1-氯丙烷	16	10.0	2	3	0	<0	115
丙烯	21	19.7	1	4	1	−162	−52
二氯丙烯	16	6.3	2	3	0	60	205

续表

化合物	物质系数 MF	燃烧热 H_c/ ($\times 10^3$ Btu/lb)	NFPA 分级 健康危险 N_H	NFPA 分级 易燃性 N_F	NFPA 分级 化学活性 N_R	闪点/°F	沸点/°F
丙二醇	4	9.3	0	1	0	210	370
氧化丙烯	24	13.2	3	4	2	−35	94
n-丙醚	16	15.7	1	3	0	70	194
n-硝酸丙酯	29	7.4	2	3	3	68	230
吡啶	16	5.9	2	3	0	68	240
钠	24	—	3	3	2	—	1619
氯酸钠	24	—	1	0	2	—	[4]
重铬酸钠	14	—	1	0	1	—	[4]
氢化钠	24	—	3	3	2	—	[4]
次硫酸钠	24	—	2	1	2	—	[4]
高氯酸钠	14	—	2	0	1	—	[4]
过氧化钾	14	—	3	0	1	—	[4]
硬脂酸	4	15.9	1	1	0	385	726
苯乙烯	24	17.4	2	3	2	88	293
氯化硫	14	1.8	3	1	1[5]	245	280
二氧化硫	1	0.0	3	0	0	气	14
SYLTHERM * 800	4	12.3	1	1	0	>320[10]	398
SYLTHERM * XLT	10	14.1	1	2	0	108	345
TELONE * 11	16	3.2	2	3	0	83	220
TELONE * C-17	16	2.7	3	3	1	79	200
甲苯	16	17.4	2	3	0	40	232
甲苯-2,4-二异氰酸盐	24	10.6	3	1	2	270	484
三丁胺	20	17.8	3	2	0	145	417
1,2,4-三氯化苯	4	6.2	2	1	0	222	415
1,1,1-三氯乙烷	4	3.1	2	1	0	None	165
三氯乙烯	10	1.7	2	1	0	None	189
1,2,3-三氯丙烷	10	4.3	3	2	0	160	313
三乙醇胺	14	10.1	2	1	1	354	650
三乙基铝	29	16.9	3	4	3	—	365
三乙胺	16	17.8	3	3	0	16	193
三甘醇	4	9.3	1	1	0	350	546
三异丁基铝	29	18.9	3	4	3	32	414
三异丙基苯	4	18.1	0	1	0	207	495
三甲基铝	29	16.5	—	3	3	—	—
三丙胺	10	17.8	2	2	0	105	313

续表

化合物	物质系数 MF	燃烧热 H_c/($\times 10^3$ Btu/lb)	NFPA 分级 健康危险 N_H	NFPA 分级 易燃性 N_F	NFPA 分级 化学活性 N_R	闪点/°F	沸点/°F
乙烯基醋酸酯	24	9.7	2	3	2	18	163
乙烯基乙炔	29	19.5	2	4	3	气	41
乙烯基烯丙醚	24	15.5	2	3	2	<68	153
乙基烯丁基醚	24	15.4	2	3	2	15	202
氯乙烯	24	8.0	2	4	2	−108	7
4-乙烯基环己烯	24	19.0	0	3	2	61	266
乙烯基·乙基醚	24	14.0	2	4	2	<−50	96
1,1-二氯乙烯	24	4.2	2	4	2	0	86
乙烯基·甲苯	24	17.5	2	2	2	125	334
对二甲苯	16	17.6	2	3	0	77	279
氯酸锌	14	[2]	1	0	1	—	—
硬脂酸锌[8]	4	10.1	0	1	0	530	—

注:燃烧热(H_c)是燃烧所产生的水处于气态时测得的值,当 H_c 以 cal/mol 的形式给出时,可乘以 1 800 除以分子量转换成英热单位/磅(Btu/lb,1 Btu=252 cal)。

[1] 真空蒸馏
[2] 具有强氧化性的氧化剂
[3] 升华
[4] 加热爆炸
[5] 在水中分解
[6] MF 是经过包装的物质的值
[7] H_c 相当于 6 倍分解热(H_d)的值
[8] 作为粉尘进行评价
[9] 分解
[10] 在高于 600 ℃下长期使用,闪点可能降至 95 °F
seta——seta 闪点测定法(参考 NFPA 321)
NA——不适合
TOC——特征闭杯法
由特征闭杯法测得的其他闪点(TOC)
* 道化学公司的注册商标
(注:应用此法时可进一步查阅道化七版法。)

参考文献

[1] 蔡卫.矿井通风系统安全性评价及其应用[J].煤炭学报,2004,29(2):195-198.
[2] 蔡文,杨春燕,林伟初.可拓工程方法[M].北京:科学出版社,2000.
[3] 陈宝智,王金波.安全管理[M].天津:天津大学出版社,1999.
[4] 陈宝智.安全原理[M].北京:冶金工业出版社,2004.
[5] 陈宝智.危险源辨识、控制及评价[M].成都:四川科学技术出版社,1996.
[6] 陈宝智.系统安全评价与预测[M].北京:冶金工业出版社,2005.
[7] 程根银.安全科技概论[M].徐州:中国矿业大学出版社,2007.
[8] 丁玉兰.人因工程学[M].上海:上海交通大学出版社,2004.
[9] 方兴.国家安全生产规划纲要与重大危险源监控及应急救援体系建设实务全书(第1卷)[M].北京:化学工业出版社,2004.
[10] 关振东,张憬.铁路车站安全管理[M].北京:中国铁道出版社,1994.
[11] 郭伏,杨学涵.人因工程学[M].沈阳:东北大学出版社,2001.
[12] 郭永基.可靠性工程原理[M].北京:清华大学出版社,2002.
[13] 国家安全生产监督管理局(国家煤矿安全监察局).安全评价[M].北京:煤炭工业出版社,2003.
[14] 何学秋,等.安全科学与工程[M].徐州:中国矿业大学出版社,2009.
[15] 何学秋.安全工程学[M].徐州:中国矿业大学出版社,2000.
[16] 姜兴渭,宋政吉,王晓晨.可靠性工程技术[M].哈尔滨:哈尔滨工业大学出版社,2000.
[17] 金龙哲,宋存义.安全科学原理[M].北京:化学工业出版社,2004.
[18] 金龙哲.安全科学技术[M].北京:化学工业出版社,2004.
[19] 景国勋,段振伟,贾智伟.胶带输送机运输事故树可靠性的计算机模拟[J].中国安全科学学报,2003,13(7):71-74.
[20] 景国勋,贾智伟,段振伟,等.最小割集在系统安全分析方法中的应用[J].中国安全科学学报,2004,14(5):99-102.
[21] 景国勋,孔留安,杨玉中,等.矿山运输事故人—机—环境致因与控制[M].北京:煤炭工业出版社,2006.
[22] 景国勋,杨玉中,张明安.煤矿安全管理[M].江苏徐州:中国矿业大学出版社,2007.
[23] 景国勋,杨玉中.安全管理学[M].北京:中国劳动社会保障出版社,2012.

[24] 景国勋,杨玉中.矿山重大危险源辨识、评价及预警技术[M].北京:冶金工业出版社,2008.

[25] 景国勋,杨玉中.煤矿安全系统工程[M].江苏徐州:中国矿业大学出版社,2009.

[26] 景国勋,张永全,张军波.基于多层次模糊综合评判的人疲劳综合评价[J].中国安全科学学报,2006,16(6):55-59.

[27] 景国勋.安全学原理[M].北京:国防工业出版社,2014.

[28] 景国勋.矿井运输人—机—环境系统安全性分析[M].北京:煤炭工业出版社,1999.

[29] 李莉,王胜开,陆汝玉.实用可靠性工程[M].北京:电子工业出版社,2003.

[30] 李新东.矿山安全系统工程[M].北京:煤炭工业出版社,1995.

[31] 刘铁民,张兴凯,刘功智.安全评价方法应用指南[M].北京:化学工业出版社,2005.

[32] 刘铁民.安全生产管理知识[M].北京:中国大百科全书出版社,2008.

[33] 罗云,程五一.现代安全管理[M].北京:化学工业出版社,2004.

[34] 罗云,樊运晓,马晓春.风险分析与安全评价[M].北京:化学工业出版社,2004.

[35] 罗云,吕海燕,白福利.事故分析预测与事故管理[M].北京:化学工业出版社,2006.

[36] 罗云.注册安全工程师手册.北京:化学工业出版社,2004.

[37] 秦春芳.建筑施工安全技术手册[M].北京:中国建筑工业出版社,1991.

[38] 沈斐敏.安全系统工程理论与应用[M].北京:煤炭工业出版社,2001.

[39] 隋鹏程,陈宝智,隋旭等.安全原理[M].北京:化学工业出版社,2005.

[40] 孙桂林,任萍.工业生产安全技术手册[M].北京:中国劳动社会保障出版社,2000.

[41] 田水承,李红霞,王莉.3类危险源与煤矿事故防治[J].煤炭学报,2006,31(6):706-710.

[42] 王富成,陈宝智.安全工程概论[M].北京:煤炭工业出版社,2002.

[43] 王凯全,邵辉.事故理论与分析技术[M].北京:化学工业出版社,2004.

[44] 王玉林,杨玉中.综采工作面人—机—环境系统安全性分析[M].北京:冶金工业出版社,2011.

[45] 王远洪,王振华,王秀芬,等.人体生物节律速查手册[M].重庆:西南师范大学出版社,1992.

[46] 吴立云,杨玉中,张强.矿井通风系统评价的TOPSIS法[J].煤炭学报,2007,32(4):407-410.

[47] 吴穹,许开立.安全管理学[M].北京:煤炭工业出版社,2002.

[48] 吴宗之,高进东.危险评价方法及其应用[M].北京:冶金工业出版让,2001.

[49] 吴宗之,高进东.重大危险源辨识与控制[M].北京:冶金工业出版社,2001.

[50] 吴宗之.工业危险源辨识与评价[M].北京:气象出版社,2000.

[51] 吴宗之.重大危险源辨识与控制[M].北京:冶金工业出版社,2001.

[52] 杨玉中,石琴谱.电机车运输事故的事故树分析[J].工业安全与防尘,1999,25(7):31-35.

[53] 杨玉中,吴立云,丛建春.基于熵权的煤矿运输安全性模糊综合评价[J].哈尔滨工业大学学报,2009,41(4):257-259.

[54] 杨玉中,吴立云,景国勋.基于可拓理论的综采工作面安全性评价[J].辽宁工程技术大学学报:自然科学版,2008,27(2):180-183.
[55] 杨玉中,吴立云,张强.人—机—环境系统工程在井下运输安全中的应用[J].工业安全与环保,2005,31(5):49-51.
[56] 杨玉中,吴立云,张强.综采工作面安全性多层次灰熵综合评价[J].煤炭学报,2005,30(5):598-602.
[57] 杨玉中,吴立云.胶带运输系统安全性的模糊综合评判[J].数学的实践与认识,2008,38(3):29-35.
[58] 杨玉中,吴立云.煤矿运输安全性评价的基于熵权的TOPSIS方法[J].哈尔滨工业大学学报,2009,41(11):228-231.
[59] 杨玉中,吴立云.综采工作面安全性评价的改进灰色关联法[J].安全与环境学报,2010,10(4):209-212.
[60] 杨玉中,张强.煤矿运输安全性的可拓综合评价[J].北京理工大学学报,2007,27(2):184-188.
[61] 弈勇.煤矿安全规程实施手册[M].北京:中国商业出版社,2001.
[62] 袁绪忠.煤矿系统安全管理[M].徐州:中国矿业大学出版社,1998.
[63] 岳超源.决策理论与方法[M].北京:科学出版社,2003.
[64] 张甫仁,景国勋,顾志凡,等.论矿山重大危险源辨识、评价及控制[J].中国煤炭,2001,27(10):41-43.
[65] 张景林,崔国璋.安全系统工程[M].北京:煤炭工业出版社,2002.
[66] 张西真,刘文成.人体生物节律手册[M].西安:陕西科学技术出版社,1992.
[67] 周经纶,龚时雨,颜兆林.系统安全性分析[M].长沙:中南大学出版社,2003.
[68] 周世宁,林柏泉,沈斐敏.安全科学与工程导论[M].徐州:中国矿业大学出版社,2005.